LONTANO

JEAN-CHRISTOPHE GRANGÉ

LONTANO

R O M A N

ALBIN MICHEL

Pour Ysé et Kaïto.

SOLEIL BLANC, POUSSIÈRE ROUGE.
Une chapelle ardente à plus de quarante degrés.
Chaque homme politique, officier, notable et autre chef d'entreprise s'avançait, se recueillait quelques secondes puis repartait du même pas martial, aveuglé par la lumière de midi et le crépitement des flashs. Derrière, maîtrisés par des soldats des FARDC, les représentants du peuple, plus ou moins bien fagotés, agitaient des petits drapeaux plastifiés à l'effigie du mort.

Erwan Morvan se demandait ce qu'il foutait là. Il n'avait rien à voir avec le Congo, bien qu'il y soit né. Rentré en France à l'âge de deux ans, il n'en gardait aucun souvenir. Son père, Grégoire, avait tenu à l'emmener aux funérailles du général Philippe Sese Nseko, un « vieil ami » de Lubumbashi, capitale de la province du Katanga. Il avait accepté. Par docilité, et aussi par une étrange curiosité…

Placés dans le deuxième groupe, celui des Blancs, les Morvan père et fils attendaient leur tour. Le dais qui abritait le cercueil rappelait, avec ses fleurs et ses drapés pourpres, la loge d'une diva. Un portrait de Nseko, encadré de dorures, surplombait la bière recouverte du drapeau de la République démocratique du Congo – fond turquoise barré d'une diagonale rouge et jaune et frappé d'une étoile, jaune également. Les croque-morts et les membres de la fanfare étaient vêtus d'une livrée vermillon. La classe.

Pourtant, en y regardant de plus près, on découvrait des failles. Couverts de poussière, les uniformes étaient mal cousus. Le chapiteau monté de travers. L'orchestre jouait faux, chaque phrase musicale finissant dans un couinement de pet. Les cymbales n'étaient que des couvercles de bassine.

Le pire de tout, c'était la chaleur. Elle brûlait la moindre molécule de vie, la faisant grésiller comme un lardon au fond d'une poêle.

Erwan desserra sa cravate. Chemise soudée à la peau. Goût de terre dans la gorge. Taches mauves sous les paupières. Pour la première fois de sa vie, il redoutait de tomber dans les pommes.

À ses côtés, Grégoire, un mètre quatre-vingt-dix, cent vingt kilos, sanglé dans son costume sur mesure Ermenegildo Zegna, paraissait immunisé contre la fournaise. Sa couronne mortuaire sous le bras, il serrait des mains, décochait des sourires, retenait des larmes, jouait son numéro sans l'ombre d'un malaise.

Erwan l'observait en action : son père avait une tête de marin breton, rougie aux embruns et taillée au couteau à filets. Des traits de buffle et un nez grec. Une touffe de cheveux crépus et gris lui cernait le crâne comme une boule d'acier galvanisé. En réalité, Erwan lui ressemblait dans une version moins colossale – et moins féroce.

– Ali Bongo, le fils d'Omar, murmura Grégoire alors qu'un petit homme s'approchait du cercueil.

Erwan n'y connaissait rien en politique africaine mais il savait au moins ça : Omar Bongo, président du Gabon pendant plus de quarante ans, avait été un des plus redoutables chefs d'État africains et un « ami indéfectible » de la France, irriguant l'Hexagone de pétrole. Son fils Ali avait repris le flambeau.

– Derrière, c'est Moïse Katumbi Chapwe, le gouverneur du Katanga…

Erwan trouvait qu'ils avaient tous la même tête, heureusement celui-là était métis et portait un stetson de Texan. D'après ce

qu'on lui avait raconté, Katumbi était une figure locale. Millionnaire, philanthrope, président d'un club de foot, il était un des
hommes les plus populaires du gouvernement Kabila.

– Richard Muyej, le ministre de l'Intérieur de la RDC. Très
dangereux.

La veille, au dîner, Grégoire Morvan s'était lancé dans une
histoire récente du pays. Erwan n'y avait pas compris grand-chose
mais il avait retenu quelques faits. Après le génocide du Rwanda,
les Tutsis avaient poursuivi les milices hutues jusqu'au Congo.
Ils en avaient profité pour chasser Mobutu du pouvoir et bom-
barder Laurent-Désiré Kabila président, lequel s'était empressé
de se retourner contre ses alliés, déclenchant une deuxième guerre
du Congo entre armée régulière, militaires tutsis, réfugiés hutus,
milices rebelles, Casques bleus... En 2001, Kabila s'était fait assas-
siner et son fils Joseph lui avait aussitôt succédé. Dix ans plus
tard, la guerre continuait toujours à l'est et la RDC était le
dernier pays au classement de l'indice du développement humain
des Nations unies. La pire terre où voir le jour...

– Lui, c'est...

Erwan n'écoutait plus. Depuis son arrivée, il *ressentait*. Odeurs,
couleurs, chaleur. Ils avaient atterri à Kinshasa la veille, à cinq
heures du matin. En descendant de l'avion, il avait découvert les
tons de plomb fondu et les odeurs de décomposition de l'aube.

Le temps d'atteindre la capitale par l'« autoroute » (une simple
piste), le soleil s'était levé. L'atmosphère était d'un coup devenue
d'une sécheresse absolue, charriant des relents de brique et d'essence mal raffinée. Jadis surnommée la Belle, Kinshasa ressemblait
aujourd'hui à une gigantesque poubelle renversée, où grouillait
une fourmilière de têtes noires et de boubous de couleur vive.

À l'hôtel, Erwan s'était rué dans sa chambre, avait réglé la
climatisation au maximum de fraîcheur et pris une douche. Après
quelques heures de répit, retour dans la friteuse : apéritif et déjeuner au bord de la piscine avec son père. Ensuite, nouveau départ
pour un vol domestique. Sur la route de l'aéroport, la pluie avait
commencé. La poussière s'était muée en fange, les couleurs

s'étaient diluées en un fleuve pourpre inondant les rues, ruisselant des toits, éclaboussant les murs. « La saison des pluies est en avance », avait dit Morvan sur le ton du médecin qui diagnostique un cancer.

Quatre heures plus tard, Lubumbashi, la « capitale du cuivre », les avait accueillis sous la même pluie battante. Erwan avait l'impression de flotter dans le liquide amniotique du monde. Son père, sans ironie, avait alors clamé en lui frappant l'épaule : « Le berceau de notre famille, mon gars ! » La formule sonnait bizarre : d'ordinaire, Morvan se flattait plutôt d'appartenir à une lignée d'aristocrates bretons, les Morvan-Coätquen. Une fois à l'hôtel, le cycle avait repris : apéritif, dîner, piscine. La soirée avait été consacrée à Sese Nseko, le regretté défunt. L'homme dirigeait Coltano, groupe minier fondé par Morvan lui-même.

Erwan laissait filer. Il entendait les moustiques griller sur les néons alors que la nuit bruissait de cris inquiétants. La piscine rétroéclairée était maculée de feuilles mortes et de sangsues. Il avait déjà compris que la vie des Blancs, en Afrique, s'apparentait à celle des crapauds, coassant autour du point d'eau.

Le lendemain, quand il s'était réveillé, l'air brûlait à nouveau. La climatisation avait rendu l'âme. Il avait tout juste eu le temps d'enfiler son costume noir avant de retrouver son père qui tenait déjà sa couronne sous le bras, à la manière d'une bouée. Il l'avait commandée le matin même aux fleuristes locaux.

– ... Kengo Buluji...

– Et Kabila, coupa-t-il, il ne vient pas ?

Son père secoua la tête d'un air désapprobateur :

– T'as rien écouté de ce que je t'ai expliqué hier. Kabila et Nseko ne sont pas de la même ethnie. Autant inviter le pape à un congrès de strip-teaseuses.

Ce fut au tour des Blancs de rendre les derniers hommages.

– Aide-moi, ordonna Grégoire.

Ils saisirent la couronne et prirent place dans le cortège. Morvan poursuivait ses commentaires à voix basse, à propos cette fois des Français et des Belges.

– Lui, c'est un franc-mac. Il a été ministre de la Coopération et…

Erwan apercevait seulement des crânes tavelés et chauves, des cous plissés, des sourcils touffus. Moyenne d'âge : entre soixante-dix et quatre-vingts ans. Éléphants moribonds venus s'assurer que le business allait continuer. Des Chinois, des Indiens clôturaient la file des prédateurs. La relève…

Alors qu'ils parvenaient devant le cercueil, une main gigantesque vint s'abattre sur l'épaule de Morvan.

– Comment ça va, ma poule ?

Un Africain aussi grand que son père se tenait derrière eux. Erwan fit un pas en arrière. Le rire du Black couvrit la fanfare et un clavier de dents éclatantes déchira son visage de fonte. Grégoire s'esclaffa à son tour et les deux lascars se donnèrent l'accolade.

– Me dis pas que t'as fait le voyage pour cette vieille crapule !

– La reconnaissance du ventre.

– Mon salaud ! On sait bien que t'es le seul maître ici !

– Nseko était notre capitaine dans la tempête.

– Un chien de garde, ouais. Paix à son âme. (Il roula ses yeux injectés vers Erwan.) Tu me présentes pas ?

– Mon fils, Erwan. Le général Trésor Mumbanza.

Le géant lui serra la main avec la force d'une broyeuse.

– Ravi de te connaître ! (Il passa ses doigts sur le crâne rasé d'Erwan.) Militaire ?

– Flic. J'aime avoir les idées au frais.

– Ici, tu vas être servi ! T'as intérêt à mettre un chapeau !

Nouveau rire.

Mumbanza se tenait dos au soleil. On ne voyait que ses grands yeux blanc et noir. Erwan songea à *La Charmeuse de serpents* du Douanier Rousseau.

– Notre ami dirige l'armée régulière au Katanga, expliqua Morvan. C'est un peu notre Pinochet local.

– Pas de flatteries.

– Sans lui, la guerre du Kivu serait déjà à Lubumbashi.

Le général (il portait un costume sombre sans le moindre insigne militaire) désigna le cercueil et prit un ton de conspirateur :

– Tu sais de quoi il est mort ?

– On m'a parlé d'une crise cardiaque.

– Une crise cardiaque à l'africaine. On lui a arraché le cœur !

– Qui ?

– Les Tutsis. Les Hutus. Les Maï-Maï… T'as le choix. Peut-être même les Banyamulenge ou les kadogos. Ou bien vous, les Blancs, en sous-main. Qui sait ?

– Où ça s'est passé ?

– Dans sa villa. Ils lui ont ouvert le torse à la scie sauteuse et se sont servis. À mon avis, ils ont pas attendu d'être dehors pour lui bouffer le cœur. (Mumbanza gloussa comme une locomotive à vapeur en regardant Erwan.) Ici, môme, c'est vrrrrrraiment l'Afrique !

– Arrête tes conneries, ordonna Morvan. Tu vas lui foutre les jetons.

Une rumeur s'éleva derrière eux : ils bloquaient le passage. Erwan se hâta de déposer la couronne. Pour la prière, il faudrait repasser.

– Qui va succéder à Nseko ? demanda Grégoire en se dirigeant vers la tente qui abritait le buffet.

– On vote après déjeuner. Assemblée générale !

– T'as toutes tes chances…

Mumbanza exagéra un geste de fatigue, cabotin en diable :

– Je peux pas cumuler tous les mandats mais si on me le demande gentiment… (Il tourna brusquement la tête, apercevant quelqu'un dans la foule.) J'te vois après. J'ai d'autres pinces à serrer.

Les Morvan se glissèrent sous la tente où des tables nappées de blanc s'alignaient. Alcools, jus de fruits, brochettes de bœuf, beignets de poisson… Une odeur de barbecue planait sous la toile.

– Le meurtre, fit Erwan en buvant un jus d'orange tiède, c'est pour ça que t'es venu ?

– Pas du tout. J'étais même pas au courant.

– Tu vas te renseigner ?

Grégoire cracha par terre : il redevenait africain à vue d'œil.

– Rien à foutre. Des histoires de Nègres.

– Et lui ? demanda Erwan en désignant Mumbanza.

– Il va succéder à Nseko. C'est pas le pire… Un amateur de bons vins et de chattes blanches.

Erwan ne savait jamais si son père plaisantait ou non.

– Tu sais ce qui a sauvé la France de la chienlit de Mai 68 ? reprit Morvan en attrapant un pastis sur un plateau.

– Non, mentit Erwan.

Il connaissait l'histoire par cœur.

Le Vieux tendit l'alcool vers la lumière du soleil qui inondait le seuil.

– Le Ricard. Quand la France allait basculer aux mains des gauchistes, Pasqua et sa clique du SAC ont organisé une manifestation en faveur de De Gaulle. Ça, tout le monde le sait. Deux cent mille mecs sur les Champs-Élysées et une révolution tuée dans l'œuf, une ! Ce qu'on sait moins, c'est que pour rameuter des manifestants des quatre coins de France, le Corse a activé ses réseaux Ricard. À l'époque, il était représentant de la marque. Tous les commerciaux s'y sont mis et ont affrété des cars. À leur arrivée à Paris, les militants avaient droit à une tournée gratis, une tranche de saucisson, et en voiture Simone ! (Il trinqua à la santé des souvenirs.) En France, que pouvait Mao contre le pastis ?

Il se débarrassa de son verre sur un autre plateau (il ne buvait jamais d'alcool) et répondit enfin à la question qu'Erwan n'avait pas posée :

– Je vais te dire pourquoi on est là. (Il lui fit un clin d'œil.) Pour veiller sur votre héritage.

I
MORVAN
PÈRE ET FILS

1

H OLLANDE est un connard, une fiotte, une couille molle ! clamait Morvan. Bon dieu, mais quand est-ce qu'un président aura des burnes dans ce pays ?

Trois jours plus tard, Erwan déjeunait chez ses parents, avenue de Messine, dans leur immense appartement décoré par le Mobilier national. Le fameux repas dominical, qu'aucun membre de la famille n'aurait manqué, non par plaisir, mais par devoir.

– Il a jamais été foutu de faire tourner le PS et on lui donne les clés du pays ? On s'attendait à quoi ? Les Français sont des sales cons, et en un sens, ils ont ce qu'ils méritent !

Erwan soupira. La sacro-sainte colère du Padre le dimanche était un plat obligatoire, au même titre que ceux que préparait Maggie, sa mère, à base de tofu et de quinoa.

En réalité, cette diatribe n'était qu'une façade. Depuis plus de quarante ans, le Vieux servait le pouvoir, quel qu'il soit, sans le moindre état d'âme. Il avait coutume de dire : « Un verrou se moque de ce qu'il y a derrière la porte. »

– Encore un peu de taboulé ? proposa Maggie en se penchant vers Erwan.

– Ça ira, merci.

Au moins, tant que le Vieux braillait contre les gouvernants, il n'insultait pas sa mère. Et tant que sa colère ne virait pas à la baston conjugale, tout le monde était content. Erwan avait connu d'autres époques où Grégoire posait son calibre sur la table avant de goûter un plat ou menaçait de défenestrer son épouse si elle ne changeait pas de gueule.

Il observa les convives : le clan au grand complet. Gaëlle, la benjamine, vingt-neuf ans, absorbée dans ses SMS. Loïc, le cadet, trente-six ans, sommeillant au-dessus de son assiette. En bout de table, ses enfants, Milla et Lorenzo, cinq et sept ans, sages et silencieux. La chaise vide était celle de Maggie, qui continuait à servir sa tribu avec dévotion.

L'illusion était parfaite : une respectable famille bourgeoise, réunie comme chaque dimanche. Les coulisses étaient moins reluisantes. Loïc, ancien alcoolique, aujourd'hui financier millionnaire, était accro à la coke et cherchait son salut dans le bouddhisme. Gaëlle voulait faire du cinéma et couchait à droite à gauche pour « faire avancer sa carrière ». Quant à Maggie, ex-hippie et mère obsessionnelle, elle avait passé sa vie à encaisser les coups de son mari, sans jamais se plaindre ni se résoudre à divorcer.

– Où est la relance du pays ? pérorait Morvan sans toucher à son assiette. Les mesures qui devaient galvaniser la France ? Rien, que dalle, du vent ! Toujours les mêmes promesses, toujours les mêmes conneries...

Erwan hochait la tête : il avait l'espoir que cette tirade les emmène jusqu'au dessert. Morvan était le personnage-clé de l'assemblée. Colosse de soixante-sept ans, doté d'une force de taureau et d'une santé de fer, il avait longtemps été considéré, dans les milieux informés, comme le premier flic de France. Et aussi le plus discret.

Autodidacte, gauchiste violent, il avait été exilé en Afrique après les événements de 68. Sa carrière semblait morte dans l'œuf mais il avait arrêté au Zaïre, seul et sans moyen, un tueur en série surnommé l'Homme-Clou, qui s'en prenait à la communauté blanche d'une ville minière du Katanga. Morvan était revenu en France auréolé de gloire. Il avait gravi les échelons sous Giscard et triomphé sous Mitterrand. Commissaire au 36, il avait assuré en douce des missions de barbouze pour Tonton, accédant peu à peu au rang d'intouchable. « Je n'ai ni amis ni relations, disait-il, j'ai des dossiers. »

Erwan n'avait jamais enquêté sur son père mais il n'avait aucune illusion sur ses activités occultes. Morvan avait tué, volé, magouillé, espionné, fait chanter – toujours dans l'intérêt de la République. C'est ce qui le différenciait plus ou moins d'une crapule ordinaire.

Nommé préfet hors région à l'arrivée de Chirac, il avait poursuivi sa mission de veille, quelque part dans les étages de la place Beauvau. On ne change pas une équipe qui gagne. Sarkozy l'avait gardé et, bien qu'ayant depuis longtemps dépassé l'âge de la retraite, il était toujours là sous Hollande, jouant le rôle de conseiller auprès de l'Intérieur, sans apparaître dans aucun organigramme. Longtemps surnommé le Pasqua de gauche, il ressemblait aujourd'hui à un de ces vieux obus enterrés qu'il ne faut surtout pas toucher, sous peine de le faire exploser.

Soudain, Erwan se rendit compte que le signal d'alarme avait sonné :

– Putain de connasse, t'appelles ça de la bouffe ?

Une suée glacée descendit le long de son échine. Les insultes de son père avaient le pouvoir de le replonger instantanément dans l'enfance. Il tremblait déjà. Son cœur tapait dans sa gorge.

– Papa, tais-toi !

Morvan grogna dans son assiette. Erwan jeta un coup d'œil autour de lui. Les autres n'avaient même pas entendu : Loïc à moitié assoupi, Gaëlle pianotant sur son mobile, les deux enfants le nez dans leur assiette. Même Maggie continuait à servir, indifférente.

– Tu pourrais oublier ton téléphone, lança le patriarche à Gaëlle. On est à table.

La jeune femme ne leva pas la tête. Elle avait le profil d'une écolière sage, sous la brume de ses cheveux blonds, presque blancs. Visage ovale, pommettes hautes, teint d'une pâleur surnaturelle. Comme Loïc, elle avait hérité de l'ancienne beauté de sa mère.

Elle portait des vêtements de marque, hors de prix, mais d'une façon négligée, distraite, qui confinait au je-m'en-foutisme.

– Ho, je te parle !

– Quoi ?

– Tu pourrais respecter ce moment où on se retrouve et...

– C'est pour le boulot.

– Un dimanche ?

– Tu comprends rien à ce que je fais.

– J'ai sans doute plus d'expérience que toi en matière de show-business !

Elle répéta avec mépris la formule démodée :

– « Show-business »...

– Ces acteurs, ces producteurs sont tous des putains d'obsédés sexuels et...

– Chéri, pas devant les enfants !

L'air choqué, Maggie passait le ramasse-miettes sur la nappe.

– J'ai plus faim, fit Gaëlle en repoussant sa chaise.

– Reste assise !

Elle se leva sans répondre. Elle n'avait rien à craindre : Morvan n'avait jamais porté la main sur ses gamins. Les injures, les coups, c'était pour leur mère.

– Gaëlle, je te préviens que...

Elle lui envoya un majeur bien raide et disparut. Loïc, yeux mi-clos, rit en silence comme s'il se tenait derrière une vitre fumée. Maggie retourna en cuisine. Les petits, toujours muets, paraissaient intrigués par ce geste mystérieux.

Erwan avait les doigts crispés sur les accoudoirs de son fauteuil. Rien n'avait changé : il était le seul sur le qui-vive, le seul à flipper pour tout le monde. Toujours prêt à intervenir, à lutter contre les forces du mal de son propre clan. Il était Cerbère, le chien des Enfers.

Comme pour confirmer, Morvan ordonna :

– Erwan, dans mon bureau.

2

LE REPAIRE DU VIEUX accumulait les meubles exotiques, les objets inquiétants dont la plupart venaient du Congo. On y trouvait des tabourets concaves, des appuie-dos en cuir tressé, des lampes à huile fabriquées à partir de sagaies... Les masques, les sculptures, les gris-gris sur les étagères semblaient taillés dans le même cauchemar. Des têtes aux yeux grillagés, des bouches hérissées de dents, des femmes aux seins meurtriers...

Le clou de la collection, sans jeu de mots, était une série de statuettes percées de pointes de métal, de tessons de bouteille, couvertes de chaînes, de fibres, de plumes souillées de sang : des *minkondi* provenant du Mayombé, dans le Bas-Congo. Ces effigies étaient des armes contre les sorciers et leurs envoûtements. Morvan en avait souvent expliqué le principe à son fils : le *nganga*, le guérisseur, les activait en y plantant un clou ou un morceau de verre.

Ces figurines cachaient une autre vérité : elles avaient inspiré le tueur en série que Grégoire avait arrêté en 1971. Un meurtrier qui transformait ses victimes en statues votives, lardées de centaines de clous, d'éclats de miroir, d'esquilles de fer. Erwan était persuadé que son père avait volé ces sculptures dans le repaire même du criminel...

Grégoire retira sa veste. Même le dimanche, il portait sa tenue habituelle : chemise Charvet bleu ciel à col blanc, cravate noire, bretelles à l'ancienne, en Y inversé. Il s'installa derrière son bureau, dans un fauteuil à haut dossier surmonté de deux têtes d'antilope.

– Kaerverec, ça te dit quelque chose ?

– Non.

– C'est un bled près de Brest.

– Un autre berceau de la famille ?

– Déconne pas. Y a là-bas une école aéronavale. Je t'y envoie demain. Une histoire de bizutage.

– Tu plaisantes ?

– Un bizutage avec mort d'homme.

Erwan attrapa une chaise. Son père ouvrit un tiroir et en sortit un télex.

– Un étudiant s'est planqué dans le bunker d'une île pour échapper aux épreuves. Il y a passé la nuit du vendredi au samedi. Manque de bol, le matin, le site a été la cible d'un tir d'entraînement. Tout a été pulvérisé.

– Tu veux dire que le môme s'est pris un missile ?

Le Vieux lui tendit la feuille :

– C'est tout ce qu'on sait pour l'instant.

Erwan parcourut la dépêche. Il se méfiait des histoires de son père. Celle-ci sonnait encore plus faux que d'habitude.

– J'ai rien entendu là-dessus.

– L'AFP est même pas au courant. On est tous d'accord pour la fermer en attendant d'avoir une version présentable.

– Et tu comptes sur moi pour l'écrire ?

– Exactement.

– Pourquoi pas le SRPJ de Brest ?

– Parce que c'est une affaire délicate. Un bizutage qui tourne mal. Un Rafale qui descend une bleusaille. L'Intérieur et la Défense veulent une enquête objective, menée par la Crime. Pas question qu'on les soupçonne de mettre l'étouffoir.

– Je serai entre le marteau et l'enclume ?

– Écoute, tu vas là-bas, tu recueilles les faits, tu rédiges un rapport. *Basta.*

– À quel titre tu m'y envoies ?

– Mission spéciale. Je vais me débrouiller avec un office central. Laisse-moi faire ma sauce. Tu pars demain matin, t'es de retour mercredi. On a besoin d'un flic solide, et c'est toi que j'ai choisi. Quand les militaires verront ton CV, ils fermeront leur gueule.

Claire allusion à son passé d'homme d'action : trois fois, du temps de la BRI, Erwan était monté au feu. Il avait tué. Il avait été blessé. De quoi impressionner les troufions.

– T'es sûr de l'histoire, au moins ?

– Dans les détails, non. Mais d'après le colonel Vincq, le directeur de l'école, c'est un accident. Très con, mais un accident tout de même. C'est pas forcément une bonne nouvelle : tout ça sent le cafouillage à plein nez et la merde va éclabousser tout le monde. Ton rapport va permettre de faire le tri dans les responsabilités.

Erwan considérait une statuette à tête large et plate, aux bras très longs, hérissée de clous. Selon son père, elle était réputée provoquer chez les sorciers des convulsions ou un amaigrissement mortel. Erwan s'était toujours demandé si elle n'avait pas déclenché l'anorexie de Gaëlle.

– Et les Cruchot ?

– Y a une cosaisie avec la section de recherches de Brest mais c'est toi qui mènes la barque. Le parquet me l'a assuré.

Un bourdonnement retentit dans la pièce. La machine à télex. Erwan avait toujours connu son père guettant les dépêches de l'état-major. Quand il était gamin, il le considérait comme un chef de gare surveillant ses trains et ses horaires – sauf que les convois ici étaient des meurtres, des viols et d'autres crimes en tous genres.

Morvan arracha la page, chaussa ses lunettes, parcourut le texte d'un seul regard et ajouta :

– Je te fais envoyer le dossier ce soir. Départ à l'aube. Tu prends un gars avec toi et tu fais des notes de frais.

Erwan traduisit : « Tu peux disposer. » Il se leva mais son père ouvrit à nouveau son tiroir.

– Attends. Je veux te parler d'autre chose.

Il déposa devant lui des vignettes pas plus larges que des Post-it. Erwan les identifia aussitôt : des blancs de la DCRI. Des informations anonymes, sans auteur ni provenance. Quand il était d'humeur lyrique, son père proclamait : « Ce sont les petites sources qui donnent les grands fleuves. » Avec quelques mots sur un papier, il avait en effet fait trembler bien des gouvernements.

Erwan se rassit et s'empara des feuilles. Des noms. Des adresses parisiennes. Des dates et des horaires.

– C'est quoi ?

– Les allées et venues de ta sœur ces deux derniers jours.

– Tu la fais suivre ?

Grégoire eut un geste d'irritation et récita les données de mémoire :

– Vendredi, 17 heures, société STMS, rue Lincoln, une heure. Même jour, 20 heures, Patrick Blanc, 3, rue Dauphine, une heure encore. Le lendemain, 16 heures, Hervé Leroy, 22, rue Spontini. Le soir, elle était au Plaza Athénée puis au Fouquet's Barrière.

– Et alors ?

– Et alors, ta sœur fait des passes.

– Ce sont peut-être des rendez-vous de boulot.

Morvan se pencha au-dessus de la table. Erwan crut entendre craquer les jointures du trône alors qu'un effluve d'*Eau d'Orange verte* d'Hermès lui agressait les narines.

– T'es con ou quoi ? Leroy et Blanc sont des producteurs.

– Justement.

– Je me demande parfois ce que t'as dans le crâne. Le premier organise des partouzes à Versailles, le second est accro aux escorts. (Il frappa violemment le plateau de son bureau.) Ta sœur est une pute, nom de dieu ! Et on peut dire qu'elle tire vite !

Erwan se recula comme si on lui avait craché au visage. Il connaissait la brutalité de son père. C'était autre chose qui le choquait :

– Tu fais suivre ta propre fille par la DCRI ? Aux frais de l'État ?

– Je dois protéger ma famille.

– Gaëlle a vingt-neuf ans. Elle est libre de faire ce qu'elle veut.

Grégoire roula des épaules et parut se recroqueviller entre ses accoudoirs.

– J'avais pas prévu que ta sœur, à qui j'ai payé les meilleures écoles, les plus beaux voyages, à qui j'ai offert les pistons les plus solides pour trouver du boulot, deviendrait une call-girl qui suce des producteurs.

– Parle pas comme ça. Elle veut être comédienne et se donne les moyens de…

– Pour l'instant, elle est surtout à poil dans des magazines porno.

– Pas porno, sexy, rien de plus. C'est sa manière de se faire connaître. Tu dois respecter ses choix. Tu en parles comme d'une criminelle !

– T'es bien le fils de ton époque. Peu importe le fond, ce qui compte c'est la *façon* de le dire. Vous crèverez tous du politiquement correct. (Il frappa encore le bureau.) Putains de bobos !

Dans sa bouche, il n'y avait pas pire insulte. Homme de gauche de la grande époque, il haïssait les socialistes consensuels, écolos, altermondialistes – toujours du bon côté de la conscience. De son point de vue, ces shérifs du cœur incarnaient le mal absolu : des bourgeois qui avaient intégré leur propre contre-culture, digéré leur propre ennemi – la révolution. Un jour, il avait comparé les bobos à ces rats qui survivent au poison qui doit les détruire et développent une race immunisée. Il ne plaisantait pas.

Il se leva et se posta devant la fenêtre, mains dans le dos, façon Commandeur.

– Je veux que tu lui parles.

– Je lui ai déjà parlé. Plus on essaiera de la raisonner, plus elle s'obstinera. Ne serait-ce que pour nous faire chier.

– Alors, fais le vide autour d'elle. Fous la pression à ses michetons. Je te donnerai la liste.

– Qu'est-ce que tu racontes ? Je vais pas aller menacer ces...
Son père revint vers son bureau, plus calme :

– Ils sont pas si nombreux. Gaëlle est une occasionnelle. Une intermittente du spectacle, quoi... Si plus personne ne l'appelle, elle se calmera.

– Ou elle en trouvera d'autres.

– Alors, c'est qu'elle est une vraie pute et y aura plus rien à faire.

Erwan prenait la défense de sa sœur mais il éprouvait la même colère que son père. Une enfant gâtée qui se vautrait dans le ruisseau. Il se leva à son tour.

– Je suis censé terroriser des producteurs ou récupérer les morceaux d'un soldat ?

– L'urgence, c'est la Bretagne. Tu régleras le reste à ton retour.

Erwan quitta le bureau sans un mot, éprouvant une tendresse inhabituelle pour le vieux fauve. Un homme qui, malgré ses violences envers sa femme, malgré son passé de tueur, vouait un amour inconditionnel à ses enfants.

– Qu'est-ce qu'il te voulait ?

Erwan sursauta : sa mère se tenait dans l'obscurité du couloir.

– Qu'est-ce qu'il te voulait ? répéta-t-elle à voix basse, les yeux effarés.

Elle portait encore son tablier de cuisine.

– Rien, fit Erwan, évasif. Du boulot.

– Tu peux raccompagner les petits chez leur mère ?

– Et Loïc ?

– Il s'est endormi sur le canapé.

Les dimanches se suivaient et se ressemblaient.

– Sofia est chez elle ?

– Appelle-la. Elle sera contente de te voir.

Dans l'entrée, Milla et Lorenzo étaient déjà prêts, avec leur sac à dos – le fardeau habituel des enfants de couples séparés. Maggie ouvrit la porte. Sa manche remonta et son avant-bras apparut, marbré et violacé.

– Qu'est-ce que c'est que ça ?

– Rien. Je suis tombée.

Le bref élan de bienveillance qu'avait ressenti Erwan à l'égard de son père se transforma en une pulsion de haine. Sentiment bien connu, confortable, domestique. Il n'éprouvait même pas d'étonnement à l'idée que le Vieux, à près de soixante-dix ans, frappe encore sa femme. Il se fit une remarque beaucoup plus simple : avec l'âge, sa mère marquait plus franchement. Ses hématomes prenaient un ton lie-de-vin qui évoquait des taches de naissance.

Il franchit le seuil, lançant à ses neveux d'un ton enjoué :

– Le premier à l'ascenseur ?

Les deux gamins se précipitèrent, oubliant d'embrasser leur grand-mère.

Erwan allait les rappeler quand Maggie l'arrêta :

– Laisse. C'est pas grave.

– À dimanche prochain.

Les petits piaffaient devant la cabine. Il leur sourit puis sombra dans ses pensées. Il n'avait pas souvenir de la moindre légèreté durant son enfance. Il avait toujours vécu dans la crainte, l'angoisse, la terreur de voir ses parents se foutre sur la gueule.

Quand les portes de l'ascenseur s'ouvrirent, il révisa son jugement à propos du déjeuner : ni Loïc ni Gaëlle ne s'en étaient sortis non plus. La drogue pour son frère, les passes pour sa sœur n'étaient que des réponses au traumatisme originel.

Un souvenir traversa son esprit : une petite fille de quatre ans, un gosse de onze ans réfugiés dans les bras de leur frère aîné, tous les trois planqués sous la table de la cuisine alors que leurs parents se battaient. Erwan sentait encore, au fond de sa chair, le carrelage froid, la vibration des cloisons sous les coups du Pasqua de gauche.

Il pénétra dans la cabine en éprouvant cette conviction presque réconfortante : il n'était pas seul, Loïc et Gaëlle se tenaient toujours auprès de lui, sous la table, hagards et terrifiés.

3

EN SORTANT DE CHEZ SES PARENTS, Gaëlle avait pris l'habitude de vomir.

Elle fila dans un café dont les chiottes n'étaient pas trop dégueulasses, au coin de la rue Monceau et de la rue de Lisbonne, et s'exécuta. Adolescente, elle avait tout expérimenté en matière de techniques de vomissement, de l'eau salée à la brosse à dents au fond de la gorge. Aujourd'hui, elle rendait sur commande. Il lui suffisait de penser à la bouffe immonde de sa mère et c'était parti.

Dehors, elle allait déjà mieux. Le mois de septembre jouait les repêchages. Entre un été maussade et un automne précoce, un ou deux après-midi ensoleillés, c'était pas du luxe. Elle descendit l'avenue de Messine, en profitant du spectacle. Les ombres des cimes tremblaient sur l'asphalte. Des cosses de lumière éclataient entre les feuilles. L'avenue était une quintessence du Paris haussmannien. Balcons, atlantes et cariatides à tous les étages, au-dessus des frondaisons opulentes des platanes. Gaëlle se sentait comme une reine dans les allées de Versailles.

Après la rue de Miromesnil, elle prit sur la gauche rue de Penthièvre et parvint devant son immeuble. Tout était désert. Malgré le soleil, ces rues étroites avaient quelque chose de funèbre. Elle avait longtemps hésité à prendre ce studio, situé à quelques mètres de la place Beauvau – le repaire du monstre. Finalement, elle avait choisi de l'ignorer. Vaincre son ennemi, c'est ne plus y penser.

Murs mansardés, lucarnes, parquet à larges lattes dont elle aimait la douceur sous ses pieds nus : elle n'avait rien décoré parce qu'elle voulait que cet espace soit comme son existence – une page blanche à écrire. La seule chose à laquelle elle tenait était sa bibliothèque. Couleurs vives des PUF, tranches brun, vert et or des Pléiade, tons de cigare pour les essais de Freud… Plus bas, les biographies aux dos vifs, bigarrés – à l'image de ses propres passions. Gaëlle était incollable sur Nietzsche et Wittgenstein mais elle dévorait aussi les destins de Shakira, Mylène Farmer, Annette Vadim… Elle se sentait à la fois révolutionnaire et femme-objet, intellectuelle et midinette. Tout ça n'était pas très clair.

Thé grillé japonais. Masque d'argile sur le visage. Bureau. Après le déjeuner dominical et le vomissement express, le troisième rituel était la mise en ordre de son univers professionnel. Actualisation de ses réseaux sociaux, lecture de ses mails, rédaction de tweets… Pour une actrice, c'était important de garder un contact régulier avec ses fans – même s'ils ne se bousculaient pas au portillon. Elle balança un SMS à son agent pour la prévenir qu'elle passerait le lendemain après-midi : des semaines qu'elle ne lui avait pas trouvé un casting.

Elle se plongea ensuite dans son arsenal de guerre : CV, photos, dossiers de presse… Elle adorait travailler derrière son pupitre à la manière d'un artisan. Elle peaufinait sa bio, retouchait ses photos, copiait ses démos, écrivait à des réalisateurs… Sa carrière tenait en quelques lignes. Elle avait présenté des émissions de poker sur le Net, joué des rôles de second plan dans des téléfilms. Une fois, elle avait interprété une bimbo dans un long-métrage mais sa scène avait été coupée.

C'était peu. Surtout compte tenu de ses efforts – des centaines de castings, de dîners, de nuits passées en boîte avec des producteurs soi-disant en vue. À l'arrivée, elle était loin de gagner sa vie. Et plus loin encore d'atteindre le Graal des comédiens : les cinq cent sept heures de boulot annuelles qui permettent de prétendre aux allocations chômage. Alors elle se débrouillait d'une autre façon.

Quand on la provoquait sur ce terrain, elle répliquait : « Le féminisme, c'est bon pour les gouines et les bourgeoises. Les femmes, les vraies, celles qui ont pas un rond, sont prêtes à tout pour s'en sortir et se moquent bien de la parité à l'Assemblée ou de savoir si le mot "écrivain" peut prendre un "e". » Et si jamais on lui servait ses origines de fille à papa, elle ajoutait : « Je suis ce que j'ai décidé d'être. Je suis repartie de zéro. »

Elle ne mentait pas. Depuis sa majorité, elle n'avait pas touché le moindre euro de son père. Elle avait même fermé son compte en banque pour en ouvrir un autre au nom d'une copine – de cette façon, le fumier ne pouvait plus lui virer de l'argent.

Elle faisait la pute, certes, mais par intégrité.

D'ailleurs, elle n'estimait pas que sa pureté était entachée par ce business. Sa vocation artistique demeurait intacte. Ses modèles étaient Brigitte Bardot, Marilyn Monroe, Scarlett Johansson. Des actrices sensuelles qui étaient *aussi* de grandes comédiennes. Leur corps était leur point fort, et alors ? Elle s'imaginait dans le rôle de Camille allongée sur la terrasse de la villa de Malaparte, dans *Le Mépris*, ou en Sugar Kane séduisant Tony Curtis à bord du yacht de *Certains l'aiment chaud*. De l'art, oui, mais avec des formes.

Au programme du jour, sa demande de visa de travail pour les États-Unis. Tôt ou tard, une actrice se dit que la chance lui sourira outre-Atlantique. Gaëlle ne se faisait aucune illusion mais elle voulait y croire, et surtout essayer. En cas d'échec, elle n'aurait pas de regrets.

Elle attrapa son dossier, feuilleta ses documents, en vue de son rendez-vous au consulat. Tout était en ordre. Elle avait réuni des témoignages qui attestaient de sa valeur, de son sérieux, de sa crédibilité dans le métier. Des lettres de complaisance, obtenues à coups de fellations et de coucheries gratuites. Elle avait également des promesses d'embauche aux États-Unis – ce n'était pas difficile : les producteurs qu'elle connaissait possédaient *aussi* des sociétés là-bas. C'étaient les mêmes qui lui avaient rédigé les attestations pour les deux côtés de l'Atlantique.

Devant ces témoignages et ces contrats fictifs, elle eut une bouffée de tristesse. Ce dossier était à l'image de sa vie : bidon. Mais elle préférait encore ce mensonge au gouffre qui s'ouvrirait sous ses pas si elle admettait, ne serait-ce qu'un dixième de seconde, la vanité de ses projets. Renoncer à son rêve, c'était renoncer à la vie.

Ses yeux se posèrent sur l'horloge murale – un clap de cinéma sur lequel était monté un cadran à aiguilles, souvenir de son unique voyage à LA. 15 h 45. Elle sursauta. Elle avait complètement oublié son plan « casting » à 16 heures. C'est ainsi qu'elle appelait ses rencards à huit cents euros.

Elle fonça dans la salle de bains et ôta son masque d'argile de la mer Morte. Elle se souvenait que le type était un financier chinois. Un plan filé par une pseudo-maquerelle de l'avenue Hoche. Elle releva la tête et s'observa dans le miroir. En découvrant son visage ovale, ses pommettes mongoles et ses yeux de husky sibérien, elle se ressaisit et serra les poings sur le lavabo.

Un Chinois. Ça irait très bien pour ce qu'elle avait en tête.

4

SOFIA LUI AVAIT DONNÉ RENDEZ-VOUS dans les jardins du Luxembourg.

Erwan se gara rue Bonaparte et prit l'entrée de la rue de Vaugirard. Un gamin dans chaque main, il longea les terrains de pétanque puis les courts de tennis : l'Italienne avait parlé de l'aire de jeux, un peu plus loin. À l'idée de la voir, il tremblait d'excitation.

La première fois qu'il l'avait rencontrée, il avait frémi. La deuxième fois, il avait fait la gueule. La troisième, il avait bredouillé. Il avait fallu attendre la quatrième ou cinquième entrevue pour qu'il retrouve une contenance naturelle. Alors seulement, il avait pu l'observer. Sofia n'était pas belle : elle était parfaite. Sa beauté était digne des pages glacées des magazines, des écrans de cinéma, mais sa grâce n'était pas à vendre. Elle était millionnaire et cette position supérieure ajoutait encore à son air souverain.

Quand Loïc l'avait ramenée dans ses valises de New York, en 2003, Erwan s'était demandé comment ce couillon défoncé avait pu séduire une telle déesse. Son père s'était posé la même question. En bons flicards, ils avaient mené leur enquête et découvert, sidérés, que Sofia était beaucoup plus riche que Loïc. Elle était la fille d'un ferrailleur de la banlieue de Florence qui avait fait fortune dans le commerce du métal et épousé une comtesse Balducci, ruinée, mais lointainement liée à la glorieuse famille Aldo-brandeschi. Sofia avait hérité la beauté de son père (une gueule de seigneur) et l'élégance de sa mère, le mépris de l'une et la dureté de l'autre. Son éducation avait fait le reste. Enfance à Saint-Moritz avec préceptrice allemande, écoles privées à Milan, puis l'université Luigi Bocconi et l'IULM (Università di lingue e comunicazione). Elle s'était fait les griffes à Wall Street et avait finalement découvert l'amour dans les bras de Loïc.

Les Morvan n'y croyaient pas. Ils étaient des hommes, et surtout des flics. Ils ne pouvaient comprendre l'attrait d'un mec comme Loïc sur les femmes. Sa jolie gueule, ses mains fines, son sourire désarmant, tout ça leur échappait. Comme le magnétisme mystérieux qu'exerce toujours un drogué sur les filles. Un vice qui les fascine parce qu'elles sentent, avec leurs antennes de femelles, que cette attraction sera toujours la plus forte. Sans compter le charme envoûtant de la tête brûlée qui joue avec la mort...

Quelques mois plus tard, on avait préparé le mariage. Erwan avait savouré la sourde rivalité des deux pères. À sa droite, le vieux renard d'Afrique, superflic combinard possédant de mystérieux acquis au Congo. À sa gauche, Giovanni Montefiori, surnommé le Condottiere, proche du clan Berlusconi et sans doute lié à pas mal de dérives mafieuses. Deux prédateurs se détestant d'instinct parce qu'ils représentaient les deux visages d'une même pourriture.

Les jouvenceaux s'étaient mariés à Zermatt, sous la neige, et en traîneau. Des conneries de gosses de riches. Montefiori avait loué tous les chalets disponibles, Morvan avait payé le banquet dans un des palaces de la station.

Relégué dans une maison de gardien, Erwan avait décidé cette nuit-là de prendre soin de ces enfants ignorants de la vie. Peu à peu, il avait gagné auprès d'eux une légitimité de garde du corps – un domestique parmi d'autres. Il aimait ce rôle : le gros bras en costume bon marché, la brute qui n'a ni conversation ni élé-

gance, mais avec qui la princesse s'entend pour protéger le
« petiot ».

Car ils étaient désormais alliés. Sofia surveillait son mari et
limitait sa consommation de cocaïne (il ne touchait plus à l'héroïne
ni à l'alcool). Erwan le retrouvait quand il disparaissait une nuit
entière – ou parfois une semaine.

Au fil des années, il avait cru mieux cerner l'Italienne. À force
de dîners chics, de week-ends à Portofino, de croisières sur des
voiliers somptueux, il avait découvert les limites de la jeune femme.
Elle aimait Loïc mais son sentiment ne dépassait pas le cadre de
sa classe sociale. Son mariage n'était qu'une étape parmi d'autres
de sa vie facile. Finalement, elle n'était ni hautaine ni protectrice :
elle était un simple produit de la bourgeoisie italienne, attachée
aux privilèges et aux conventions de son monde. Une machine
programmée, parfaite et charmante, dont on avait oublié la pièce
centrale : le cœur.

Il se trompait. La naissance de Lorenzo avait révélé son vrai
visage. Le grand amour de Sofia était ses enfants. Loïc n'avait
été qu'un préambule, un passage obligé. Mais pourquoi avoir
choisi un drogué comme géniteur ? Pour sa beauté ? Son sourire ?
Son intelligence ? Plus tard encore, alors qu'elle attendait Milla,
Sofia avait définitivement tombé le masque. Le torchon brûlait
avec Loïc mais ça ne la préoccupait pas. Il avait rempli son rôle.
S'il n'était pas foutu d'assurer la suite, il dégagerait. Ou elle le
détruirait. Comme les araignées tuent leur mâle après l'accouple-
ment.

– Y a maman là-bas !

Elle était assise sur un banc, devant l'aire de jeux. Milla et
Lorenzo lâchèrent la main de leur oncle et coururent. Elle se
leva pour les accueillir puis le chercha des yeux. Elle lui fit signe,
régla l'entrée pour ses enfants puis se tourna vers lui.

D'un coup, le brouhaha alentour, le va-et-vient des promeneurs,
le tourbillon des premières feuilles mortes, tout passa à l'arrière-
plan. Sofia lui apparut comme dans un film, quand le point est
fait sur l'actrice et que le décor devient flou.

Son visage semblait régi par un nombre d'or qui reproduisait, dans chaque détail, la même réussite. Front, sourcils, nez, pommettes : c'était la même ligne, le même poli admirable. Sa peau blanche rappelait la surface parfaite et lisse des galets. On se demandait comment cette chair respirait. Ses lèvres, très peu colorées, paraissaient un simple pli dans la pierre. Loin de corriger leur pâleur, Sofia ne portait aucun maquillage et arborait ses traits nus avec désinvolture. Pour couronner le tableau, ses longs cheveux noirs étaient coiffés la raie au milieu, comme sur les vieilles photos de David Hamilton. Elle tenait plus de la fermière amish que de la bimbo italienne.

Deux détails pourtant atténuaient son austérité. Des taches de rousseur sur ses joues lui conféraient un air de jeunesse espiègle. L'autre trait singulier était ses paupières basses qui évoquaient une origine eurasienne et lui donnaient un côté voilé, un air las et mélancolique qui vous engourdissait l'âme.

– Ça va ?

– Ça va, fit-il, toujours peu inspiré face à elle.

– T'as cinq minutes ?

Il acquiesça à la manière d'un soldat au rapport.

– Viens. Je veux surveiller les petits.

Erwan la suivit dans l'aire de jeux, après avoir reçu de la part du caissier un coup de tampon sur la main. Ses oreilles bourdonnaient, son pouls battait en rafales. Dans le parc, la terre vacillait. Il crut que c'était l'effet de son émotion. Il se rendit compte que le sol était constitué d'une sorte de mousse pour éviter que les enfants ne se blessent en tombant.

– Détends-toi, bon dieu, se dit-il à voix basse. *Détends-toi.*

5

SOFIA TROUVA UN BANC LIBRE.
– Loïc n'a pas pu venir ?
Elle ne posait la question que pour le seul plaisir d'évoquer le manquement de son ex.

– Il avait du boulot.

– Il cuvait sa coke, oui.

Bon début. Erwan s'assit près d'elle sans répondre. Elle observait l'agitation de l'aire de jeux avec consternation :

– Je ne sais pas qui a inventé les dimanches après-midi au parc, mais à mon avis, c'est une des raisons d'accoucher sous X.

Sofia, mère modèle, aimait jouer la provoc. Elle avait hérité ce tic des Parisiennes : elle s'épanouissait dans l'acidité, disait en permanence le contraire de ce qu'elle pensait, pour le seul plaisir d'un bon mot ou la satisfaction incompréhensible de paraître méchante.

– Au moins, continua-t-elle, le divorce a ça de bon : on se partage l'épreuve.

Elle avait une voix fluette qui ne cadrait pas avec son visage de pietà.

– Comment ça va, toi ? demanda-t-elle sur un ton de camarade.

Il prononça quelques banalités sur son voyage en Afrique. Elle agitait sa jolie tête sans vraiment écouter. Lui-même ne s'intéressait pas à ce qu'il racontait. Dans un coin de son cerveau, il s'interrogeait toujours : avait-elle deviné ses sentiments ?

Tant qu'elle était avec Loïc, il l'avait tenue à distance. Maintenant que le couple était séparé, il s'était accordé le luxe de tomber amoureux d'elle. Il n'avait pas plus de chances qu'auparavant – peut-être moins encore. Mais justement, il aimait cette passion désespérée, qui n'engageait à rien.

– Tu sais que j'ai vécu en Afrique ? fit-elle avec nonchalance.

Sa chevelure noire étincelait sous les feuilles vertes des marronniers.

– Première nouvelle.

– Mon père avait des affaires là-bas.

– Quelles affaires ?

– Les métaux, toujours.

– Quels pays ?

– Les anciennes colonies italiennes. Éthiopie, Somalie, Érythrée…

Il essaya de l'imaginer petite fille gambadant sur des sentiers de latérite, au pied de frangipaniers géants, puis se ravisa. Elle racontait n'importe quoi : il savait exactement où elle avait grandi et où elle avait suivi ses études.

De nouveau, elle eut un rire de franche camaraderie.

– Je déconne, confirma-t-elle. J'ai jamais foutu les pieds là-bas. T'as un dossier sur moi, non ?

Il sourit sans répondre. Dès qu'il l'approchait, il était pris d'une langueur irrésistible. Il n'avait plus ni force ni ressource, malgré la tension nerveuse qui vibrait sous sa peau.

Tout à coup, Milla et Lorenzo abandonnèrent leurs jeux pour venir réclamer leur goûter. Erwan chercha dans sa poche de quoi acheter des glaces mais Sofia avait déjà sorti de son sac – un objet vintage siglé Balenciaga – des BN et des Actimel qu'ils engloutirent en quelques secondes. Ils repartirent comme ils étaient venus. Après le déjeuner lugubre chez leurs grands-parents, ils revivaient.

– Quand j'étais enceinte, reprit Sofia en les suivant du regard, j'étais comme pas mal de belles femmes. Pressée d'en finir, de redevenir celle que j'étais avant. Je ne voulais pas prendre un kilo

de trop, ni manquer une soirée. Surtout, je voulais tout contrôler. Mais l'enfant, dans ton ventre, décide déjà pour toi. Peut-être
même décide-t-il de venir, non ?

Elle alluma une cigarette. C'était le dernier endroit où le faire
mais il l'aimait pour ça : sa manière insouciante – et naturelle –
d'imposer sa volonté aux autres.

Presque aussitôt, une mère de famille bondit sur eux, visage
crispé, poings serrés :

– Ça va pas, non ?

Erwan braqua son badge tricolore, sans même se lever du banc :

– Police. Dégagez, s'il vous plaît.

L'autre resta paralysée quelques secondes, ne trouvant rien à
répondre.

– Dégagez ou je contrôle tout le parc !

La mégère vira au rouge puis tourna les talons, sans un mot.

– La tronche qu'elle a fait ! s'esclaffa Sofia.

Erwan sourit en retour. Il était content de cette petite prouesse
mais il aurait préféré l'amuser avec sa conversation. Quand il
s'agissait de draguer des barmaids ou des vendeuses, il était imbat-
table mais face à elle, il était aussi sec qu'un four à pizza.

– Quand est-ce que tu nous présentes ta fiancée ? s'enquit-elle
comme si elle avait lu dans ses pensées.

– J'ai personne en ce moment.

– Je me demande parfois si t'es flic ou curé.

De nouveau, il ne trouva rien à répondre et préféra observer
la horde d'enfants qui couraient et virevoltaient dans un désordre
étourdissant. Milla et Lorenzo étaient suspendus à une tyrolienne.

Sofia, comprenant qu'Erwan ne réagirait pas à ses provocations,
évoqua ses vacances en Toscane, puis ses différents allers-retours
entre Paris et Milan. Elle avait le projet de monter une société
de design – conception et distribution de meubles italiens. Erwan
savait qu'elle allait en venir au seul sujet qui l'intéressait : la
guerre qu'elle menait contre Loïc pour obtenir le divorce et
la garde des enfants. Pour une obscure raison, son frère refusait
d'officialiser leur séparation.

– Je t'ai apporté quelque chose.

Elle sortit une enveloppe kraft format A4 et l'ouvrit : elle contenait des photos de Loïc, en conciliabule avec des gars d'apparence louche. Pas besoin de les regarder deux fois pour comprendre de quoi il s'agissait : son frère achetant de la came à des dealers de seconde zone. La date et l'heure étaient inscrites dans un coin de chaque cliché.

– Tu le fais suivre ?

– Seulement quand il a mes enfants.

– T'es malade ou quoi ?

– C'est lui le malade. D'après mes calculs, il en est à cinq grammes par jour. (Elle lui prit une photo des mains et la lui braqua sous les yeux.) Tu vois celle-ci ? Le deal se passe dans un parking des Halles, à 23 heures. Si tu regardes bien, on distingue les petits qui dorment dans la bagnole.

Erwan lui rendit les clichés. Sofia avait rallumé une cigarette. La calant entre ses lèvres, elle glissa nerveusement les images dans l'enveloppe et les lui plaça de nouveau dans les mains.

– Qu'est-ce que tu veux que j'en foute ?

– Ouvre une enquête sur Loïc.

– Je suis à la Criminelle, fit-il d'une voix de glace.

– Demande à tes collègues des Stups. Cinq grammes : c'est plus de la consommation personnelle, c'est un stock commercial. Il peut tomber pour...

– T'es en train de parler de mon frère.

– Et aussi du père de mes enfants. D'un mec défoncé jusqu'à l'os, qui prétend pouvoir les garder une semaine sur deux, les emmener à l'école, leur faire à manger, prendre soin d'eux en toutes circonstances et...

Il se leva d'un bond :

– Compte pas sur moi.

– Vous vous tenez les coudes, c'est ça ?

– Loïc a ses défauts mais...

– Ses défauts ? C'est une épave. Je ne dors plus quand ils sont avec lui. Bon dieu, c'est simplement du bon sens !

L'angoisse crispait le visage de sa belle-sœur. La lumière autour d'eux avait changé. Des reflets de mercure dansaient entre les frondaisons. Un orage arrivait. Sous ses pieds, le revêtement lui paraissait plus que jamais incertain.

— Fais ce que tu veux, dit-il en affermissant sa voix. Tu as tes photos. Tu dois avoir des témoignages. Donne ça à ton avocate. Elle saura comment agir.

— Le clan des Morvan : unis pour le pire.

— Tes enfants sont aussi des Morvan. Compte pas sur moi, je te le répète.

Elle se leva à son tour, fourrant rageusement l'enveloppe dans son Balenciaga. À cet instant, un craquement retentit, d'une telle violence qu'il fit trembler les portiques. Les enfants hurlèrent, plusieurs d'entre eux coururent vers leur mère.

Erwan chercha du regard ses neveux pour leur dire au revoir mais il ne les trouva pas. Tant pis. Soudain, les nuages se libérèrent dans un soulagement de viscères. L'averse s'abattit avec une violence malsaine.

— Appelle si t'as besoin de moi, dit-il à Sofia, mais pas pour ce genre de merdes.

Elle balança sa cigarette et le fixa. Quand elle se concentrait, elle semblait loucher légèrement sous ses paupières étirées. Durant quelques secondes, il la vit telle qu'elle était, sans poésie ni fantasme. Une fille à papa qui avait grandi dans le confort, l'amour, l'insouciance, et qui se retrouvait maintenant dans le bain acide de la réalité.

En quelques pas, il fut complètement trempé. Tant mieux. Il avait besoin d'être lavé de cette fange. Son père qui faisait suivre sa propre fille pour compter ses passes. Sa belle-sœur qui espionnait son frère pour évaluer sa consommation de cocaïne.

En retrouvant sa voiture, il se dit finalement que la Bretagne lui ferait du bien.

De l'air ! De l'air iodé !

6

IL AIMAIT SE RETROUVER ICI.

Sous ce pont pourri, dans l'odeur de pisse et de graisse brûlée.

Lui, Loïc Morvan, enfant prodige de la finance, directeur d'un des hedge funds les plus réputés de Paris, portant exclusivement des costards à cinq mille euros, conduisant une Aston Martin V12 Vanquish à plus de trois cent mille euros, il se sentait chez lui dans les cloaques comme celui-ci, nids à défoncés et recoins à fix.

Un simple retour aux sources. Il ne se connaissait qu'une origine : la défonce. Aujourd'hui, il s'en était à peu près sorti – « à peu près » était l'expression juste, puisqu'il attendait précisément son dealer sous une voie ferrée, au coin des rues de Crimée et d'Aubervilliers – mais il n'avait jamais oublié les ténèbres de ses jeunes années.

En émergeant de sa torpeur chez ses parents, après le déjeuner, il s'était pris une de ces crises d'angoisse dont il avait le secret. Poitrine comprimée, tête fiévreuse, mains transformées en pains de glace. Il s'était inquiété de Milla et Lorenzo, avait embrassé sa mère, son père et s'était enfui.

Il avait passé un coup de fil, donné rendez-vous. Dans ces moments-là, il ne craignait qu'une chose : la rupture de stock.

Selon son psy, c'était un progrès : il ne souffrait plus que d'une seule angoisse et cette angoisse, même si elle était infondée (il avait toujours de la coke dans ses poches, ainsi que dans sa boîte à gants et plus encore chez lui), pouvait trouver une solution immédiate, donc un soulagement.

Toujours personne sous le pont.

Il verrouilla ses portières et se blottit dans l'habitacle. La pluie s'était calmée mais l'eau dégoulinait encore des bordures de la voie ferrée, au-dessus de lui, à la manière d'une perfusion géante. Il régla la clim à fond (il voulait avoir froid) et, le décor aidant, laissa affluer les souvenirs.

Grégoire Morvan tenait à ce que ses fils soient de vrais Bretons, c'est-à-dire des navigateurs. Inscription aux Glénans dès l'âge de six ans. Stages intensifs chaque été. Erwan, la forte tête, avait refusé de persévérer. Lui, l'enfant modèle, était devenu le meilleur de sa catégorie. Dériveurs. Quillards. Catamarans. Les années passaient, les coupes s'alignaient...

Le Vieux exultait : enfin un gamin qui sait tenir le cap dans la famille ! Un Breton qui fend les flots ! Loïc avait le triomphe modeste. Il remportait les régates avec un sourire distrait, accueillait les trophées avec humilité, acceptait timidement les avances des filles à papa qui piaffaient autour de lui. Les choses sérieuses se déroulaient ailleurs.

Quand on passe ses journées à barrer, on finit ses soirées dans les bars. Très vite, Loïc collectionna d'autres distinctions : celle du plus jeune soiffard de la côte (à douze ans), celle de la meilleure descente de tout le Finistère (à treize), celle de la plus longue cuite du Conquet (soixante-douze heures, à quinze ans)...

Il rapporta son vice à Paris. Les choses empirèrent et l'ennui s'installa. À coups de shots, de bouteilles, de magnums, il s'abrutissait en quelques minutes. La soirée n'était plus qu'un long coma éthylique, secoué de vomissements. Alors, il découvrit la coke, le produit miracle qui efface les effets indésirables de l'alcool. La poudre lui permit de multiplier les quantités ingérées en une nuit. Et de se maintenir jusqu'au matin, en profitant pleinement de ces heures imbibées.

Il décrocha son bac à dix-sept ans, par miracle, et s'inscrivit en fac d'économie. Son père visait Sciences po et, pourquoi pas, l'ENA. Loïc voulait se faire du fric, et vite. Il tournait alors à plusieurs litres par jour, des vraies doses de clodo, mais plutôt vodka que vinasse. Il était entouré d'autres gars dans son style, des loques avec une carte d'étudiant qui naviguaient à vue, foie déglingué et cerveau en éponge.

En Bretagne, il était désormais plus connu pour ses prouesses d'ivrogne que pour son palmarès de marin. Il prétendait qu'il cessait de boire quand il naviguait. Faux : il planquait ses bouteilles et sa coke dans la soute, barrant en solitaire, sans réflexe ni lucidité. Bien sûr, ses victoires s'espacèrent, les sponsors lui tournèrent le dos : il se retrouva à quai, dans tous les sens du terme.

Il s'en foutait. Il avait vingt ans et vivait dans la fascination des drogues. Crack, hasch, datura, poppers, buprénorphine, trichloréthylène... Autant de domaines à conquérir. À sa façon, il était toujours explorateur. Chasseur de paradis artificiels.

Dans les raves, il commença à prendre des ecstas. Il se confronta à un nouveau type de gueule de bois : après deux jours de transe, l'atterrissage était dur, entre déprime et pulsions suicidaires. Une fois encore, il trouva le remède : le shoot d'héroïne du lundi matin. Grâce à la blanche, on effaçait l'ardoise et on pouvait recommencer. Mais la blanche n'est pas une maîtresse anodine. En quelques semaines, il fut accro. En quelques mois, il dériva vers sa propre mort.

Plus question d'aller à la fac ni de travailler. Son compte en banque était vide, son père ne payait plus le loyer de son studio. Loïc commença à coucher à gauche, à droite : femmes, hommes, peu importait pourvu qu'il ait du fric pour sa dose.

Un jour, sans aucune explication valable, plus personne n'eut de brown pour lui. Tout se passait comme dans le film *The Lost Weekend*, quand Ray Milland cherche désespérément de l'alcool et ne trouve que des boutiques fermées. Il réalise alors que c'est kippour : les juifs ne travaillent pas durant ce jour sacré. Pour Loïc, c'était kippour tous les jours et il ne comprenait pas la raison de cette catastrophe. L'explication, il l'obtint plus tard de la bouche de son père.

Surveiller les beuveries de son fils ne représentait pas un grand exploit pour un flic qui avait démantelé le réseau des attentats de la rue de Rennes ou arrêté les gars d'Action directe. Les premières années, il avait laissé courir : il fallait que jeunesse se passe. Mais quand il eut acquis la certitude que Loïc était tombé dans la dope, il fit passer le mot aux dealers : quiconque vendrait de la poudre à son fils se retrouverait en taule. Ou au cimetière.

Loïc toucha le fond. Une agonie secouée par des périodes de craving, une faim compulsive de drogue, d'alcool, de médocs, où il prenait n'importe quoi. Un jour, il rencontre un frère de came dans le même état que lui. L'autre ne cesse de répéter : « J'ai la solution. » Il l'emmène chez lui, en marmonnant toujours : « J'ai la solution. » Dans le grand appartement familial, près du Trocadéro, Loïc découvre la solution : le père du tox, qui refuse de lui donner le moindre sou. Le gars le supplie, le menace. Finalement, il va chercher un marteau et lui défonce le crâne. Il lui fait les poches puis brise les tiroirs d'un secrétaire pour y chercher d'autres liasses.

Grelottant, perclus de crampes, Loïc assiste à la scène sans bouger. Il y a du sang partout, de la cervelle sur le parquet, des esquilles d'os sur les murs. L'assassin file, Loïc se réfugie dans la chambre de la petite sœur (on est en période de vacances scolaires). Enfin, l'autre revient avec les doses. Ils se font chacun un shoot, parmi les poupées Barbie et les poussettes, et s'endorment sur la moquette rose pâle.

Quand Loïc se réveille, Morvan est à son chevet :
– Tout va bien, mon chéri.
Des hommes en combinaison blanche lissent la moquette, récurent chaque surface, aspirent la moindre particule. D'autres

font un fix à son compagnon inanimé. Avant de s'évanouir, Loïc comprend qu'ils sont en train de le tuer.

– Tout va bien…

Le lendemain, Morvan lui propose un deal. Il a effacé son crime, il a passé l'éponge, au sens littéral du terme. Maintenant, son fils doit subir un sevrage et se refaire une santé aux Antilles. Loïc accepte, sans condition.

Pour le coup, c'était le flicard qui était naïf. Morvan associait encore les paradis tropicaux à un mode de vie sain et sobre. Or, dans les ports de plaisance, la défonce circule partout. Skipper, beau garçon, bisexuel, Loïc était le candidat idéal pour un certain type de croisières. Shoots, snifs, partouzes en cabine et pâtes à l'eau de mer…

Il vogua de nouveau vers l'enfer, cette fois hors de portée de son père. Sa dérive le poussa jusqu'aux Andaman, puis jusqu'au golfe du Bengale. Il se retrouva à Calcutta, à bout encore une fois, prêt à n'importe quoi pour renifler le coton d'un vieux shoot.

C'est alors qu'un autre homme l'avait sauvé…

On frappa au carreau. Loïc, perdu dans ses pensées, fit un bond sur son siège. Une gueule de fouine lançait des regards obliques à l'intérieur de l'habitacle. Dreadlocks, teint jaune et vérolé, dents en phase terminale… Avec ses moyens et ses contacts, Loïc aurait pu trouver des dealers beaucoup plus présentables mais il voulait traiter, justement, avec les pires freaks. La drogue est sordide. C'est son essence. Pas question de lui donner un vernis honorable.

Il ouvrit sa fenêtre et tendit un rouleau de trois cents euros en petites coupures. L'autre lui passa un sachet en plastique. Quand Loïc voulut remonter sa vitre, le zombie la bloqua :

– Pas mal, ta caisse.

– Lâche-moi.

– Tu m'emmènes faire un tour, gros ?

Loïc était le pire trouillard que la Terre ait jamais porté. Pourtant, se sentant protégé par son environnement de tôle et d'acier, il la joua agressive :

– Casse-toi.

Le gars l'empoigna par le col et brandit un cutter. Loïc eut l'impression de se répandre comme une diarrhée brûlante sur le cuir de son siège mais son pied gauche débraya. En un réflexe, il enclencha la seconde. Son pied droit appuya sur l'accélérateur. La voiture fit un bond dans un rugissement amplifié par les parois du tunnel, le dealer s'écarta en hurlant.

Sur le boulevard Macdonald, Loïc passa la tête dehors et respira avec soulagement l'air rafraîchi par l'averse. Porte de Clichy. Porte d'Asnières. Il suivit le trafic jusqu'au boulevard Malesherbes et s'arrêta place Wagram, totalement déserte.

Il sortit la came de son sachet de congélation, se concocta une ligne sur le dos de sa main comme le font tous les hommes pressés, puis nota que la poudre sentait l'urine et que sa texture était compacte et sèche. Bons signes...

Inhalation. Une fois. Deux fois. « La vraie vie est nasale, lui avait dit un jour un metteur en scène de porno gonzo dans une boîte de nuit. Tout le reste n'est que rêverie sentimentale. »

Il se sentit mieux. Ses muscles se dénouèrent, sa cage thoracique s'ouvrit. Tout son corps se mit en hyperventilation. L'air conditionné, toujours glacé, lui passait à travers chaque pore de la peau comme un souffle provenant directement du pôle Nord. Il frissonna et s'en reprit une. Le tissu de sa chemise était plaqué sur sa poitrine en sueur. Il la décolla et en secoua le col. Un relent de transpiration mélangée à son parfum et à l'odeur de coke s'en dégagea.

Avec un temps de retard, il s'aperçut qu'il pleurait à chaudes larmes – son nez coulait aussi, évacuant la poudre qu'il venait d'inhaler. *Merde.* Il s'essuya les paupières, les narines, ses doigts étaient rouges. Il orienta le rétroviseur vers lui et découvrit la trogne d'un clown blafard, badigonné de poudre, de sang et de larmes.

D'un coup de coude (il ne voulait pas saloper son tableau de bord en aluminium), il ouvrit la boîte à gants et attrapa un paquet de kleenex. Il en arracha un et obtura ses narines. Il dut rester ainsi plusieurs minutes, la tête renversée sur le dossier.

Quand le saignement lui parut endigué, il trouva dans ses poches un gel hydro-alcoolique, s'en aspergea les mains et se débarbouilla à l'ancienne, comme lorsqu'il était petit et que sa mère lui nettoyait le visage après avoir craché sur un mouchoir.

Enfin, il se reprit une ligne pour la route et passa la première.

La vraie vie est nasale...

Jusqu'à quand tiendrait-il à ce rythme ?

7

ERWAN HABITAIT un deux-pièces au deuxième étage d'un immeuble moderne rue de Bellefond, dans le 9ᵉ arrondissement. Le quartier le laissait indifférent. Ni la rue des Martyrs ni la place Saint-Georges ne le séduisaient mais il n'était pas non plus gêné par les artères sinistres autour de la gare Saint-Lazare ou la place Clichy. Tout ce qui lui importait, c'était que sa rue était calme, ses voisins invisibles et qu'un parking était compris dans le loyer.

Soixante-dix mètres carrés organisés façon flic : un salon qui était un bureau, une chambre qui était un dortoir, une cuisine ouverte, à l'américaine, où il mangeait debout. Peu de meubles, rien sur les murs, aucune décoration. Seule obsession : la propreté. Il payait à prix d'or une femme de ménage qui venait deux fois par semaine et lui-même s'y mettait le week-end. Il vivait là depuis cinq ans et avait déjà tout repeint en blanc deux fois. Il aimait l'odeur de peinture qui persistait durant des mois : l'odeur de la nouveauté, de la renaissance.

Quand il tourna sa clé, il avait déjà oublié Sofia et s'interrogeait sur les vraies raisons de sa mission en Bretagne. Pourquoi le Vieux l'envoyait-il là-bas ? Pour torcher une « version acceptable » d'un accident de bizutage, vraiment ? Ou voulait-il l'obliger à respirer l'air du Finistère, leur prétendu pays d'origine ? Ou encore l'éloigner de Paris quelque temps ?

Selon Morvan, les Bretons coopéreraient et l'enquête serait bouclée en deux jours. *Tu parles.* Les militaires de l'aéronavale seraient sans doute fermés comme des huîtres, les gendarmes le regarderaient comme un rival et le proc ouvrirait son parapluie à la moindre découverte. Pour affronter ce monde hostile, il lui fallait un roi de la paperasse. Philippe Kriesler, alias Kripo, son deuxième de groupe, serait parfait. Il était le procédurier de l'équipe, celui qui rédigeait les constates, les PV d'audition, celui qui se farcissait les réquises, les mémoires de frais, les queues de procédure... Les écritures, ça demande un don et Kripo avait la main verte.

Erwan décrocha son téléphone et tomba sur le répondeur. Il laissa un message, se souvenant que son adjoint rentrait de vacances le jour même. Choperait-il l'appel à temps ? Il se donna quelques heures avant de contacter un autre flic.

Café. Dans le silence de son appartement, les mauvais coups de la journée lui revinrent en flashs. Les bleus de sa mère, les blancs de son père, les photos de Sofia... Une famille de cinglés.

Il se considérait comme le seul membre sensé du clan. En tout cas le moins taré. Célibataire, quatre mille euros par mois, un quotidien réglé comme une feuille d'impôt. Il portait des costumes Celio, lisait *L'Équipe* et son seul vice était une bière de temps en temps. Il avait d'autres passions, beaucoup plus raffinées – musique classique, peinture, philosophie... – mais il était incapable d'en parler en société. Et d'ailleurs, il ne le souhaitait pas : *affaires privées.* Il s'en tenait à son image officielle : le meilleur commandant de la BC, un taux d'élucidation record et plusieurs titres nationaux de tireur sportif.

Comment pouvait-il rêver à Sofia Montefiori ?

Erwan avait toujours associé la beauté féminine à l'argent et chaque jour de sa vie de flic lui confirmait l'adage de Frédéric Beigbeder : « Les femmes ne sont pas des putes mais je ne connais aucune belle avec un pauvre. » Dans les films, l'épouse du milliardaire couche avec le flic héroïque et smicard. Dans la vraie vie, elle préfère rester au bord de sa piscine.

Il devait se contenter de proies moins éblouissantes mais sympathiques : serveuses, vendeuses, esthéticiennes. Il ne mettait aucun dédain dans ce choix et en rajoutait même dans le respect et la gentillesse, comme pour compenser l'obscur mépris que ces filles subissent au quotidien. Rien que le terme « petits métiers » le faisait gerber et tous les qualificatifs professionnels s'achevant en « euse » l'irritaient. Il se voyait bien en défenseur des midinettes.

Malheureusement, ces histoires ne duraient jamais longtemps. C'était comme dans la chanson : « Quand une marquise rencontre une autre marquise, qu'est-ce qu'elles se racontent ? » Les caissières lui sortaient des histoires de caissières, pas très passionnantes, et lui dégainait ses anecdotes de flic, plus intéressantes mais malsaines et effrayantes. La greffe ne prenait jamais.

Pas grave. Il préférait ses rêves. Il préférait Sofia. En son for intérieur, il pensait que l'amour, le vrai, doit rester inaccessible et il n'était pas du tout porté sur le sexe.

Il tenait ce détachement de son père. Le vieux fauve, l'homme de toutes les manipulations, était un puritain. Il n'aimait que les nymphettes, et d'une manière platonique. Les rares fois où Erwan l'avait vu excité, c'était auprès de très jeunes filles, presque des enfants. Il en était resté fasciné. Voir ce colosse rougeaud se transformer en Père Noël attentionné et bienveillant avait quelque chose de monstrueux. Le maquereau qui avait mis des putes dans les lits de la plupart des hommes politiques, le pourvoyeur de coke des accros, le maître chanteur qui avait sévi aux Mœurs, à la BRI, à la Brigade criminelle, venait boire à cette source de pureté sans arrière-pensée.

Ce qui ne l'empêchait pas, comme son fils, d'être convaincu de la toute-puissance du sexe dans ce bas monde. Première leçon du métier de flic : le cul est partout, tout le temps. Sous le vernis de la culture, des discours, des religions, des uniformes, il y a la chair. Le besoin de toucher des mamelles, de plonger son dard dans une fente humide et brûlante. Le reste, c'était de la littérature.

Erwan stoppa là ses grandes réflexions et s'installa derrière son bureau, y posant mug et verseuse. Une fois son ordinateur allumé, il parcourut les mails envoyés par le Vieux. Le premier concernait la base aéronavale impliquée dans la « mort accidentelle d'un étudiant ». Une école de pilotage baptisée Kaerverec 76, du nom du village des environs, situé sur la côte ouest du Finistère, c'est-à-dire à la pointe la plus extrême de la France ; le nombre désignait l'année d'ouverture du centre.

Son père avait joint des liens Internet sur l'école. Les EOPAN (élèves officiers pilotes de l'aéronautique navale) y suivaient deux années d'enseignement puis passaient la troisième aux États-Unis pour achever leur formation de chasseurs. À leur retour, ils étaient prêts à prendre les commandes des Rafale qui décollent du porte-avions *Charles-de-Gaulle*. La dernière promotion s'appelait Condor 2012.

Chaque année, une vingtaine de candidats retenus sur dossier arrivaient début août à la base. Durant un mois, ils étaient observés. Examens théoriques, sélection en vol, évaluations psychologiques, simulations... Une douzaine seulement restaient : ceux qui devaient subir, le premier week-end de septembre, le bizutage.

Erwan relut le télex de l'état-major reçu par Morvan. Rédigé par Jean-Pierre Verny, lieutenant-colonel de gendarmerie de la section de recherches de Brest, il résumait les faits en quelques lignes. Le vendredi 7 septembre, à midi, la base avait été fermée à tout visiteur et officiers et professeurs avaient été virés. L'école était devenue un gigantesque terrain de jeux avec un seul objectif : en faire baver aux nouveaux élèves. À 17 heures, un appel avait réuni les douze apprentis pilotes sur le tarmac. « Cradification », épreuves physiques, insultes, sévices jusqu'à 20 heures. Ensuite, les gamins avaient été dispersés, nus et souillés, dans la lande pour une chasse à l'homme dont les modalités n'étaient pas précisées. Le lendemain matin, un bizuté manquait à l'appel :

Wissa Sawiris, vingt-deux ans, originaire du Mans. Quelques heures plus tôt, des manœuvres militaires avaient impliqué un tir de missiles sur l'île de Sirling, à quelques kilomètres au large. À midi, les experts en balistique militaire avaient analysé les ruines du bunker touché et découvert, parmi les gravats, des vestiges humains. Il n'avait pas fallu longtemps pour comprendre qu'il s'agissait des restes de l'étudiant disparu. Sa tête arrachée, bien que brûlée, avait été identifiée.

Erwan but une nouvelle goulée de café et se frotta les yeux. Cette affaire était tout simplement incroyable. Il était déjà surprenant de tirer un missile à quelques kilomètres d'une base où on avait lâché des élèves comme des faisans avant la chasse, mais il était carrément inconcevable que ce missile ait justement atteint le bunker où l'un d'eux s'était planqué. Cette histoire cachait-elle une autre vérité ?

Son téléphone vibra. Kripo.

— T'es rentré de vacances ?

— Je pose mon sac. Je me suis ressourcé dans le Haut-Rhin. Pourquoi tu m'as appelé ?

— On part demain matin.

— Où ?

— Dans le Finistère. Une histoire de bizutage qui a mal tourné.

— Les Cruchot ne peuvent pas régler ça ?

— Ça s'est passé sur une base de l'aéronavale : une présence de la BC est requise.

— Les militaires sont d'accord ?

— Il paraît.

— Et les médias ?

— Pas encore au courant. On est chargés de rédiger la version officielle.

Erwan imaginait déjà les commentaires des journalistes : « Nouvelle bavure dans l'armée », « Bizutage : le fléau frappe encore. » Des bras allaient se lever à l'Assemblée, des projets de loi ressortir des tiroirs, des émissions télévisées se multiplier. La mascarade habituelle.

Kripo soupira :

– Ça aurait été avec plaisir mais j'ai un rendez-vous mardi midi.

– Tu peux pas le reporter ?

– Je l'ai déjà reporté deux fois.

– Avec qui ?

– L'IGS.

Erwan imaginait mal son adjoint avoir des ennuis avec la police des polices. Encore moins témoignant contre un de ses collègues. Kripo, cinquante et un ans, vieux garçon à quelques années de la retraite, était un dilettante. Par ailleurs surdiplômé, il n'avait jamais dépassé le grade de lieutenant, considérait son métier de flic comme un hobby et se passionnait pour ce qui aurait dû être des passe-temps : jouer du luth, chanter dans une chorale de la Renaissance, étudier les dynasties du haut Moyen Âge...

– En quel honneur ?

– Mon petit souci d'arme à feu.

Six mois auparavant, Kripo avait égaré son arme de service. À la brigade, tout le monde avait paniqué. Finalement, on l'avait retrouvée dans l'étui de son luth. L'affaire avait fait assez de bruit pour qu'un rapport soit rédigé et, visiblement, transmis aux Bœuf-carottes. Il aurait été plus raisonnable d'appeler quelqu'un d'autre mais Erwan tenait à « son » procédurier.

– Tu feras un aller-retour en avion mardi.

– Aux frais de la boîte ?

– Je m'en charge. Y aura bien quelque chose à faire analyser à Paris.

– Comme tu voudras. À quelle heure on part ?

– À l'aube. Faut y être avant midi.

– Ta bagnole ou la mienne ?

– La mienne. Je serai en bas de chez toi à cinq heures. D'ici là, je t'envoie ce que j'ai sur l'affaire.

Nouveau café. Erwan se décida pour une recherche Web à propos du bizutage. Il percevait dehors le grondement assourdi des voitures, la pluie qui fouettait les vitres. Il frissonna – de plaisir.

Il réalisa qu'il n'avait déjà plus aucun souvenir de ses propres vacances. Il avait refusé de rejoindre les Morvan sur l'île de Bréhat et avait hésité à prendre en dernière minute un billet low cost pour la Turquie. Finalement, il était parti deux semaines dans un petit hôtel du Pays basque, avec des bouquins et des DVD. La seule péripétie avait été la jeune femme qui louait des planches de surf sur la plage de Bidart. Il ne se rappelait déjà plus son prénom. Bonjour le respect...

Il lui suffit de taper « bizutage » pour obtenir des milliers d'occurrences. Les définitions générales se résumaient à ceci : tradition consistant à faire payer très cher son ticket d'entrée à chaque nouveau venu d'une école ou d'une corporation. Brimades, humiliations, insultes, tortures et harcèlement, tout ça sur fond de pseudo-rigolades. Cette pratique déclenchait une réaction en chaîne, les victimes se faisant une joie de devenir l'année suivante elles-mêmes des bourreaux, et ainsi de suite.

L'affaire ne datait pas d'hier. Selon les historiens, cette coutume provenait des rites d'initiation primitifs et des cérémonies de passage de l'Antiquité. Par ailleurs, elle était universelle. Dans les collèges anglais, on parlait de *fagging*, aux États-Unis de *hazing*, en Italie de *nonnismo*... La connerie n'a pas de frontières.

Il passa aux faits divers et fut étonné par la fréquence des accidents. Septembre 2011, un « week-end d'intégration », comme on disait aujourd'hui, avait dérapé à Bordeaux : humiliation de filles dénudées, croix brûlée sur la peau... Deux mois plus tard, à l'université Paris-Dauphine, on avait gravé dans la chair d'un première année les initiales du groupe organisateur. L'année précédente, un viol avait été avéré à l'institut commercial de Nancy. En 2009, des abus sexuels avaient été constatés dans un lycée de Poitiers. En 2008, on évoquait des « humiliations à caractère sexuel » à la faculté de médecine d'Amiens... Chaque début d'automne prenait des airs de saison en enfer.

Le pire était que toutes ces violences se déroulaient avec la bénédiction du personnel des établissements. Erwan imaginait ces proviseurs, professeurs et autres surveillants verrouillant les portes de leurs bâtiments, une fois les monstres lâchés à l'intérieur, un peu comme le membre d'un gang fait le guet pendant que les autres violent une fille.

Erwan, qui avait conservé ses capacités de dégoût intactes, était écœuré. Et il n'était pas le seul. Ces pratiques étaient désormais proscrites. Une loi de 1998 déclarait illégal tout bizutage. Des associations, des comités faisaient front. Des circulaires de l'Éducation nationale rappelaient chaque année l'interdiction. Résultat, une nouvelle tendance des bizutages était de faire manger ces documents aux nouveaux venus, à titre d'épreuve. *No comment.*

Il éteignit son ordinateur et se décida à dormir quelques heures. Il fourra chemises, chaussettes et caleçons dans un sac de voyage. Tout en s'activant, il ne cessait de voir passer devant ses yeux la même scène : des jeunes gars à poil sur un tarmac, tremblant sous des salves d'œufs pourris, de farine et de merde, encaissant des injures proférées par des hommes masqués.

Il se demanda si cette enquête allait lui procurer le bol d'air escompté.

8

GRÉGOIRE MORVAN marchait sur une plage : galets sombres, ciel de marbre noir. En réalité, les galets étaient des œufs, gros comme des ballons de rugby, abritant sans doute une vie abjecte, reptilienne. Il progressait avec précaution pour ne pas les écraser. Il se trompait encore : ce n'étaient pas des œufs mais des têtes. Des têtes humaines rasées. Il s'agenouilla (il était encore jeune) et tenta de les dégager du sable volcanique.

Elles étaient vivantes : des femmes tondues, au front gravé d'une croix gammée, enterrées jusqu'au cou. Certaines avaient de grands yeux blancs, sans iris ni pupille. D'autres des paupières bridées comme celles de trisomiques. D'autres encore d'innombrables dents minuscules cernant une langue de cendre.

Les femmes de sa vie.

Les femmes de sa mort.

Quand l'une d'elles tenta de le mordre, Morvan se réveilla en sursaut et se mit aussitôt debout comme pour se soulager d'une crampe. Il tituba durant plusieurs secondes puis dut prendre appui sur un des murs de la chambre. La tête lui tournait. Sa gorge était asséchée. Il avait toujours pensé que l'inconscient se vengeait, durant le sommeil, de cette censure qui l'empêche de s'exprimer dans la journée. Sa théorie ne le concernait pas : son cauchemar n'était pas un rêve mais un souvenir.

Il regarda sa montre : six heures du matin. Il ne se rendormi-rait pas. Il attrapa, à tâtons, ses antidépresseurs. Évian. Pilules. Goulée. Il ne savait plus si c'était la molécule qui lui permettait de tenir le coup ou simplement le geste familier de l'avaler.

Il fit encore quelques pas dans l'ombre. Il y avait si longtemps qu'il faisait chambre à part qu'il n'avait plus souvenir d'avoir fait chambre à deux. Salle de bains. Crème hydratante. Il s'en tartina la peau de longues minutes, sans allumer. Si on lui avait dit qu'il se foutrait un jour ce genre de truc sur la gueule…

Il alla se poster devant la fenêtre et écarta le rideau. Rien de plus vide, de plus désert à cette heure que l'avenue de Messine. Il contempla son propre reflet dans la vitre. Composition à la Hopper. Nuit bleue de septembre. Halo des réverbères. Arêtes dures des trottoirs. Et lui, debout, à droite du tableau, dans son jogging Calvin Klein, qui contenait mal sa bidoche qui s'affaissait.

Ses compagnons nocturnes étaient déjà là : les éboueurs. Des Noirs qui vidaient les déchets de la ville sans un mot, sans un geste superflu. Seuls les soupirs de la benne et les grincements des coups de freins résonnaient sous les platanes. Chaque année, les riverains demandaient que cette collecte ait lieu plus tard dans la matinée. Chaque fois, lui veillait à ce qu'ils ne soient pas écoutés. Pour qu'ils n'oublient jamais leurs propres ordures – et que des hommes étaient payés pour les faire disparaître.

Lorsqu'il avait démarré sa carrière, on l'avait baptisé le Net-toyeur et ce titre lui avait longtemps collé à la peau. Il avait balayé devant la porte de la République. Il avait torché le cul des salopards. Et toujours en silence. Aujourd'hui, il le regrettait : il aurait dû être le plus bruyant possible, pour que les scandales éclatent, pour que les notables, les politiques, les puissants soient obligés de se regarder en face. Voilà pourquoi, dans son quartier, les fantômes de l'aube, ses semblables, pouvaient faire tout le bruit qu'ils voulaient.

Il s'installa derrière son secrétaire – un meuble signé Jean Prouvé, qu'il avait récupéré sur une scène de crime – et alluma son ordinateur pour vérifier ses mails. Rien de neuf sur Kaerverec.

Il n'attendait pas de scoop particulier, pas avant que son fils ne s'y colle.

Il ne sentait pas cette affaire. Soit la version officielle tiendrait, soit la boîte de Pandore s'ouvrirait. Dans les deux cas, une cascade d'emmerdes. C'était surtout l'origine de l'affaire qui l'inquiétait. Il n'avait pas dit toute la vérité à Erwan. Avant le télex, il y avait eu un premier coup de fil : l'amiral di Greco, dont la seule voix sonnait comme un relent de ses pires souvenirs.

Morvan n'aurait jamais dû saisir son propre fils de cette enquête mais comme toujours, il avait agi d'instinct. Depuis quarante ans, on lui prêtait des calculs complexes, des stratégies tortueuses. On se trompait : il avait toujours pris ses décisions dans l'instant, sans la moindre hésitation. Du reste, il devait bien au vieil officier de lui envoyer son meilleur élément – Erwan, son propre sang.

Il passa aux choses sérieuses, ses messages secrets. À la belle époque, il lui suffisait de décrocher un téléphone rouge ou de lire quelques lignes anonymes qu'une barbouze lui apportait. Aujourd'hui, il devait se connecter par Skype à un ordinateur crypté, qui portait un IP situé en Tchécoslovaquie, puis pianoter plusieurs codes qu'une calculette lui fournissait après qu'il avait composé un premier mot de passe. En quelques années, son métier était devenu une espèce de branche incompréhensible de l'ingénierie informatique et électronique : les agents de renseignements passaient le plus clair de leur temps en formation ou dans les boutiques de téléphonie.

Il accéda à sa boîte noire. Un seul message, celui qu'il attendait : « Fin du coup. » Une expression laconique pour signifier que la mission était achevée. Depuis un mois, un fouille-merde qu'il connaissait de longue date, Jean-Philippe Marot, menait une enquête sur la Françafrique en général et sur lui en particulier. Il avait donné des ordres. L'appartement du journaliste avait été retourné, son ordinateur siphonné, les personnes qu'il pouvait interroger « briefées » ; Marot était en bonne voie pour déterrer les vieux cadavres. Morvan aurait pu le menacer mais cela n'aurait fait que l'encourager, essayer de l'acheter mais il serait resté de marbre : Marot ne visait ni le fric ni même la vérité, plutôt la gloire, la reconnaissance de ses pairs. Grégoire aurait pu aussi le discréditer mais cela n'aurait servi à rien. Qui de mieux qualifié qu'un pourri pour en démasquer un autre ?

Finalement, il avait tranché : régler le problème « par tous les moyens nécessaires ». Il aimait cette expression de Malcolm X mais il en préférait une autre : « Calmez-vous, les gars », c'était ce qu'avait dit le leader noir aux tueurs qui lui avaient tiré dessus plus de vingt fois.

« Fin du coup », cela signifiait que le danger était écarté. Accident malheureux ou suicide accompagné d'un mot de justification : la solution avait été définitive. Pernaud, son préposé aux corvées de bois, avait sans doute fait aussi le ménage côté notes et manuscrits, effaçant toute trace informatique. Même si un éditeur, un proche ou un avocat était au courant du projet, personne ne pourrait plus rien prouver et de toute façon ils seraient paralysés par la frousse.

Morvan ne demanderait rien de plus à son exécuteur : il avait passé l'âge des détails. En revanche, il comprit une des raisons inconscientes qui lui avaient fait envoyer Erwan en Bretagne : au moins son fils ne serait pas là pour fouiner du côté de la mort d'un journaliste...

Il retourna s'allonger sur le lit et ferma les yeux. Paupières brûlantes, migraine à l'arrière du crâne, sans compter le mal de dos. L'idée qu'on ait tenté de fouiller dans sa vie le mettait mal à l'aise. Il se prit à imaginer le chapitre qu'il aurait pu lui-même écrire sur ses jeunes années.

Tout avait commencé avec la violence. La violence de gauche, bien sûr.

1966. À vingt et un ans, Grégoire Morvan est un maoïste convaincu, tendance rouge sang. Il assure le service d'ordre des meetings, distribue des tracts, casse la gueule à tous ceux qui ne sont pas d'accord. Morvan n'est pas un révolutionnaire utopiste, il préfère la baston aux longs discours. En réalité, il déteste déjà tout le monde. Les fachos qui sont des enfoirés. Les gaullistes qui puent la vieille France. Les bourgeois qui pourrissent tout avec leur fric. Les prolos qui ne comprennent rien. Et même ses camarades gauchistes, qui ont une grande gueule mais rien dans le froc.

Surtout, il se hait lui-même. Venu de nulle part, sans un rond ni un diplôme, il s'est enrôlé dans la police comme simple gardien de la paix. Un révolutionnaire en képi, sifflet et pèlerine, ça la fout plutôt mal…

Mai 68 est sa chance. Ses supérieurs, qui ont entendu parler de ses penchants gauchistes, lui suggèrent d'infiltrer les rangs trotskistes et maoïstes. Il les envoie chier mais la proposition lui donne une idée. Il part s'inscrire au SAC (Service d'action civique), la police parallèle des gaullistes. Un ramassis de gros bras, d'anciens militaires et de malfrats munis d'une carte tricolore.

Aucun problème pour être intégré. Son profil de flic est sa meilleure garantie. En quelques jours, il est au courant de tout. Les opérations coup de poing, les fausses ambulances (les sbires du SAC, en blouse blanche, ramassent les étudiants blessés et les passent à tabac au siège, rue de Solferino), les missions d'infiltration (les mêmes, lookés étudiants, montent sur les barricades et provoquent les condés pour déclencher le pire).

Après une semaine à ce régime, il va voir Benny Lévy, leader de la Gauche prolétarienne, pour lui proposer ses informations. Lévy est enthousiaste mais Morvan veut du fric. L'autre est déçu. Le flic lui répond en citant Mao : « La bouse de vache est plus utile que les dogmes : on peut en faire de l'engrais. » Lévy grogne puis concède, du bout des lèvres, une somme. Deal.

Durant plusieurs semaines, Morvan vaque à ses occupations sur fond de voitures incendiées et de slogans hilarants : « La société est une fleur carnivore », « Aimez-vous les uns sur les autres », « J'emmerde la société et elle me le rend bien ». Le jour, il fait des rondes dans le 5e arrondissement, en uniforme. Le soir, il fonce à la fac, habillé en hippie. Plus tard, il se change encore, blouse blanche et nerfs de bœuf. À l'aube, il vend ses infos aux maos et repart pour un tour.

Il ne dort plus. Les katangais, des bagarreurs qui campent à la Sorbonne, lui ont filé des amphètes. Une nuit, une équipe du SAC est envoyée en urgence pour déménager les bureaux du général de Gaulle. Morvan est de l'expédition. Il vide les tiroirs, porte les cartons, remplit les camionnettes. Et au passage, subtilise des dossiers.

Une autre nuit, son groupe tombe sur un combat de rue. Les gars d'Occident viennent de graffiter un mur : « Tuez tous les communistes où ils se trouvent ! » Justement, ils ne sont pas loin. Les gauchos fondent sur eux. Bagarre. Les nervis du SAC se ruent dans la mêlée. Morvan perd les pédales. Alors qu'un facho est en train de démolir un étudiant, il intervient et démonte à son tour le salopard à coups de chaîne. Ses collègues du SAC ne comprennent plus rien. On l'arrête, il réplique, on lui cogne dessus, il s'enfuit.

Planqué dans son commissariat, il fait profil bas, mais l'affaire remonte jusqu'à ses supérieurs. Détail aggravant : l'extrémiste qu'il a tabassé n'est autre que Pierre-Philippe Pasqua, le fils de Charles, alors vice-président du SAC. Le Corse exige la tête du traître mais obtient le résultat inverse : les flics, dont beaucoup sont encartés à la SFIO, ne tolèrent pas que le SAC leur donne des ordres. Finalement, Morvan sauve sa peau mais il doit remettre sa démission.

C'est alors qu'il se souvient de ses dossiers – ceux qu'il a volés chez de Gaulle et qui fourmillent de détails sur des opérations « feu orange », comme on disait à l'époque. Négociation. Il est maintenu dans la police mais envoyé au Gabon pour former la garde rapprochée du président Bongo. Il doit se faire oublier.

Grégoire se leva et se dirigea vers la salle de bains. Lumière. Toujours cette vieille gueule de crocodile. Pas la force de se souvenir de la suite. Comment il s'était lié, en Afrique, avec ses ennemis d'hier. Comment la racaille de droite – anciens de l'OAS, barbouzes exilées, voyous qui en savaient trop – lui avait appris le métier. Comment il avait arrêté l'Homme-Clou et rencontré le diable en personne...

Il plongea sous la douche. De retour à Paris, il n'avait plus jamais agi pour des motivations politiques. Il avait seulement œuvré au nom de l'ordre, c'est-à-dire pour préserver une forme de pérennité dans l'agitation.

Chemise. Bretelles. Costard. Comme chaque matin, le contact des tissus raffinés lui procura une secrète sensation d'invulnérabilité. Effet du fric ? Du pouvoir ? Ou simplement de l'habitude ? Il éprouvait ce que devait ressentir chaque général le matin dans son uniforme.

Il songea au bref voyage qu'il avait effectué avec son fils au Congo. Comme d'habitude, il n'avait pas dit le quart de la moitié de la vérité à Erwan. Il se foutait de la mort de Nseko – sans doute une histoire de rivalité entre Négros – et son probable successeur, Mumbanza, ne le dérangeait pas. Morvan s'était seulement déplacé pour s'assurer que ses projets n'avaient pas transpiré. Il n'excluait pas que Nseko ait été torturé et qu'il ait essayé de sauver sa peau en lâchant des informations. Or, d'après ce qu'il avait pu entendre, personne n'était au courant de ses combines. Tout roulait donc, et finalement, la mort de l'Africain l'arrangeait plutôt : un homme de moins dans le secret. Il avait aussi profité de sa présence à Lubumbashi pour passer quelques coups de fil à ses équipes sur le terrain : a priori, tout avançait comme il l'espérait dans le Nord...

Tout en nouant sa cravate, il alluma la radio. France Info. La veille, le président François Hollande avait promis un recul du chômage d'ici une année et un choc budgétaire sans précédent. Les bombes pleuvaient sur Alep. Zainab, sept ans, survivante du massacre de Chevaline, était sortie du coma. Bernard Arnault, en route vers la Belgique, assurait toujours vouloir payer ses impôts en France. Un journaliste free-lance, Jean-Philippe Marot, s'était tué en se jetant de la fenêtre de son appartement, au neuvième étage...

Morvan éteignit le poste et enfila sa veste. Deux bonnes nouvelles. Silence complet sur Kaerverec. Quelques mots sur la disparition d'un journaliste...

Il glissa son Macbook dans son cartable dont il boucla les attaches chromées. Sur le seuil de sa chambre, il chercha quelques phrases grandioses pour conclure sa petite évocation du passé.

Il n'en trouva pas.

Il fallait continuer le boulot, c'est tout.

9

– OÙ ON EST ?

– On a dépassé Saint-Brieuc. Il reste encore cent cinquante bornes.

– Putain…

Erwan ne voyait pas le bout du voyage. Il avait conduit de 5 à 7 heures avant de passer le volant à Kripo, puis somnolé sans vraiment réussir à dormir. Neuf heures du matin. L'Alsacien écoutait, en sourdine, des pièces pour luth d'Anthony Holborne, un compositeur anglais, paraît-il, du XVIe siècle. Pas désagréable comme berceuse, mais un peu crispant tout de même.

Un souvenir lui revint, fugitivement. Le Finistère, *Finis terrae* : la fin de la Terre. On n'aurait su mieux dire. Il avait l'impression de rouler depuis trois jours.

– Y a une station-service. Arrête-toi.

Kripo prit la voie d'accès et stoppa près des pompes. Pendant qu'il faisait le plein de la Volvo, Erwan rejoignit le bar-supérette. En attendant son café, il prit la mesure de la sinistrose ambiante. Effluves de graisse sous les plafonniers. Routiers sortant des chiottes en remontant leur braguette. Soûlards au comptoir, déjà bien attaqués. Malgré ce tableau déprimant, il but son café avec plaisir. Il éprouvait une chaleur réconfortante. Goût de l'expresso, corps endolori, reprise du boulot…

Kripo le rejoignit et commanda un crème. Il posa sur le zinc un dossier et, sans préambule, se lança dans un historique du mur de l'Atlantique :

– À partir de 1942, les Allemands ont transformé les grands ports bretons en forteresses pour faire face à la menace anglo-saxonne. Saint-Malo, Brest, Lorient, Saint-Nazaire...

Erwan dut faire un effort pour se souvenir que la victime, du moins ce qu'il en restait, avait été découverte dans un bunker. Le discours de Kripo lui rappelait surtout un détail : l'origine de son surnom. Quand on avait appris à la BC que Philippe Kriesler était alsacien, on l'avait tout de suite appelé Kripo, pour *Kriminal Polizei*, le nom de la Brigade criminelle de Berlin. Erwan avait engueulé l'étage : ce service était connu pour avoir participé à l'extermination des malades mentaux et des juifs. Mais les conneries ont la vie dure au 36. Le surnom était resté et, l'habitude aidant, tout le monde avait oublié le patronyme du Troubadour.

– C'était comme au temps des cathédrales, poursuivait celui-ci avec exaltation. Les architectes, les ingénieurs, les artisans de l'organisation Todt se déplaçaient le long du littoral et construisaient à tour de bras...

Par un obscur atavisme, l'Alsacien nourrissait une haine irrationnelle envers les Allemands tout en étant incollable sur le IIIᵉ Reich. Son discours matinal le prouvait – il n'avait pas eu le temps de potasser la question dans la nuit : il parlait de mémoire.

– Regarde ce que j'ai trouvé chez moi, confirma-t-il en déployant une carte. La topographie des constructions de Sirling !

Erwan découvrit une île solitaire, au-dessus d'Ouessant, à cinq kilomètres du littoral, face au village de Kaerverec. Sur ce fragment de terre, des sigles désignaient les constructions des compagnons de Todt. Pas moins d'une trentaine. À chaque logo correspondait un type d'édifice : casemate, blockhaus, dôme, mur antichar, tourelle... Des photos illustraient la carte. Certains ouvrages étaient franchement bizarres : des étoiles aux pointes d'acier s'appelaient des « hérissons tchèques », des puits protégés

par des couvercles de fer, enfouis parmi les herbes, se nommaient
« tobrouks »...

– Ces photos n'ont rien à voir avec leur aspect de l'époque.
Tout était camouflé. Les gars peignaient dessus des petites bar-
rières blanches, des fausses fenêtres. Ils foutaient du crépi gris
pour donner l'aspect de la roche au béton !

Le nombre de constructions sur l'île soulignait encore ce hasard
hallucinant : le missile avait justement touché le seul abri où un
homme s'était planqué.

– Bon, fit distraitement Erwan en posant sa tasse. On y va ?

– Attends, je demande une note.

Kripo avait une allure originale. Très grand, costaud, cheveux
gris noués en queue-de-cheval, il portait une veste en velours
couleur prune, un foulard orange et des camarguaises élimées qui
peluchaient comme un vieux fauteuil. Il oscillait entre le biker
déglingué et le professeur d'arts plastiques proche de la retraite.

En fait de note, il faisait remplir à la pauvre caissière un mémoire
de frais. Sourire d'Erwan. L'Alsacien était à la fois un homme de
rigueur et un rêveur. Un intello allergique à l'action. Le genre
de flic qui pouvait rester cinq minutes devant une éclaboussure de
sang, cherchant à la déchiffrer comme s'il s'agissait d'une tache
d'encre de Rorschach.

Erwan s'installa de nouveau côté passager et en profita pour
passer en revue ses mails. Le lieutenant-colonel Verny lui avait
envoyé un nouveau rapport. L'identité de la victime était confirmée : la comparaison de la mâchoire inférieure, relativement préservée, avec le dossier dentaire de Wissa Sawiris avait permis
d'obtenir une certitude. Verny avait aussi joint des pièces du
dossier d'inscription du jeune homme. Erwan détailla la photo :
teint mat, traits harmonieux, joues de pêche, Wissa avait quelque
chose de doux, de féminin dans l'expression.

Erwan pensait qu'il fallait être une bête en maths pour devenir
pilote de chasse. Wissa Sawiris n'avait qu'un bac S et un BTS en
aéronautique. Il s'était inscrit au BICM (Bureau d'information
des carrières de la marine) et avait posé sa candidature à Kaer-

verec. Il avait intégré le premier groupe de sélection en juillet puis avait été confirmé fin août, après les derniers tests en vol. Alors seulement il était devenu soldat : un OSC (officier sous contrat).

– On arrive.

Erwan ouvrit les yeux : il s'était endormi en lisant le CV. Il s'attendait à une lande d'un vert intense, parsemée de blocs de granit : il avait droit à des champs cultivés, des fermes qui ressemblaient à des pavillons de banlieue, des zones commerciales aux couleurs criardes. On aurait pu être n'importe où en France.

Il était déçu, même s'il avait toujours détesté la Bretagne. Depuis ses stages aux Glénans, à l'âge de huit ans, où il s'était efforcé de ne rien comprendre, de ne rien faire, de ne rien aimer, il avait fui cette région, alors même que son père avait acquis une maison sur l'île de Bréhat dans les années 80. Ce qu'il découvrait aujourd'hui lui prouvait qu'il n'avait rien raté. Un paysage rural, banal, miné par les pesticides et soumis aux lois du rendement industriel.

Bien sûr, il pleuvait. Le crachin transformait le tableau en un décor de pierre ponce qui foutait froid dans le dos. Seul signe de culture celte, les panneaux écrits en deux langues. Brest n'était plus qu'à quelques kilomètres.

– Ça me rappelle ma jeunesse, remarqua Kripo.

– Où ça ?

– En Alsace. Je faisais partie d'un groupe de musique celte, les Armoricains. On s'marrait bien. Entre le luth et la harpe celtique, y a tout un tas de points communs qui...

Erwan ferma les écoutilles. Il se demanda ce qu'il foutait là, accompagné d'un barde vieillissant. Pourquoi son père l'avait-il mis sur ce putain de coup foireux ?

10

BREST, après les bombardements de la dernière guerre, avait été entièrement rasée et redessinée selon un plan moderne et hygiéniste. Le résultat était un décor aux axes rectilignes, façon New York, dans lequel le vent du littoral s'engouffrait sans jamais rencontrer le moindre obstacle. Côté architecture, tout avait été conçu selon les préceptes des années 50 : façades dépouillées, toits-terrasses, angles arrondis... À l'époque cela semblait une bonne idée, mais Brest passait aujourd'hui pour la ville la plus laide de Bretagne, voire de France.

Au fil de la route, un détail affligeait Erwan : un peu partout, des panneaux indiquaient la direction de l'hôpital Morvan. Le fait de voir son nom répété et surmonté d'une croix rouge lui semblait un sinistre présage.

La morgue était située dans le deuxième hosto de Brest : la Cavale blanche – Gazeg Wenn en version originale. Après s'être perdus plusieurs fois – Kripo refusait d'utiliser le GPS –, ils trouvèrent enfin le site, perché sur une colline, au-dessus d'une série de logements sociaux. Le campus lui-même affichait des airs de cité-dortoir : des blocs posés sur des pylônes au ras de pelouses interminables. On aurait dit que ces cubes, portant chacun un gros numéro, abritaient les maladies de la ville par spécialité.

Ils avaient rendez-vous au numéro 1. Au fond du hall, trois gaillards en ciré noir les attendaient, attablés à la cafétéria de La Brioche dorée. Poignées de main. Présentations. Jean-Pierre Verny, lieutenant-colonel de gendarmerie de la section de recherches de Brest, l'expéditeur des mails ; Simon Le Guen, capitaine instructeur à l'état-major de Kaerverec 76 ; Luc Archambault, lieutenant de la gendarmerie de l'air, chargé de la sécurité militaire de la base. Les plis sombres perlés de pluie de leurs coupe-vent leur donnaient des allures de croque-morts funestes, chargés de convoyer des cercueils dans les pires tempêtes du littoral.

On commanda des cafés. Les hôtes s'agitaient sur leur chaise. Erwan les observa. Verny, le gendarme, affichait un physique taciturne. Court sur pattes, il bougeait par à-coups, comme dans une épreuve d'épaulé-jeté d'haltérophilie, et semblait ruminer des idées noires. Simon Le Guen, l'instructeur, était taillé sur le même modèle sauf qu'il était rouge. Dans son visage cramoisi perçaient deux yeux bleus sous des paupières fripées de volaille. Une calotte rase de cheveux blonds lui donnait l'air d'un albinos. Il paraissait aussi crispé que son collègue, mais rôti à la broche. Archambault était l'opposé. Long, étroit, son visage était verrouillé par des verres à petite monture qui évoquaient des lunettes d'aviateur. Au premier coup d'œil, il paraissait inoffensif mais en le regardant mieux, on captait un éclair de nervosité, voire de folie, dans ses yeux qui rappelaient ces instituteurs de jadis, binoclards falots qui s'avéraient être des anarchistes capables de poser des bombes sous les voitures.

Les cafés arrivèrent. Erwan redoutait un mur d'hostilité. Les trois lascars étaient au contraire soulagés de voir débarquer les flics de la capitale. À l'évidence, ils ne savaient pas par quel bout prendre cette affaire.

– Vous avez reçu mes messages, mon commandant ? attaqua Verny.

– Oui. Je vous remercie.

– J'ai pensé que ces informations vous seraient utiles avant de rencontrer les parents.

– Les parents ?

– Ceux de la victime. Ils seront là d'une minute à l'autre.

– C'est moi qui dois me les farcir ?

– Puisqu'on vous a saisi...

– Quand il est mort, Wissa Sawiris était sous la responsabilité de l'aéronavale.

– L'enquête a été confiée à la Brigade criminelle de Paris. La responsabilité vous incombe donc de...

Erwan fit un geste de capitulation.

– Parlez-moi du bizutage de l'école, fit-il à la cantonade.

– Ici, précisa Le Guen, on dit plutôt « week-end d'intégration ».

– Comme vous voulez. Quelles étaient les réjouissances de cette année ?

Archambault se déhancha sur son siège :

– Des épreuves de cradification, des trucs physiques, des courses-poursuites...

– Quand tout ça devait-il finir ?

– Samedi soir.

– Vous diriez que la tendance est plutôt soft ou dure dans l'école ?

– Dure.

Erwan n'insista pas : il aurait tout le temps d'entrer dans le détail.

– Le bizutage a commencé vendredi sur le tarmac, à 17 heures. Wissa était là ?

– Affirmatif. Tout le monde l'a vu.

– Après 20 heures, les étudiants ont été disséminés dans la lande. Correct ?

– Correct. Les Rats...

– Les quoi ?

– C'est comme ça qu'on appelle ici les nouveaux. Une heure après leur départ, les Renards, c'est-à-dire les bizuteurs, se sont lancés à leurs trousses...

Les Rats, les Renards. Il avait intérêt à s'adapter.

– Dans quel but ?

– J'y étais pas mais je pense que quand ils en repèrent un, ils lui foutent les jetons. Avec des torches, des cornes de supporter... Rien de bien méchant.

– Au cours de cette chasse, personne n'a revu Wissa ?

– Personne.

– Il a donc pris la fuite durant la nuit ?

– C'est certain.

– Il aurait pu rejoindre l'île de Sirling à la nage ?

– Impossible, remarqua Le Guen, rouge comme un homard. C'est à trois milles et les marées de septembre ont des courants très puissants.

– Il a donc utilisé un bateau ?

– Affirmatif.

– Où l'a-t-il trouvé ?

Archambault reprit la balle au bond :

– La base dispose d'une flotte de Zodiac amarrés à un embarcadère sur le littoral à un kilomètre de l'école. Surtout des Hurricane, des engins très puissants de plus de trois cents chevaux. Ici, on les appelle des ETRACO, « embarcations de transport rapide pour commandos ».

Presque chaque réponse contenait un mot nouveau : ils n'allaient pas rigoler.

– Ces bateaux ne sont pas surveillés ?

– Non. Personne dans le coin n'aurait l'idée de toucher au matériel de l'armée.

– Il faut bien une clé pour démarrer, non ?

– Wissa était né dans l'aéronautique : son père travaille dans un aéroclub, intervint Verny. Il était sans doute capable de faire démarrer n'importe quel moteur.

– Il manquait un Zodiac ?

– Non, admit le gendarme.

– Vous avez retrouvé une embarcation autour de l'île ?

– Non plus, mais on va mettre la main dessus, c'est une question d'heures.

Erwan engloba les trois hommes du même regard :

– Malgré le fait qu'aucun Zodiac n'ait été volé ni aucune embarcation retrouvée, vous maintenez que Wissa est parti en bateau se planquer pour éviter des brimades ?

– « Vous maintenez » ? répéta Le Guen. Mais c'est la vérité, nom de dieu !

Il avait prononcé ce mot avec une rage particulière. Ses paupières fripées ne cessaient de ciller.

Erwan préféra changer de chapitre :

– Qui était au courant de la manœuvre aérienne du samedi matin ?

– Personne.

– Pas même vos supérieurs ?

Verny se leva et fouilla dans ses poches.

– Encore un café ?

Les militaires acquiescèrent. Une pause était déjà nécessaire. Ils ne s'attendaient pas à un premier interrogatoire aussi serré. Kripo accompagna Verny jusqu'au bar.

– On ne peut pas être au courant de ces manœuvres, reprit plus bas Archambault. Elles sont secrètes et décidées en haut lieu.

Il avait ouvert son ciré. Ses grandes jambes, repliées sous le siège en plastique, ne cessaient de tressauter.

– D'où venaient les avions qui ont tiré ? demanda Erwan.

– Y a eu qu'un seul tir. Les Rafale ont décollé du porte-avions *Charles-de-Gaulle*.

– Où est-il stationné ?

– En ce moment, il mouille au nord de nos côtes, à une dizaine de milles.

– Existe-t-il un lien entre Kaerverec et le porte-avions ?

– Un seul : l'amiral di Greco.

– Qui c'est ?

– Le chef d'état-major de la K76. Il occupe aussi des fonctions sur le *CDG*. Il fait la navette entre les deux sites.

– Où est-il actuellement ?

– À bord.

Erwan allait donc visiter un des bâtiments de guerre les plus puissants au monde. Impossible de décider si cette perspective l'excitait ou l'ennuyait à mourir.

Nouvelle direction :

– Ce n'est pas dangereux d'organiser ce genre de manœuvres au large d'une côte aussi touristique ?

– Sirling est interdit au public. C'est le dernier champ de tir de Bretagne. Tout est sous contrôle, mon commandant.

– Faites-moi plaisir, arrêtez de m'appeler comme ça. D'abord, je ne suis pas votre commandant. Ensuite, je n'ai aucun lien avec l'armée.

– D'accord, mon... (Archambault avala la fin de sa phrase.) Les conditions de sécurité ont été validées. Sinon, il n'y aurait pas eu de tir.

– On a tout vérifié juste avant l'opération ?

– Bien sûr. Un hélicoptère fait un boulot de reconnaissance.

– Parlez-moi de la scène de crime.

Le mot fit sursauter les trois gaillards. Erwan se reprit :

– La scène de l'accident.

– Comme je vous l'ai écrit, dit Verny, c'est l'équipe balistique qui a trouvé... les restes. Les gars des pompes funèbres sont arrivés deux heures plus tard et ont collecté ce qu'il y avait à collecter. On m'a parlé de cinq ou six... parties.

– Des relevés ont été effectués sur le site ?

– Bien sûr.

– Une équipe de l'Identité judiciaire s'est déplacée ?

– Inutile. Les experts de l'armée ont pris des repères très précis. C'est leur métier.

– Leur métier, c'est de mesurer des gravats, pas des vestiges humains.

Le gendarme ne releva pas. Il attrapa son cartable et y puisa des clichés :

– Jetez un œil là-dessus. Vous verrez qu'ils ont fait du bon boulot.

Le point d'impact du missile se résumait à un trou d'un diamètre de cinq mètres rempli d'eau. Il ne restait rien de la structure du bunker : les gravats avaient été projetés à plusieurs mètres à la ronde. Les techniciens avaient planté des cavaliers jaunes pour indiquer leurs emplacements. D'autres marques bleues – sans doute pour les fragments humains – étaient disséminées sur l'herbe brûlée. Aucune photo ne montrait les restes proprement dits de Wissa.

– On est sûr qu'il n'y avait qu'un corps ?

– Comment ça ?

– Les fragments ne pourraient pas appartenir à deux hommes distincts ?

Un rire échappa à Le Guen. Un rire nerveux, chargé de mépris, qui semblait dire : « Voilà bien une idée de flic. »

– Vous pensez à quoi au juste ? cracha-t-il.

– À rien. C'est mon job d'imaginer toutes les possibilités.

– Si vous êtes venu ici pour remuer la merde qui n'existe pas, on pourra pas vous aider.

Erwan ne baissa pas les yeux. Le silence s'étira comme une corde brûlante.

– Le légiste n'a pas évoqué cette hypothèse, reprit Verny pour calmer le jeu, mais vous pourrez lui demander vous-même.

– Revenons à la nuit de l'accident : Wissa n'est pas repassé par sa chambre ?

– Aucun signe ne l'indique.

– Vous avez vérifié son portable, sa carte bleue, son ordinateur ?

– On vous attendait pour les réquises mais a priori, ses affaires ont pas bougé.

Première bonne nouvelle : ils allaient pouvoir décrypter eux-mêmes le matériel électronique et informatique.

Un infirmier fit son apparition :

– Les parents sont arrivés.

Les trois officiers se levèrent d'un bond, faisant bruisser leur ciré.

– Il vaudrait mieux éviter de leur montrer les...

– Je connais mon boulot. Kripo, attends-moi dans la bagnole. Je t'appelle dès que j'ai fini avec les parents.

Pas question de laisser son adjoint jacasser avec les mousquetaires.

– Vous, ajouta-t-il, vous bougez pas. On ira voir ensemble le légiste.

– Mais...

– Je me tape déjà les parents. Il faut bien que vous profitiez du reste.

11

ERWAN ÉTAIT UN HABITUÉ des morgues – le genre d'endroits où on se préoccupe rarement d'esthétique. La plupart du temps, les couloirs sont en ciment peint et parcourus de canalisations. La Cavale blanche suivait la règle mais un détail aggravait l'ambiance : au deuxième sous-sol, un artiste avait barbouillé des fresques monochromes sur les murs ; la première, rouge, évoquait des traces de sang. Pas très heureux. Plus loin, une salle d'attente était décorée d'un canapé et de fauteuils aux petits motifs à la Paul Klee. Machine à café, aquarium. Les parents de Wissa Sawiris se tenaient près des poissons rouges. Il s'avança vers eux la main tendue. Sourire ? Pas sourire ? Combien de fois avait-il vécu ce genre d'entrevues ? Trouver des mots qui ne servent à rien. Simuler une empathie artificielle. *Merde.*

D'après la peau sombre de Wissa Sawiris, Erwan avait imaginé qu'il était d'origine nord-africaine. Il avait aussi retenu que le père travaillait dans un aéroclub. Bref, il s'attendait à voir un mécano maghrébin, dans un costard noir de mauvaise coupe, accompagné d'une épouse voilée. Sawiris père était grand et élégant. Il portait une veste noire sur un polo Lacoste bleu roi. Teint hâlé, regard intense, il ressemblait à ce qu'il était en réalité : un ingénieur aéronautique en deuil. Sa femme était aussi grande que lui. Elle avait des sourcils marqués, une peau cuivrée et une longue chevelure rousse qui ondulait sur les épaules. Pas belle, mais racée et élégante. Erwan n'était plus à un préjugé près : il avait imaginé qu'elle dépasserait les cent kilos dans son *abaya*.

Il se présenta et exprima ses condoléances. Ils lui serrèrent la main en le regardant fixement. Quand on a été proche d'une forte explosion, on perd un moment l'usage de ses sens. Les Sawiris se trouvaient dans ce trou noir. Un no man's land d'où ils allaient devoir revenir, lentement, pour découvrir une souffrance incisée dans leur chair. Une douleur chronique qui ferait désormais partie d'eux-mêmes : leur fils n'était plus.

Erwan essaya de se rappeler les caractéristiques des funérailles musulmanes. Inhumation dans les vingt-quatre heures suivant le décès. Mort considérée comme un passage, donc interdisant la crémation, la thanatopraxie ou le don d'organes. Cercueil tourné vers La Mecque…

Dans le cas de Wissa, ces considérations étaient de toute façon inutiles.

– D'ordinaire, commença-t-il, on demande aux parents d'identifier le disparu mais dans l'état présent, il vaut mieux y renoncer. Une vérification odontologique a confirmé le…

– Et si nous voulons le voir ? demanda la mère.

Voix grave, solennelle. Inflexions longues à la Fanny Ardant. Pas le moindre accent maghrébin.

– Pour l'instant, répondit-il, c'est impossible. L'autopsie n'a pas encore eu lieu. On doit déterminer les circonstances exactes de l'accident.

Allaient-ils accepter cette version ? Fermer le cercueil sans broncher ? Ou chercher au contraire des responsabilités ? Porter plainte ? Pour l'heure, ils ne réagissaient pas. Peut-être n'entendaient-ils même pas ce qu'il racontait.

– On a eu au téléphone le lieutenant-colonel Verny, dit enfin le père. Il nous a parlé d'un « week-end d'intégration ». C'est une sorte de bizutage ?

Erwan se lança dans des explications confuses, se retranchant derrière l'enquête, le devoir de prudence, l'audition des témoins.

Il maudissait intérieurement les militaires qui l'obligeaient à assumer ces rites débiles. En guise de diversion, il se concentra sur les problèmes pratiques des obsèques :

– Dès que l'autopsie sera terminée, le parquet de Rennes donnera le permis d'inhumer. Vous pourrez alors appeler l'imam et…

– Nous ne sommes pas musulmans.

– Excusez-moi, j'avais cru…

– Nous sommes d'origine égyptienne. Nous sommes coptes.

La femme avait détaché chaque syllabe. Erwan serra les mâchoires – vraiment, il les collectionnait.

– Si vous voulez, proposa-t-il pour changer encore de sujet, on peut vous conseiller un avocat pour les démarches d'assurance et…

– Je suis avocate, interrompit la femme. Spécialiste des litiges dans le domaine des accidents du travail, experte aux prud'hommes de la Sarthe.

La base de Kaerverec avait du souci à se faire – et tout le ministère de la Défense avec elle. Mme Sawiris ne ferait de cadeau à personne. Lui-même avait intérêt à être irréprochable.

– On a déjà porté plainte contre les autorités militaires, confirma-t-elle. L'armée était légalement responsable de notre fils depuis qu'il séjournait à la base. D'autant plus responsable que Wissa était devenu soldat la semaine précédente.

– Personne n'esquivera ses responsabilités, madame. C'est la raison de ma présence ici. Nous voulons faire toute la lumière sur cette tragédie.

– Vous avez des enfants ? intervint le père.

– Non.

L'ingénieur secoua la tête comme pour signifier que, dans ce cas, Erwan ne serait jamais à la hauteur de sa mission.

– Il espérait « servir la France », sourit-il avec tristesse, en observant les poissons.

– Quel genre de garçon était Wissa ?

– Un héros, murmura la mère.

– Je vous demande pardon ?

– Un héros disons… en devenir. Il n'avait pas d'ambition finan-cière, ni même professionnelle. Il voulait réussir sur le plan de la bravoure. Il lisait des livres sur la Résistance française ou sur les guérillas du XXᵉ siècle. Il vivait dans cette interrogation : qu'aurait-il fait, lui, dans de tels contextes ? Aurait-il pris les armes ? Aurait-il fait preuve de courage ?

Erwan éprouva tout à coup l'empathie qu'il cherchait vainement depuis le départ. Il avait connu les mêmes doutes, les mêmes interrogations. Sauf que son existence de flic lui avait apporté des réponses : plusieurs fois, il avait affronté le feu.

– Parfois, commenta-t-il spontanément, la vie ne suffit pas. Je veux dire : la vie banale qui consiste à respirer et à chercher le confort sur terre. Pour certains, l'étoffe doit être plus belle, plus pure, plus héroïque.

Il regretta aussitôt cette tirade emphatique. Vraiment pas le discours à servir à des parents qui viennent de perdre leur fils dans un bizutage.

Aucune réponse. Il nota dans un coin de sa tête : *Un gamin obsédé par le courage ne s'enfuit pas au premier œuf pourri sur le crâne.*

Erwan changea de cap :

– Avait-il des amis, une fiancée ?

– Non, fit la mère d'une voix lugubre. Il voulait d'abord assu-rer son avenir.

– Pas même un ami proche ?

Erwan réalisa que la question pouvait être ambiguë mais il était trop tard, le mal était fait. Mme Sawiris s'approcha. Son visage ressemblait à celui des grandes tragédiennes – celles qui avaient su incarner les mythes grecs sur scène ou au cinéma. Maria Cal-las. Irene Papas. Silvia Monfort.

– Allez au bout de votre pensée.

– Je n'ai aucune pensée, madame, je vous assure…

Il mentait. Malgré lui, il avait trouvé le visage de Wissa effé-miné, et l'absence de bateau autour de l'île signifiait clairement qu'il n'y était pas allé seul. Deux hommes dans un bunker ? Deux amants ?

Mme Sawiris était maintenant à quelques centimètres de lui. Il pouvait sentir le parfum de sa chevelure comme on sent le souffle des flammes au fond de l'âtre.

– Tirez-vous avant que je vous attaque vous aussi, pour diffamation et harcèlement moral, siffla-t-elle.

Il les salua rapidement et balbutia quelques formules, reculant comme un huissier effrayé.

Quand il revint dans le hall, il était livide et épuisé. La fatigue de sa nuit trop brève venait de lui tomber sur les épaules. Il était aussi furieux contre les militaires. Il hésitait entre leur casser la gueule ou se coucher, là, n'importe où, en chien de fusil, et fuir dans le sommeil. Quand il vit les trois corbeaux dans le hall, il sut que la première option était la bonne mais il devait se contenter d'imaginer la scène.

Le Guen portait maintenant un appareil photo en bandoulière.

– Qu'est-ce que vous foutez avec ça ?

Le Crustacé récita comme une leçon :

– Les opérations d'autopsie doivent se dérouler en présence d'un officier de police judiciaire et d'un technicien en identification criminelle. On n'a pas de technicien. Je vais prendre les photos moi-même.

Erwan saisit son portable au fond de sa poche et appela Kripo :

– Radine-toi. C'est l'heure de la viande froide.

12

– VOUS VOUS ATTENDIEZ À QUOI ? s'étonna Michel Clemente. Je n'ai que ça à vous proposer. La version pièces détachées. Et encore, on n'est pas loin de la chair à pâté.

Le médecin légiste venait d'écarter le drap de la première table d'examen – les vestiges de Wissa en occupaient deux. Sous le halo des scialytiques, on reconnaissait une main, un tronçon de torse ou la partie d'un membre aux contours arrachés et brûlés.

Surmontant sa répulsion, Erwan se força à les détailler. Le bunker, en explosant, avait littéralement fusionné avec le corps du jeune homme. Certains fragments étaient labourés par des éclats de fer. D'autres incrustés de graviers. Un détail l'horrifia : il venait de repérer, à l'intérieur du poignet tranché, une croix tatouée. Il se souvint que c'était le signe distinctif des coptes orthodoxes. Sans doute les parents de Wissa portaient-ils la même…

– On a à peu près tout, résuma Clemente. Mais les pièces ne peuvent plus s'emboîter : trop de matière brûlée, pulvérisée ou encore dévorée par les crabes ou les oiseaux du large.

Visiblement, le toubib aimait jouer les cyniques. Son physique n'arrangeait rien : visage avenant, rides souveraines, chevelure grisonnante, blouse ouverte sur une tenue élégante – pantalon de velours, pull en V Ralph Lauren, chemise à rayures bleu ciel, le gars était mûr pour jouer dans un téléfilm le rôle du séduisant chef de clinique – *what else* ?

– Selon moi, le missile a explosé à l'intérieur du blockhaus. L'onde de choc a été amplifiée par l'espace clos.

Personne ne lui répondit. Figé dans une posture effrayée, chacun portait une blouse, des gants de chirurgien, une charlotte de papier sur la tête. Seul Le Guen tournait autour de la table pour ses photos. C'était lui qui paraissait le moins troublé. Concentré sur les meilleurs angles, il en oubliait ce qu'il avait sous les yeux.

– Les tronçons ont été numérotés sur place, poursuivit Clemente.

Il tendit le bras vers un ordinateur posé sur une console et appuya sur la barre d'espace. L'écran révéla un plan : on reconnaissait le trou du missile, entouré de chiffres – la répartition des pauvres restes de Wissa sur le sol de l'île. Nouvelle touche : les esquisses d'une silhouette humaine, en pied, de face et de dos, s'affichèrent. Pour l'instant, seules quelques parties portaient un numéro.

– Les gars ont finalement récupéré douze morceaux, sans compter les débris plus petits, incorporés aux gravats. Je suis en train de les replacer virtuellement sur ce schéma. Après, je verrai ce que je peux faire avec les vestiges réels. Il y a une dizaine d'années, j'ai participé à deux instructions de ce genre. L'explosion d'AZF à Toulouse et l'incendie du tunnel du Mont-Blanc. Dans tous les cas, il faut éviter que les parents voient ça.

Erwan revint à son idée :

– On est sûrs qu'il n'y avait qu'un corps ?

– Je vous demande pardon ?

– Parmi ces débris, il ne pourrait pas y avoir ceux d'un autre cadavre ?

– Manchot et cul-de-jatte alors : j'ai mon compte de mains et de pieds.

Erwan acquiesça. Encore une connerie. Le danger pour un flic était d'extrapoler. Le cerveau avançait toujours plus vite que l'enquête.

Le médecin rabattit le drap et Erwan put sentir – physique-ment – un soulagement dans la salle.

– Dans un tel cas, reprit-il, à quoi peut se résumer l'autopsie ?

– À pas grand-chose. Je vous le répète : je vais juste essayer d'assembler les morceaux avant l'inhumation.

– Et sur les causes de la mort ?

– Si vous voulez des détails, vous n'avez qu'à lire la notice du missile.

– L'heure du décès ?

Le médecin fixa Erwan avec irritation.

– On a l'heure exacte du tir. Qu'est-ce qu'il vous faut de plus ?

– Je voudrais être certain que Wissa Sawiris était bien vivant au moment de l'explosion. Vous avez ordonné des analyses toxi-cologiques ?

– Absurde. Vous croyez quoi ? Qu'il est mort d'empoisonne-ment ? De toute façon, il me faudrait un estomac. La plupart des organes ont brûlé.

– Et les examens anatomopathologiques ?

– Ils prendraient trois semaines.

– Vous avez des moyens de datation pour la mort ?

– Non. Compte tenu de l'état des membres, on peut oublier la rigidité cadavérique. Quant aux taches de lividité, je vous fais pas un dessin.

Erwan changea de cap, sa détermination balayait son malaise :

– Il y a beaucoup trop de fragments de métal.

– Bien vu, monsieur l'enquêteur, fit Clemente sur un ton sar-castique. Ce ne sont pas seulement les éclats du béton. Je pense que le missile contenait des schrapnels, quelque chose de ce genre. Il faudrait analyser les résidus métalliques mais je n'en ai pas le droit.

Le légiste fit un signe de tête vers les soldats, comme s'il leur passait la balle.

– Secret défense, fit Archambault. Les ordres sont très clairs à ce sujet.

– Aucune donnée sur le missile ne doit apparaître dans mon rapport, renchérit Clemente.

– Qu'est-ce que c'est que ces conneries ? s'emporta Erwan. Je dois avoir accès à *toutes* les informations. La loi est la même pour tout le monde !

– Impossible, reprit l'Asperge. D'ailleurs, le rapport sera envoyé en priorité aux experts militaires. Ce sont eux qui jugeront du degré de confidentialité des éléments.

– Ça va nous faire perdre plusieurs jours !

Archambault prit un air désolé. Erwan n'insista pas – un problème après l'autre.

– Dans tous les cas, je vous demande d'effectuer une autopsie aussi approfondie que possible.

– J'avais compris. Je vais faire le maximum.

– Vous devrez aussi attendre la visite des techniciens de l'IJ.

Clemente regarda Verny. Verny regarda Erwan.

– On va saisir une équipe de techniciens, expliqua le flic. Ils viendront faire un raclage sous-unguéal et d'autres prélèvements.

– Qu'est-ce que c'est que ce cirque ?

Erwan ne prit pas la peine de lui répondre.

– Lieutenant, ajouta-t-il à l'attention d'Archambault, vous restez pour l'autopsie. En tant qu'officier de la sécurité militaire, vous êtes tout désigné.

– Mais... et les photos ?

– Le Guen va vous prêter son matos. Vous vous chargerez aussi d'expliquer la situation aux parents. Ils ont intérêt à prendre un hôtel dans la région.

Le Homard se sépara à regret de son appareil et en expliqua le fonctionnement à Archambault. Tout le monde se serra la main, en gardant ses gants de chirurgien. Sans qu'Erwan sache pourquoi, ces doigts de latex enchevêtrés lui firent penser à des touchers rectaux.

13

GAËLLE N'AVAIT PAS EU à appeler son agent pour qu'elle lui trouve un casting. Le jeu s'appelait *Qui perd gagne*. Elle n'avait rien compris aux règles. Il y avait une roue, un quiz et le candidat qui obtenait le moins de points remportait la victoire. On cherchait la fille qui ferait tourner la roue – en maillot de bain, *of course*.

Une connerie de plus à la télé. Peu importe. Il fallait qu'on la voie, coûte que coûte. Les filles comme elle avaient la tête farcie de noms, d'anecdotes pour se motiver – des actrices aujourd'hui reconnues qui avaient débuté en remportant des concours débiles ou en assurant des rôles secondaires dans des émissions stupides. Louise Bourgoin, ex-Miss Météo de Canal+. Helena Noguerra, ex-animatrice sur M6. Aishwarya Rai Bachchan, ex-Miss Monde. Claudia Cardinale, ex-Plus belle Italienne de Tunis. Sophia Loren, ex-Miss Élégance...

Gaëlle lança un regard autour d'elle. Chaises pliantes, distributeur d'eau, moquette râpée. Côté concurrence, aucune surprise. Elle connaissait les plus âgées : des filles qui rôdaient chez Castel, au VIP, au bar du Plaza. D'autres débarquaient de leur province. Elles n'avaient pas le look mais beaucoup mieux : la jeunesse.

Par ricochet, elle se dit qu'elle allait avoir trente ans et qu'elle était foutue. Mais là encore, des précédents venaient à son secours. Cate Blanchett avait émergé à la trentaine, comme Naomi Watts et Monica Bellucci. Sans oublier leur reine à toutes : Sharon Stone, qui avait explosé dans *Basic Instinct* à trente-quatre ans. *Tous les espoirs sont permis.*

Bizarrement, alors que sa jeunesse était son seul capital, elle menait une vie où les années comptent double, voire triple. Sorties. Alcool. Défonce. Impossible de refuser. Il fallait se plier aux règles de la nuit. Ce matin encore, elle s'était couchée à 6 heures. Au VIP, elle avait réussi à s'installer à la table d'un réalisateur important qui parlait fort et picolait sec. Quand elle avait pu enfin s'asseoir près de lui, il dormait à poings fermés, la tête dans les coussins.

Elle sortit son miroir et s'inspecta, regrettant aussitôt cet aveu de faiblesse face aux autres. Mais sa tête lui plut. Malgré ses cernes, elle retrouva sa frimousse de poupée slave.

Lorsqu'elle avait seize ans, elle n'aurait jamais imaginé avoir un tel visage à trente. En réalité, elle n'aurait jamais imaginé vivre jusqu'à cet âge. À l'époque, elle ne pesait pas plus de trente-deux kilos.

Gaëlle n'avait pris conscience de son corps qu'à la puberté et cela avait été pour le détruire. Elle avait arrêté de manger, s'était murée dans une négation totale de la vie. Elle avait alors découvert la jouissance du jeûne. Cette sensation lancinante de faim, toujours associée à un léger vertige. Elle se souvenait encore de ses évanouissements : l'ivresse de se perdre au milieu des autres. Vaine illusion : dès son réveil, elle retrouvait son corps, masse de chair immonde, paquet d'organes qui lui répugnait.

Son QG était les toilettes. Vomir, déféquer, vomir... Elle vivait avec une brûlure dans la bouche, dans les intestins. Ses cheveux tombaient. Sa tension baissait. Son sang circulait mal. Au moindre choc, un hématome apparaissait et prenait de curieuses teintes mauves. Elle dormait la fenêtre ouverte, provoquait les courants d'air, réglait la climatisation au plus bas. Toutes les anorexiques (et tous les mannequins) connaissent la combine : le froid brûle les calories. Sa seule joie, c'était qu'en s'agitant, en respirant, elle *maigrissait...*

Un jour qu'elle avait pris des laxatifs, elle avait poussé et senti que c'était son propre intestin qui sortait. Cela lui avait valu une hospitalisation – la première d'une longue série.

Dans le service spécialisé dans les troubles du comportement alimentaire, elle retrouvait ses semblables, faméliques, aussi jeunes que mortes. Elle admirait leurs grands yeux intenses, leurs silhouettes décharnées. Elles lui semblaient resplendir comme des lucioles, qui scintillent au plus fort avant de s'éteindre à jamais.

Quand elle revenait à la maison, sa mère pleurait, son père gueulait. Gaëlle faisait son mea culpa, promettait de manger mais évitait toujours son assiette comme on contourne une bouche d'égout.

À dix-neuf ans, elle était tombée dans le coma. On l'avait ranimée, nourrie à coups de perfusions. De son lit d'hôpital, elle avait réussi à se traîner jusqu'à l'armoire pour prendre le miroir qu'on lui avait passé en douce. Ici, comme dans les châteaux des vampires, tout reflet était interdit. Elle avait compté ses bleus. Elle avait caressé ses os qui saillaient sous sa peau. Alors, d'un coup, elle était revenue à la raison. Ou presque. Elle avait pris le problème à l'envers et n'avait plus cessé de manger.

Elle s'était mise à écumer les supermarchés, remplissant son caddie de steaks ou profitant de la promotion sur les Granola – douze paquets pour le prix de six. Le réfrigérateur était devenu son meilleur ami. Elle mangeait, se goinfrait, engraissait, naviguant en solitaire, avec l'aiguille de la balance en guise de boussole.

Elle avait retrouvé son corps d'origine. Épaules rondes, fesses souriantes, seins avenants. Un corps qu'on avait envie de talquer ou de croquer, au choix. Ses règles étaient revenues. Les hommes avaient commencé à lui tourner autour. Un mélange d'attention flatteuse et de menace hostile.

D'abord, elle n'avait pas compris. Gaëlle avait passé son adolescence dans les hôpitaux. La découverte du sexe, l'éveil des désirs, tout ça avait été annihilé par son combat obsessionnel contre le poids. Maintenant, elle prenait conscience de son corps de femme – et de son effet sur les hommes. Il y avait eu le patron du bar où elle bossait le week-end qui l'avait plaquée sur une table de la cuisine, lui relevant la jupe en grognant. Cet ami de son père, préfet ou député, qui l'avait suivie jusque dans les chiottes d'un salon d'honneur pour lui sortir sa bite sous le nez. Ou cet acteur marié, trois enfants, qui l'avait harcelée de SMS dont un seul aurait suffi pour le faire chanter.

Elle avait fini par comprendre qu'elle ne devait pas avoir peur. Au contraire : cette force, c'était la sienne. Elle allait les rendre dingues et contrôler leur folie. Elle avait commencé à s'habiller en conséquence, affinant ses gestes, son maquillage. Au début, elle avait commis beaucoup de maladresses, comme les superhéros quand ils découvrent leurs pouvoirs, puis, progressivement, elle avait appris à maîtriser son magnétisme, à l'utiliser. Aujourd'hui, lorsqu'elle pénétrait dans un restaurant, elle pouvait capter le frémissement qu'elle provoquait, l'attirance sexuelle qu'elle suscitait.

Elle était à la fois la proie et la prédatrice. Ce corps qu'elle avait tant haï était devenu son arme.

– On s'fait une p'tite clope ?

Un type rachitique se tenait devant elle, flottant dans un tee-shirt douteux. Il exhibait un paquet de Marlboro comme si c'était la proposition de l'année.

Gaëlle cadra aussitôt le mec : moitié homo, moitié maquereau.

– Je fume pas.

L'autre, sans lâcher son sourire, s'assit auprès d'elle. Il devait avoir vingt-cinq ans mais il y avait quelque chose, sous ses traits mal rasés, de déjà rance.

– On aurait pu parler boulot.

– Quel boulot au juste ?

– T'es une marrante, toi. (Il baissa la voix.) Je travaille à la prod. Je pourrais te filer des tuyaux sur ce qu'ils cherchent.

– Ça me paraît clair, non ? dit-elle en désignant les autres filles.

Le gars ricana et tendit sa main décharnée :

– Kevin.

Gaëlle eut l'impression d'attraper une patte de poulet. Elle jeta un coup d'œil aux chaises qui se vidaient l'une après l'autre : encore deux candidates et ce serait son tour.

– Tu devais pas sortir fumer ? soupira-t-elle.

– Je préfère tenter ma chance avec toi.

– Eh bien, c'est fait. Tu peux y aller maintenant.

Il eut un nouveau ricanement qui claqua comme un pet :

– Non, vraiment, je peux t'aider. Je peux te pousser auprès du producteur et...

– J'en ai rien à foutre de ce casting.

– T'es vraiment top ! dit-il en éclatant de rire. J'ai exactement ce qu'il te faut !

14

— JE NE PEUX RIEN SIGNER sans qualifier l'enquête, argua Muriel Damasse au téléphone.

— Que diriez-vous d'« homicide involontaire » et de « négligence aggravée » ?

— Ouh là : on n'a jamais parlé d'homicide... Il s'agit de l'armée et...

— Sans ce terme, on ne pourra pas saisir la police scientifique.

— La PTS ?... Mais pour quoi faire ?

— Réaliser un ensemble de prélèvements sur la dépouille et organiser un ratissage complet de la scène de crime, sur l'île de Sirling.

— « La scène de crime » ? Vous y allez fort...

Erwan ne s'adressait pas seulement à la substitute du procureur, le message valait aussi pour Le Guen et Verny, assis à l'arrière de la voiture. Ils avaient laissé leur véhicule à Archambault. Au volant, Kripo paraissait s'amuser de la scène.

— La situation est déjà assez compliquée, déplora la magistrate. On m'a dit que vous veniez simplement pour collecter les faits !

— Avec la plus grande précision. Je voulais aussi voir avec vous les détails de la procédure...

Elle parut plus à l'aise sur le terrain de la paperasserie. S'ensuivit une conversation absconse où il fut question de saisine, de cosaisies, de réquises, de perquisitions, etc. Chacun comptait ses petits. Ils trouvèrent un accord de travail sur chaque point, ou presque.

– Pour le reste, conclut-elle, je dois checker avec ma hiérarchie. Je vous rappelle.

Silence dans la voiture. Ils roulaient sur la D168 en direction de Kaerverec. Sous une pluie d'aiguilles transluscides, le tableau de l'agriculture moderne défilait toujours dans sa banalité déprimante.

N'y tenant plus, Verny prit la parole :

– Si vous voulez que je contacte une équipe scientifique, il faudrait...

– Plus tard, coupa Erwan. À quelle heure je peux voir le pilote qui a tiré le missile ?

– Philippe Ferniot. Il sera à Kaerverec à 16 heures.

Le Guen pointa sa face rouge entre les deux appuie-têtes :

– Je préfère vous prévenir : c'est une célébrité chez nous. Un des meilleurs pilotes de sa génération. Il a fait l'Irak et l'Afghanistan. Évitez de le traiter comme un suspect.

Erwan ne répondit pas. Le Guen hésita puis se rencogna contre la portière.

– Et les élèves ?

– Lesquels ? demanda Verny.

– Les bizuteurs et les bizutés. Je voudrais les interroger avant ce soir. Combien sont-ils ?

– Une vingtaine d'anciens et douze nouveaux. Enfin, onze maintenant...

– Trouvez-moi deux salles. On les auditionne un par un avec mon adjoint.

– Comme vous voudrez, mais je comprends pas trop le...

– Ils sont consignés dans leurs chambres ?

– Non. Pourquoi ?

– Ils communiquent entre eux ?

Nouveau silence. Personne n'avait imposé la moindre mesure de discrétion chez les élèves.

– Les cours n'ont pas repris au moins ?

– Tout est à l'arrêt aujourd'hui, fit Verny, mais on pourra pas indéfiniment...

Dans un couinement de ciré, Le Guen se rapprocha à nouveau. Quand sa tête apparut entre les deux sièges, Erwan songea à un jaune d'œuf sur de la sauce Ketchup.

– Je sais pas ce que vous cherchez mais vous inversez les rôles. Wissa Sawiris a fui. Il a manqué à ses devoirs. Il est mort et c'est malheureux. Commencez pas à vouloir rejeter la faute sur les autres !

– D'une façon générale, cingla Erwan, je suis du côté du mort. Au nom de l'enquête, les témoins ne doivent avoir aucun contact entre eux.

– Mais des témoins de quoi au juste ?

Erwan ne répondit pas.

– Tournez à droite, grogna le Crustacé. Dans deux kilomètres, on y sera.

Kripo braqua et d'un coup, la mer jaillit : un bouillonnement noir aux franges grises se mêlant au ciel sombre dans une soudure de rocailles. La vraie Bretagne, enfin, apparut. Des falaises vert et blanc, creusées à la verticale, évoquant des animaux monstrueux au pelage phosphorescent, ouvrant des gueules démesurées pour s'abreuver à la source du monde.

Ce paysage des origines accueillait aussi des habitations traditionnelles : toits d'ardoises et volets bleus. Les touristes étaient encore là. Silhouettes sobres et chics sous leur parapluie, bermuda à rayures et pull noué sur les épaules. Le porte-à-porte donnerait forcément quelque chose.

À l'arrière, Le Guen marmonnait des ordres au téléphone. Il était question de « chaque homme dans sa chambre », de « créneaux différents pour le déjeuner ».

Kripo augmenta la vitesse des essuie-glaces et faillit manquer un virage à angle droit. Ce fut comme une confirmation : au-delà, la mer, l'horizon, le ciel. Ils étaient parvenus au bout du monde. Le Finistère. La fin de la Terre.

– Je pourrais voir le médecin de la base ? demanda Erwan à la cantonade.

Le Guen reprit la parole, plus calmement :

– Y en a plus depuis longtemps : restrictions de budget.

– Comment vous faites quand il y a un problème ?

– On va à Morvan ou à la Cavale blanche, comme tout le monde.

– Et pendant le bizutage ?

– En cas de besoin, on appelle celui de Kaerverec, le docteur Almeida.

– Je veux le voir.

– Mais je comprends pas, on...

La fin de sa phrase fut couverte par le bruissement d'une flaque qui frappa les vitres de plein fouet. Le Guen renonça.

Enfin, un panneau annonça : « Kaerverec 76 ». Encore quelques centaines de mètres et le portail de l'école apparut. Des blasons sur le frontispice et une barrière blanche et rouge, style passage à niveau, marquaient l'entrée.

– En premier lieu, fit Verny, vous devez rencontrer le colonel Vincq.

Erwan avait déjà entendu ce nom mais impossible de se souvenir où.

– Qui c'est ?

– Le responsable de l'école.

– Je croyais qu'il s'appelait di Greco.

– L'amiral est le chef d'état-major. Sur le terrain, c'est le colonel qui dirige.

Une sentinelle en ciré leva la barrière. Ils allaient enfin se mettre à l'abri mais Erwan éprouva le sentiment inverse : ils quittaient le monde rassurant du dehors pour pénétrer dans un univers clos aux relents de prison.

15

ERWAN S'ATTENDAIT à une base importante. Kaerverec ressemblait à une école primaire : cour carrée, constructions mochardes à toit plat, galerie couverte bordant chaque édifice comme dans un village du Far West.

Ils se garèrent sur le parking et se réfugièrent sous l'auvent de droite. Le Guen partit aussitôt prévenir le colonel Vincq. Erwan s'ébroua. Il avait déjà compris que l'humidité ne lui laisserait plus de répit.

— Au fond de la cour, expliqua Verny pour meubler le temps, ce sont les salles de débriefing et les locaux administratifs. En face de nous, les classes, les chambres et les thermes. Dans notre dos, les réfectoires, le gymnase et les salles de loisirs.

— C'est pas très grand.

— Kaerverec n'abrite qu'une trentaine d'élèves, à quoi s'ajoutent les instructeurs, les moniteurs, l'état-major dirigeant et un contingent de soldats pour surveiller le matériel. Moins de cent personnes en tout. Ce sont les terrains autour qui sont immenses : une bande d'un kilomètre de large sur trois de long nous sépare de la mer. Au prix du mètre carré sur le littoral, c'est un luxe incroyable.

— C'est sur ce territoire qu'on a lâché les EOPAN ?

Verny fit mine de ne pas avoir entendu :

– On pourra vous faire visiter les hangars et les champs de manœuvres si vous voulez. La base possède une dizaine d'appareils et...

Erwan n'écoutait plus. Les drapeaux étaient en berne, sans doute en hommage à Wissa. Il y en avait quatre : le français, l'européen, le breton et un dernier aux armoiries inconnues, un cygne, une épée, un bateau... À tous les coups les symboles de l'école.

Il sentit revenir son aversion naturelle pour l'uniforme. Il détestait l'esprit militaire et tous les signes extérieurs qui y étaient attachés. Les rares fois où lui-même avait dû porter l'uniforme – sortie de l'ENSOP, remises de médailles –, ça avait été un calvaire. En plus, son unique tenue lui rappelait chaque fois les kilos qu'il avait pris.

– Qu'est-ce qu'il fout ? s'impatienta soudain Verny. Je vais voir.

Le gendarme disparut. Kripo s'adossa à un pylône et se roula une cigarette, en posture cow-boy.

À ce moment, deux pilotes traversèrent la cour. Ils portaient sur leur combinaison une sorte de surpantalon qui paraissait gonflable.

– On dirait des bibendums, remarqua Erwan.

– C'est à cause de la gravité, fit Kripo en allumant sa cigarette.

– Quoi ?

– Ce sont des combinaisons anti-g. Dans un avion à réaction, la force de gravité peut atteindre en quelques secondes huit g, c'est-à-dire une pesanteur qui fait huit fois ton poids. Ton sang descend d'un coup de la tête aux pieds, ton cerveau n'est plus irrigué et tu tombes dans les pommes. C'est la raison de cet équipement : il y a du liquide à l'intérieur qui subit la même pression, serre les jambes et empêche le sang de descendre. Ils appellent ça un « babygros ».

– Comment tu sais ça, toi ?

– Culture personnelle.

La pluie harcelait toujours le bitume et les toits dans un bruit de mitraille, déchiré parfois par le claquement des drapeaux ou le cri des mouettes. Enfin, Le Guen et Verny réapparurent : ils escortaient un homme de taille moyenne, d'une cinquantaine d'années, vêtu d'un treillis de camouflage. L'imprimé s'accordait parfaitement à sa chevelure argentée coupée court.

Poignée de main. Son visage inspirait une sympathie immédiate. Sous la grisaille bretonne, pointait le soleil du Sud : peau bronzée, presque dorée, yeux bleus évoquant la Côte d'Azur.

– Je suis désolé, sourit-il après s'être présenté, je ne peux pas vous recevoir dans mon bureau. Les travaux devaient être finis avant la rentrée mais ce n'est pas le cas.

– Aucun problème.

Erwan se demanda si ce n'était pas une manœuvre pour les déstabiliser ou leur faire sentir qu'ils étaient indésirables. L'officier se lança dans un discours cent pour cent langue de bois, déplorant ce « malheureux accident », cette « tragédie », mais revenant toujours sur l'urgence de boucler l'enquête au plus vite et de reprendre les cours. Il s'exprimait d'une manière hachée, sténographique, faisant l'impasse sur les articles et truffant ses phrases de formules de caserne, telles que « grades sur les épaules », « bleubite », « cursus officier » ou des mots énigmatiques comme « gazier », « boost » ou « over-shooter ».

Pas besoin de détails, Erwan avait compris le message : « Faites votre boulot et cassez-vous. » Vincq conservait son sourire. Un beau mec sûr de sa séduction. Il était encore aujourd'hui l'aviateur dont rêvent les jeunes filles.

– Combien de temps pour relever les faits et conclure cette information ? demanda-t-il enfin.

– Ça dépend des faits.

– Qu'est-ce que vous voulez dire ?

– Qu'il est trop tôt pour vous répondre. On ne peut préjuger des découvertes à venir.

Le sourire disparut.

– Y a rien à découvrir. Le soldat a voulu échapper au bizutage et s'est réfugié...

– Ce n'est qu'une hypothèse. La seule chose concrète que nous avons est un corps découvert dans un bunker après l'explosion d'un missile. C'est un point de départ. Pas d'arrivée.

Le colonel lança un regard interloqué à Le Guen et Verny puis il cala ses mains dans son dos et se mit à faire les cent pas, tête baissée. La pluie crépitait comme une caisse claire dans un cirque, au moment du grand numéro.

– Faites au mieux, conclut-il en regardant sa montre, mais ça urge. Le SIRPA m'appelle toutes les heures pour savoir ce qu'ils peuvent dire ou non.

Le SIRPA : Service d'information et de relations publiques des armées. Il était étrange que Vincq cite en premier cet organe de communication.

– Sans compter le DRH de la marine nationale et les services de com du ministère de la Défense ! renchérit-il. De nos jours, tout le monde est obsédé par les médias ! (Il dressa soudain son index.) Surtout, n'oubliez pas, n'utilisez jamais dans votre rapport le mot « bizutage » ! Vous devez parler de « transmission de tradition », de « week-end d'intégration », de « progression pédagogique »... Mettez-y les formes ! Ces putains d'associations antibizutage vont nous tomber sur le poil dès qu'elles seront au courant.

– Je comprends.

– Vous comprenez rien du tout. Faites-moi un rapport pour demain matin, c'est tout ce qu'on vous demande. Un accident est un accident. On va pas passer l'automne là-dessus !

Il salua le groupe d'un hochement de tête et s'en alla.

– Colonel, juste un détail. Les cours n'ont pas repris aujourd'hui ?

– Non. Pourquoi ?

– On vient de voir passer deux pilotes en tenue.

– De simples vols d'entraînement. Notre planning est strict. Impossible d'annuler. (Il émit un ricanement sinistre.) À deux mille mètres d'altitude, je crois pas qu'ils vous gêneront dans votre enquête.

Le ronronnement des moteurs s'éleva au loin. Le colonel disparut. Le Guen et Verny se détendirent, cachant à peine leur satisfaction de voir Erwan remis à sa place.

– La chambre de Wissa, fit celui-ci afin de reprendre la main.

– Vous ne voulez pas vous débarrasser de vos bagages avant ?

– Pas la peine.

Les quatre hommes traversèrent la cour en direction des chambrées.

– Les poubelles ont déjà été collectées ?

– Quelles poubelles ? demanda Le Guen.

– Celles de vendredi, de samedi, de dimanche. Les poubelles du bizutage.

– Ils sont passés ce matin, qu'est-ce que ça peut foutre ?

Erwan ne répondit pas.

Le hall n'offrait aucune surprise : machine à café, tableau avec quelques annonces, étagères proposant de vieux magazines. Au premier, un couloir sans la moindre décoration. Le flic aimait cette forme d'ascétisme, même si les murs avaient l'air d'être en carton et que le lino décollé se soulevait à chaque pas. Derrière les portes, bruits de radio, de télé : les pilotes consignés. Erwan et Kripo échangèrent un coup d'œil. Ils étaient les oiseaux de mauvais augure. Verny s'arrêta face à la grande croix jaune de rubalise qui barrait le seuil d'une chambre :

– Vous avez reçu l'autorisation du parquet pour briser les scellés ?

– Aucun problème.

Erwan posa son sac et arracha les rubans. Kripo lui lança une paire de gants de latex. Il les enfila avant de saisir la clé que Verny lui tendait.

Un cube d'une douzaine de mètres carrés. Un lavabo dans un coin. Deux lits, encadrant une fenêtre, juste dans l'axe de la porte. Deux casiers en fer, comme ceux qui meublent les vestiaires de gymnase, faisaient office d'armoires. Près de chaque lit, un bureau.

Sur l'un d'eux, plusieurs objets : ordinateur portable, réveil, téléphone mobile. Les effets personnels de Wissa.

– On a touché à rien, confirma Verny. Le copiaulé dort ailleurs. Il a pris toutes ses affaires.

– Foutez tout ça dans des sacs à scellés en attendant les techniciens. (Erwan remarqua le sol impeccable, les corbeilles à papier vides.) On a fait le ménage ici.

– Y a un tour parmi les élèves, expliqua Le Guen. Chaque matin, deux d'entre eux nettoient les chambres. Le samedi n'a pas failli à la règle. On savait pas encore que Wissa avait disparu.

– Les deux gars étaient donc des anciens ?

– Bien sûr. Pendant quarante-huit heures, les Rats… je veux dire les nouveaux n'ont plus accès aux bâtiments.

– Vous chercherez les mecs qui ont nettoyé ici.

– Vous avez un problème avec les poubelles, persifla le soldat.

Erwan ignora la remarque.

– Tu te trouves deux témoins et t'attaques la perquise, dit-il à Kripo. Pas d'étudiants ni d'instructeurs : des secrétaires, du personnel administratif. Fouille avec le maximum de précautions. J'y crois pas beaucoup mais on va tout de même demander aux techniciens de passer la piaule au peigne fin.

– Je saisis pas trop, là, intervint Verny. C'est pas du tout ce qu'on s'attendait à…

Le flic se tourna vers lui :

– Lieutenant-colonel, j'ai l'impression que vous comprenez pas la situation et j'ai pas les mots pour vous l'expliquer en douceur. Alors voilà : on reprend tout de zéro.

16

LA CHAMBRE qu'on leur avait allouée était identique à celle de Wissa, avec une salle de bains en prime.
– Asseyez-vous.

Erwan avait demandé à Le Guen et Verny de les suivre. Les corbeaux attrapèrent les chaises derrière les bureaux et s'installèrent côte à côte, l'air remonté. La pluie frappait toujours les vitres, ciselant le temps en très fines unités.

– J'ai pas encore lu vos PV mais je suis sûr qu'ils sont nickel. Simplement, il y a mort d'homme. Un accident ou autre chose. On ne doit rien exclure. Pas même un meurtre avec préméditation.

Le Guen se dressa sur son siège :

– Mais d'où vous sortez des conneries pareilles ?

– C'est mon métier. Wissa était peut-être déjà mort quand on l'a placé dans le bunker. Peut-être savait-on que le Rafale allait frapper ce site. Un bon moyen pour effacer toute trace du crime.

– Personne ne pouvait connaître la cible avant la manœuvre, répliqua le gendarme.

– On va s'en assurer. Ce qu'il nous faut maintenant, ce sont des renforts. Où sont basés vos TIC ?

– Nos quoi ? demanda le Homard.

– Techniciens en identification criminelle, lui souffla Verny avant de répondre à Erwan : À Rennes. Je pense qu'ils pourront être là demain.

– Ce soir. Je veux entre autres un spécialiste paluches et moulages.

– On a un ANACRIM.

– Très bien. On pratiquera aussi des relevés organiques. Qu'ils se mettent au boulot cette nuit. D'abord la chambre de Wissa. Demain matin, Sirling. Vous avez des experts capables de bosser sur des sols mouillés ou même dans la flotte ?

– Des techniciens en investigation subaquatique, oui.

– Dites-leur d'apporter une pompe. Je veux draguer le trou creusé par le missile.

Le gendarme s'agita. Erwan arpentait la pièce, mains dans le dos, imitant malgré lui le colonel Vincq :

– Pour Wissa, Kripo s'occupera des fadettes mais il lui faut des petites mains. Combien de gendarmes pouvez-vous réunir avant demain matin ?

– Une dizaine.

– Parfait. Je veux aussi décrypter toutes les communications de la région. Tous les relevés des antennes relais du coin.

Verny siffla malgré lui. Erwan secoua la tête :

– Dans la lande, il doit pas y avoir eu un max d'appels.

– Et la réquise, pour les compagnies ?

– Le parquet la signera. On bénéficie du délai de flagrance et pendant une semaine, on a les mains libres. Pour l'ordinateur, vous avez quelqu'un de valable ?

– Un N'tech. Le meilleur de Bretagne.

N'tech pour « nouvelles technologies ». Erwan connaissait le jargon des gendarmes.

– Il est basé à Brest, continua Verny. S'il est pas en vacances, il peut être là avant ce soir.

– S'il est en vacances, trouvez-en un autre. On doit attaquer l'analyse de l'ordi dans les prochaines heures. Il décryptera les données, un de vos hommes les référencera et notera tout ce qui peut nous informer sur les relations de Wissa, ses goûts en matière de sexe et du reste.

– Pourquoi de sexe ? sursauta Le Guen.

– Parce que Internet est la plus grande machine à se branler que l'homme ait jamais inventée. Satisfait ?

– Je vois pas le rapport avec sa désertion.

– Arrêtons avec ça : ce scénario ne tient pas debout. Il n'y a aucune raison de penser que Wissa, passionné par sa formation de pilote et qui n'avait pas l'air spécialement trouillard, ait pris la mer pour éviter de faire des pompes ou de manger des croquettes pour chien. Sans compter tous les détails concrets qui ne collent pas.

Les gradés hochèrent la tête. On n'en parlerait plus.

Erwan se pencha vers eux, les mains en appui sur ses genoux, très coach sportif :

– Maintenant, vos missions spécifiques. Verny, vous envoyez un groupe du côté de l'embarcadère pour éclaircir cette histoire de bateau. Des gens vivent là-bas ?

– Des touristes. Des pêcheurs aussi, mais ils sont sans doute en mer.

– Faites-les rentrer. Ils ont des femmes, des enfants ?

– La plupart, oui.

– Je veux les PV avant demain soir. Appelez aussi la capitainerie de Kaerverec. Ils ont peut-être les moyens de savoir qui est sorti en mer cette nuit-là.

– J'en suis pas sûr.

– Eh bien, renseignez-vous ! Je veux aussi connaître la météo. Savoir si un bateau pouvait facilement accéder à Sirling. Le Guen, vous prenez deux gars avec vous et vous visionnez les bandes de vidéosurveillance de la base depuis vendredi.

Le Breton changea d'expression, jetant un regard en loucedé à Verny.

– Un problème ?

– Y a une tradition… Durant le bizutage, on coupe les caméras.

– Je le crois pas, ça, murmura Erwan. Pas de surveillance pendant quarante-huit heures ? Sur un terrain abritant des appareils militaires ?

– Les zincs sont à l'abri dans des hangars verrouillés et officiellement, les cours ont pas commencé. C'est une tolérance et...

– Vous avez peur d'enregistrer les saloperies de vos Renards ?

– C'est le contraire ! s'offusqua Le Guen. On veut protéger l'honneur des débutants ! Si jamais y en a un qui craque, autant pas laisser de traces.

Erwan eut un geste d'épuisement :

– Alors grattez sur Wissa. Retournez la moindre de ses affaires. Fouillez son passé. Famille, santé, études, amis, quotidien au Mans, origines en Égypte, personnalité...

– Mais... qui je peux appeler... ?

– Démerdez-vous. Ses parents le décrivent comme un solitaire passionné, ils ne savent sans doute pas tout. Vérifiez s'il avait une fiancée, des hobbys, des obsessions, des ennemis. Je veux savoir aussi s'il avait une expérience de marin.

– Je pensais que vous ne croyiez pas à cette version.

– Combien de fois je dois vous le répéter ? Je ne crois rien : je suis là pour trouver ! Quand Archambault rentrera de l'autopsie, briefez-le. Qu'il vérifie le pedigree de chaque élève. Je veux une fiche sur tous les gars qui ont participé à cette putain de nuit.

– Et pour les frais ? demanda soudain Verny.

– Vous rédigez un mémoire au nom de la gendarmerie, on rédigera les nôtres au nom de la BC. C'est une cosaisie. Tout sera remboursé par le TGI de Rennes. Vous avez prévu un bureau pour nous ?

– C'est-à-dire...

– Pas de problème, coupa Erwan en ouvrant son sac et en posant son ordinateur sur une des tables. On sera très bien ici. Procurez-nous des planches, des tréteaux, des prises multiples. Vos gars s'installeront aussi dans l'école. Tout le monde dort ici jusqu'à la fin de l'enquête. On ne sortira de ces murs que lorsqu'on connaîtra l'exacte vérité. Ça vous va comme ça ?

Ils se levèrent sans répondre. Leur visage verrouillé pouvait passer pour un oui.

– Il est 16 heures, fit le flic en regardant sa montre. C'est l'heure du pilote, non ?

17

D'APRÈS LES INFORMATIONS qu'on lui avait transmises, le capitaine Philippe Ferniot, trente-huit ans, chef de patrouille depuis 2009, actuellement chef de l'escadron de chasse Gascogne, totalisait vingt-cinq missions de guerre, mille huit cents heures de vol, dont mille cent sur Rafale. Le héros l'attendait dans la pièce qu'on avait allouée aux enquêteurs venus de Paris. Un réfectoire impersonnel ponctué de longues tables et d'un paperboard aux pages froissées.

Assis au fond, un café devant lui, Ferniot portait encore, sous son anorak de marin, une combinaison cousue de patchs colorés et d'insignes qui lui donnait l'air d'une vieille valise. Erwan le salua, s'installa en face de lui et ouvrit son ordinateur. Il commença à prendre des notes, comme s'il était seul, en silence. Enfin, il lui demanda sa version des faits.

Dès les premières réponses, il comprit qu'il avait affaire à une sorte d'androïde dénué de sentiments. Ferniot ne manifestait ni regret ni tristesse face au décès d'un jeune homme de vingt-deux ans dont le corps avait été réduit en bouillie par le missile que lui-même avait tiré. Il semblait même ne pas avoir d'avis sur la question.

Son récit des événements tenait en quelques mots. Samedi 8 septembre, 7 h 10, décollage du *Charles-de-Gaulle*. Objectif :

île de Sirling. Cible inconnue. Avec deux autres Rafale, Ferniot, à la fois pilote opérationnel et chef de patrouille, avait effectué plusieurs boucles au-dessus du site en attendant les ordres. Une fois la cible identifiée, il n'avait eu qu'à lancer un programme préenregistré – chaque tir potentiel faisant l'objet d'une séquence distincte. Le missile avait touché son but. Le Rafale était passé en postcombustion – une brutale accélération, si Erwan avait bien compris. Appontage sur le *CDG* à 7 h 38. Selon les ordinateurs, les radars et la hiérarchie, la mission avait été une réussite totale.

– J'ai rien d'autre à ajouter, conclut le pilote. Dans cette histoire, je ne suis qu'un maillon de la chaîne. Mes équipiers surveillaient mes arrières, le contrôleur radar gérait les espaces aérien et terrestre, les ingénieurs analysaient chaque paramètre. Sans compter mes supérieurs qui suivaient à la seconde près le déroulement du vol. (Il se leva et remonta le zip de son manteau.) S'il y a des responsabilités, cherchez-les au sol. Du côté des connards qui ont laissé ce pauvre bleu se casser sur l'île.

– Restez assis.

– On perd du temps vous et moi, là.

– Vous pourriez en perdre beaucoup plus.

Le pilote se pencha vers Erwan. Au physique, l'homme correspondait à son discours : tempes rases, mâchoires carrées, expression réglée sur zéro.

– Qu'est-ce que vous insinuez ? murmura-t-il.

– Je n'insinue rien. Vous êtes, pour l'instant, suspect dans une procédure d'enquête portant sur l'homicide involontaire d'un soldat. Je devrais vous placer, ici, maintenant, en garde à vue en attendant les conclusions de l'enquête préliminaire. Alors, asseyez-vous avant que notre entrevue ne change vraiment de ton.

Le pilote ouvrit la bouche pour hurler puis se ravisa et sourit. Erwan put voir, distinctement, le sang-froid reprendre possession de son visage.

– Très bien, concéda Ferniot en obtempérant. Balancez vos questions.

– Dans quel cadre officiel avez-vous effectué cette mission ?

– Les pilotes passent une qualification air-sol chaque année. C'est à la fois un test et un entraînement. En tant que chef de patrouille, je n'échappe pas à la règle.

– Vous n'avez pas l'air perturbé par ce qui est arrivé.

– Je n'y suis pour rien, je vous le répète. J'ai suivi les ordres dans un contexte donné. Si les infos qu'on m'a fournies ne correspondaient pas à la réalité, c'est leurs oignons. Je ne peux pas être à la fois derrière le manche et au sol, pour vérifier que la zone est sécurisée. Chacun son job.

Ferniot avait cent pour cent raison mais Erwan avait envie de l'asticoter :

– Vous faites où on vous dit de faire, quoi.

– Comme vous. Si vous voulez jouer les francs-tireurs, mieux vaut ne pas choisir l'armée ni la fonction publique.

– C'est vous qui avez tiré sur le bunker, oui ou non ?

– Non. Vous écoutez quand on vous parle ? Tout est informatisé, je viens de vous l'expliquer. Le vol comme le tir. Quand la cible est définie par la base, les ordinateurs font le boulot.

– Qui décide de l'objectif à détruire ?

– Personne. Un programme aléatoire tire au sort la target. L'info tombe au dernier moment.

– Si on s'était rendu compte qu'un homme était dans le bunker, vous auriez pu stopper l'opération ?

– Bien sûr. Un bouton permet de tout arrêter : Immediate Exit. On peut aussi couper le pilote automatique.

– Parlez-moi du missile qui a détruit le bunker.

– Arrêtez de dire « bunker ». Ma cible était un tobrouk.

– Quel type de missile avez-vous tiré ?

– Vous n'avez pas parlé avec mes supérieurs ?

– Pas encore.

– Vous auriez dû commencer par là. Je ne peux rien vous dire. Secret défense. D'ailleurs, je ne sais rien. On ne connaît jamais exactement la nature de l'OPIT.

– Du quoi ?

– Obus perforant incendiaire traçant.

Des souvenirs lui revinrent. Erwan avait effectué plusieurs missions dans les DOM-TOM où des morts suspectes étaient survenues. Il y avait rencontré des militaires d'élite et avait été frappé par le contraste entre leur intelligence du combat, leur expertise en armement et leur débilité dans la vie civile. Ces types qui avaient le permis de tuer, qui pouvaient torturer froidement un homme ou se trancher un membre pour s'en sortir étaient les mêmes qui pissaient dans la bouteille de shampooing de leur collègue et riaient des histoires de Toto.

Soudain, Ferniot frappa sur ses genoux et se leva à nouveau :

– Bon. Ça suffit les conneries. D'ailleurs, tout est consigné dans mon compte rendu de vol. Je peux simplement vous assurer que tout était clair pour nous. Sinon, y aurait jamais eu de tir.

Erwan l'imita. Il venait d'avoir une idée :

– Si un homme s'était planqué à la dernière minute dans le tobrouk, vous auriez eu les moyens de le repérer ?

– Évidemment. Dès que la cible est définie, les radars se focalisent sur elle.

– Quels radars ?

– Sismiques, thermiques : ceux qui nous back-upent avant l'impact, qui vérifient que rien ne bouge à l'intérieur, qu'il n'y a aucune source de chaleur sur le site.

En prononçant ces mots, son expression changea. Ferniot venait lui-même de réaliser un fait essentiel : si ces instruments n'avaient rien détecté, cela signifiait que Wissa était déjà mort.

Erwan ne releva pas. Première règle : dissimuler à son témoin l'importance de l'info qui lui a échappé. Deuxième règle : ne jamais avoir l'air surpris.

– Vous connaissiez Wissa Sawiris ?

– Non.

– Les autres élèves de Kaerverec ?

– Aucun. J'ai jamais foutu les pieds ici. Je suis en mission sur le *CDG*. Ma base est à Carcassonne.

– Vous irez à l'enterrement ?

– Comme tout le monde. On fera notre mea culpa.

– Ça n'a pas l'air de vous enchanter.

– Je suis triste pour le bleu mais ces cérémonies lui rendront pas la vie. Tout ça, c'est la faute des gars au sol : ce qui s'est passé n'est pas professionnel et je ne paierai pas pour ces cons.

C'était la première fois qu'il trahissait une émotion et cette émotion était la colère.

Erwan choisit un terrain neutre pour finir :

– Vous-même avez subi un bizutage ?

– Bien sûr.

– Où ?

– Un centre de pilotage à Salon-de-Provence.

– Comment ça s'est passé ?

Le pilote rit malgré lui. Comme un ordinateur, il pouvait passer d'un programme à l'autre : neutralité, colère, amusement...

– Des blagues. Rien de bien méchant.

Erwan raccompagna Ferniot jusqu'à la porte, marmonnant quelques formules administratives, paperasse à signer, supérieurs à informer.

Une fois seul, il ralluma son mobile. Michel Clemente, le légiste de la Cavale blanche, l'avait appelé pendant l'interrogatoire.

18

– VOUS AVIEZ RAISON, attaqua le médecin, la voix altérée. Wissa Sawiris était mort avant l'explosion. J'ai approfondi mon examen et plusieurs détails sont apparus. La rigidité cadavérique d'abord. En étudiant les angles de brisure des membres, j'ai acquis la certitude que la victime, au moment de l'explosion, était déjà bien raide. Un corps souple ne se brise pas de la même façon, même sous l'intensité d'un tel souffle. J'ai observé aussi les photos des fragments du corps sur l'île. Entre les brûlures, les traces de suie et les éclats de fer, j'ai repéré des taches rougeâtres qui avaient disparu quand la dépouille est arrivée chez nous : des lividités cadavériques. Vous connaissez le principe : quand le sujet est mort, le sang ne circule plus et forme des nappes sous la peau.

– Et alors ?

– Ces photos ont été prises samedi à midi. Les taches avaient visiblement atteint leur coloration maximale – un stade qui survient douze heures environ après la mort. Faites le calcul : le gamin est mort la veille aux environs de minuit.

Une première hypothèse traversa l'esprit d'Erwan. Durant la « chasse à l'homme », les Renards avaient secoué Wissa trop durement et le gamin en était mort. À ce stade, on pouvait encore parler d'homicide involontaire. Mauvaise chute sur une pierre, crise cardiaque, etc. Les agresseurs avaient paniqué. Ils avaient emprunté un Zodiac à l'embarcadère et mis le cap sur Sirling. Cacher la dépouille dans le tobrouk était une bonne idée : pas besoin de l'enterrer. La découverte du corps serait sérieusement différée. Sauf si un missile exhumait dès le lendemain le cadavre.

– Il y a encore autre chose…, poursuivit Clemente qui avait perdu sa superbe. J'ai noté deux types de blessures. Celles qui n'ont pas saigné, survenues après le décès, et d'autres qui ont saigné. Wissa a été torturé et mutilé… de son vivant.

Exit l'hypothèse de l'accident. Erwan passa directement à une version plus méchante : des Renards s'étaient déchaînés sur leur victime.

– Selon vous, de quoi est-il mort ?

– Difficile à dire mais il a subi des violences épouvantables. Des coupures, des entailles, des mutilations.

Finalement, son père avait vu juste : Erwan était bien l'homme de la situation. Quand les pires pulsions meurtrières s'exprimaient, il était celui qui venait balayer devant la porte. Dans un enchaînement réflexe, il songea aux parents du gamin. Qui allait leur annoncer la nouvelle ?

– Qu'est-ce que vous pouvez me dire sur les méthodes du ou des tueurs ?

– Rien pour l'instant mais je vais étudier chaque plaie et essayer de remonter, disons, son histoire. Ceux qui lui ont fait ça sont de vrais bouchers. J'ai aussi lancé des examens toxico et l'anapath avec ce qui reste des organes. On sait jamais.

Clemente paraissait beaucoup plus motivé que lors du premier rendez-vous.

Erwan allait raccrocher quand l'autre ajouta :

– Y a un dernier détail bizarre. Je pense qu'on lui a rasé la tête.

– Vous êtes sûr ?

– Quasiment.

– C'est pas l'effet de l'explosion ou du feu ?

– Non : on voit les marques de la tondeuse. Ça faisait peut-être partie du rituel.

– Pourquoi « rituel » ?

– Je dis ça comme ça.

Erwan songea plutôt à une épreuve du bizutage, il devait se renseigner.

– Ok, conclut-il. Vous me faites signe dès que vous avez du nouveau.

– Et pour les autres, qu'est-ce que je fais ?

– Quels autres ?

– Les officiers de Kaerverec, les experts de l'armée qui m'appellent toutes les deux heures pour savoir où j'en suis.

– Ils vous ont demandé une autopsie détaillée ?

– Non, mais je dois leur transmettre mon rapport. C'est la procédure.

– Le temps que vous rédigiez tout ça, ça pourrait nous emmener jusqu'à demain matin, non ?

– Dernier carat.

– Alors on en reparle demain.

Erwan raccrocha, troublé et excité à la fois. Il ne savait pas encore comment utiliser son scoop ni faire usage des quelques heures d'avance dont il disposait. Il appela Kripo. La perquise de la chambre était terminée : aucun résultat.

Il le mit au jus pour Wissa. Son adjoint n'eut aucune réaction. Même les joueurs de luth, après vingt-cinq ans de maison, ont le cuir tanné.

– Qu'est-ce qu'on dit aux troufions ?

– Rien pour l'instant. On les interroge comme si de rien n'était.

– T'as déjà ton idée ?

– Soit la mort de Wissa est le résultat d'un lynchage, soit l'exécution n'a rien à voir avec le bizutage : on l'a torturé pour une autre raison et le contexte du week-end n'a fait que brouiller les pistes.

Tout en parlant, il se dirigea vers les murs décorés de photos de Rafale, ainsi que de portraits d'EOPAN ayant décroché leurs « ailes ». Des étagères supportaient des coupes et des cocardes.

– Si Archambault a assisté à l'autopsie, fit remarquer Kripo, il est au parfum, non ?

– Je l'avais oublié, celui-là. Tu l'appelles et tu lui dis de la fermer.

– C'est tout ?

Erwan observait les visages des pilotes diplômés. Le sourire des rêves à portée de ciel.

– Non. Contacte Verny. Qu'il retourne les archives des gendarmeries et des SRPJ de Bretagne pour répertorier les morts violentes avec mutilations.

– Il va pas comprendre. Il en est toujours à la version bizutage.

– Reste évasif. Qu'il ratisse les taules et les asiles de cinglés de l'ouest de la France. On peut pas exclure qu'un psychopathe ait été libéré ou qu'il se soit enfui dans la lande.

– Le genre loup-garou ?

– Déconne pas. Clemente nous rédige un rapport comme on en a pas lu souvent. Maintenant, c'est toi et moi face aux EOPAN. Tu nous prépares un mix Rats-Renards. D'abord les arpettes puis les anciens. J'attends les miens dans la salle où j'ai interrogé le pilote.

– Qu'est-ce que ça a donné de ce côté-là ?

– Qu'est-ce qu'il y a de plus con qu'un soldat qui marche ? Un soldat qui vole.

19

O N S'EST TOUS RASSEMBLÉS sur le tarmac à 17 heures.
— Vous étiez habillés ?
— Non, en slip.
— Qui vous encadrait ?
— Les Renards. Je veux dire : les anciens.
— En uniforme ?
— Ils portaient des combinaisons peintes en noir.
— Vous les avez reconnus ?
— Non. Ils avaient des masques blancs.
— Décrivez-les-moi.
— Des masques sans expression, comme dans les films d'horreur.
— À ce moment, on vous appelait toujours par vos noms ?
— Jamais de la vie.
— Des numéros ? Des surnoms ?
— Des insultes.
— Quel genre ?
Le soldat n'hésita pas :
— « Sac à merde », « sac à foutre », « biroute », « mégafiotte »...
Y en avait un qu'arrêtait pas de nous dire : « Vous avez été finis à la pisse ! Vous êtes des raclures... tous finis à la pisse ! »
— Et les Renards, ils avaient des surnoms ?

– Des grades, plutôt. Y avait un BE, « bourreau exclusif ». Un MM, « maître matamore ». Un KA, « kick in the ass »...

Un gloussement échappa au jeune soldat. Malgré la mort de son camarade, ces souvenirs lui paraissaient irrésistibles. Le Rat portait une tenue impeccable : chemisette blanche, épaulettes noires gravées d'une ancre d'argent, pantalon immaculé. Un badge pendait à sa poche de poitrine avec son nom et son grade. Il avait l'air de sortir du film *Top Gun*.

– Sur le tarmac, qu'est-ce qui s'est passé ?

– On nous a bandé les yeux et on a eu droit à la cradification : œufs pourris, fromage, purin, huile de moteur, excréments... Après, on a dû ramper sur le bitume.

– Les yeux bandés ?

– Toujours, oui.

– Combien de temps ?

– Impossible à dire.

– Ensuite ?

– On nous a poussés au pas de course jusqu'à un hangar.

Erwan déplia une carte des terrains d'aviation donnée par Verny. Des bâtiments longeaient chaque piste. Le nombre d'appareils qu'ils abritaient était spécifié, ainsi que le modèle et l'immatriculation.

– Lequel c'était ?

– Aucune idée. On avait toujours le bandeau.

– Quand vous l'a-t-on retiré ?

– À l'intérieur. C'était horrible. Ils avaient bouché les fenêtres avec des bâches noires. Tout était éclairé avec des torches. Sur les murs, y avait des graffitis. Des injures, des croix gammées. Et aussi des carcasses suspendues, des têtes de porc, de mouton plantées sur des pics. L'odeur était atroce.

Inutile de se demander s'ils avaient eu le temps de tout nettoyer, Erwan était sûr que oui.

– Quels étaient les ordres ?

– D'abord, on a rien compris. Ils gueulaient tous en même temps. On a dû faire encore des pompes mais cette fois, ils s'asseyaient sur nous. Quand on rampait, ils nous foutaient des coups de pied, nous balançaient des déchets sur la tête. Ils appelaient ça le « cercle de la sueur ».

Une référence aux cercles des Enfers de *La Divine Comédie*. Ces Renards lui paraissaient étonnamment cultivés. Il notait toujours.

– Combien de temps ça a duré ?

– Aucune idée. On avait plus de montre. Mais ça nous a semblé interminable.

– Personne ne s'est révolté ? Personne n'a refusé de faire un exercice ?

– On avait pas trop le choix.

À la ligne.

– À la fin, on est retournés dehors. On a dû avancer sur les genoux dans un bassin rempli de boyaux, avec les mains sur la nuque, comme des prisonniers. Puis on s'est foutus en rangs pour les feux de Bengale.

– Qu'est-ce que c'était ?

– Des grenades à plâtre qu'ils ont fait sauter à nos pieds.

– Y a eu des blessés ?

– Non. On était simplement couverts de poussière, en plus de toute la merde et du reste.

– Après ?

– On est passés à l'acte 2 : le cercle de la chasse...

Erwan nota dans un coin de son écran : « Relire Dante. »

– Quelles en étaient les règles ?

– Une heure pour se planquer dans la lande. Après ça, ils partaient à notre recherche avec des pistolets de paintball...

– Quelle heure était-il ?

– Je sais pas, je vous dis. La nuit était tombée. On s'est tous mis à courir. (Il ricana.) En un sens, ça nous a réchauffés.

– T'es parti seul ?

– On nous a séparés avant le départ.

– Où tu t'es caché ?

– J'ai couru jusqu'à la grève et j'ai trouvé une crique. J'me suis glissé entre deux rochers, à l'abri du vent. Au bout d'un moment, ils m'ont chopé. Ils avaient des cornes de supporter, des cloches. Je me suis mis à courir mais c'était une plage de galets. Je me suis tordu la cheville, je suis tombé, ils m'ont tiré dessus. (Il écarta le col de sa chemise immaculée : il avait gardé des traces bleues et rouges sur le cou et la clavicule droite.) Cette saloperie de peinture ne part pas.

Le légiste n'avait rien mentionné de tel sur le corps de Wissa.

– Vous aviez des moyens de vous repérer dans la nuit ?

– Aucun.

– Comment t'as trouvé le littoral ?

– Le vent venait du large, on entendait la mer.

– Quand vous vous êtes disséminés dans la lande, Wissa était avec vous ?

– A priori oui, mais c'était difficile de se reconnaître. On était couverts de merde.

– Et les chasseurs ? Quand ils t'ont attrapé, ils portaient toujours leurs masques ?

– Non. Des amplificateurs de lumière.

– Où ils avaient pris ce matos ?

– À l'arsenal, sans doute.

Si la K76 avait fourni du matériel pour ces jeux stupides et qu'il était démontré que des soldats ainsi équipés avaient tué Wissa Sawiris, cela faisait de l'armée un complice indirect. Encore une bonne nouvelle pour le colonel Vincq.

– À part la peinture, on t'a frappé ?

– Non. Une fois que j'ai été marqué, le groupe m'a foutu dans un hangar et j'ai attendu là-bas que le jour se lève.

– Seul ?

– Non. Peu à peu, ils ont ramené chaque Rat : ils le balançaient dans l'entrepôt comme un sac à patates.

– Ensuite ?

– À l'aube, on nous a préparé un petit déjeuner.

– Je suppose qu'il ne s'agissait pas de café et de croissants.

L'élève eut un nouveau ricanement. Le ressac immuable de la connerie.

— Des croquettes pour chien et de la pâtée pour chat. Des piments aussi. Après ça, plus d'eau, plus rien. On avait la gorge en feu...

— À quelle heure la disparition de Wissa a-t-elle été officielle ?

— Y a eu un flottement. Les Renards revenaient, repartaient, revenaient. Ils parlaient à voix basse. Quelque chose n'allait pas. Il manquait quelqu'un.

— Vous l'aviez pas remarqué avant ?

— Non. On était épuisés.

Erwan connaissait la suite. La recherche s'était étendue à toute la lande, on en avait référé aux dirigeants de l'école puis aux gendarmes. L'état-major du *Charles-de-Gaulle* s'était alors manifesté : leurs experts avaient découvert un homme sur l'île de Sirling. En pièces détachées.

Il retourna à son écran et récapitula. Si son hypothèse de lynchage était la bonne, le crime avait dû avoir lieu dans la lande, approximativement entre 22 heures et 2 heures. Ensuite, les anciens avaient pris la mer et largué le corps à Sirling. Même s'ils étaient rentrés pour l'appel du matin, les autres Renards auraient dû entre-temps constater leur disparition : étaient-ils complices ?

Un détail en particulier :

— Au cours des épreuves, a-t-on rasé la tête à certains d'entre vous ?

— Non.

Retour plan large :

— Sur ce bizutage, qu'est-ce que tu dirais ?

— Pas grand-chose : on l'a pas terminé.

— Tu aurais aimé aller jusqu'au bout ?

— Oui. Ce week-end, pour nous tous, c'est comme un baptême du feu.

— Et Wissa, tu y penses ?

— Bien sûr. (Le soldat baissa la voix.) Mais ça a rien à voir. Lui, il a pas eu de bol.

– Sur sa mort, qu'est-ce qu'on t'a dit ?

– Qu'il avait fui sur une île et qu'il s'était pris un missile.

– Ça te semble plausible ?

– Non. L'histoire du missile, ça paraît dingue. Mais surtout, Wissa, c'était pas un lâche. C'était même le plus couillu de nous tous.

– T'as une autre idée ?

– Non.

À la ligne.

– Après ça, comment tu vois ton année ici ?

– On doit faire face. On se souviendra toujours de Wissa mais notre promo doit dépasser ce coup dur.

– Tu trouves ça normal de subir ces conneries avant de commencer vos études ?

– Ce sont pas des conneries. Et ça nous a fait du bien.

– Surtout à Wissa.

– C'est pas ce que je veux dire...

– Qu'est-ce que tu veux dire alors ? demanda brutalement Erwan.

– L'inté, c'est important pour un soldat. Une étape essentielle. C'est...

– Tu sais quelles étaient les autres épreuves prévues ?

– Non.

– Tu peux disposer.

Il se mettait à parler comme un militaire. La bleusaille se leva et attrapa son blouson. Il s'éloigna en s'efforçant d'adopter une démarche martiale mais le cœur n'y était pas.

20

LES AUTRES n'apportèrent rien de plus. Deux d'entre eux étaient des timides, le troisième un agressif, le quatrième un mutique. Tous étaient en état de choc, comme des somnambules qu'on aurait réveillés en pleine crise. Stoppés net dans leur initiation, ils ne savaient plus où ils étaient, ni qui ils étaient.

L'hypothèse d'un suspect parmi eux ne tenait pas (Erwan leur demandait tout de même s'ils avaient une expérience de marin). Quant aux bourreaux, avec leur masque et leurs injures, aucun selon eux ne sortait du lot. Hormis celui qui répétait : « Vous avez été finis à la pisse ! » À propos de Wissa, ils étaient unanimes : un gars courageux, qui prenait le bizutage comme la première épreuve d'une longue série. Un avant-goût de la guerre. En revanche, personne n'avait été capable de dire dans quelle direction il était parti lors du cercle de la chasse.

À 19 heures, Erwan renvoya le dernier élève et sortit sous la véranda. Il pleuvait toujours mais la Bretagne lui avait préparé une surprise : à travers la bruine, une lumière d'argent baignait la cour alors qu'une aura mordorée, aux contours irisés comme le fond d'une nacre, flambait au-dessus des toits.

– Pas mal, hein ?

Il se retourna : Kripo se roulait une cigarette avec deux doigts. Petit prodige de luthiste.

– Qu'est-ce que ça donne de ton côté ? demanda Erwan.

– Pas grand-chose. Tous ces mecs répètent le même discours, soit le sourire aux lèvres, soit les larmes aux yeux, mais personne a l'air d'en vouloir aux Renards ni à l'armée. Personne a l'air non plus de faire le lien entre ces conneries et la mort du gamin.

Erwan était d'accord : ces types avaient subi un lavage de cerveau.

– Les techniciens viennent d'arriver, prévint Kripo.

– Où sont-ils ?

– Le N'tech t'attend avec Verny. Les TIC bossent déjà dans la chambre de Wissa.

– On commence par l'informaticien, fit Erwan en quittant la galerie.

Ils rejoignirent une classe encore meublée avec les fameuses chaises Mullca à piètements en fer. Aux côtés du gendarme se tenait un petit gars à tête de crapaud. Il avait beau porter le pull réglementaire et des galons aux épaules, il puait la contre-culture à cent kilomètres. Chétif, voûté, mal rasé, ses yeux lui sortaient des orbites et étaient injectés de sang, comme s'il avait fumé un joint de trop.

– Je m'appelle Branellec. (Il répéta un ton plus haut, mains dans les poches :) Bra-nel-lec ! En breton, ça veut dire « qui marche avec des béquilles ».

Pas vraiment de bon augure.

– Vous en faites pas, ricana-t-il en surprenant l'expression d'Erwan. Votre bécane, j'en ferai qu'une bouchée.

– Combien de temps pour la retourner entièrement ?

– Ça dépend de ce qu'il y a dedans. Dans vingt-quatre heures, on y verra plus clair.

– Je t'en donne douze, à compter de maintenant.

Branellec éclata de rire :

– Je dois bosser ici ?

– Personne ne sort de la base.

– Je peux faire venir du matériel ?

– Vois ça avec Verny. Aucun contact avec les autres soldats. J'attends un premier rapport dans la nuit.

Le gars fit un salut militaire, sur le mode ironique, puis s'installa dans un coin de la salle, l'ordinateur de Wissa sous le bras.

– Allons voir les TIC, ordonna Erwan à Verny.

Premier étage. Sous le lino râpé, les solives grinçaient. La pluie fouettait les vitres. On avait l'impression de voguer en pleine mer.

Dans la chambre de Wissa, des gars en pyjama de papier, gantés, encapuchonnés, masqués étaient au turbin. Spectacle familier. Plus question d'entrer, même si la pièce était polluée depuis longtemps.

L'un d'eux se releva et s'approcha du seuil.

– Thierry Neveux, déclara-t-il en baissant son masque anti-poussière. Je suis l'analyste criminel et le coordinateur de l'équipe.

– Où on en est ? demanda Erwan après s'être présenté.

– Nulle part. Le site est plus froid qu'une cale frigorifique. Trop de temps a passé. Trop de monde. À mon avis, la piaule était une annexe du mess. On a retrouvé des particules de cannabis un peu partout. Les joints devaient tourner ici chaque soir.

– Bravo les pilotes ! fit Erwan à l'attention de Verny.

L'Haltérophile prit une mine chiffonnée :

– Je… On va interroger son copiaulé.

Neveux reprit – ton neutre, visage impassible :

– Même chose pour les fragments organiques. Va falloir relever l'ADN de tous les élèves de la base, sans compter les officiers, les soldats, les gars de la maintenance et j'en passe. Z'êtes sûr de votre coup ?

– Je veux la totale. Vous avez un labo privé ?

– J'ai des mecs à Quimper qui bossent vite et bien.

– Alors, on fonce.

– Qui va payer ?

La question avait échappé à Verny. Les notes de frais paraissaient être son obsession. Erwan avait bien fait d'emmener Kripo, le meilleur trésorier du 36.

– Y aura pas de problème.

– On peut attaquer la recherche FAED dès ce soir, ajouta Neveux. Et celle de la FNAEG demain matin.

Le flic se sentait mieux avec ces enquêteurs : des gendarmes certes, mais des traqueurs de tueurs comme lui.

– Qu'est-ce qu'on cherche au juste ?

– On saura quand on aura trouvé.

Neveux eut un geste vague – « C'est vous qui voyez » – et remit sa capuche :

– Le point à minuit. Si je vous dis : « Ça brûle », c'est que je manque de vocabulaire.

Ils abandonnèrent le coordinateur et regagnèrent leur chambre-commissariat. Kripo avait déjà installé les ordinateurs, déployé la doc, épinglé des cartes aux murs. Un portrait de Wissa trônait en bonne place, histoire que chacun se souvienne que le puzzle avait été un jeune homme à la peau de pêche et à la volonté d'acier.

Point rapide avec Verny : le gendarme n'avait rien trouvé du côté des faits divers anciens ni des libérés récents dans la région.

– Et les instituts psychiatriques ?

– Y a une UMD à quarante bornes d'ici...

Les unités pour malades difficiles sont des asiles psychiatriques pour criminels : 50 % hôpital, 50 % prison, 100 % terrifiants. Au fond du cerveau d'Erwan, une hypothèse se ralluma : un tueur dans la lande, sans le moindre rapport avec l'école.

– Je les ai contactés : rien à signaler, ajouta Verny.

– Comment s'appelle l'hosto ?

– L'institut Charcot.

– Continuez à gratter dans cette direction.

L'officier eut un mouvement brusque des épaules, comme si son pull le démangeait.

– Quelle direction ? J'ai dû manquer un épisode parce qu'aux dernières nouvelles, on enquête sur un élève qui s'est planqué dans...

– J'ai parlé au légiste. Wissa était mort avant que le missile n'explose.

– Mort ? Mais comment ?

– A priori, torturé et mutilé.

Verny passa un doigt sous le col de son pull. Incrédule, il regardait tour à tour les deux flics, en quête d'explications.

– Pour l'instant, on garde l'info pour nous, dit simplement Erwan.

– Torturé et mutilé...

– Sur l'embarcadère, du nouveau ?

– Hein ? Non. On a interrogé les voisins et passé le quai au peigne fin. Sur le littoral, on frappe à toutes les portes. On a aussi contacté la capitainerie : ils savent rien.

Il parlait d'une voix creuse, l'air abasourdi.

– Le Guen ?

– Il planche sur le passé et l'entourage de Wissa, répondit le gendarme. On en saura plus tout à l'heure.

– Archambault ?

– Sur la route du retour. Torturé et mutilé... Faut prévenir l'état-major.

– Non. Le rapport d'autopsie n'est pas rédigé. On a la nuit pour avancer.

– Mais... à quoi ça nous sert ?

– À éviter les contraintes : je ne veux personne dans mes pattes, et surtout pas des gradés avec des conseils et des discours ronflants. Continuez à chercher tout ce qui pourrait être lié à une violence de ce calibre dans la région. Et retrouvez-moi la trace du bateau qui est allé à Sirling !

Verny partit sans un mot. Sur le seuil, il s'arrêta, se retourna et, sans doute pour se rassurer, les gratifia d'un salut militaire.

Erwan ne répondit pas. Cette raideur commençait à lui peser. Base trop petite, uniformes trop serrés, cerveaux trop étroits... Surtout, depuis le matin, il n'avait pas vu une femme. Même à la BC, qui n'était pas précisément un salon de coiffure, on croisait toujours des petits culs à reluquer.

Il regarda sa montre puis fit signe à Kripo :

– On reprend l'audition.

21

LES RENARDS ne lui apprirent rien non plus. Ils n'étaient même pas les fachos antipathiques qu'Erwan imaginait. Aussi sonnés que les première année, ils se raccrochaient aux valeurs de leur école et de l'armée en général. Ils faisaient corps, non par solidarité ni culpabilité mais pour préserver leur propre identité.

Quant à repérer parmi eux un ou plusieurs bourreaux capables de torturer jusqu'à la mort un jeune homme, impossible. Erwan avait aussi jeté aux orties les mobiles, disons, classiques pour un flic de terrain : vol, crime raciste, rivalité amoureuse, pulsions sexuelles morbides… Sans pouvoir encore expliquer son feeling, il sentait que ce meurtre avait à voir avec la souffrance pure – et l'esprit de la maison, c'est-à-dire de l'école.

La seule information qu'il avait pu soutirer était la suite des opérations prévues si la mort de Wissa n'avait pas tout interrompu. Dans l'ordre du sadisme et de la cruauté inutile, le standard demeurait élevé. Après le cercle de la chasse (les taches de couleur réalisées au paintball conditionnaient des gages qui surviendraient durant l'année scolaire), la matinée devait s'organiser autour du cercle de la mer. Une course où les Rats devaient nager durant un kilomètre, lestés de pierres et « parés » de colliers d'algues et de méduses. Erwan imaginait assez bien les EOPAN épuisés, la peau à vif, essayant de couvrir la distance dans l'eau glacée, avec des pierres sur le dos et des méduses leur envoyant des décharges urticantes.

L'après-midi devait s'achever sur une mystérieuse épreuve, le no limit, également surnommée le « cercle de sang ». Ça promettait. Mais à ce sujet, les Renards étaient restés évasifs. Pour les uns, il s'agissait d'une étape facultative. Pour les autres, c'était l'EOPAN lui-même qui définissait jusqu'où il voulait aller sur ce terrain. Erwan supposait une sorte d'échelle de la souffrance sur laquelle l'élève testait ses propres limites. Les Renards étaient tous d'accord sur un point : le cercle de sang avait été conçu et préparé par le BE (bourreau exclusif), un dénommé Bruno Gorce, leader des Renards de la promotion. Selon eux, il était le plus énergique – c'est-à-dire le plus vachard – et le plus autoritaire – traduisez : le plus cruel. Erwan avait compris qu'il s'agissait de l'excité qui hurlait : « Vous êtes finis à la pisse ! » Hasard des interrogatoires, il était le dernier de sa liste.

Un flic doit toujours se méfier des jugements expéditifs mais Gorce avait vraiment la gueule de l'emploi. Même carrure que les autres, même coupe en brosse, même visage inexpressif mais sous les sourcils qui se rejoignaient comme deux amarres, brillait une étincelle supplémentaire. Il s'approcha de la table vêtu d'un battle-dress couleur camouflage, un foulard orange glissé dans son col. Il porta la main à sa tempe en claquant des talons, raide comme une trique.

– Lieutenant Bruno Gorce, EOPAN troisième année à la base aéronavale de Kaerverec 76, responsable du BDE et de l'association des officiers sous contrat de...

– Assieds-toi.

Gorce tiqua au tutoiement. Après deux heures de coupes en brosse et d'idées biseautées, Erwan était mûr pour un interrogatoire à la dure. Le Renard en chef faisait un candidat idéal. Il s'installa sur la chaise et se tint aussi droit que lorsqu'il était debout. Il paraissait sanglé dans un corset de certitudes.

– C'est donc toi le fameux BE ?

– Qu'est-ce que vous voulez dire ?

– Je veux dire : bourreau exclusif. Je veux dire : bel enfoiré.

Déstabilisé, Gorce toussa :

– C'est moi.

– Parle-moi du no limit.

Il balança un regard oblique à Erwan. Il s'attendait sans doute à une audition plus formelle, centrée sur Wissa Sawiris et son « accident ».

– J'ai pas à parler de ça.

– Pourquoi ?

– Parce qu'y a pas eu de no limit cette année.

– Tu pourrais me dire ce qui était prévu.

– Y a aucune règle établie, expliqua-t-il, la voix tendue. On propose, le Rat dispose. C'est lui qui place la barre où il veut.

– La barre de la souffrance ?

Silence.

– Où le no limit devait-il se dérouler ?

– Sur le *Narval*.

– C'est quoi ?

– L'épave d'un croiseur, au bord de la lande.

– Vous aviez aménagé un décor ?

– Pas besoin. Le lieu est... parfait.

Erwan imagina une coque rouillée où pendaient des chaînes et des crochets. Il voyait des fouets, des étaux, des planches cloutées... Il s'ébroua de cette vision de film d'épouvante pour revenir à la réalité.

– Quand les EOPAN devaient-ils se décider pour le no limit ?

– Après le cercle de la mer.

– En général, les élèves le passent ?

Un sourire joua sur les lèvres de Gorce :

– La plupart, ouais.

– Tu l'as passé, toi ?

– Bien sûr.

– La barre était haute ?

– Très haute.

– Tu penses que Wissa aurait été candidat ?

– Aucune idée.

– Quand un bleu accepte le no limit, porte-t-il un signe particulier ?

– Non.

– On ne lui rase pas la tête ?

– Non. Pourquoi ?

Marche arrière :

– D'après ce que j'ai compris, le bizutage de la K76 est un des plus durs de France.

– Affirmatif.

– Comment t'expliques ça ?

Gorce prit une inspiration. Ses mots, comme ses pensées, partaient de la poitrine – à l'endroit exact où on lui collerait un jour des médailles.

– On est une école militaire. On est destinés à piloter des avions de chasse, à balancer des armes de destruction massive. Notre métier, c'est tuer, détruire, vaincre. Ça implique aussi d'être faits prisonniers, torturés, vaincus. Le jour où on sera pris en otage par les chiites ou capturés par les talibans, il sera un peu tard pour pleurer maman. Si les EOPAN peuvent pas encaisser aujourd'hui quelques épreuves, autant qu'ils rentrent chez eux.

La machine était lancée.

– Le bizutage ici n'a rien à voir avec les intés des écoles civiles. Ces deux jours ont valeur de test. Et d'initiation. En arrivant, la plupart des pilotes ont la grosse tête. Ils n'ont connu que les maths, les diplômes, l'aviation civile. On les fait atterrir. Ils doivent mourir pour renaître : alors seulement ils sont prêts à devenir de vrais chasseurs !

Gorce était un poète. Dans sa bouche, la profession de foi tordue de l'école prenait une dimension mystique, presque chamanique.

– Quel est votre inspirateur ? demanda le flic sur un coup d'instinct.

L'EOPAN hocha lentement la tête, l'air de dire : « On va enfin parler de choses sérieuses. »

— Ici, on n'a qu'un seul maître : l'amiral di Greco.

C'était la deuxième fois qu'Erwan entendait parler de l'officier. La vérité était à l'inverse de ce qu'on lui avait soufflé. Le colonel Vincq était l'homme du tout-venant, des problèmes logistiques. Le vrai chef était l'amiral invisible, le démiurge qui voguait sur le *Charles-de-Gaulle*, à des kilomètres au large.

— Di Greco couvre donc vos saloperies ?

— Attention à ce que vous dites.

— Il est d'accord pour qu'on torture et qu'on humilie les nouveaux venus ?

— Vous avez rien compris.

— C'est toi qui n'as rien compris. Tu te branles avec tes idées de petit soldat mais cette fois, y a eu mort d'homme.

— Je l'oublie pas mais la mort de Wissa a aucun lien avec notre week-end.

— Qu'est-ce que t'en sais ?

— Wissa a fui. Le feu l'a rattrapé. C'est la loi de la guerre. Il était pas digne d'être pilote.

Cette version officielle lui semblait totalement dépassée et Gorce était sans doute trop malin pour y croire lui-même. Surtout s'il était mêlé à l'exécution du gamin.

— D'après les témoignages, c'était pas le profil de Wissa.

— Quels témoignages ? Avant d'aller au front, personne ne peut évaluer le courage d'un collègue.

Pour une fois, Erwan était d'accord. Il fut tenté de lui balancer son scoop — ne serait-ce que pour voir sa tête. Il préféra revenir aux circonstances de la disparition de Wissa :

— Parle-moi du cercle de la chasse. Il y avait cinq groupes de chasseurs. Lequel tu dirigeais ?

— Le numéro 2.

— Rien à signaler durant la nuit ?

— Rien. Les Rats se planquent toujours aux mêmes endroits.

— Aucun groupe n'a disparu plusieurs heures d'affilée ?

– Qu'est-ce que c'est que ces questions ?

– Réponds.

– Aucun. Chaque équipe a ramené un ou deux Rats dans la nuit, à intervalles réguliers.

Sans transition, le flic attaqua au flanc :

– T'as une expérience de marin ?

Gorce se leva d'un bond. Erwan recula sur sa chaise.

– Vous me soupçonnez d'avoir embarqué Wissa ?

– Assieds-toi et réponds à ma question, fit-il en récupérant son sang-froid.

– J'ai tous les permis bateau. Je suis né en Vendée et je navigue depuis l'âge de six ans. J'ai été skipper à bord de voiliers célèbres et j'ai remporté plusieurs régates. Ça vous va comme ça ?

Le flic nota quelques mots sur son ordinateur. Il laissa s'étirer le silence.

– C'est quoi votre idée ? craqua l'autre.

– Cette nuit-là, toi et tes gars, vous auriez pu choper Wissa pour un petit no limit anticipé.

– Conneries.

– Vous auriez pu vous laisser aller à le torturer jusqu'à ce qu'il en crève.

– Conneries ! Wissa est mort dans le tobrouk.

– Vous auriez pu embarquer le cadavre et le déposer sur l'île, tout en étant couverts par les autres.

Gorce se leva à nouveau et hurla :

– CONNERIES !

Erwan s'était encore reculé par réflexe. Le Renard suintait une violence exacerbée et malsaine. Le commandant s'efforça de conserver une voix ferme et opta pour un direct pleine face :

– On sait maintenant que Wissa était mort quand le missile lui est tombé dessus. On sait qu'il a été torturé et mutilé. On lui a rasé le crâne, sans doute pour l'humilier davantage. Son calvaire a duré une partie de la nuit. Il est sans doute mort de souffrance.

Le lieutenant ne bougeait plus, toujours penché au-dessus d'Erwan. La sueur perlait sur son front. Ses mâchoires oscillaient sous sa peau. Le flic sentait son souffle brûlant, et légèrement mentholé. Si ce type simulait la surprise, c'était convaincant.

– Rien à me dire là-dessus ? relança-t-il au risque de s'en prendre une.

– Va te faire foutre.

Gorce sortit en claquant la porte à toute volée. Erwan fixa la paroi qui vibrait sur ses gonds. Il prit conscience qu'un bruit familier résonnait dans la pièce : le grincement de ses dents. Un de ses tics nerveux – il était même obligé de porter un appareil dentaire la nuit.

Remarquant un évier dans un coin, il se leva et se passa la têté sous l'eau froide. Quand il coupa le robinet, il perçut l'ondée qui avait repris. Le picotement des vitres matérialisait la nuit qui s'avançait.

Il attrapa son portable et composa le numéro de Verny :

– Vous pouvez m'organiser une visite sur le *Charles-de-Gaulle* ?

– Vous voulez rencontrer les responsables du tir ?

– Je me fous du tir. Je veux interroger l'amiral di Greco.

22

FAUTEUILS EN VELOURS ROUGE et plafond mordoré.
Posté juste en dessous d'un lustre énorme qui diffusait une
lumière trop blanche, Grégoire Morvan patientait dans un
des salons du ministère des Affaires étrangères. Appelé en urgence
par Éric Deplezains, secrétaire d'État du gouvernement Hollande,
à 18 heures.

Il avait d'abord craint que cette convocation soit liée au suicide
du journaliste Jean-Philippe Marot mais Deplezains n'avait rien
à voir là-dedans – le Quai d'Orsay était loin de l'Intérieur. Et
aucune raison de l'associer, lui, Grégoire Morvan, à cette disparition – si le ménage avait été bien fait. Deplezains devait plutôt
vouloir le consulter sur un problème africain, la spécialité de
Morvan.

Dans tous les cas, l'urgence prenait son temps.

Voilà plus d'une demi-heure qu'il poireautait. Il aurait pu gueu-
ler auprès des huissiers mais il ne voulait pas faire ce plaisir à
Deplezains. Il l'avait connu gamin, quand il était lambertiste et
qu'il cassait du facho à coups de barre de fer. Il l'avait vu s'em-
bourgeoiser et devenir un cador à la MNEF. Quand le scandale
avait éclaté – les socialistes vivaient comme des nababs aux frais
des étudiants –, il avait étouffé l'affaire et sauvé les miches de
cette bande d'escrocs.

En le faisant attendre, Deplezains lui signifiait qu'il tenait aujourd'hui le manche. Qu'importe : Morvan n'était pas pressé de revoir sa sale gueule gominée – dans son équipe, on le surnommait le Connard laqué.

Prenant son mal en patience, il feuilletait son carnet de moleskine. Des notes pour un projet de livre, une sorte d'inventaire répertoriant les morts les plus absurdes ou les plus injustes de l'Histoire. « Vaste programme », aurait dit de Gaulle. Dès qu'il avait cinq minutes, Morvan notait un exemple qui lui venait en tête ou parcourait les pages déjà écrites – une façon pour lui de mesurer la vanité des destins.

Lors des funérailles de Guillaume Apollinaire, en novembre 1918, les gens criaient au passage du cercueil : « À mort Guillaume ! » En réalité, ils parlaient de Guillaume II, l'empereur allemand qui venait d'abdiquer le même jour. 1958 : Ruben Um Nyobe, leader révolutionnaire camerounais, avait été abattu et défiguré par les soldats français, après une longue traque dans la jungle. Tout ce qu'on avait retrouvé auprès du corps était son petit cartable, contenant seulement un carnet dans lequel il écrivait ses rêves... Morvan aimait aussi l'histoire de Sid Vicious, bassiste des Sex Pistols, soupçonné du meurtre de sa fiancée, puis mort d'overdose à vingt et un ans, à New York. La légende rapportait que sa mère, venue récupérer ses cendres à Heathrow, fortement éméchée, avait laissé tomber l'urne dans un bar de l'aéroport. Les restes du punk avaient été dispersés à coups de serpillière et d'eau de Javel. *Such a life, such a death...* D'autres exemples : la balle qui avait tué Gandhi retrouvée parmi ses cendres après sa crémation ; l'anecdote de Rinaldo da Capua, compositeur d'opéras du XVIIIᵉ siècle, qui avait soigneusement conservé ses partitions toute sa vie, partitions que son fils avait vendues à sa mort comme du papier usé ; le cerveau d'Einstein volé par le médecin chargé de son autopsie, ou celui de Walt Whitman qui, ayant échappé des mains d'un assistant à la morgue, avait éclaté sur le sol et fini à la poubelle.

Morvan referma son carnet et observa le plafond : ors, mou-
lures, peintures académiques. Après deux siècles de droit de grève
et de démocratie, on en était toujours là : les apparats boursou-
flés de la pompe royale. Comme Tonton qui tempêtait contre
les fastes de la présidence et qui, une fois élu, ne pouvait plus
prendre l'avion sans convoquer une haie d'honneur de gardes
républicains.

À l'évocation de Mitterrand, il eut une pensée pour Marot qui
avait voulu exhumer son passé. Qu'avait-il découvert au juste ?
Cela valait-il le coup d'en mourir ? Une nouvelle fois, il se prit
à imaginer un autre épisode de sa propre biographie. La deuxième
partie, qui aurait suivi celle de la jeunesse dissolue et des exploits
africains.

À son retour en France, Morvan était devenu un flic réputé
et une barbouze efficace. Les deux boulots n'étaient pas incom-
patibles. Au contraire. Bien souvent, il était aux premières loges
pour effacer ses propres traces.

Sous Giscard, il avait rendu pas mal de services. Il avait éliminé
un architecte du Var qui avait commis l'imprudence de coucher
avec l'épouse d'un président africain. Il avait étouffé – ou du
moins limité – le scandale des diamants de Bokassa. L'affaire
avait coûté son deuxième septennat à Giscard mais le principal
avait été évité : la lumière sur les véritables trafics de la France
en Centrafrique.

Quand Mitterrand était passé au pouvoir, Morvan s'était
assuré que personne ne vienne fouiner du côté du quai Branly
et de la fille illégitime du président. En 1985, il était allé
« convaincre » Charles Hernu, alors ministre de la Défense,
d'endosser la responsabilité du fiasco du *Rainbow Warrior*. En
94, il s'était précipité chez Grossouvre après son suicide pour
aider sa maîtresse à faire ses bagages. Il avait aussi organisé
toutes les écoutes de l'Élysée – et Dieu sait que les zonzons
avaient tourné sous Tonton... Au terme des deux septennats,
il avait fallu louer des incinérateurs géants pour détruire tous
les documents, dossiers et autres barbouzeries, avant de donner

les clés à Chirac. Morvan avait regardé les fumées s'élever dans le ciel en songeant à celle du Vatican qui marque l'élection d'un nouveau pape. C'était un peu le même principe mais dans un autre esprit...

Sous Chirac, il avait continué le business. Il s'était chargé d'« égarer » la cassette Méry et s'était démerdé pour que les médias ne parlent plus que de ça : où était passée la bande ? Qui l'avait perdue ? Au passage, on avait oublié les révélations qu'elle contenait sur le financement du RPR. À Chirac qui le félicitait pour ce brouillage des pistes, Morvan avait déclamé, parodiant *L'Avare* de Molière : « Ma cassette ! Qui a volé ma cassette ? » Rire crispé du président.

Il y avait eu d'autres affaires – et des plus saignantes. Il ne comptait plus les brasiers qu'il avait éteints, les égouts qu'il avait siphonnés. Ses plus belles victoires étaient celles dont personne n'avait jamais entendu parler.

Morvan était toujours resté incorruptible. Il ne votait pas, n'avait jamais accepté de mandat officiel ni le moindre centime d'un gouvernement pour une fonction politique. Comme son modèle, Jacques Foccart, il avait conservé son indépendance en touchant son simple salaire de flic et les bénéfices de ses affaires en Afrique.

Mais il avait échoué sur un point : il aurait voulu être froid et indifférent, garder une neutralité sans tache, or il vivait dans la colère et la haine. Ça avait commencé en 68 et ça ne s'était jamais calmé. Son moteur intime n'était ni le patriotisme ni le détachement, mais la rage.

Il détestait les hauts fonctionnaires, les énarques, les cols blancs. Tous ceux qui avaient oublié que l'Histoire, avant d'être des chapitres dans des livres, avait été des coups de chaud, des bagarres de rue, des magouilles de caniveau.

Il détestait les groupes, les clans, les corporations. Tous ceux qui avaient besoin d'être plusieurs pour être quelqu'un. Les partis politiques, les francs-macs, les racistes, les antiracistes, les écolos, les syndiqués, les lobbyistes, les juges, les flics, les militaires,

sans oublier les juifs, les cathos, les musulmans et les pédés...
Tous pour un, tous paumés.

Il ne supportait pas non plus les héritiers – qui n'avaient
pas eu à faire leurs preuves pour arriver où ils étaient – et
encore moins les parvenus, qui étaient arrivés trop vite, trop
fort. Sans oublier ceux qui n'allaient jamais nulle part et vivaient
sur la bête : les courtisans, les planqués, les lèche-culs de toute
espèce.

Mais par-dessus tout, il détestait les journalistes. Ceux-là
étaient pires que les autres parce qu'ils ne s'impliquaient pas.
Ils pointaient les erreurs des politiques mais ne prenaient jamais
de décision. Ils montraient du doigt les corrompus mais
auraient vendu leur mère pour une note de frais. Ils dénon-
çaient ceux qui trahissaient leur parti mais eux-mêmes changeaient d'avis chaque matin, à la une de leur torchon. Les
baveux ne devaient pas approcher Morvan et ils le savaient.
On avait parfois essayé d'enquêter sur lui ou de le traîner dans
la boue. Les plus puissants – les conseillers en communication –
avaient même tenté d'avoir sa tête. Des enfants de chœur. En
matière de lobbying, de jeu d'influences et de lynchage, il était
le maître.

Surtout, on le craignait, *physiquement*. Il n'avait pas le bras
long, il avait le poing dur. Une chose est d'écoper d'un contrôle
fiscal, une autre de perdre un œil ou une jambe.

Aujourd'hui, plus besoin de l'attaquer ni de le menacer.
L'époque elle-même l'avait largué comme une vieille Ronéo
inutile. Avec sa colère et sa brutalité, il était devenu obsolète. Il
était le fils d'une époque plus âpre, plus couillue, où de Gaulle
échappait à des tentatives d'assassinat et où Pompidou conservait
dans sa poche la liste de ceux qui avaient voulu faire croire que
sa femme participait à des partouzes. Le temps des dents serrées,
des méthodes expéditives, des affrontements violents. Désormais,
les présidents mangeaient du fromage blanc et réunissaient leur
cabinet pour choisir un simple mot.

– Monsieur Morvan ?

Un huissier se tenait devant lui, en frac et faux col.

– M. le secrétaire d'État va vous recevoir.

Il se leva avec difficulté de son fauteuil de brocart. La kermesse reprenait.

23

ÉRIC DEPLEZAINS était à la fois mince et gras.
C'était assez curieux à regarder.
Grand, svelte, il paraissait en même temps enrobé d'une fine couche de gelée comme les viandes froides chez le charcutier. Un visage régulier, toujours bronzé, un front haut et les cheveux fortement gominés vers l'arrière – encore du gras. La parfaite tête à claques.

– Grégoire ! fit-il en ouvrant les bras. Mon frère, mon mentor !

Le vieux flic accepta l'éloge avec un hochement de tête mais évita l'accolade.

– Assieds-toi. Tu es ici chez toi.

– Parle pas de malheur. Qu'est-ce que tu veux ?

Deplezains ne répondit pas tout de suite. Il restait debout, son sourire accroché aux lèvres comme une défroque sur un porte-manteau. Morvan s'installa et l'observa du coin de l'œil. Il se félicita de ne jamais porter de costard croisé : dans son complet Hugo Boss, son hôte avait l'air d'un origami géant.

Le secrétaire d'État s'assit enfin. Il planta ses coudes sur le bureau et joignit ses mains en toit d'église – il avait dû étudier ce geste devant sa glace pour se donner plus d'autorité.

– Je voulais te parler de Coltano.

– Quoi, Coltano ?

– Mes agents me disent que son directeur sur place a été assassiné.

Morvan émit un sifflement ironique :

– T'as des agents maintenant ?

– Déconne pas. Il a été tué ou non ?

– Des histoires de Nègres. J'ai pas d'informations là-dessus.

– Tu étais à son enterrement.

– Seulement parce que Coltano, c'est chez moi.

– On m'a parlé de cannibalisme.

– Des histoires de Nègres, je te dis. Nseko avait beaucoup d'ennemis : impossible à démerder, et parfaitement inutile.

– Aucun lien avec les mines ?

– Je tiens les mines. Nseko sera remplacé, c'est tout.

– Par qui ?

– A priori, le général Mumbanza.

Deplezains ouvrit un coffre de bois précieux et y puisa un cigare. Des manières de parvenu qui dataient de son règne à la MNEF.

– Tu le connais ?

– Très bien.

– Il est fiable ? demanda le secrétaire d'État tout en attrapant un coupe-cigare à double lame.

– Comme les autres : tant qu'on paye...

L'énarque trancha l'extrémité du barreau de chaise d'un coup sec.

– La situation va donc rester stable ?

– Personne ne peut parier sur l'avenir au Congo.

– Le président veut pas d'emmerdes de ce côté-là : on a déjà assez de casseroles comme ça.

– Tu m'étonnes, sourit Morvan.

Deplezains tira une longue allumette, la gratta puis alluma son cigare en crachant d'énormes nuages de fumée.

– Comme tu le sais, reprit-il après plusieurs secondes, l'État français a investi dans Coltano...

– Deplezains, tu parles de ma boîte : c'est moi qui l'ai introduite en Bourse. C'est moi qui vous ai vendu des parts !

– On ne veut pas être impliqués dans la moindre magouille : la Françafrique, c'est fini.

– Alors, reprenez vos billes et cassez-vous.

Coltano exploitait des mines de coltan, un minerai rare utilisé dans la fabrication des téléphones portables et d'autres engins électroniques. La présence de la France dans ce business n'était ni un choix politique ni une option économique. C'était une pure obligation physique et géographique.

– Tu m'assures que ton Mumbanza va pas déconner et faire alliance avec les Tutsis ? insista Deplezains en soufflant comme une machine à fumée. En aucun cas on ne veut être soupçonnés de financer la guerre du Kivu.

Il avait beau avoir été catapulté aux Affaires étrangères, le gominé n'y connaissait rien. L'est de la République démocratique du Congo était un sac de nœuds : une guerre sans fin y était engagée entre armée régulière, Tutsis, Hutus, milices rebelles… La plupart des factions se finançaient en exploitant le sous-sol de la région mais justement, les mines de Coltano, entre Kolwezi et le lac Upemba, ne se situaient pas sur ce territoire.

– Regarde une carte. Le Kivu est à plus de mille bornes du Katanga. Je te dis que la situation est sous contrôle.

– Très bien, très bien…, marmonna l'autre en pompant toujours.

Morvan observait ses mimiques. Il ne pouvait pas blairer Deplezains en particulier et les lambertistes en général, un courant trotskiste qui évitait le combat frontal en infiltrant les autres partis et en essayant d'influencer leur doctrine. On appelait ça l'« entrisme ». Morvan connaissait d'autres noms pour ça, qui avaient tous à voir avec la sodomie.

– Et si tu me disais la vraie raison de ma présence ici ?

– Je te le répète : notre gouvernement a une éthique, pas question de couvrir tes magouilles.

– Quelles magouilles ?

– Si on apprend que tu combines avec les fronts armés ou des crapules corrompues, on pourra pas te couvrir.

– C'est moi qui vous couvre, ducon.

Deplezains braqua son cigare dans sa direction :

– Ton problème, Grégoire, c'est de te croire au-dessus des lois.

Morvan se leva brusquement et contourna le bureau. Le secrétaire d'État recula sur son fauteuil à roulettes.

– J'vais te rafraîchir la mémoire, mon salaud. Qui vous a évité la taule quand vous étiez tout juste bons à casser des gueules rue d'Assas ? Qui vous a donné la MNEF, avec les clés du coffre, et vous a permis de vous engraisser comme des oies ? Qui vous a torché le cul en 1995, à toi, Cambadélis, DSK et les autres, quand le pot aux roses a été découvert ?

L'énarque se tassait dans son siège en tremblant. Son cigare lui échappa, roula sur son costard et atterrit sur le parquet près des rideaux.

– Merde… Ça va foutre le feu…

Morvan écrasa le Montecristo d'un coup de talon et empoigna les accoudoirs du fauteuil :

– Si t'es assis ici aujourd'hui, c'est à moi que tu le dois, enculé de trotskiste !

– Calme-toi, putain, fit l'autre en rajustant sa cravate. Je… je voulais te prévenir, c'est tout.

Grégoire se mit à marcher dans la pièce d'un pas lourd. Il soufflait comme un bœuf dans sa chemise Charvet, il avait perdu assez de temps comme ça :

– Me prévenir de quoi au juste ? C'est ni pour t'assurer qu'un Négro va remplacer un autre Négro ni pour me servir ta petite leçon de morale que tu m'as convoqué. Accouche !

Deplezains se leva pour entrouvrir la fenêtre. L'odeur du cigare avait l'air tout à coup de l'indisposer.

– Comme tu le sais, en tant que fonds souverain, nous avons accès à des données boursières confidentielles… On peut connaître les mouvements des actions avec plus de précision que…

– Au fait.

– On a constaté des mouvements bizarres chez Coltano.

Morvan fut désarçonné : s'il y avait eu le moindre frémissement sur le marché, Loïc l'aurait prévenu.

– C'est normal que la mort de Nseko provoque des soubre-sauts, hasarda-t-il.

– Les mouvements dont je parle ne sont pas de simples oscil-lations. Ils ont l'air concertés.

– C'est-à-dire ?

– On a pas encore les noms ni les quantités mais il semblerait que de véritables paquets aient été achetés.

– Tu veux dire... comme pour une OPA ?

– C'est ce qu'on craint, oui.

Il attrapa le siège et s'assit d'un coup.

– C'est absurde, souffla-t-il.

Il perdait la main. Il perdait ce qui avait toujours fait sa force : la vigilance.

– Pas tant que ça. Le cours est en hausse. Des positions changent. Tu sais comme moi que votre talon d'Achille est votre actionnariat disséminé. Un autre groupe pourrait vouloir prendre le leadership sur le coltan. Ou un autre pays. La menace pourrait même venir de l'intérieur : tes « Négros », comme tu dis, pour-raient essayer de nous la faire à l'envers.

Morvan déglutit. Deplezains avait peut-être raison. Quelque chose se préparait, sur un terrain qu'il n'avait jamais envisagé : la Bourse.

– Voilà ce que je voulais te dire, fit l'autre en raffermissant sa voix. Si Coltano change de mains, on laissera tomber. Pas ques-tion de s'associer avec des Chinois ou des assassins cannibales.

– Où vous trouverez le coltan ?

– En Australie, au Venezuela.

– Ça sera plus cher.

– Ça sera plus sain. Quand on veut chier bio, faut y mettre le prix.

Morvan se leva pesamment :

– Je vais me renseigner.

– C'est ça. Donne-moi des nouvelles.

Morvan partit à reculons. Une fois dehors, sa sueur se glaça d'un coup. Le bœuf en gelée, c'était maintenant lui.

Son chauffeur l'attendait au coin de l'avenue du Maréchal-Gallieni. Il lui fit signe qu'il voulait marcher un peu, traversa le quai et se posta face à la Seine.

Dans tous les coups durs, Paris avait été là. La seule présence sur laquelle il pouvait vraiment compter. Il s'accouda au parapet. Sa position au sein de Coltano avait toujours été minoritaire : il ne possédait que 16 % des actions. À tout moment, les généraux qui représentaient l'État congolais dans cette structure pouvaient s'allier avec d'autres et l'expulser, lui qui incarnait une autre époque, celle de Mobutu et sa dictature.

Au pire, il revendrait tout et se mettrait au vert. Ce n'était pas ça qui l'inquiétait. Il se demandait si finalement Nseko n'avait pas parlé avant de mourir. L'information sur les nouveaux gisements pouvait expliquer ces achats d'actions. Si ce n'était pas le cas, cette hausse de l'action risquait alors de mettre le feu aux poudres. On allait se demander pourquoi Coltano devenait si intéressant. Morvan pourrait dire adieu à son projet caché.

Il attrapa son portable et composa le numéro de Loïc. Il devait passer ses nerfs sur quelqu'un.

24

À BORD DE L'HÉLICOPTÈRE Dauphin SA 365N (que tout le monde appelait, allez savoir pourquoi, Pedro), assis à côté de Le Guen, Erwan avait la tête farcie de clichés, de mythes et de visions dantesques. Il imaginait le *Charles-de-Gaulle* émergeant dans la nuit, ville flottante bardée de lumières – quelque chose comme une cité futuriste d'un émirat arabe scintillant de tous ses feux dans l'obscurité.

En attendant, il dressait un bilan de l'enquête. C'était vite vu. L'embarcadère n'avait rien donné. Pas de témoin, aucun bateau disparu. Les gendarmes, qui connaissaient leur boulot, avaient vérifié les jauges à essence des Zodiac de l'école et les avaient comparées avec le registre des consommations : tout concordait. Aucun ETRACO n'avait pris la mer dans la nuit du vendredi au samedi.

Les affaires personnelles et fringues de Wissa étaient restées muettes. Ses amis et ses profs du Mans n'avaient rien à dire non plus. Le copte était croyant, sobre, célibataire. Aucun vice, aucun angle caché. Il avait placé toutes ses forces dans le concours de l'aéronavale – et l'avait réussi. Point barre. Seul fait à noter : aucune expérience de marin. Il n'aurait jamais su naviguer de nuit jusqu'à Sirling. De l'avis des spécialistes, il fallait être capable de suivre les chenaux, lire une carte maritime, connaître les récifs de la zone.

On revenait toujours à la même hypothèse : lynchage sauvage, panique des bourreaux, embarquement du cadavre... Mais sur quel bateau ?

Les empreintes de la chambre avaient été identifiées – uniquement des première année. Le copiaulé avait avoué : il était bien le roi de la fumette à Kaerverec. Côté fragments organiques, les résultats n'étaient pas encore tombés mais Erwan n'en espérait plus rien.

Les fadettes étaient en cours d'analyse – appels de tous les soldats de l'école, du vendredi matin au dimanche soir, mais aussi relevés des antennes relais de la zone. Matériau réduit : les Bretons n'avaient pas l'air portés sur le téléphone – et à Kaerverec, on avait carrément supprimé les mobiles pendant le bizutage.

Une fiche sur chaque élève avait également été dressée – tous les pilotes avaient le même profil et la sélection drastique de la K76 faisait foi. Discrètement, Erwan avait demandé à Kripo de s'attarder sur le passé de Bruno Gorce : rien à signaler non plus.

Erwan aurait voulu reconstituer les allées et venues de chaque étudiant durant les derniers jours mais, sans caméra de sécurité, ses seuls témoins étaient les suspects eux-mêmes. La base aéronavale ressemblait de plus en plus à un trou noir absorbant toute lumière, toute information.

– On arrive ! hurla Le Guen en pointant son index vers la vitre.

Erwan tendit le regard. Il n'aperçut qu'une nuit d'écailles luminescentes. Au ras de l'eau, des milliers de dents d'argent riaient à perte de vue. Il se pencha encore : une énorme tache noire se dessinait sur la mer. Empêtré dans son gilet de sauvetage, il identifia enfin l'incroyable masse qui se déployait : le *Charles-de-Gaulle*.

Pas une lumière, pas un signal. Un tanker aveugle. Un vaisseau fantôme de la taille d'un pétrolier. Les contours du monstre se détachaient seulement parce qu'ils étaient plus sombres que la mer et le ciel.

Le bâtiment rompait avec toute échelle humaine. Une tour de soixante étages couchée sur l'eau, flottant comme par miracle. Seule une construction verticale se dressait sur la gauche, bardée d'antennes et de radars. Erwan se souvint qu'on appelait cette partie le « château ». Le nom était bien trouvé. On hésitait entre les délires de Louis II de Bavière et le repaire de la reine de *Blanche-Neige*. Une citadelle hérissée de tourelles, percée de meurtrières. Sans le moindre signe de vie.

– Impressionnant, hein ?

Archambault, assis aux côtés du pilote, s'était tourné vers Erwan. Celui-ci sourit pour ne pas le décevoir mais la nuit, le raffut des pales, l'immensité du vaisseau lui donnaient plutôt l'impression d'avancer dans un cauchemar.

– Des fusiliers commandos vont venir nous chercher ! ajouta l'Asperge avant de se retourner.

Erwan hocha la tête. Le casque sifflait dans ses oreilles. Ils n'étaient plus qu'à quelques mètres du pont du vaisseau. Le tarmac était inondé par un halo rouge. Ils appontaient dans une gigantesque mare de sang.

– Après le couvre-feu, expliqua Le Guen, toutes les lumières passent au rouge. Même en mode non hostile, le porte-avions ne doit pas avoir une seule lumière blanche visible.

Des hommes en ciré jaune, gilet orange et casque bleu accoururent. Un manœuvrier ouvrit la porte du Dauphin. Erwan déboucla sa ceinture de sécurité et sauta à terre.

Malgré les gouttes qui lui cinglaient les yeux, il scruta le pont qui se perdait dans les ténèbres. Pas un avion. Malgré lui, il en éprouva une déception. Il aurait aimé voir les Rafale propulsés par la catapulte, les Rafale freinés par le câble d'arrêt, les chiens jaunes courant autour des appareils, comme des coachs auprès des boxeurs entre deux rounds.

Un capitaine d'armes s'approcha. Saluts, présentations, mises en garde. Les visages disparaissaient sous les capuches. Erwan ne comprenait rien à ce qui se racontait. Un mot sur deux était volé par le vent ou couvert par un cliquetis.

Ils ôtèrent leur gilet de sauvetage et se mirent en route vers le château. Des portes de métal s'ouvrirent, résonnant comme des chaussures cloutées. Erwan s'attendait à pénétrer dans un immense hangar rempli d'avions de chasse et d'hélicoptères. Il découvrit un dédale de corridors étroits, de coursives, d'escaliers. Tout était rouge. Non seulement les lumières mais aussi la signalisation, le matériel de secours.

Ils prirent un premier ascenseur, puis un deuxième.

– Le bâtiment a plus de dix étages, précisa le capitaine.

On conservait le silence, le cortège avait quelque chose de funèbre, de solennel. La porte s'ouvrit, dans un nouveau claquement métallique. Le décor, comme irradié de pourpre, évoquait une construction incandescente, tout juste sortie d'une fournaise.

Encore des couloirs, des canalisations, des portes à volants. Ils croisèrent des hommes en combinaison qui parlaient dans des micros VHF, de « patrouille » et de « papa Charly ».

L'officier s'arrêta devant une porte sans signe distinctif :

– L'amiral di Greco vous accorde trente minutes.

25

JEAN-PATRICK DI GRECO mesurait près de deux mètres. Dans sa cabine exiguë, il ressemblait à un aigle coincé dans une cage à serin. Il n'était pas seulement grand mais absolument vertical. Épaules étroites, bras interminables, jambes en échasses. Âgé d'une soixantaine d'années, voûté, il dégageait une impression d'usure, d'épuisement, qui faisait peine à voir, malgré ses cheveux épais et noirs comme ceux d'un Indien d'Amérique.

Durant quelques secondes, l'amiral observa son visiteur sans un mot – ce qui permit à Erwan d'approfondir son examen. Le visage de l'officier n'était qu'une ossature. Peu de muscles, encore moins de chair. Des pommettes saillantes, un nez busqué, des orbites cernées d'ombre. Le tout roulé dans une peau jaunâtre, façon parchemin antique.

Les présentations furent rapides. Erwan accrocha son ciré au portemanteau, cognant au passage des armoires en fer. L'espace n'était éclairé que par une petite lampe arasante posée sur le bureau. Discrétion oblige : la cabine était dotée d'un hublot extérieur et il n'était pas question de déroger à la règle de l'obscurité.

– Vous êtes venu me parler de ce regrettable incident.

Di Greco avait le sens de l'euphémisme.

– Asseyez-vous, ajouta-t-il en agitant sa longue main. Je vous en prie.

Erwan se trouva une place dans le coin réception : quelques mètres carrés occupés par un canapé qui tenait de la chaise pliante et une table basse pas plus large qu'un skateboard. Le tout cerné par des piles de dossiers, de classeurs, de cartons. On se serait cru dans un débarras.

Di Greco parut deviner sa surprise :

– Sur le vaisseau, l'espace est compté.

– Je n'ose pas imaginer la cabine des simples soldats.

– Ni plus petite ni plus grande, mais ils la partagent. Et surtout, ils n'ont pas ce privilège ! (Il pointait son index osseux vers le hublot.) L'équivalent ici d'un balcon ou d'une terrasse... Je suis désolé. Je n'ai rien à vous offrir à boire.

– Tout va bien. Je ne suis pas venu faire salon.

Di Greco retourna s'asseoir derrière son bureau, éprouvant quelque difficulté à y caser ses jambes. Erwan se demanda s'il avait été pilote : il ne voyait pas comment ce double mètre aurait pu rentrer dans le cockpit d'un Rafale.

L'amiral attaqua un discours stéréotypé, à l'image de celui de Vincq, en plus solennel. Sa voix était grave, son élocution lente et ses mots n'appartenaient pas au jargon militaire. Mais pour le fond, rien de neuf : toujours le même message insignifiant et creux.

D'un geste, Erwan l'arrêta – il en avait sa claque de la langue de bois – et dressa le bilan de l'affaire. Le meurtre sadique d'un EOPAN sur le site même d'une institution militaire. Le bizutage cruel et débile. L'absence totale de communication entre une école de l'aéronavale et un porte-avions distants seulement de quelques kilomètres. L'indifférence générale face à la mort tragique d'un jeune homme qui avait décidé de vouer sa vie à l'armée.

Di Greco n'eut pas l'air surpris par la nouvelle de l'assassinat – Erwan était sûr qu'il était déjà au courant. Il ne semblait pas

non plus préoccupé par les multiples manquements dans l'organisation de l'école.

– Pour l'instant, quels sont vos indices ?

– Je n'ai pas à en parler avec vous.

L'amiral hocha la tête. La lampe du bureau l'éclairait par en
dessous, comme dans un film d'épouvante.

– Vous pensez sans doute à un lynchage. Une épreuve qui
aurait mal tourné.

– C'est le moins qu'on puisse dire.

– On aurait donné carte blanche à des éléments incontrôlables ?

Erwan décida de passer à la vitesse supérieure :

– L'institution n'a pas seulement couvert ces criminels, elle les
a inspirés.

– Je ne comprends pas.

– Je pressens à Kaerverec une culture de la violence et de la
cruauté qui a aggravé le fond de sadisme des étudiants.

– Vous avez des preuves ?

– Non. Juste un feeling.

– Selon vous, qui a instillé ce poison ?

– Vous.

– Je ne suis que le chef d'état-major de Kaerverec. C'est le
colonel Vincq qui dirige la base.

– Vincq gère les plannings de vol. Vous, vous incarnez l'esprit
de l'école.

– Je suis donc le diable ? sourit di Greco.

Erwan eut envie de lui répondre qu'il en avait déjà la gueule.
Il préféra se taire. Il était fasciné par ces yeux tombants, soulignés
de cernes charbonneux. *Je connais cette tête*, se dit-il. Où l'avait-il
croisé ? À moins qu'il ne s'agisse d'une simple ressemblance avec
les zombies des films d'horreur ?

– Y a-t-il déjà eu des accidents de ce type dans votre école ?

– Non.

– Des bagarres ? Des accès de violence ?

– Jamais.

– Même pendant des bizutages ?

— Surtout pas. Durant ces week-ends, tout est cadré, vérifié, contrôlé.

— On m'a déjà dit ça plusieurs fois, on voit le résultat.

— Il y a eu des négligences. Nous punirons les coupables. Mais vous vous doutez bien qu'on limite les risques au maximum.

La cabine était surchauffée, Erwan étouffait. La sueur exsudait le long de sa nuque, se mêlant aux gouttes de pluie qui poissaient encore son col.

— Vous répondez de tous vos soldats ?

— Bien sûr.

— Instructeurs ? Étudiants ? Contingent ? Maintenance ?

— Chacun est soumis à des tests psychologiques, des entretiens. Encore une fois, ici moins qu'ailleurs, on ne peut se permettre d'enrôler nos soldats à la légère.

Di Greco parlait avec calme. Son regard, sa voix exprimaient une étrange rigueur. Même sa silhouette dans sa veste bleu marine sans le moindre galon révélait une forme d'ascétisme.

— Que pensez-vous de Bruno Gorce ?

— C'est votre suspect ?

— Répondez à ma question.

— Bon militaire. Excellent pilote.

— Et sadique. Gorce dirige le bureau des élèves, fit remarquer Erwan. C'est lui qui a supervisé le moindre détail du bizutage cette année. Sur le terrain, il occupait le rôle du BE, « bourreau exclusif ».

L'officier croisa ses longs doigts – ses phalanges ressemblaient à des nœuds marins.

— Admettons que le lieutenant ait un humour particulier. Cela ne fait pas de lui un tueur.

— Il m'a paru sensible sur un point précis : le no limit.

— Cette épreuve n'existe pas.

— C'est ce que tout le monde me dit. Pourtant, dès que je lâche ce nom, on fait dans son froc.

— Elle n'existe pas du point de vue des dirigeants de Kaerverec. Les Renards ne sont pas tenus de nous en parler lors de la présentation de leur projet.

– Vous admettez donc qu'il y a une faille dans votre connaissance des festivités ?

– Cette année, il n'y a pas eu de no limit. Que cherchez-vous au juste ?

Erwan se leva et s'approcha du bureau :

– Le no limit permet aux EOPAN de prouver leur courage, leur endurance. Il est l'apothéose d'une sorte de chemin de croix. Je pense que vous prenez secrètement en compte ces résultats pour dresser le profil de vos étudiants.

Di Greco se leva à son tour. Erwan retourna à sa place. À eux deux, ils se livraient à un étrange ballet. Leurs ombres se détachaient sur le mur comme un jeu de marionnettes balinaises.

– Je vais vous faire une confidence, murmura l'amiral. Vous avez raison. Durant ce week-end, nous testons les limites de nos étudiants. Mais pas de ceux que vous croyez. Nous n'avons pas besoin de bizutage pour savoir que nos futurs pilotes sont courageux et prêts à encaisser des coups. En revanche, nous devons connaître les limites des autres.

– Les autres ?

– Les Renards. Les bizuteurs.

Il y eut un blanc. Erwan sentit – il le sentit physiquement – que les signes qu'il avait pris en compte jusqu'ici s'inversaient. Comme si, depuis le départ, il s'était trompé de code pour déchiffrer des hiéroglyphes.

– Vous avez entendu parler du test de Milgram ? reprit di Greco.

– Plus ou moins, oui.

Stanley Milgram, psychologue américain, avait mis au point dans les années 60 un protocole célèbre. Il faisait mine de tester les connaissances d'un homme à qui on posait des questions. À chaque erreur, un autre sujet lui envoyait une décharge électrique, de plus en plus forte. En réalité, c'était l'instructeur, celui qui balançait les volts, qui était évalué, le premier n'étant qu'un comédien simulant la souffrance. L'objectif du test était clair : jusqu'où peut-on aller dans la torture quand on est couvert par l'autorité ? Peut-on tuer quelqu'un sous le seul prétexte qu'on obéit aux ordres ?

Les résultats de Milgram avaient été affligeants. La plupart des candidats, déresponsabilisés, avaient obéi jusqu'au meurtre. Plus profondément, ils avaient sans doute joui d'assouvir leur instinct de cruauté, à l'abri d'une hiérarchie. C'était la démonstration scientifique de ce que n'importe quelle guerre prouve sur le terrain.

– Vous voulez dire que votre bizutage fonctionne comme le test de Milgram ?

– Absolument. Je ne peux pas entrer dans les détails mais les bizuteurs sont surveillés durant ces vingt-quatre heures. On étudie leurs réactions, leurs excès, leur sadisme. Nous formons à Kaerverec des pilotes d'élite, pas des tortionnaires. Pas question de laisser nos appareils entre les mains d'hommes déséquilibrés, qui cèdent à leurs pulsions à la première occasion.

Erwan transpirait maintenant de honte. Il avait envie de rentrer dans sa chambre, de prendre une douche et de s'enfouir sous la couette. *Bonsoir.*

– Vous est-il arrivé d'éliminer des Renards ?

– Parfois. Des gars trop zélés qui avaient montré un fort penchant pour la violence, ou qui s'étaient révélés incontrôlables.

– Que leur est-il arrivé ?

– Ils ne sont pas partis aux États-Unis pour leur troisième année. On les a mutés.

– Sous quel prétexte ?

– On y a mis les formes. Ils n'ont jamais su que c'était leur attitude qui les avait disqualifiés.

Le flic regarda l'amiral retourner à son bureau et glisser dessous ses membres d'échassier. Encore une fois, il éprouva un sentiment de déjà-vu.

– Le paradoxe, reprit l'officier, une fois installé, c'est que si le tueur faisait vraiment partie de nos élèves, nous l'aurions identifié au terme du bizutage.

– Si vous aviez mieux surveillé vos troupes, il n'y aurait pas eu de victime.

– Aucun cerveau ne peut tout prévoir. Sinon les guerres ne dureraient que quelques jours.

Pour ne pas perdre la face, du moins pas complètement, Erwan se rabattit sur les faits concrets :

– Vous étiez au courant pour la manœuvre de samedi matin ?

– J'ai un bureau ici mais je ne dirige pas l'état-major.

– Personne n'a estimé que cette opération comportait un risque en plein bizutage ?

– Au contraire. Le week-end d'intégration est circonscrit sur le terrain de la K76. Aucun soldat ne doit sortir de la base. Aucun vol n'est prévu. S'il y avait eu un risque, cela aurait été plutôt du côté des touristes, mais tout est balisé. Retournez à terre, commandant, c'est là-bas que vous trouverez les responsables de la mort de Wissa.

Erwan se leva, marmonnant un remerciement. Di Greco se déplia à son tour mais le flic lui fit un signe : pas la peine de le raccompagner.

Archambault et Le Guen l'attendaient dans le couloir. Le capitaine d'armes, en retrait, regarda sa montre, l'air satisfait. Sans le vouloir, Erwan avait respecté l'horaire imposé.

À bien y réfléchir, c'était l'amiral qui l'avait congédié quand l'heure avait sonné.

Ils reprirent les ascenseurs sans un mot et retrouvèrent la nuit chavirée de pluie. Les pales de l'hélicoptère tournaient déjà. Sur le tarmac, le flic comprit que les conditions météo s'étaient encore détériorées.

– Une tempête ? s'exclama Archambault en riant. Juste un petit grain. (Il lui enfila d'office le gilet de sauvetage par la tête.) Mais bon, le retour va un peu secouer.

26

21 HEURES. Le siège de Firefly Capital bruissait encore de la rumeur des traders – le décalage horaire avec Wall Street. Quand Loïc avait choisi ce symbole – la luciole –, cela sonnait plutôt bien : il était seul, minuscule, et voulait briller dans la nuit boursière. Aujourd'hui, avec près d'une trentaine d'employés et plus de cinq milliards de dollars à gérer, la luciole ressemblait à un énorme ver luisant.

Il se leva et ferma la porte : il détestait ce climat d'excitation des salles de marché. On beuglait, on brassait, on s'agitait mais en définitive, on restait toujours le cul vissé sur sa chaise. Dans l'immense appartement haussmannien qu'occupaient ses locaux avenue Matignon, Loïc s'était octroyé une pièce en arc de cercle : cela lui donnait l'illusion d'être dans la cabine de pilotage d'un paquebot. Un cliché certes, mais qui certains matins lui redonnait de l'énergie.

Depuis une heure, il ruminait le coup de fil de son père. Une engueulade, une de plus, qui n'était pas allée bien loin. Morvan n'était pas un expert des marchés financiers et visiblement, on venait de lui apprendre une nouvelle dont il ignorait le sens exact : l'action Coltano était en hausse.

Loïc avait connu une époque où ses collègues et lui vivaient l'œil rivé sur le cours de certaines valeurs – à New York, on ne regardait pas un match de baseball sans une lucarne sur le CAC 40 ou le Dow Jones. Aujourd'hui, on passait son temps sur son portable à suivre l'évolution de telle ou telle action. Lui ne donnait plus dans ce genre d'excès et il n'avait pas surveillé la position de Coltano depuis des jours. L'action avait en effet pris 20 %, résultat sans doute d'achats importants au prix fort.

C'était énorme et cela laissait Loïc sceptique. A priori, Coltano n'intéressait personne – les industries extractives ne sont pas de bonnes affaires : investissements lourds, cours fluctuants, pays instables, corruption galopante... On ne sait jamais ce que gagnent au juste ces firmes perdues dans la brousse et elles-mêmes jouent l'opacité. Il était bien placé pour le savoir : c'était lui qui avait transformé Coltano en boîte noire. Il avait réussi à déjouer les contrôles récents de la SEC (Securities and Exchange Commission) et de l'AMF (Autorité des marchés financiers). L'année précédente, il s'était même débrouillé pour que les investissements absorbent tous les bénéfices apparents.

Stratégie à double détente.

Cela leur permettait de payer moins d'impôts mais surtout de dissimuler les fabuleux profits à venir : les dernières prospections sur le terrain avaient révélé des gisements prometteurs. Ces perspectives devaient rester secrètes, notamment parce qu'il devenait de plus en plus difficile de gagner des fortunes dans les pays pauvres.

Mais la vraie raison de cette stratégie était que son père, Loïc en était certain, préparait une entourloupe. Le Vieux avait été clair : personne ne devait soupçonner l'existence des nouveaux filons, on ne devait plus regarder du côté de Coltano. Pas besoin d'être Machiavel pour deviner qu'il projetait d'exploiter ces ressources en douce, dans le dos des autorités congolaises et de ses associés. Un trafic avec le Rwanda ? Autre chose encore ?

Sans parler d'OPA – l'idée était absurde –, l'achat massif d'actions pouvait signifier que quelqu'un connaissait la nouvelle situation et voulait sa part du gâteau. Cette hausse allait attirer l'attention des généraux, qui se demanderaient pourquoi Coltano prenait tout à coup de la valeur.

Loïc n'avait pas tous les éléments pour juger de l'affaire mais il était certain que la mort de Nseko, directeur historique du groupe et dictateur souriant, jouait aussi un rôle – lequel ? Le Congolais était-il au courant ? Avait-il parlé ? Qui au juste l'avait assassiné ?

Tout en dessinant des têtes de mort sur son bloc, il se remémora la genèse de la compagnie. Quand son père avait arrêté l'Homme-Clou en 1971, le maréchal Mobutu, pour le remercier, lui avait accordé une convention minière pour des terrains riches en manganèse. Morvan, qui n'y connaissait rien, avait créé une joint venture avec des sociétés belges, françaises, luxembourgeoises et congolaises pour exploiter ces terres dont il avait l'usage.

Durant deux décennies, l'extraction s'était faite sans problème et Morvan, tout en exerçant son métier de flic en France, avait gardé un œil sur son pactole. À la fin des années 90, il avait anticipé deux faits. D'une part Mobutu ne serait bientôt plus là pour renouveler la convention et d'autre part il y avait désormais un meilleur produit à extraire du sol congolais : le coltan. Un minerai utilisé dans la fabrication des composants électroniques des téléphones portables ou des consoles de jeux vidéo en plein essor à l'époque. Avant que le vieux Léopard, malade et lâché par les grandes puissances, ne soit poussé vers la sortie, Morvan lui avait arraché une nouvelle signature, validée par les ministres des Mines, des Finances et du Plan – des hommes qu'il arrosait depuis vingt-cinq ans avec le soutien de la France et qui n'allaient pas tarder non plus à sauter. L'autorisation portait sur des zones riches en coltan qui se trouvaient au Katanga, loin de la région du Kivu où tous les autres gisements se situaient – une poudrière qui allait devenir un bourbier sanglant après le génocide du Rwanda voisin.

En 1998, Morvan avait monté Coltano, holding basée à Paris qui englobait des fonds français, luxembourgeois et congolais. Les généraux avaient dû accepter le deal : l'extraction était faite officiellement par une société de droit congolais, le raffinage et la distribution étaient assurés par des compagnies européennes. Mais Morvan, au sein du groupe, se sentait fragile. Quelques années plus tard, pour renforcer sa position, il avait proposé d'introduire Coltano en Bourse. Cette décision avait à la fois permis d'apporter des capitaux neufs et d'asseoir sa présence au sein du comité directeur – on avait vite fait de disparaître d'une société au Congo, et même de disparaître tout court.

L'introduction, supervisée par Loïc, s'était bien passée, mais son père n'avait pas réussi à tirer son épingle du jeu : à l'heure actuelle, il ne possédait que 16 % des parts, Heemecht, la boîte luxembourgeoise, en avait 18 % ; les Congolais s'étaient partagé le gâteau à hauteur de 28 % ; pour le reste, le tour de table avait été large et comprenait des sociétés belges impliquées dans cette activité, l'État français, qui avait apporté sa technologie, et une infinité de petits porteurs, ce qu'on appelait le « flottant ».

Aujourd'hui, Coltano était la seule entreprise d'exploitation de coltan cotée en Bourse. La seule aussi à être équipée de matériel moderne – dans le Kivu, on forçait les fermiers locaux à creuser à la pioche ou à la main, dans un climat de violence et de terreur hallucinant. Cela donnait au groupe un profil intéressant, mais pas de quoi compenser ses points faibles. Loïc relut les analyses qu'il avait rédigées lui-même, en sous-main, pour étouffer toute velléité d'achat. Revenus ronronnants. Filons épuisés. Matériel vieillissant... De vrais tue-l'amour.

Il décrocha son téléphone.

Mark Cesby était analyste chez Blackrock, premier gestionnaire d'actifs au monde, dix mille soldats pour faire fructifier un capital de trois mille cinq cents milliards de dollars. Loïc l'avait connu du temps de Wall Street. L'Anglais était un spécialiste des fonds miniers. Un géant qui portait des favoris comme Joe Cocker et jouait à fond l'excentricité vestimentaire british – des carreaux, toujours des carreaux !

– T'as vu la progression de Coltano ? attaqua Loïc sans fioritures.

Il l'appelait sur son portable personnel, toutes les conversations sur les lignes de Blackrock étant enregistrées.

– Incompréhensible, répondit l'Anglais.

– C'est tout ce que tu peux me dire ?

– Mec, c'est ta boîte. C'est toi qui devrais m'expliquer.

Cesby, qui venait de Liverpool, avait conservé son accent ouvrier.

– Tu sais bien que c'est plus compliqué que ça, esquiva Loïc. Qui achète ?

L'analyste ricana :

– Mec, je veux pas te vexer mais je vois pas qui pourrait bander pour ton trou dans la forêt... Sans compter son patron qui vient de se faire dessouder. Tout ça nous renvoie au problème des marchés émergents : l'idée est bonne mais tant qu'il y aura les guerres, la corruption, l'instabilité politique...

Loïc connaissait le refrain par cœur.

– T'as rien entendu sur une possible OPA ?

– Pourquoi pas une troisième guerre mondiale ?

– Les actions montent. On achète à la hausse.

– Tu veux un conseil ?

– Te gêne pas.

– S'il y a des types assez tarés pour miser sur tes cailloux, profites-en. Vends au prix fort et tourne-toi vers des activités d'avenir. Coltano dort si profondément que vous pourriez vous faire enculer sans même vous réveiller.

– Merci du conseil, rit Loïc.

Il raccrocha, rassuré sur l'image de la firme : son propre boulot de sape avait fonctionné. Mais le mystère restait entier. Il regarda sa montre – plein après-midi à Wall Street – et composa un autre numéro.

Arnaud Condamine était un trader – donc un acheteur. Il avait survécu à la crise de 2008 et bénéficiait encore de la confiance de plusieurs fonds institutionnels. C'était un gars étrange, à l'air hirsute et juvénile. Un nerd qui donnait l'impression d'avoir été ligoté à sa chaise dans son costume sombre. Il travaillait, mangeait et sans doute dormait devant son terminal Bloomberg.

Condamine fut moins négatif que Cesby – l'idée d'une attaque en règle ne lui semblait pas si absurde :

– Ça vous pend au nez : votre actionnariat est trop disséminé. Pas de leader, pas de ligne de force... En plus, avec la mort de Nseko, le groupe est affaibli.

– Tu sais pas qui achète ?

– Comment je pourrais savoir ça ?

Officiellement, les noms des acheteurs et des vendeurs sur le marché étaient confidentiels. En réalité, les opérations d'envergure étaient des secrets de polichinelle, les courtiers n'hésitant pas, pour booster le commerce, à révéler l'identité de tel ou tel acquéreur « visionnaire ».

– Appelle tes brokers. Vois qui achète, et sur ordre de qui.

– On fait pas ça dans le business.

– Et moi, je ne prends qu'un sniff à Noël.

– Qu'est-ce que j'obtiens en échange ?

Loïc prit un ton mystérieux :

– Tu le regretteras pas.

– Je te rappelle.

Loïc croisa les mains derrière sa nuque et soupesa encore ses deux hypothèses. Une OPA lancée par un groupe concurrent, aux positions fortes dans les minerais. Des petits malins qui étaient au courant des gisements et se livraient à un délit d'initiés.

Invasion ou trahison : il fallait choisir.

Il se décida surtout pour une petite ligne, afin de s'éclaircir les idées.

27

– VOUS VOULEZ DÎNER ?
    – Non merci.
    – Il doit rester au mess du cabillaud à la basquaise et...
– Ça ira, je vous dis.

23 heures. Erwan regrettait de rembarrer Archambault mais il avait passé son voyage de retour à essayer de survivre. Il ignorait qu'on puisse avoir le mal de mer dans les airs. Les rafales de vent avaient secoué le Dauphin comme une branche de prunier, avec son cœur à lui en guise de fruit mûr. Maintenant, il savourait le contact de la terre ferme, tout simplement. Frigorifié, trempé jusqu'aux os, il n'aspirait qu'à une chose : se réfugier dans sa chambre.

    – Dites à Verny de passer me voir dans un quart d'heure.
    – À cette heure-ci ? Je...
    – Je suis sûr qu'il bosse encore.
    – Bien, mon commandant. Je dois être présent ?

Erwan avait renoncé à lutter contre le vocabulaire militaire : il était lentement emporté par le courant.

    – Non. Briefing demain matin, 8 h 30, dans le réfectoire. Mais si vous apprenez quoi que ce soit cette nuit, vous m'appelez sur mon portable.

Il salua l'Asperge et s'en alla vers le bloc de gauche, celui des chambres. La nausée lui filait encore des crampes d'estomac. Il monta les escaliers puis gagna sa piaule dans un silence pesant. Ni radio ni télé derrière les portes. Seul le cri des mouettes couvrait parfois la vibration des vitres secouées par le vent. Absolument lugubre.

Kripo était à pied d'œuvre. Deux imprimantes tournaient à plein régime. L'une crachait des listings, l'autre éditait des PV d'audition. Sur un des bureaux, deux moniteurs déroulaient des heures de vidéosurveillance. Kripo, tout en cravachant sur son Mac, conservait un œil sur les écrans. Erwan devina qu'il avait récupéré les archives vidéo de la semaine précédente – au cas où.

– J'ai bouffé au mess, fit-il sans lever les yeux. Y avait du superpoulet.

– C'était du cabillaud.

L'Alsacien hocha la tête comme si c'était ce qu'il venait de dire. Erwan se demanda une fois de plus comment un type aussi distrait pouvait être aussi précis dans le boulot. Son adjoint s'était changé et portait maintenant un gilet de cuir sans manches sur une chemise western, un pantalon de velours vert et des Crocs jaune fluo.

– Tu veux qu'on fasse le point ?

Sans répondre, Erwan attrapa sa trousse de toilette et s'enferma dans la salle de bains. Il plongea directement sous la douche et commença à se réchauffer. La stabilité revenait dans ses membres.

– Ça va mieux ? demanda Kripo quand il réapparut.

– J'ai failli crever pendant le retour. J'avais l'impression d'être dans une barcasse en pleine tempête.

– Et l'amiral ?

– Un embrouilleur. Et toi ?

– La gamme continue. Côté téléphonie, ça donne pas grand-chose. On checke aussi les GPS des véhicules de la base et le trafic maritime dans les environs. Pas l'ombre d'un déplacement suspect.

Sur un des écrans, les EOPAN, soldats de fraîche date, marchaient au pas sur le tarmac, tee-shirt et short blanc : l'entraînement matinal.

– Toujours pas de nouvelles du N'tech ?

– Il galère. Wissa avait pris ses précautions. Son disque dur est verrouillé. Branellec m'a promis un point pour demain matin. Il prévoit aussi de retourner les bécanes des autres élèves, histoire de savoir qui s'est connecté à qui, et comment s'est organisé le fameux week-end d'intégration.

– Ça prendra combien de temps ?

– Au moins trois jours.

Erwan hocha la tête, sans conviction.

– La seule bonne nouvelle, continua Kripo, c'est que le départ pour demain matin à Sirling est confirmé. Les plongeurs sont arrivés avec leur matos. Embarquement à l'aube. Tout le monde en bateau !

Erwan eut un haut-le-cœur à l'idée de prendre la mer – d'instinct, il devinait que ça serait pire encore que l'hélicoptère.

Il décrocha le téléphone fixe et appela Muriel Damasse – elle lui avait laissé trois messages pendant son périple. Malgré l'heure, la substitute répondit au bout de deux sonneries. Elle commença par l'engueuler pour son silence et son manque de coopération, mais Erwan lui cloua le bec avec la révélation de l'assassinat de Wissa. D'un coup, le rapport de force s'inversa : elle le supplia presque de lui donner quelques pistes pour sa conférence de presse du lendemain. Erwan promit de la rappeler avant son départ pour Sirling mais il ne voyait pas ce qu'il pourrait apprendre dans la nuit. Il checka encore sa boîte vocale : deux messages des parents de Wissa. Il n'avait pas la force de les affronter.

On frappa à la porte : Verny au rapport. Aucune mort violente avec torture dans la région depuis des lustres. Aucun cinglé en cavale ni tueur libéré dans les environs. Pas plus de traces de bateau volé ni de vaisseau fantôme à l'horizon.

Avant de sortir, le gendarme signala qu'il se tenait prêt pour l'expédition du lendemain. Erwan comprit qu'il aurait droit à la bande des trois : Le Guen, Archambault, Verny. Au fond, il commençait à bien les aimer.

– Tu veux que je te fasse une place ? demanda Kripo en désignant le bureau.

– Ça ira, merci.

Il plongea la main parmi les PV déjà rédigés et en feuilleta quelques-uns comme il l'aurait fait au 36. Pas le courage de les lire en détail. Il préféra se rabattre sur des photos glissées dans des enveloppes cristal. De quoi se piquer les yeux avant de dormir.

Kripo avait choisi son lit : la housse de son luth marquait son territoire. Erwan s'allongea sur l'autre. Cheveux encore mouillés, corps tiédi par la douche – il y avait là un réconfort qui remontait à loin, quand il était enfant, après le bain, les soirs où son père était de permanence au 36.

Il ouvrit la première enveloppe : les restes de Wissa épars sur le sable. D'une manière absurde, une réplique célèbre, signée Michel Audiard, dans *Les Tontons flingueurs* lui traversa l'esprit :
– « J'vais lui montrer qui c'est Raoul. Aux quatre coins d'Paris qu'on va l'retrouver, éparpillé par petits bouts, façon puzzle. » Il se passa la main sur le visage pour chasser ces mots irrespectueux et se concentra. La répartition des vestiges paraissait aléatoire – le souffle de l'attaque – et leur aspect n'apportait rien.

Deuxième enveloppe : le trou laissé par le missile. Des surfaces d'herbe brûlée. Des lichens noircis. Du sable devenu verre. Il posa les documents et balança un coup d'œil à Kripo qui travaillait encore – il était parti pour la nuit. Erwan fouilla dans son sac à dos et y attrapa un masque de sommeil.

À cet instant, une illumination lui traversa l'esprit. Il savait pourquoi le visage de di Greco lui était familier.

L'amiral ressemblait à Sergueï Rachmaninov, célèbre pianiste et compositeur russe. Durant son adolescence, Erwan avait eu sa période classique. Il passait alors ses soirées à écouter des concertos et des symphonies en lisant des biographies de compositeurs. Rachmaninov faisait partie de son panthéon. Il se releva et attrapa son ordinateur portable. Kripo lui donna le code pour accéder au réseau Wi-Fi de la base et en quelques secondes, allongé sur son paddock, Erwan afficha des portraits du musicien.

Il avait vu juste : même visage en longueur, mêmes yeux tombants, mêmes cernes noirs. Il sélectionna des photos en pied. Nouveau point gagnant : avec leur silhouette interminable, les deux hommes semblaient être passés dans le même miroir déformant.

Sur une impulsion, Erwan lut rapidement la notice que Wikipédia lui consacrait. Le pianiste avait partagé sa vie entre concerts et composition, Russie et États-Unis. Erwan avait toujours été fasciné par ce génie post-romantique qui avait la réputation de privilégier, quand il composait, les touches noires du clavier, donnant une sonorité orientale à ses lignes mélodiques.

Il découvrit bientôt un détail qu'il ignorait : ses singularités physiques – avec ses mains géantes, Rachmaninov était capable de jouer des intervalles de treize notes – étaient probablement liées à une maladie génétique, le syndrome de Marfan. D'un simple clic, Erwan accéda à un article sur cette affection rare touchant en priorité les yeux, les os et le système cardiovasculaire. Extérieurement, la maladie se caractérise par une croissance exagérée des membres, une déformation du squelette et un allongement démesuré du visage.

Suivait la liste des célébrités « sans doute atteintes » du même syndrome. Niccolo Paganini, Abraham Lincoln, Joey Ramone des Ramones, Bradford Cox, chanteur du groupe Deerhunter, Javier Botet, acteur espagnol de films d'horreur... et même Oussama Ben Laden. Tous avaient un air de famille : mêmes traits distendus, mêmes yeux mélancoliques, même taille immense. Un clan qui aurait partagé un atavisme à travers les siècles – des analyses génétiques démontraient même que la dynastie de Toutankhamon en souffrait déjà. Les bandelettes retirées, on obtenait les mêmes personnages filiformes.

Erwan songea à di Greco. Le syndrome de Marfan ne cadrait pas avec sa carrière militaire. En même temps, il se souvenait de l'impression que l'amiral lui avait laissée : un être usé, rongé, affaibli.

Nouvelle recherche, cette fois sur l'amiral. Rien, ou presque. Quelques cérémonies officielles, remises de médailles, et basta. Pas d'article Wikipédia. Pas de fiche dans le *Who's Who*. Aucune notice militaire. Di Greco était un parfait inconnu. À moins que tout ce qui le concernait ne soit classé secret défense et qu'une obstruction interdise toute diffusion de renseignements sur le Net.

Erwan s'arrêta là. Ses paupières se fermaient d'elles-mêmes. Il se glissa dans son lit comme on se réfugie à l'abri et se dit qu'il avait oublié son appareil dentaire. Encore une nuit à grincer des dents.

Les secousses du Dauphin revenaient l'assaillir. Il avait l'impression de tanguer sur son matelas. Alors qu'il sombrait dans le sommeil et que ses pensées perdaient toute cohérence, il vit soudain l'amiral apparaître au fond de son cerveau.

Il était à bord de son château flottant mais ses bras interminables étaient déjà dans les couloirs de la K76. Lorsque ses doigts ne furent plus qu'à quelques centimètres du visage d'Erwan, ses os poussèrent brusquement et crevèrent sa chair pour l'atteindre.

28

IL Y AVAIT LA ROSE POUR L'ÉTÉ. La blanche pour l'hiver. La ligne de coke s'étirait sur la table basse et se reflétait dans la baie majestueuse du salon, dans l'axe exact de la tour Eiffel. Loïc habitait désormais avenue du Président-Wilson, à quelques pas de son ancien appartement place d'Iéna, où Sofia et les enfants vivaient toujours.

Il s'était fait faire une paille en aluminium poli au bord arrondi pour ne pas se blesser le nez – elle ne le quittait jamais. Il inhala la poudre et ne ressentit rien. Il se dit que c'était la faute de la came, trop coupée. Ou alors le contraire : c'était lui le produit frelaté, le mec à ce point émoussé qu'il était immunisé contre toute sensation.

Il se leva et attaqua l'étape numéro deux : coup d'œil aux écrans et terminaux de son bureau. Coltano avait encore monté. *Merde.* Quelque part dans le monde, on achetait et on vendait ces putains d'actions. Qui ? Il songea à son père qui allait l'engueuler, comme si c'était sa faute, lui-même craignant les généraux congolais. Pourquoi fallait-il qu'il soit lié à ce bordel ?

Loïc passa au site Reuters, où une alerte était signalée à propos de Coltano, justement. Quelques lignes pour confirmer la nomination du général Trésor Mumbanza à la tête de la compagnie au Katanga. Originaire de la région, de l'ethnie des Luba, Mumbanza avait sans doute un passé chargé mais son portrait était ici édulcoré. Carrière, expérience, titres, tout sonnait faux. En réalité un général sanguinaire de plus, doublé d'un escroc, à la botte de Morvan avec la bénédiction de Kabila. Le Vieux disait qu'il choisissait ses directeurs comme de Gaulle ses présidents en Afrique : « Des hommes de confiance, qui sachent au moins lire et écrire. »

Loïc gagna sa cuisine ouverte pour l'étape trois : un café guatémaltèque qu'il recevait directement d'Antigua. Pour sa préparation, il utilisait des ustensiles dignes d'un chirurgien, avec en guise de salle d'opération une cuisine aménagée, marbre et inox, signée Boffi. Nouvelle déception. Le nectar n'avait pas la moindre saveur. Loïc avait l'impression d'être anesthésié. Un reflux acide lui offrit aussitôt un démenti. Il songea à un ulcère. Par association, il pensa à Sofia. Toute la nuit, il s'était retourné dans son lit, non pas à cause de Coltano mais à cause de l'Italienne.

L'existence humaine est une alchimie inversée : on ne transforme pas le plomb en or, on change, avec obstination, l'or en plomb. Comment son histoire d'amour avec Sofia avait-elle pu devenir un tel torrent de haine ?

Nouvelle brûlure. Il releva son tee-shirt et se massa l'abdomen, au niveau du plexus solaire. Penser à faire des examens. Radio. Coloscopie. N'importe quoi pour trouver le mal et son remède. Il rêvait déjà d'emplâtres qui régénéreraient sa flore intestinale. De la poudre, encore...

Une deuxième tasse en main, il s'assit sur son canapé – un machin de mousse et de cuir créé par un designer italien. Le soleil et son escorte de nuages se levaient comme une grande armée au loin, boucliers d'or et lances de feu, entre les sculptures du palais de Tokyo. Il se souvint des péplums qu'il regardait quand il était môme, des films des années 60 que collectionnait son père. À l'époque, il se rêvait en héros courageux...

Pas question de divorcer. Non pas parce qu'il aimait encore Sofia – il la détestait de toutes ses forces –, mais parce qu'une séparation officielle l'éloignerait de ses enfants. Sofia n'aurait aucun mal à prouver ses problèmes d'addiction devant un juge et il ne pourrait plus voir Milla et Lorenzo qu'une fois par semaine. Peut-être même refuserait-on qu'ils restent dormir chez lui le week-end…

Troisième café. Lui qui depuis près de dix ans vivait dans un monde de fric où le sentiment de puissance était roi, il était à la merci de cette salope. Cela lui paraissait odieusement injuste. À contre-courant de sa carrière fulgurante.

Il était entré dans le business au milieu des années 2000.

Parrainé par son mentor, James Thurnee, propriétaire d'un important hedge fund, il avait commencé en tant qu'analyste. Il s'était d'abord enfermé plusieurs mois pour lire tout ce qui lui tombait sous la main dans ce domaine. Il avait rédigé ses premières analyses avec prudence puis y avait glissé des conseils qui s'étaient avérés pertinents. Le milieu l'avait repéré. On avait suivi ses intuitions. On avait gagné de l'argent grâce à lui.

Bientôt, sa parole avait eu valeur d'oracle.

Au bout de deux années, il en avait eu marre de prodiguer ses conseils sans en tirer profit. Thurnee lui avait confié un « book » de 200 millions de dollars à gérer. D'un coup, Loïc avait les mains dans le moteur. Il voyait comment l'argent, chaque jour, fructifie, s'emballe, déprime. Il avait commencé à brasser des fortunes et raflé au passage ses 20 % de bonus. *Personnel merci…*

Il voulait plus : monter son hedge fund. Thurnee lui avait accordé une nouvelle niche au sein de sa propre boîte et l'avait recommandé à ses plus anciens clients. Les dinosaures, magnanimes, lui avaient donné quelques milliards pour qu'il se fasse les crocs.

Il se les fit.

Il avait opté pour des placements inattendus, s'intéressant aux actions sous-évaluées, aux entreprises passées de mode. Il avait fouillé les fonds de tiroirs et y avait trouvé des pépites. Il marchait à contre-courant, n'écoutant pas les rumeurs, ignorant les modes, jouant toujours à l'outsider.

Amusé, Thurnee l'observait : il savait que Loïc avait un secret. Le gamin revenait de contrées infernales qui lui avaient durci le cuir. Il avait connu l'alcoolisme, l'héroïne, la mort dans des sombres régions de l'Inde. Les marchés, quelles que soient les sommes vertigineuses en jeu, ne pouvaient plus l'impressionner. Surtout, comme Thurnee lui-même, il était bouddhiste (c'était l'Anglais qui l'avait initié). Dans un univers où la seule règle est l'avidité, il était désintéressé, détaché de toute passion et de tout matérialisme. Cette distance lui permettait souvent de percevoir des lignes de force que personne ne décelait...

Loïc regarda sa montre : bientôt 8 heures. Le soleil envahissait déjà son salon. Il avait gâché deux heures à rêvasser. Il se leva d'un bond, s'accorda une nouvelle ligne et fila dans la salle de bains. Douche fraîche. Rasage express. Costume. Il ouvrait sa porte, allumant déjà son téléphone portable, quand il tomba en arrêt devant un colis posé sur son paillasson.

Un carton couleur kraft, fermé avec du mauvais adhésif.

Il s'en empara avec prudence – à vue de nez, près d'un kilo – et rentra dans son appartement. La présence même de cette boîte était étrange : l'immeuble était une forteresse domotisée et la concierge lui gardait son courrier jusqu'au soir. Des hypothèses sinistres se bousculaient déjà dans sa tête. Une bombe. Un doigt sectionné. Une lettre empoisonnée à l'anthrax.

Une odeur organique émanait du colis, quelque chose d'animal. Il se dit qu'il valait mieux ne plus y toucher et appeler son père mais la curiosité fut la plus forte. Dans la cuisine, il attrapa un couteau à sushis, coupa l'adhésif avec précaution, ouvrit le carton.

Il fit un bond en arrière en réprimant un cri : enveloppée dans du papier journal, une langue énorme, hérissée de tessons de verre. Du sang baignait le fond de la boîte. Avec la pointe du couteau, Loïc souleva l'organe – un simple abat de boucherie – et découvrit, cachée dessous, une feuille pliée en quatre dans une poche en plastique. Sans prendre la peine d'enfiler des gants, il la saisit et l'ouvrit. Le message était écrit en lettres capitales avec une encre brunâtre – peut-être du sang.

ARETE TES MAGOUILLE AU KONGO,
SINON ON TE LA COUPE.

Il s'effondra sur un des tabourets de sa cuisine américaine, relut plusieurs fois le message et sentit une terrible pression sur sa poitrine. La frousse contaminait la moindre parcelle de son corps, bouleversant son métabolisme, altérant sa perception du monde extérieur. Souffle court, cœur à cent vingt beats, suées brûlantes. L'odeur du sang lui montait à la tête au point de lui donner le vertige.

Maintenant qu'il avait fait à peu près tout le contraire de ce qu'il fallait faire, il ne lui restait plus qu'un seul numéro à composer.

29

MER NOIRE. Herbe bleue. Rochers verts. Un tableau inouï se dessinait dans la brume matinale. Du primitivisme féerique. L'abordage de Sirling était comme une traversée du miroir.

Ils accostèrent l'île par l'ouest, derrière un éperon de granit noir – le seul abri où mouiller selon Archambault. Erwan se dit qu'il fallait envoyer une équipe ici : Wissa et son tueur avaient forcément mouillé dans cette crique et peut-être laissé des traces. Il emboîta le pas à ses coéquipiers : Archambault, Verny, Le Guen – Kripo avait pris son avion pour Paris. Après avoir remonté la plage, ils grimpèrent sur un tertre offrant un point de vue à cent quatre-vingts degrés.

Plusieurs collines de faible envergure évoquaient les plis d'un tapis gris et roux. Sur la première, des blocs de granit se dressaient comme les arêtes dorsales d'un squelette monstrueux, entièrement recouvertes de fourrure verte.

Andiamo. Erwan était heureux. Après avoir dormi comme une pierre, il avait englouti son petit déjeuner au mess, parmi les soldats silencieux, puis pris la mer à la manière des pêcheurs dans un roman d'Henri Queffélec. Il avait moins souffert de la nausée qu'il n'aurait cru et maintenant, ragaillardi, il marchait dans le froid, savourant la chaleur de ses vêtements.

Il n'y avait pourtant pas de quoi pavoiser. Rien de neuf n'était survenu dans la nuit. Il avait renoncé à appeler la substitute : qu'ils se démerdent entre gendarmes et magistrats, et qu'ils tirent à la courte paille celui ou celle qui préviendrait les Sawiris. Il ne comptait pas non plus sur une découverte capitale à Sirling.

Ils passèrent la deuxième colline. Des joncs et des roseaux bordaient des flaques noires aux reflets d'anxiété mauve, dans un paysage de toundra monochrome et sinistre.

Troisième colline : changement de décor. Des couleurs y péta-radaient comme des feux d'artifice. Bosquets roses, blancs, jaunes, jouant à saute-mouton au gré des reliefs. Surtout, un champ de bruyère déployant une sorte de crumble de roses et de violets paraissait receler une énergie mystérieuse.

– Qu'est-ce que vous foutez ? s'impatienta Le Guen. C'est par là que ça se passe.

Erwan se remit en marche. Ils dépassèrent un nouveau sommet et découvrirent le théâtre des opérations : des centaines de mètres carrés sécurisés, une trentaine de gars au travail sur fond de flaques saumâtres et de sable gris. Les techniciens s'agitaient dans leur tenue blanche autour d'un trou d'environ cinq mètres de dia-mètre. Les plongeurs étaient en train de l'assécher, manipulant de lourds tuyaux striés.

« Vous gaspillez l'argent du contribuable. » C'était le dernier mot que lui avait adressé le colonel Vincq sur le seuil de l'école.

Un des TIC passa sous le rubalise pour venir à leur rencontre. Il portait une chapka qui lui donnait l'air d'un cosaque. Thierry Neveux, l'analyste criminel.

– Bon voyage ? demanda-t-il sur un ton ironique. Venez. L'épi-centre de l'explosion est là-bas.

– On met pas de surchaussures ?

– Laissez tomber. En quarante-huit heures, l'île a connu des pics à plus de dix millimètres de précipitations. Aucune chance qu'il subsiste des empreintes dans ce bourbier. Encore moins de fibres ou de fragments organiques...

Vous gaspillez l'argent du contribuable.

Ils atteignirent la cavité où les plongeurs descendaient en rappel. D'autres gars se passaient des coffres étanches de polypropylène noir.

– Ils ont apporté des radars et des sondes. L'explosion a retourné la terre et a peut-être enterré des objets. Mais encore une fois, faut pas espérer des miracles.

– Qu'est-ce que vous pouvez me dire sur le missile qui a fait ça ?

– Pas grand-chose et on m'a dit que c'était secret dé...

– Je vous pose une question, vous me répondez.

Neveux sourit sous sa chapka – les longues oreilles d'astrakan lui cinglaient le visage. Maintenant, il ressemblait à Dingo.

– La bombe a été déclenchée par une réaction chimique. Oxydoréduction ou décomposition. Un vrai flash incandescent. Tout a été pulvérisé et brûlé. Mais pour dire exactement ce que...

Erwan lui prit des mains le morceau de métal noirci qu'il venait de ramasser :

– Selon vous, la bombe contenait des fragments métalliques ?

– Comme les DIME, vous voulez dire ? Je pense pas, non. Il n'y en a pas aux alentours. Et d'ailleurs, je doute que notre armée expérimente de telles munitions. Elles sont interdites par la convention de Genève.

Erwan se souvenait de la chair déchirée, des morceaux de fer sous la peau. Il avait imaginé des shrapnels. Quoi d'autre ?

– Le légiste va extraire les résidus métalliques incrustés dans le corps, reprit-il. Vous pourrez les identifier ? Reconnaître s'il s'agit de débris d'armes blanches, d'instruments de torture ?

Neveux haussa les sourcils : on ne lui avait pas donné cette version des faits. À force de jouer au cachottier, Erwan était en train de ralentir l'enquête.

– Vous pensez que le gars a été tué avant l'explosion ? demanda l'analyste.

Erwan n'eut pas le temps de répondre. Un Rafale traversa les airs. En un mouvement réflexe, techniciens et plongeurs rentrèrent la tête dans les épaules. Ce n'était pas un bruit – pas à échelle humaine en tout cas –, plutôt une sorte de lacération du ciel. Un arrachement de la matière la plus dure qu'on puisse imaginer : le magma originel. Comme si on déchirait une montagne aussi facilement qu'une feuille de papier.

L'avion de chasse avait déjà disparu. Erwan observa les autres : ils étaient stupéfaits, en position d'arrêt. Un râle lointain planait encore, semblant se dilater dans l'univers lui-même. Puis le bruit se condensa en une nouvelle attaque. Un sifflement se précisa – une mèche gigantesque qui allait crever l'éther – et s'amplifia pour redevenir un rugissement.

Cette fois, Erwan ne baissa pas les yeux. Il vit le triangle noir qui coupait les nuages. Les traînées blanches sur ses ailes évoquaient des flammes de gel. Les bouches hurlantes de ses réacteurs crachaient un feu d'une telle concentration qu'on pensait à un quartier de soleil. Une pulpe si brûlante qu'on se grillait les yeux rien qu'en la regardant.

Soudain, lui qui depuis son arrivée méprisait pilotes et uniformes fut pris d'une admiration sans bornes pour ces hommes capables de maîtriser de tels engins et d'asservir les puissances du cosmos. De vrais démiurges.

Le fracas s'estompa et le vent nettoya l'atmosphère. Les manœuvres des Rafale continuaient donc. Pas de deuil du côté du *Charles-de-Gaulle*. Le flic revit la longue silhouette de l'amiral di Greco – il avait oublié de se renseigner sur ses fonctions exactes à bord du porte-avions.

Ils s'approchèrent du puits. Au fond, les hommes en combinaison de néoprène ressemblaient à de gros phoques huileux. L'un d'eux était en train de remonter par le câble.

Il se présenta : le chef des techniciens en investigation subaquatique.

– On a déjà trouvé ça, annonça-t-il simplement. Ça vous dit quelque chose ?

L'objet était enveloppé dans un sac à scellés. Parmi les plis transparents, Erwan distingua un anneau. Il attrapa le sac et l'exposa à la lumière irisée du large. C'était une chevalière de métal brut, plomb ou argent usé. Sur le dessus, des armoiries celtes étaient gravées.

– Qu'est-ce que ça vaut ? demanda le plongeur.

Erwan tendit l'objet à Neveux sans répondre. Sa poitrine était devenue une chambre à vide. Il avait reconnu la bague, sans le moindre doute possible.

La chevalière de son père.

30

QUAND MORVAN avait lu la lettre de menace adressée
à Loïc, il avait tout de suite pensé aux Combattants, des
Congolais exilés qui continuaient la lutte contre le régime
de Kabila en France. Ils sabotaient les concerts parisiens des musi-
ciens qui avaient adoubé le gouvernement de Kinshasa, cassaient
la gueule aux notables congolais qui passaient à Paname, inon-
daient le Web de messages vindicatifs et organisaient dans le
quartier de la gare du Nord ou place des Invalides des manifestations dont personne n'avait rien à foutre.

Pourquoi s'en prenaient-ils aujourd'hui à Loïc ? L'assimilaient-
ils aux complices de Kabila ? Absurde. Son fils n'était qu'un des
gestionnaires de Coltano : il ne possédait, pour l'instant, aucune
part dans la compagnie et n'avait jamais mis les pieds au Congo.

Surveillaient-ils le cours de l'action ? Avaient-ils noté sa hausse ?
Que pouvaient-ils en déduire ? Que la clique de Kabila était en train
de magouiller avec les Blancs et les Tutsis, spoliant plus encore leur
terre ? Morvan avait du mal à imaginer les lascars observant l'évolution du marché. La plupart vivaient dans des squats pourris du
18e arrondissement et n'auraient pas pu miser dix euros en Bourse.

Un autre fait ne collait pas : le message lui-même, plein de
fautes d'orthographe. Pas le genre des Combattants, dont la plupart étaient des intellectuels issus de la Sorbonne.

On va voir ça.

Après la visite de Loïc, il avait pris une douche, s'était habillé et s'était jeté dans les escaliers sans croiser sa femme. Il avait emporté un 9 mm et avait failli prendre un deuxième chargeur mais il s'était ravisé. Il allait à Château-d'Eau, pas à OK Corral.

À présent, il patientait à Radio Katanga, boulevard de Strasbourg. Odeurs de tabac froid, hall crasseux, murs lézardés. De temps à autre, des Noirs passaient. Des colosses aux yeux injectés de sang. Des gazelles gansées de cuir qui se tapaient un kebab en guise de petit déjeuner – en fait leur souper. Pas un seul ne lui adressait la parole. Ni même un regard. Pourtant, un Blanc sexagénaire de plus de cent kilos en costard-cravate avait de quoi surprendre dans cette station de radio cent pour cent africaine.

Morvan essayait de se tenir tranquille, ne cessant de revoir l'image mi-comique, mi-tragique de son fils avec sa boîte ensanglantée sous le bras. « Je vais demander à ta mère de nous la cuisiner pour dimanche ! »

Loïc n'avait pas esquissé un sourire. Morvan avait coutume de dire à son sujet : « L'audace n'est pas son fort ni le courage sa spécialité. »

Du côté de Coltano, il avait vérifié, Deplezains disait vrai et Loïc n'avait aucune explication. Lui en avait une mais il préférait ne pas l'envisager. La veille au soir, il avait appelé Bizot, le président du groupe à Paris – un énarque mollasson qu'il avait placé dans le fauteuil directorial. À l'évocation de cette montée du cours, l'autre s'était rengorgé : « La rançon du succès ! » Quel con. Il avait aussi proposé d'envoyer des détectives privés sur le terrain pour enquêter sur le meurtre de Nseko. Encore une connerie. Morvan avait aussitôt calmé ses ardeurs. À tort ou à raison, il était persuadé que la mort du Noir ne jouait aucun rôle dans cette soudaine montée en flèche de l'action.

Il avait ensuite appelé les patrons des unités d'exploitation, à Lubumbashi. Des petits Blancs usés jusqu'à l'os par le pays. Aucun n'avait pu lui donner une raison valable : l'exploitation des mines continuait sur le même rythme, sans perspective nouvelle. Il avait aussi tenté de contacter, au cas où, les lieutenants de Nseko, mais ils s'étaient enfuis, terrifiés par la mort de leur patron et redoutant les nouvelles mesures de Mumbanza – là-bas, on pouvait vous remercier de toutes sortes de façons…

Enfin, plus tard dans la nuit, Morvan avait tenté en vain de joindre son équipe dans la brousse du Nord. Aucune nouvelle depuis qu'il leur avait parlé de Lubumbashi. Mauvais signe ? Il se prit à imaginer un lien entre ce mystère et la menace reçue par Loïc. Non, il délirait. Personne à Paris ne pouvait savoir ce qui se passait autour d'Ankoro, en zone de conflit. Pas même les gars sur place…

Une voix l'interrompit dans ses pensées. Un grand Noir se penchait sur lui pour lui dire qu'on avait prévenu Thomas Luzeko, dit Grande Chaleur, leader des Bana Congo – l'autre nom des Combattants. Il tenait ici une chronique qui s'achevait à neuf heures du matin – il allait bientôt sortir du studio.

Morvan connaissait le Congolais de longue date : un Luba exalté qui avait fait ses études à Bruxelles et à Paris avant de retourner foutre le bordel dans son pays. Désormais interdit de séjour à Kinshasa, il fomentait ses complots dans le 10ᵉ arrondissement. Un intellectuel qui citait Hobbes et Marx et prônait la violence comme seul recours possible.

Deux cerbères apparurent et lui firent signe de se lever. Ils le fouillèrent et lui confisquèrent son calibre. Gestes lents, brume de joints, grande fatigue : l'équipe de nuit n'allait pas tarder à aller se coucher. Morvan les suivit à travers un dédale de cabines aux vitres sales puis pénétra dans une remise où s'accumulaient CD, matériel hi-fi et ordinateurs obsolètes, le tout recouvert d'une épaisse couche de poussière. Au fond, Grande Chaleur l'attendait, un joint à la main, droit comme un I dans son fauteuil.

Le Black portait en permanence une minerve qui lui enserrait les épaules dans une sorte de grillage. Il prétendait avoir été torturé par la police de Kabila : les coups reçus lui auraient démis une ou plusieurs vertèbres – ça dépendait des jours.

Morvan s'approcha, attrapa une chaise et s'assit en face de son hôte. La salle semblait avoir subi une fumigation au cannabis.

– Qu'est-ce qui me vaut l'honneur de cette auguste visite ?

Luzeko avait une voix sombre et polie comme du cuir Hermès. On sentait derrière chaque mot une formation hors norme – sur ses vieux jours, Mobutu partageait sa vie avec des sœurs jumelles. Luzeko était le neveu de l'une d'elles. Des mauvaises langues disaient même son fils illégitime. Le gamin avait grandi dans les palais du Léopard et avait reçu l'éducation la plus brillante qu'on puisse imaginer.

Morvan sortit le message de sa poche :

– Lis.

Grande Chaleur déplia la page avec des gestes d'automate. Il adorait jouer à l'infirme. Durant quelques secondes, il se concentra sur la feuille :

– Qu'est-ce que ça veut dire ?

– Que tes gars devraient apprendre l'orthographe.

Posément, l'autre replia le message et le rendit à Morvan :

– C'est pas nous, et tu le sais.

– Mon fils a reçu cette saloperie ce matin, agrémentée d'une langue de bœuf farcie de tessons de bouteille. Complètement grotesque. Les fameux Combattants ont décidé de s'attaquer aux financiers du système ?

– Tu te fais trop d'honneur. Ça a toujours été ton défaut : tu te prends pour le nombril du Congo-Kinshasa. Mais pardon de te le rappeler, tu n'es qu'un intrus, un sale Blanc pilleur de notre terre. Un...

Morvan se leva en un seul mouvement et se pencha sur l'homme corseté :

– Vous avez décidé de faire chier le régime de Kabila par tous les moyens possibles à Paris. Vous faites ce que vous voulez, chacun sa merde. Mais si vous touchez un seul cheveu de mon fils, je vous arracherai de vos squats comme des dents pourries et on en parlera plus !

Grande Chaleur restait impassible. Lentement, il porta le joint à sa bouche et aspira une longue bouffée.

– Je te répète qu'on y est pour rien, dit-il en lui soufflant la fumée au visage. Notre combat est politique et...

– Ta gueule. Que dis-tu du mot « Kongo » écrit avec un « k » ?

– On a pas le monopole de cette orthographe. Tous les Africains du Centre se réclament du vieil empire. Tu es venu me poser une question, je t'ai répondu. Salut, Morvan. Je peux rien pour toi et tu peux rien contre nous.

– Tiens donc ! Si vous bougez une oreille, je vous fous tous dans un charter à la santé de Valls. Qu'est-ce que tu crois ? Que tu vas baiser la France en levrette et t'essuyer la queue au rideau ?

– Je reconnais là ta classe, Morvan.

Le vieux flic l'empoigna par la minerve :

– Toujours à croire que ta merde ne pue pas ! On verra ce que tu diras à Fleury, quand tu te feras enfiler par des pédés huilés !

Un vague sourire flottait sur les lèvres de Luzeko. Le cannabis et aussi une décontraction lunaire le tenaient à distance de toute émotion. Lentement, il attrapa le bras de Morvan et se libéra de son emprise. Le flic ne résista pas. Il lui aurait bien écrasé son nez de babouin mais le Noir devait être armé.

Il se recula dans le brouillard de drogue et attendit.

Toujours raide, l'autre plongea la main sous sa veste. Morvan se crispa. Luzeko en sortit seulement un téléphone portable et commença à pianoter.

– Tu crois que c'est le moment de consulter tes messages ?

– Pas mes messages, cousin. Tes comptes en Suisse. Ainsi que ceux de ton fils.

– Donne-moi ça !

Il tendit le bras mais Luzeko l'esquiva, avec une dextérité inattendue pour un prétendu infirme.

– Tu crois être le seul à avoir des dossiers, toubab ? (Il lut posément son écran.) Tu savais que Loïc avait toujours un compte commun avec sa femme ? Pas très raisonnable, vu leurs rapports...

Morvan arma son poing :

– Enculé de Nègre !

La gueule noire d'un .45 l'arrêta. Grande Chaleur braquait un calibre dans sa direction.

– Assieds-toi et écoute-moi bien.

Morvan se laissa retomber sur sa chaise.

– On se contente pas de casser quelques gueules gare du Nord. On a nos réseaux, nos alliés, nos renseignements. C'est toi qui nous as appris ça, Morvan.

– Pourquoi vous menacez mon fils ?

– Je te dis que c'est pas nous. (De sa main gauche, il saisit la feuille aux plis coagulés et la balança au visage du flic.) Une langue de bœuf ? Un mot écrit en p'tit nègre ? Pour qui tu nous prends ? Quand ton fils passait son bac à moitié bourré, j'étais déjà à Sciences po !

Morvan empocha la lettre, faisant mine de capituler. Il se leva et lissa son costume. La seconde suivante, il balançait un tranchant de la main, façon shomen uchî, sur le poignet du connard qui lâcha son arme sans un cri. De son autre main, le Vieux le souleva du sol. *Pas mal pour ton âge.*

Il sortit à son tour son portable, tout en maintenant sa prise. Luzeko n'esquissa pas le moindre geste pour se défendre. Le flic lui fourra l'écran sous le nez :

– Moi aussi, j'ai mes renseignements. Tu sais ce que c'est, ma couille ? La prochaine charrette de la Cour pénale internationale. Souris : t'es en tête de liste !

– Qu'est-ce… qu'est-ce que tu racontes ?

– Personne n'a oublié ton passé dans la brousse.

– Des mensonges !

Le flic desserra son étreinte et éclata de rire :

– Tu sais que le cannibalisme, c'est excellent pour la vigueur sexuelle ? Ma parole, avec ce que t'as bouffé là-bas, tu dois en avoir des petits bâtards dans la forêt !

– *Nquilé*, tu…

– Ta gueule. Si tu suis pas mes ordres, je me ferai un plaisir d'aller témoigner à La Haye.

– Qu'est-ce que tu veux au juste ?

– Trouve-moi les enfoirés qui ont écrit ce message et démerde-toi pour savoir qui se cache derrière.

Il recula de deux pas. Il était toujours possible que Grande Chaleur tente quelque chose mais il rajustait simplement sa minerve.

– Je te donne quarante-huit heures. Un mot de moi et ton nom disparaît de cette liste.

– Je t'appelle ?

– C'est ça, pour me filer la vérole. Je viendrai en personne recueillir ton « auguste parole », prévint-il en marchant vers la porte.

Une fois dehors, il s'essuya le visage et la nuque avec des Kleenex. Son costume puait la transpiration et les miasmes de joint : il était bon pour retourner se changer. *Merde.*

Sur le boulevard de Strasbourg, ils étaient déjà tous là, à pied d'œuvre, groupés autour de la bouche de métro. Coiffeurs-défriseurs. Glandeurs professionnels. Marchands de bitume. Dealers en tous genres, sans doute armés pour éviter de se faire braquer. Une fusion indémerdable entre survie et pognon, trafic et fainéantise, violence et joie de vivre. *Putains de Blacks...* Au fond, Morvan les aimait bien.

D'un geste, il effaça le texte qu'il avait exhibé sous le nez de Luzeko : une simple liste de flics promus et leur mutation. Il n'y avait pas d'enquête internationale sur le Katanga. Personne n'était pressé d'initier là-bas la moindre investigation. La seule priorité était l'exploitation des mines.

Avec le recul, il se dit que Luzeko avait dû bluffer lui aussi. Ses données ne devaient être que sa dernière facture de costumes donnée au pressing.

Deux caïds en carton. Deux trouillards qui avaient tant de choses à se reprocher qu'il suffisait à chacun d'allumer un mobile pour que l'autre chie dans son froc. Lamentable.

À cet instant, le portable vibra dans sa main. Erwan.

31

– QU'EST-CE QUE TU RACONTES ?

Erwan répéta ses explications : le trou du missile, les recherches, la découverte de la chevalière. Au téléphone, il ne pouvait pas la jeter au visage de son père, mais l'esprit y était.

– Calme-toi, fit Morvan de sa voix de stentor. Tu es flic. Ton rôle est d'analyser les faits.

– Tous les flics ne trouvent pas un indice pareil sur une scène de crime.

– C'est pas la mienne.

– Tu oublies que je la connais bien. Le blason de la famille. L'aigle et la feuille de fougère.

– La mienne est à mon doigt.

– Vraiment ? Tu as toujours prétendu qu'il n'y en avait qu'une. Les symboles de notre clan !

– J'ai menti.

Erwan se tut. À toute chose malheur est bon : un voile tombait.

– C'est du toc, avoua Morvan. Une babiole vendue sur n'importe quel marché du Finistère ou des Côtes-d'Armor.

– Pourquoi nous avoir raconté ça ?

Erwan se calmait : mieux valait un mensonge qu'un meurtre.

– Parce que vous avez toujours méprisé vos racines. J'ai cru qu'avec cet objet, j'allais donner du crédit à vos origines bretonnes.

Erwan prit un ton ironique :

– Tu veux dire que la dynastie des Morvan-Coätquen n'existe pas ?

– Elle existe mais on a jamais été une lignée d'aristocrates. De simples pêcheurs. Ce qui ne nous a pas empêchés de participer à la chouannerie.

– Pourquoi je te croirais aujourd'hui alors que tu mens depuis notre naissance ?

– Je te répète que la chevalière est à mon doigt. Tu peux vérifier sur Internet ou chez n'importe quel marchand de souve-nirs, on peut se la procurer partout. Je l'ai achetée après la nais-sance de Gaëlle, dans les années 80.

– Je ne peux croire à un hasard.

– Ton rôle n'est pas de croire mais de trouver. Tu vas faire une analyse ADN ?

Son mea culpa terminé, Morvan avait déjà repris son ton auto-ritaire.

– Inutile. On l'a exhumée de la boue. D'ailleurs, toute la scène baigne dans son jus. Aucune chance de dénicher quoi que ce soit.

– Tu m'as donné aucune nouvelle. La version bizutage ne tient plus ?

– Je parlerais plutôt de lynchage : Wissa Sawiris a été assassiné, après avoir été torturé. Il était mort avant que le missile ne l'atteigne.

– Qu'est-ce que tu sais d'autre ?

Erwan ne put lui livrer que des suppositions : l'étudiant sup-plicié dans la lande, la dépose du corps au fond du bunker par le ou les tueurs.

– Des suspects ?

– Les élèves de Kaerverec. Soit ils ont pété les plombs, soit ils ont voulu éliminer un témoin gênant.

– Témoin de quoi ? Il y aurait eu préméditation ?

– Tout est possible. J'exclus pas non plus un tueur de l'extérieur qui passait par là. Le genre Francis Heaulme.

– Tu nages complètement, quoi.

Erwan ne répondit pas, il devait avant tout éclaircir cette histoire de chevalière.

– T'as rédigé une synthèse ? reprit son père.

– Pas encore mais ça sera vite fait.

– Et la conf' de presse ?

– Impossible aujourd'hui : pas assez de biscuits.

Morvan, de plus en plus Commandeur :

– Je veux un rapport détaillé par mail pour ce soir. Tu donnes rien à la substitute avant que je l'aie lu. Je m'arrangerai avec elle. Conférence de presse demain matin, dernier carat, quel que soit le degré d'avancement de l'enquête.

Erwan chercha des objections mais le Vieux avait raison : impossible de repousser encore l'échéance. Il raccrocha et considéra le décor qui l'entourait.

Ils venaient d'accoster à l'embarcadère où les ETRACO de l'école étaient amarrés, un simple ponton cerné de roseaux, aux piliers rongés par la vase. Erwan s'était éloigné pour appeler son père – pas de réseau sur Sirling. Archambault rinçait le pont du Zodiac. Verny et Le Guen aidaient les techniciens scientifiques à décharger leurs mallettes. On aurait dit un retour de colo.

Il fit quelques pas vers le rivage et découvrit une côte touristique, ponctuée de jolies maisons blanches aux volets bleus, où des hortensias éclataient sur chaque seuil. Comment expliquer qu'avec tous ces témoins potentiels, personne n'ait « rien vu, rien entendu » ?

Il n'avait pas cru un mot des explications de son père mais ses soupçons ne tenaient pas non plus. Si le Vieux avait été impliqué dans ce meurtre – pour une raison inimaginable –, il n'aurait jamais laissé sur place un objet aussi personnel. Ou alors il s'en serait aperçu et n'aurait pas délégué son fils sur l'affaire. Un coup monté ? Ou simplement une autre bague, comme il le prétendait ?

Erwan s'orienta vers la plage, ôta ses chaussures et fit connaissance avec le sable humide. La marée était basse et quelques bateaux étaient échoués. C'était un spectacle triste, désolé, mais qui révélait une autre clé du pays : ces bateaux ne se contentaient pas de naviguer sur la mer, ces hommes de marcher sur le sable, un lien intime les unissait. Une sorte de fusion, de soudure ancestrale avec la terre bretonne.

Il vérifia ses messages. Muriel Damasse, Vincq, les parents de Wissa... Il ne voulait plus de contact d'aucune sorte. Seulement se concentrer sur l'enquête.

Il atteignit une crique cernée de pins et de cyprès. Des résidus charriés par le ressac s'y accumulaient : lambeaux de cordages, fragments de polystyrène, bois flotté...

Son portable sonna de nouveau. Il y jeta un coup d'œil prudent : Clemente, le légiste.

– J'ai du nouveau.

– À propos de quoi ?

– Les blessures.

Erwan observait au loin ses compagnons qui rejoignaient les voitures. Malles et valises disparaissaient dans les coffres.

– J'ai étudié les restes les mieux préservés, continua Clemente. Ceux dont je pouvais analyser les tissus, les lésions, les saignements. C'est effrayant : il y a des blessures partout. La plupart ont été provoquées par des armes blanches, des pointes, des lames.

– Vous en avez retrouvé des fragments ?

– Dans certaines plaies, oui.

– Vous les avez identifiés ?

– Non. La chaleur a fait fondre le métal et...

– Envoyez-les à Neveux, l'analyste criminel. Quoi d'autre ?

– Je vous confirme que ces actes de barbarie ont été commis alors que le gamin était vivant. Le visage surtout m'a frappé. Le tueur s'est... acharné dessus. On dirait qu'il a utilisé une pointe, un tournevis, un objet de ce genre, et qu'il a percé des trous dans les joues et les gencives. Il y a aussi une série de perforations sur une épaule...

Erwan ne sentait plus ses pieds enfoncés dans le sable froid. À cet instant, le soleil creva la masse des nuages et éclaboussa la crique. Les rochers se couvrirent de paillettes, les aiguilles des pins se mirent à pétiller de toutes leurs gouttelettes.

– Vous avez eu le temps d'étudier d'autres vestiges ?

– Une partie de l'abdomen. À l'intérieur, j'ai découvert quelques tissus intacts qui m'ont permis de pratiquer une analyse plus poussée. On lui a prélevé des organes.

– Quoi ?

– J'ai repéré des coupures très nettes de nerfs, de ligaments. On a tranché dans ces zones avec du matériel spécialisé.

– Un bistouri ?

– Ce genre-là, oui.

– L'assassin est médecin ?

– Il a certaines connaissances anatomiques, en tout cas. Mais impossible de dire s'il a suivi quinze années d'études ou s'il a été infirmier au front.

– Pourquoi « au front » ?

– Je dis ça comme ça. L'ambiance militaire.

Derniers claquements de portières. Erwan tourna la tête. Tout le monde était monté en voiture. Derrière les pare-brise, il devinait les paires d'yeux braquées sur lui. Il les fit patienter d'un signe de la main.

– Quels organes ont disparu ?

– Difficile d'être sûr. Le foie, la vessie, la prostate… Plus bas, c'est trop endommagé pour en tirer des conclusions précises mais je pense qu'on lui a prélevé aussi les organes génitaux. Ça collerait avec le reste.

– Quel reste ?

– Il a été violé.

– Comment pouvez-vous le savoir si cette partie est détériorée ?

– Pas à l'arrière. Je suis désolé pour ces détails mais la région anale porte la trace de multiples blessures. D'après la paroi interne du rectum et des sphincters, Wissa a subi un viol extrêmement brutal.

– De son vivant ?

– Sans doute : les tissus ont saigné.

Erwan revenait en terrain de connaissance : violences sexuelles, la mort substituée à l'amour, sauvagerie lancinante de l'homme...

– Vous avez trouvé du sperme ?

– Non. Il n'y a pas eu éjaculation. On a utilisé un outil, un instrument. Certaines entailles sur les fesses évoquent un engin multitranchant, une barre de fer hérissée de lames ou de clous. Comme les masses d'armes du Moyen Âge qui portaient parfois des ailettes très coupantes.

Connaissances médicales, ablation d'organes, utilisation d'instruments délirants : le scénario d'un lynchage improvisé s'éloignait. Bienvenue au tueur psycho. Erwan songea aux parents de Wissa qui allaient demander à lire le compte rendu d'autopsie.

Il revint sur l'aspect chirurgical qui rompait avec une violence chaotique :

– Il y aurait un intérêt à prélever ces organes ? Pour une greffe, par exemple ?

– Non. A priori, aucune condition d'asepsie n'était remplie pour préserver le... enfin, le matériel. Je pense plutôt que le gars a gardé ça pour sa collection personnelle. Le genre à se branler tous les soirs dans un bocal plein d'organes.

Le cynisme de Clemente revenait mais sa voix était lasse – rien de plus épuisant que la férocité humaine.

Le soleil avait disparu. La plage baignait maintenant dans un bain de plomb qui pesait sur chaque détail. Le paysage semblait avoir du mal à respirer.

– Vous pouvez mettre tout ça par écrit et me le mailer ?

– J'ai pas fini.

– Vous pensez pouvoir trouver autre chose ?

– Je vous le dirai demain matin.

– Appelez-moi dans la nuit à la moindre découverte. Vous avez vraiment fait du bon boulot.

– Dans certains cas, on aimerait mieux en rester là.

– N'oubliez pas d'envoyer les fragments de métal à Neveux.

Erwan raccrocha et rejoignit les voitures au pas de course. L'averse avait déjà repris.

– La substitute a appelé, prévint Archambault. Elle aimerait que vous...

– Plus tard. Elle m'emmerde.

Le gendarme s'engagea sur la départementale sans insister. La visibilité ne dépassait pas trois mètres. Les gouttes énormes s'écrasaient sur le pare-brise comme des bombes à eau. Cette marée aveuglante cadrait bien avec la confusion d'Erwan : impossible d'aligner une idée claire.

Il se rendit compte qu'Archambault avait repris la parole.

– Quoi ?

– Philippe Almeida vous attend à la base.

– Qui c'est ?

– Le médecin de Kaerverec : vous vouliez le voir...

– Oui... bien sûr... (Il avait complètement oublié.) Mais pas à l'école.

– Où ?

– Sur le *Narval*.

– L'épave ?

Erwan avait dit ça sans réfléchir. Faire d'une pierre deux coups : interroger le toubib et visiter un site important – le théâtre du no limit. Il ne croyait plus à une épreuve qui aurait mal tourné mais le vaisseau abandonné demeurait un lieu possible pour le sacrifice d'un homme.

– Dans un quart d'heure.

L'Asperge attrapa son portable et lança un regard dans son rétro. Ils étaient suivis par la voiture de Le Guen et Verny ainsi que par les véhicules des techniciens scientifiques et des plongeurs.

– Qu'est-ce que je dis aux autres ?

– Le boulot continue.

32

L E *NARVAL* était planté dans le sable comme un poignard rouillé. Seule une partie du pont supérieur émergeait selon un angle de vingt ou trente degrés.

S'avançant sur la plage, Erwan évaluait la bête. Construit dans les années 60, le vaisseau devait mesurer une centaine de mètres de long. À son époque, cet « aviso escorteur », comme l'avait précisé Archambault, avait dû être un fleuron de la lutte anti-sous-marine. Aujourd'hui, ce n'était plus qu'une vieille carcasse désossée. Plus un seul canon, pas le moindre équipement ne saillait de cette épave qui ressemblait à un gigantesque épi de maïs aux couleurs de l'automne. Le plus étonnant était qu'on l'ait laissé là, comme la première pierre d'un cimetière marin.

Archambault l'avait prévenu : la marée allait bientôt remonter, dans une heure et demie l'épave serait totalement immergée.

En cherchant une voie d'accès, Erwan remarqua une série d'empreintes de pas. Jouant au Petit Poucet, il les suivit jusqu'à une trouée dans la coque : la cavité était remplie de sable à mi-gueule. Il plongea dans le ventre de fer, allumant la torche qu'Archambault lui avait passée. Tout de suite, il se retrouva cerné par une plomberie ruisselante et rongée de sel.

– Almeida ?

Il avança en pataugeant, précédé par le rayon de sa lampe. L'eau stagnait au fond de la cale et continuait d'osciller, comme si elle se souvenait du roulis de la marée précédente.

Erwan ne cessait d'éclairer ses pieds immergés – l'inclinaison du navire rendait le moindre pas difficile. Autour de lui, les structures semblaient frappées par une maladie atroce. Les murs, les tuyaux, les volants, tout portait des marques de lèpre, des ulcères livides, des brûlures rouges...

– Almeida ?

Les empreintes étaient peut-être celles d'un autre visiteur, passé plus tôt dans la matinée. Il s'aventura dans la salle suivante. On entendait les petits rires des filets de flotte, les grondements des trouées plus larges, les goutte-à-goutte dans les flaques...

Une échelle. De quoi accéder aux cabines ou au poste de pilotage. Coinçant sa lampe entre ses dents, Erwan empoigna les barreaux et parvint au niveau supérieur. Il se hissa à travers l'orifice circulaire en songeant à tous ces films de sous-marin où les gars passent leur temps à se glisser dans des écoutilles et à fermer des portes à volant.

Un couloir. Toujours gîtant à gauche, mais au sec. Il avança en se retenant à la rampe du mur supérieur.

– Almeida ?

Sa voix se perdait parmi les clapotis. Braquant son faisceau dans l'obscurité, il n'apercevait que des portes scellées. Enfin, au-dessus de lui, il trouva une embrasure – il ne restait plus que les gonds. Une nouvelle fois, il réussit à grimper.

L'espace avait dû être une salle de tir ou une chambre des torpilles. Des longs coffrages, des râteliers géants. Des lucarnes laissaient passer des rais de lumière grise striés de pluie étincelante. La salle offrait un clair-obscur fascinant, mouvant comme le fond d'un aquarium.

– Je suis là.

Erwan plissa les yeux et discerna une ombre assise derrière des fûts rouillés. Il s'avança de guingois, s'appuyant et s'accrochant à la fois pour ne pas tomber.

Installé sur un volant de métal, le médecin, avec ses moustaches tombantes, ressemblait à un musicien des seventies : Nick Mason, le batteur des Pink Floyd. Il devait avoir la cinquantaine, portait les cheveux longs et affichait un air de Viking vaincu.

– Pourquoi m'avoir donné rendez-vous ici ?

Le ton était agressif mais au moins, tout préambule était évité. Erwan trouva un tuyau sur lequel s'asseoir.

– Je pense que ce lieu a joué un rôle dans le meurtre de Wissa Sawiris.

– C'est un meurtre ?

– Vous n'êtes pas au courant ?

Le médecin baissa la tête en signe d'assentiment et s'ébouriffa les cheveux.

– Gagnons du temps et dites-moi ce que vous savez, reprit le flic.

– Je sais rien.

Pas de meilleure entrée en matière pour un interrogatoire décisif.

– Vous étiez bien le médecin de garde pour la K76 ce week-end ?

– Exact.

– Vous a-t-on contacté entre la fin d'après-midi du vendredi et l'aube du samedi ?

– Non.

– Et le samedi matin, après la disparition de Wissa ?

– Non plus. Ils ont découvert les restes à Sirling et les ont directement expédiés à la Cavale blanche.

– C'était la première fois que vous étiez de garde pour un bizutage ?

– Non. J'occupe ce poste depuis une dizaine d'années. Restrictions budgétaires. Surtout, ça permet aux uniformes de conserver les mains propres.

– C'est-à-dire ?

– Certains rapports pourraient être embarrassants à rédiger ou à archiver. (Almeida poussa ses cheveux en arrière, dégageant une boucle à l'oreille gauche.) Arrêtez de tourner autour du pot. Qu'est-ce que vous voulez savoir ?

– Le no limit, ça vous dit quelque chose ?

– Oui.

– Vous est-il déjà arrivé de soigner des blessures survenues dans le cadre de cette épreuve ?

– Oui.

– Quel genre ?

– Scarifications. Entailles. Brûlures.

Erwan avait de la chance : Almeida n'était pas un adepte de la langue de bois.

– Sur le certificat médical, vous écrivez quoi ?

– Je fais preuve d'imagination.

– Pourquoi ne pas balancer les faits ?

– La vérité ne servirait à rien. Les EOPAN nieraient en bloc et je me retrouverais seul comme témoin à charge.

– Durant l'année, il vous arrive de soigner encore les étudiants ?

– Bien sûr. Le no limit se poursuit toute l'année. Les épreuves, c'est-à-dire les blessures, font partie de la formation de la K76. Elles durent pendant les deux années du programme. Au même titre que le sport ou les crapahutages dans la lande.

– Et c'est vous que les soldats consultent ?

– Ils ont pas le choix. Les hostos demanderaient des explications, les toubibs rédigeraient des rapports. D'ailleurs, la plupart du temps, les troufions cicatrisent tout seuls.

– Comment vous expliquez qu'aucun d'entre eux ne se rebelle ?

– Ils sont envoûtés.

– Par qui ?

– En Afrique, on dit : « Le poisson pourrit par la tête. » C'est di Greco qui les conditionne. Ici, on l'appelle Grand Corps Malade.

– Parce qu'il est fou ?

– Non, parce qu'il souffre d'une maladie génétique qui déforme les os.

– Le syndrome de Marfan ?

Nick Mason hocha la tête, comme s'il marquait le rythme d'un nouveau morceau :

– Vous êtes quand même pas mal renseigné.

– Di Greco est toujours en état de commander ?

– Ça fait deux ans qu'il est au rancart. Plus aucune charge, aucune responsabilité. Il est à moitié aveugle et a du mal à se déplacer. En 2010, sa maladie s'est brutalement aggravée. Il est bon pour la casse.

– Comment a-t-il pu faire carrière dans l'armée avec un tel handicap ?

– De Gaulle aussi souffrait du syndrome de Marfan, ça l'a pas trop gêné...

L'évocation du Général offrait un enchaînement rêvé :

– Que fait-il sur le porte-avions ?

– De simples missions honorifiques, des trucs de prestige. Sa présence est plutôt une tolérance, eu égard à ses faits d'armes.

– Lesquels ?

– Aucune idée. À mon avis, son intention est de mourir à bord.

Di Greco n'avait donc plus que quelques années à vivre. Pour s'occuper, et aussi sans doute pour se venger du destin, le pervers entraînait les élèves de la K76 dans une spirale de cruauté.

– Vous ne l'avez jamais soigné ?

– Personne ne peut l'approcher. Il refuse tout examen médical.

– Pourquoi ?

– Y a des rumeurs. On raconte qu'un jour, il a passé une IRM à la Cavale blanche. La machine a failli sauter, à cause du métal qu'il a dans le corps.

– Des prothèses ?

– Non, des aiguilles. Il en a plusieurs dizaines enfoncées dans le corps. Le no limit, c'est aussi valable pour lui. Ce gars-là ne cesse de se mortifier.

– Comme un prêtre fanatique ?

– On peut dire ça, ouais. L'armée est sa religion et son dieu est le mal.

Le toubib aimait l'emphase mais Erwan avait compris l'idée. Il songeait aux pointes métalliques retrouvées dans la chair de Wissa. La même chose ? Non, Clemente avait parlé de fragments d'armes blanches visant à mutiler et tuer.

– Il vient encore à Kaerverec ?

– Parfois. Il organiserait aussi des réunions secrètes avec ses élèves, la nuit...

– Où ?

– Ici. Sur le *Narval*.

L'épave n'était donc pas seulement le théâtre du no limit, c'était aussi le mont des Oliviers du gourou. Cette cathédrale rouillée offrait un décor parfait.

– En quoi consiste sa... philosophie ?

– J'ai jamais été à ses sermons mais les étudiants m'en parlent parfois. Sa grande vision est fondée sur le *furor* guerrier de l'Antiquité.

– Qu'est-ce que c'est ?

– Dans les poèmes épiques grecs, les soldats entrent dans une sorte de transe qui les rend à la fois invincibles et incontrôlables. Le goût du sang leur donne une force divine. Di Greco veut contrôler cette transe. Il veut aguerrir ses soldats au point d'atteindre au *furor* tout en le maîtrisant.

– Mais on parle de pilotes, non ?

– Pilotes, marins, soldats d'infanterie, peu importe : il s'agit avant tout de force mentale. Des hommes qui ont un pouvoir d'endurance décuplé.

– Vous ne leur avez jamais conseillé d'en référer à leurs supérieurs ?

– Inutile, je vous dis. Les officiers fermeraient les yeux et les mômes seraient virés.

– Mais ils pourraient au moins se révolter face à leurs tortionnaires.

Almeida fit rouler ses doigts sur un tonneau. Plus que jamais Nick Mason.

– Vous n'avez pas compris. La plupart du temps, ce sont eux-mêmes qui se mutilent. On n'est jamais mieux servi que par soi-même...

Depuis qu'il avait foutu les pieds à la K76, Erwan ressentait un malaise. Ce qu'il découvrait expliquait son trouble : di Greco créait ici des guerriers d'un genre nouveau, ne craignant plus ni la douleur ni la mort ; peut-être même éprouvaient-ils un certain plaisir au contact du danger et de la souffrance. Wissa était-il mort de ces excès ?

– Pourquoi vous me déballez tout ça ?

– Parce que les conneries ont assez duré. La mort du gamin, c'est l'« accident » de trop.

– Que s'est-il passé selon vous ?

– Aucune idée. Mais la nuit de vendredi a été une véritable *Walpurgisnacht*.

– Vous pensez que les autres l'ont torturé ?

Le Viking quitta son siège de fortune :

– Allons-y. La marée monte.

Erwan ne bougea pas :

– Donnez-moi votre sentiment.

– Di Greco les a rendus fous comme on rend fou un chien en l'affamant ou en le frappant. Ils se sont vengés sur le môme.

– Connaissez-vous un étudiant qui aurait des connaissances médicales ?

– Non.

– Un Renard qui serait plus sadique que les autres ?

– Impossible à dire.

– Vous seriez prêt à témoigner devant une cour ?

– Quelle cour ?

– Cour d'assises. Cour martiale. Y aura du boulot pour tout le monde.

Almeida disparut dans l'écoutille. Sa voix résonna de façon lugubre :

– Pas de problème. J'en ai marre de tout ça.

33

LOÏC n'avait toujours pas digéré le coup de la langue. À 15 heures, il sortait du service du docteur Lavigne, secteur psychiatrie adultes des hôpitaux de Saint-Maurice. Il avait essayé d'assurer sa journée de boulot, en vain. L'angoisse n'avait cessé de le tarauder. Dans la matinée, il avait vomi, s'était envoyé plusieurs lignes et une poignée d'anxiolytiques. Rien n'y avait fait. Au déjeuner, face à d'importants investisseurs écossais, il avait tenu jusqu'au plat de résistance puis avait commencé à suffoquer, à voir les murs palpiter, les visages se déformer en ricanant... Il avait fui sans un mot d'explication.

Sa première tentation avait été de renouer avec ses anciennes amours : free base, acide ou brown sugar. La drogue était la meilleure pharmacopée pour ses troubles. À moins qu'elle n'en soit l'origine...

Il avait finalement réussi à prendre l'autoroute de l'Est, s'accrochant au volant pour maîtriser ses convulsions. Direction Charenton – le fameux asile où avaient résidé le marquis de Sade et Paul Verlaine –, devenu Esquirol, puis aujourd'hui Saint-Maurice. *Welcome back home.*

Lavigne lui avait donné, en urgence, du Solian, le neuroleptique qu'il supportait le mieux, puis il l'avait fait poireauter une heure. Loïc était resté dans les jardins, attendant les effets de l'amisulpride, en tremblant sur un banc. Puis il avait arpenté les terrasses du parc (l'institut est installé au sommet de la colline de Gravelle, au-dessus de la vallée de la Marne) et avait rêvassé sur les pelouses. Il aimait cet endroit dont les vieux bâtiments étaient inspirés par la villa d'Este. Il y était à l'abri – loin des regards qui auraient pu le juger. Aucune chance de rencontrer ici un banquier, un capitaine d'industrie, un homme politique. Ou bien alors en pyjama et dans le même bain que lui.

À peine assis dans le cabinet de Lavigne, il avait débité sa litanie : angoisses, gémissements, analyses foireuses sur sa vie et ses mécanismes de peur. Il avait vidé son sac comme on vide une plaie. Puis il s'était lancé dans un discours sans queue ni tête sur le caractère paradoxal du bouddhisme, qui prône à la fois compassion et indifférence, amour et retrait du monde... « Parlez-moi du vrai problème », avait coupé le psychiatre.

Loïc avait demandé un verre d'eau – sa gorge était un four – puis il avait raconté l'épisode du colis. Il avait expliqué sa terreur à grand renfort de clichés psychanalytiques : l'Afrique, pays de son père, terre de castration et... « J'ai dit : le vrai problème. »

Il avait fondu en larmes et évoqué ses enfants. Sofia. La menace du divorce. Émaillant son discours de nouvelles considérations sur sa foi bouddhiste : pouvait-il accéder à la Voie du milieu submergé par de telles émotions ? Le psychiatre n'avait pas répondu.

Ce silence avait réussi à lui faire cracher le morceau. Sofia avait raison. Il n'était qu'un ex-alcoolique, ex-addict à l'héro, dépendant de la coke. Un homme fuyant, instable. Ses enfants ne pouvaient pas compter sur lui, c'est lui qui comptait sur eux. Il avait pleuré, tempêté, retrouvé son calme. Comme toujours en sortant du cabinet de Lavigne, il se sentait mieux. Il n'avait rien résolu mais tout exprimé à voix haute. *Déjà pas si mal.*

Il en était là de ses réflexions quand il remarqua deux hommes en contrebas des jardins. Ils ne ressemblaient ni à des patients ni à des infirmiers. Encore moins à des parents en visite. Deux Noirs en blouson de cuir, costauds, patibulaires.

Arete tes magouille au Kongo, sinon on te la coupe.

En une seconde, la peur revint lui serrer les tripes. Les Combattants avaient décidé d'en finir. On allait lui trancher la langue entre les charmilles – ou pire : le castrer. Les Blacks remontaient déjà les terrasses, en suivant le zigzag marqué par les haies. Loïc recula sous les voûtes de la galerie et se mit à courir. Un autre chemin, sur la gauche, menait aux potagers de l'institut. Il y avait passé des semaines à biner, semer, désherber. Il contourna le bâtiment et descendit le sentier jusqu'aux parterres cultivés.

Au fond, des hêtres, des marronniers. Au-delà, un solide mur de clôture. Il traversa les allées au pas de charge et atteignit la rangée d'arbres. Pas l'ombre d'une faille dans la paroi. Qu'espérait-il ? On était dans un asile d'aliénés, pas dans un village de vacances.

Il entendait déjà, dans son dos, les frottements du cuir contre les haies. Une pensée absurde le saisit : il avait laissé ses papiers dans sa voiture ; si ces salauds le butaient et le balançaient dans la Marne, personne ne pourrait l'identifier. Une autre réflexion, encore plus bizarre : il avait les parois nasales renforcées par des plaques de titane – un cadeau de Thurnee ; son père lui avait souvent raconté qu'on pouvait identifier des cadavres grâce au numéro de leur pacemaker, de leur prothèse articulatoire ou de leurs implants mammaires. Lui, ce serait par ses plaques.

Son vice.

Loïc longea le mur du potager. Tous les anciens d'Esquirol savent que l'institut abrite des galeries souterraines. Aujourd'hui, la plupart sont murées mais des puits donnent encore accès aux rues de Saint-Maurice. C'est par là que se font les échanges entre dealers en visite et pensionnaires en sevrage.

Il contourna un carré de salades, rejoignit un axe qui s'enfonçait sous des chênes. Au bout, une cabane contenait des instruments de jardinage. Une clé était posée sur la lucarne, à gauche. Il l'attrapa, déverrouilla la porte. La pioche semblait l'attendre, comme jadis. Il l'empoigna, ressortit, fit le tour de la cahute et trouva la plaque de fonte gravée aux initiales IDC (Inspection des carrières). Il planta la pointe de son outil dans l'orifice central et fit levier, le disque de cinquante kilos se souleva.

Loïc balança la pioche dans les fourrés et fit basculer la plaque. Les herbes étouffèrent le bruit du métal. Dans son dos, les tueurs arpentaient les allées. Trop tard pour refermer après son passage. Il se glissa dans le puits en espérant qu'ils n'iraient pas regarder derrière la cabane…

Il descendit les barreaux et toucha le sol en quelques secondes. La première galerie, en pente douce, menait aux autres, situées à trente ou quarante mètres de profondeur. Avant d'atteindre ce réseau, il aurait déjà trouvé un puits par où remonter.

Il marchait d'un pas rapide, sentant le froid et l'humidité se refermer sur lui. À chaque mètre, l'obscurité se renforçait. Il actionna un commutateur et reconnut les lieux. D'abord une cave immense, en forme de croix, puis une voûte qui courait en variant les matériaux : moellons, masse rocheuse, mortier de sable…

Il courut. Les ampoules lui montraient la voie. Une nouvelle salle, plusieurs galeries. Suivre la plus large – celle qui avait été conçue à l'époque pour laisser passer les charrues chargées de pierres.

La terre battue céda la place au béton. Les parois affichaient des graffitis lugubres, laissés par des ouvriers morts à la tâche ou des patients en fuite. Loïc courait toujours quand il crut entendre des pas derrière lui. Il s'arrêta et essaya d'estimer leur distance. Impossible : les sons ricochaient contre les parois et ses sens étaient comme engourdis par la peur, les médocs, la folie.

Il se trompait : c'était la pluie qui résonnait. L'orage qui couvait avait fini par éclater. À cet instant, il croisa une graduation peinte sur le mur permettant de mesurer la hauteur des eaux. Ce détail lui rappela que le réseau était cerné par une nappe phréatique, elle-même soumise aux fluctuations de la Marne. En cas de crue ou de grosses averses, les galeries se remplissaient jusqu'au plafond.

Loïc reprit sa course. Un premier puits ne devait plus être très loin. Une échelle et il serait de nouveau dans le monde des hommes. Mais le grondement s'aggravait, comme arrivant vers lui. Hallucination sonore ? Il rebroussa chemin. Des légendes lui revenaient. Des cinglés qui s'étaient perdus et n'avaient pas réussi à échapper aux flots déchaînés. Des pauvres gars qui s'étaient noyés ici et dont on buvait, disait-on, les os dissous dans l'eau du robinet.

Il accéléra. Il était perdu. Il repartit dans l'autre sens, ne sachant plus s'il marchait vers la survie ou sa propre mort.

Nouvelle cave en croix. Trois ouvertures face à lui. Il en prit une au hasard, se remettant à galoper, ignorant toujours s'il s'éloignait du danger ou s'il y fonçait tête baissée. Imprégné par l'odeur des pierres humides, du salpêtre, il était en train de pourrir, il...

Son visage s'écrasa dans la boue. Quand il se releva, un canon sur sa nuque le bloqua.

– La fête est finie, ma poule.

Un Noir entra dans son champ de vision alors que Loïc était à genoux, tentant de reprendre son souffle. Il regrettait que cette sale gueule soit la dernière chose qui lui soit donné de voir sur cette terre. *Mauvais karma.*

Il ferma les yeux et récita, les mains jointes, une des prières du *Bardo-Thödol*, le *Livre des morts tibétain*, pour faciliter son passage dans le monde intermédiaire :

– « Ô bouddhas et bodhisattvas dans les dix directions, vous qui êtes toute compassion... »

Le Black éclata de rire, relayé aussitôt par l'autre, dans son dos. Tant d'années à chercher la Voie, tant d'efforts orientés vers l'absolu pour mourir dans une cave, aux pieds de ces deux cons. *Mauvais karma.*

Un claquement bref retentit. Loïc crut que c'était la culasse d'une arme mais le cliquetis qui suivit ne cadrait pas.

Il ouvrit les yeux et découvrit, stupéfait, des menottes autour de ses poignets.

– Qui... qui êtes-vous ?

– À ton avis ?

L'autre fouillait ses poches. Il en extirpa plusieurs grammes de cocaïne.

– C'est la police, papa ! lui cria le Noir à l'oreille. Les Stups ! (Il considérait le sachet en souriant.) Putain, y a au moins dix grammes là-dedans. T'es bon pour le trou. À partir de maintenant, t'es…

– Mais… vous êtes tous les deux noirs ?

– Qu'est-ce que tu crois, connard ? Que dans la police c'est « Un Blanc, un Noir » ? Tu nous prends pour qui ? Des putains d'Oreo ?

34

– Vous avez une manière très particulière de mener l'enquête, mon vieux. Et je parle même pas de votre lenteur !

– L'affaire est plus complexe que prévu.

L'exclamation du colonel claqua dans le combiné :

– Mais c'est vous qui compliquez les choses ! Vous convoquez à Sirling une armada de techniciens pour faire un boulot qui a déjà été fait puis vous disparaissez tout l'après-midi. Personne n'a réussi à vous joindre !

– Je rentre à la base.

– Me voilà rassuré, cingla Vincq. Demain matin, on annonce officiellement la mort de Sawiris aux médias. J'espère que vous avez du nouveau.

Erwan contre-attaqua :

– Priez surtout pour que ses parents ne s'expriment pas avant nous. Visiblement, personne ne les a prévenus du tour que prenait l'enquête.

– Mais c'est vous qui deviez les tenir au courant !

Le flic ne répondit pas, laissant se poursuivre le sermon alors que la voiture filait le long du littoral. La côte ondulait comme un serpent vert, ménageant des renflements de gris ou de bleu. Parfois, elle s'effondrait dans un déchirement abrupt. D'autres fois, elle dessinait une longue anse polie par des millénaires de vagues. Tout le paysage était sculpté par le ressac.

Archambault tourna à droite et rentra dans les terres. Erwan admira cette fois le ciel, tout aussi minéral : nuages marbrés de noir, carrières d'ardoise s'effritant dans la lumière, mines d'argent crachant leur métal scintillant. Dessous, les rochers avaient l'air plus abrasés que jamais, une lividité d'ossements oubliés depuis des siècles.

Il se rendit compte que le colonel avait raccroché et appela aussitôt Verny. Le gendarme avait enfin contacté les Sawiris et les avait trouvés bizarres.

– Bizarres comment ?

– Bizarres inquiétants.

Le lieutenant-colonel planchait maintenant sur une synthèse destinée à la substitute en vue de sa communication du lendemain. Elle tenait en quelques lignes : Sirling n'avait rien donné – pas de paluches, pas de résultats ADN ; la chambre de Wissa non plus ; le reste se résumait à un zéro absolu – fadettes, enquête de proximité, itinéraires des bateaux et des voitures…

– Et Branellec ?

– Aucune nouvelle. Il a l'air d'en chier avec le PC du gamin.

Restait la découverte du jour :

– La chevalière ?

– D'après les techniciens, elle a pas trempé plus de trente-six heures dans la flotte – ce qui signifie qu'elle appartient au tueur. Mais c'est un modèle banal. Un de ces trucs pour touristes qu'on trouve sur les marchés bretons.

– Pas de particules organiques ?

– Non. Elle a été lessivée par la flotte et le sel.

Erwan pensait à la Bretagne, à son père, à ses mensonges. Des calvaires surgissaient au bord de la route, évoquant des motifs noirs imprimés sur un ruban verdoyant.

– Qu'est-ce que c'est que ça ?

La question s'adressait à Archambault. Le flic venait d'apercevoir, à environ trois cents mètres au-dessus des croix, une patrouille d'hommes en treillis courant en file indienne, fusil au poing et sac sur le dos. Casqués et en tenue de camouflage, ils étaient quasiment invisibles sur la lande.

– C'est l'entraînement qui a repris.

– Je vous rappelle, fit Erwan à Verny avant de raccrocher. J'avais ordonné que personne ne bouge de sa chambre !

Archambault conserva le silence : prudente neutralité.

– Ce sont des première année ?

Le gendarme plissa les yeux derrière ses lunettes :

– Non. Des anciens. C'est Gorce qui mène le groupe. Ils rentrent à la base. Y a des jumelles dans la boîte à gants.

Erwan s'en empara. L'Asperge avait raison : Gorce courait en tête, le visage maquillé de traînées brunes, le front barré par son casque. Il avait l'air de sortir d'un jeu vidéo. Toute sa patrouille suivait dans le même ton, une vingtaine de gars couverts de boue.

– Magnez-vous, fit le flic en baissant les jumelles. Je veux arriver avant eux.

35

ERWAN PÉNÉTRA dans sa chambre, fila dans la salle de bains et en ressortit aussitôt, serviette et trousse de toilette sous le bras. Il rassembla des vêtements de rechange et redescendit en vitesse.

Les thermes étaient situés au rez-de-chaussée du bâtiment. Dès qu'il approcha des vestiaires, il perçut le ruissellement de l'eau, le brouhaha des voix. Les troufions étaient déjà sous la douche. Finalement, ce n'était pas plus mal.

Il se déshabilla, fourra ses frusques dans un casier. L'espace puait la boue et la sueur. Il plaça sa trousse de toilette devant son sexe, sa serviette sur l'épaule puis se dirigea vers les douches. Les résonances de faïence s'accentuaient à chaque pas.

Il poussa la porte et fut aussitôt submergé par la chaleur. L'humidité lui poissa la peau et l'intégra d'office à l'écoulement général. Des cabines s'ouvraient de part et d'autre d'un alignement de lavabos. Le carrelage immaculé rappelait les paillasses des laboratoires ou des boucheries industrielles.

Personne n'avait encore remarqué le flic dans les nuages de vapeur. Il tendit le cou vers les box et vit exactement ce qu'il s'attendait à découvrir : les corps musclés portaient tous des cicatrices. Blessures, scarifications, croûtes et chairs à peine refermées.

Quand les pilotes s'agitaient sous l'eau, les marques semblaient prendre vie. Plus précisément, Erwan distinguait des brûlures de cigarette, des plaies par balle, des stigmates électriques, souvenirs d'une gégène locale ou de fils de batterie détournés...

– T'es venu te rincer l'œil ?

Erwan sursauta : Bruno Gorce, nu, se tenait derrière lui, entouré de plusieurs hommes. Leurs torses enflammés par la chaleur luisaient sous les plafonniers. Des colosses taillés dans de la brique rouge.

– C'est interdit de prendre une douche ?

Gorce le poussa au fond d'une cabine :

– Tu nous prends pour des cons ?

– Ma salle de bains... a des problèmes.

– C'est toi qu'as des problèmes.

Le groupe se resserra autour de son chef. L'eau continuait de couler et de crépiter partout.

– Tu serais pas plutôt un de ces pédés vicieux venu se branler en douce ?

– Arrête de déconner, fit mine de rire Erwan.

Il s'avança pour sortir mais les gars lui barrèrent le passage. La méthode douce n'avait aucune chance. La dure non plus. Il ouvrit la bouche pour négocier mais Gorce bondit, lui attrapa le cou en repliant son bras, façon lutteur, puis l'entraîna dans sa volte-face jusqu'à l'envoyer valdinguer contre les lavabos centraux.

– Joue pas au con, Gorce, prévint Erwan en se relevant.

Le maître bourreau s'approcha. Ses yeux luisaient dans la brume comme des têtes d'épingle. On pouvait distinguer sous la peau chaque muscle, chaque veine, chaque os du crâne.

– Je vais te dire ce qu'on va faire : on va régler nos comptes.

– Qu'est-ce que tu veux ? bluffa Erwan. Un duel ?

Gorce sourit. Les autres observaient fixement Erwan. Sur leur torse, leurs épaules, leurs membres, les cicatrices dessinaient des graffitis menaçants.

Un bruit sec claqua. Les troufions s'écartèrent. Erwan découvrit deux paires de sabots de bois sombre, avec bride de cuir et pointe ferrée.

– Tu voulais connaître une de nos épreuves ? fit Gorce en enfilant les siens. Eh bien, tu vas être servi.

Du pied, il fit glisser l'autre paire vers Erwan. Les soldats reculèrent : un groupe à droite, un autre à gauche, quelques-uns sur le seuil des cabines ruisselantes – les loges du théâtre.

Erwan connaissait le gouren, une lutte pratiquée en Bretagne depuis des lustres, mais il n'avait jamais entendu parler de combat à coups de sabots. Une spécialité de la K76 ? Il chaussa les objets – au moins deux kilos chacun – puis jaugea son adversaire. Il n'avait aucune chance. Il avait pratiqué jadis le kickboxing et la boxe française mais avait tout arrêté depuis...

Il n'eut que le temps de se reculer pour éviter le premier coup de pied. Le sabot ne rencontra que la vapeur et le lieutenant, emporté par son élan, tomba en un grand écart grotesque. La scène était comique mais personne ne rit.

Loin d'être mis en confiance par ce raté, Erwan se dit que si un combattant chevronné se vautrait dès le premier mouvement, il valait mieux qu'il n'essaie même pas de lever la jambe.

Gorce s'était déjà récupéré, la gueule crispée par l'humiliation. Erwan se mit en garde, les deux pieds lestés. L'autre frappa à nouveau. Il bondit en arrière mais le pilote avait prévu l'esquive : il stoppa son mouvement et attaqua de sa jambe gauche. Le sabot passa à quelques millimètres du flanc d'Erwan, qui se rattrapa à un bras ou une épaule avant d'être repoussé au centre du ring.

Le poing de Gorce vint s'écraser sur son nez. Les larmes lui jaillirent des yeux, alors que le sang inondait ses lèvres. Aveuglé, Erwan essaya de battre l'air de ses mains mais un nouveau coup l'atteignit aux côtes, un autre dans l'aine droite, un troisième au ventre. Il se plia en deux, crachant du sang.

Il s'essuya les paupières et vit le sabot jaillir pour frapper son genou gauche. Ce fut comme si on lui coupait la jambe. Il tomba sur les rotules, la douleur irradiant de partout à la fois. Sous une barre noire, il distingua l'autre qui prenait son élan. In extremis, il évita le choc. Mais le mieux était de se laisser assommer – pour en finir.

Un coup sur la nuque exauça ses prières. Le contact du carrelage le réveilla dans un flash. Il aperçut son reflet dans une flaque rose. Mû par un pressentiment, il se propulsa sur le côté. Le sabot de Gorce s'écrasa. Erwan était maintenant sur le dos. Instinctivement, il releva la tête et, dans le même mouvement, balança de toutes ses forces sa jambe droite en direction de son adversaire. Le miracle se produisit : l'autre fut fauché alors que les soldats reculaient pour le laisser tomber. Erwan sentait ici un respect sans faille, presque mystique, à l'égard de la violence.

Entre deux éclipses (il perdait conscience par millisecondes), il se traîna vers l'ennemi. Au lieu d'attaquer, il s'assit et tenta d'ôter un de ses sabots. Impossible. Sa cheville était si gonflée qu'elle restait prisonnière de l'étau de bois.

Gorce était déjà debout. L'odeur du sang tournait dans la salle, comme portée par la vapeur. Réprimant un hurlement, Erwan arracha son pied de la gangue ferrée et fourra sa main à l'intérieur, comme dans un gant de pelote basque. L'adversaire était sur lui : il détendit son bras à toute force. La pointe ferrée écorcha le tibia de Gorce, qui tomba sur un genou. Il murmura quelque chose qu'Erwan refusa d'entendre.

Toujours assis comme un bébé dans son parc, le flic arma son bras puis frappa à nouveau. Le sabot cueillit le soldat à la mâchoire. Dans une giclée de sang, Gorce fut projeté en arrière, se cognant la nuque sur l'angle d'une cabine.

Il bredouilla encore un mot. Sa bouche n'était plus qu'une tuméfaction mais cette fois Erwan dut l'admettre, le militaire avait dit « Merci ».

Erwan se remit à quatre pattes. Un sabot dans une main, l'autre au pied, il repartit à l'attaque. Il levait sa masse de bois quand Gorce déplia ses jambes et l'atteignit à la poitrine. Il eut l'impression qu'on lui enfonçait les côtes dans la gorge.

Autour de lui, les soldats répétaient à voix basse :

– Merci… Merci… Merci…

Erwan tomba en arrière, le cul dans l'eau. Son visage était réduit à une plaie ensanglantée, sa poitrine était fracassée – impossible de respirer –, ses membres tressautaient des coups reçus. Il était totalement anesthésié et en même temps vibrant comme un canard à qui on vient de couper la tête.

Gorce chargea. Le temps qu'il l'atteigne, Erwan lui balança un coup de pied – celui qui était encore chaussé – dans le flanc gauche. La pointe retroussée s'enfonça dans l'abdomen et remonta comme un éperon. L'homme se recroquevilla. Ses gencives suintaient de sang, de vomi, de salive visqueuse. À travers cette bouillie, il chuchota encore :

– Merci.

Et les autres reprirent en chœur :

– Merci… Merci… Merci…

Le coup porté lui parut être une victoire et l'énergie revint comme un filet d'eau dans le désert. Dans un engourdissement total, le flic arracha son deuxième sabot et glissa ses doigts à l'intérieur, puis il avança sur les mains, faisant claquer ses gants de bois à la manière d'un cul-de-jatte.

Gorce recula, se protégeant derrière ses poings. Erwan rua et projeta l'officier dans une cabine où la douche crépitait toujours. Le bassin rougit instantanément. Ils passèrent au corps-à-corps. Deux embryons flottant dans du liquide amniotique.

Penchés sur eux, les autres scandaient toujours :

– Merci… Merci… Merci…

Erwan se débattait, Gorce cherchait maintenant à le noyer, lui enfonçant la tête sous l'eau. Ses yeux se voilèrent. Dans un ultime sursaut, il parvint à échapper à la prise de son adversaire, qui retomba dans la flotte. Il leva son sabot, frappa, manqua son coup. Ils plongèrent à nouveau. Le pilote l'attrapa aux oreilles et les tordit à lui dévisser. Erwan ne sentait plus rien. Excepté cette pulsation noire qui battait sous ses paupières : tuer, tuer, tuer…

Il repoussa encore le salopard contre le mur et se jeta sur lui. Il vit ses propres doigts autour de la gorge de Gorce : il comprit qu'il avait perdu ses armes – ses sabots. Pas grave, il finirait le boulot à mains nues.

Il serra avec la vigueur qui lui restait – de la rage pure. Gorce avait le blanc de l'œil gauche complètement noir. Sa propre bouche était remplie d'un goût de fer. Le sang les saturait, les submergeait...

Puis, avec un temps de retard, il perçut un changement autour de lui. La litanie s'était modifiée. Le rythme binaire devenait ternaire. La prière se disloquait, devenait chaotique...

Dans un réflexe absurde, Erwan délaissa sa proie, se retourna pour tendre l'oreille – ce qui lui en restait, c'est-à-dire une brûlure bourdonnante. Les soldats se précipitèrent, plongèrent dans la flotte, récupérèrent leur champion.

Gorce qu'on emporte.

Gorce qui disparaît.

Et les syllabes qui se révèlent enfin, ricochant contre la céramique :

– DISPERSION !

36

    – ALORS COMME ÇA, on veut faire du cinéma ?
Michel Payol, la soixantaine drapée dans un blazer à écusson et une chemise bleu layette, affichait une silhouette de dromadaire et les dents qui allaient avec. Officiellement directeur d'une agence de relations presse pour le cinéma, en réalité maquereau chic pour une certaine faune parisienne, l'homme s'était spécialisé dans le tourisme sexuel de haute volée : émirs arabes, ministres africains, financiers asiatiques composaient sa clientèle de choix.

C'était tout ce que les fameux tuyaux de Kevin, alias Kéké, alias « Je connais du monde », avaient donné. Pas si mal : les réseaux de Payol pouvaient servir les plans de Gaëlle. Elle s'était entendue avec le stagiaire pour une commission en cas de rendez-vous porteurs.

Elle répondit en faisant papilloter ses paupières aux longs cils de biche innocente :

– C'est ma passion.

– Je peux vous aider. Vous faire rencontrer des gens.

Gaëlle eut un petit sourire et saisit son Perrier – surtout pas de champagne : trop province. Ils étaient installés au bar du Plaza Athénée où, malheureusement, elle était déjà bien connue. Pour l'occasion, elle avait semé les deux crětins que son père lui avait collés aux basques.

– Vous semblez sceptique…

– Dans ce milieu, tout le monde croit pouvoir pistonner tout le monde alors que le cinéma est un univers… autonome, indépendant, qui avance tout seul. Au fond, il n'y a que le cinéma lui-même qui décide.

Payol attrapa sa tasse et but une brève gorgée. Il avait commandé un ristretto – quelque chose d'électrique qui convenait à sa nervosité.

– J'ai du mal à vous suivre.

– Pas grave. D'ailleurs, je n'ai pas encore assez d'expérience pour donner des leçons. Arrêtons de tourner autour du pot. Vous pouvez m'aider, mais dans un autre domaine.

Payol éclusa son café sans répondre. Visage tendu, il se méfiait. Le silence dura quelques secondes.

– Vous avez un fiancé ? demanda-t-il en guise de préliminaire.

– Non.

– Vous n'en cherchez pas ?

– Non.

– Pourquoi ?

– Disons que j'ai une vision pessimiste des hommes.

– Pourquoi ?

– À cause des hommes, justement.

Payol se pencha sur elle. Il avait de longues mains qui s'accordaient avec ses ratiches. Gaëlle songea au Petit Chaperon rouge et au loup déguisé en grand-mère.

– Les gens tombent amoureux, fondent des familles ! s'exclama-t-il, faussement enthousiaste.

Il fallait jouer le jeu. Lui, le proxo, défendait le mariage et le foyer. Elle, la petite pute, devait en rajouter dans le cynisme et l'arrogance. C'était une sorte de casting où on testait les aptitudes de l'autre à la perversité.

– Pas autour de moi, répliqua-t-elle.

Payol commanda un autre café.

– Vous me ferez pas croire que vous avez eu tant de mauvaises expériences !

– Pas moi, mes copines. Elles collectionnent les enfoirés.

– Par exemple ? s'amusa-t-il.

– Il y a le modèle indépendant, qui ne veut pas s'attacher. Celui qui vous aime trop pour rester, ou celui qui vous quitte parce que vous méritez mieux. Celui pour qui « il est trop tôt » un jour et « trop tard » le lendemain. Celui qui remballe ses cadeaux au moment de la rupture. Je pourrais continuer comme ça jusqu'à demain matin. Des menteurs, des lâches, des égoïstes qui diraient n'importe quoi pour vous baiser sans s'engager. Le pire, c'est qu'ils sont pour la plupart des peine-à-jouir qui bandent mou et n'en profitent même pas…

Le yachtman se rengorgeait. Gaëlle avait plus de conversation que les habituelles Miss de province et autres apprenties comédiennes.

– Vos amies n'ont pas de chance, rit-il avec une nuance de compassion (il avait un timbre de baryton). Il y a des hommes qui veulent se marier, faire des enfants.

– La dernière de mes copines qui est tombée enceinte l'a annoncé au géniteur par téléphone tant elle craignait sa réaction. Quand elle est rentrée le soir, ses affaires l'attendaient devant la porte dans des sacs-poubelle.

Elle s'approcha à son tour et sentit des effluves d'*Eau d'Orange verte* d'Hermès. Il devait penser que ce parfum lui donnait de la personnalité, mais ils portaient tous *Eau d'Orange verte* – à commencer par son père.

– Et si on passait aux choses sérieuses ? revint-elle à la charge. Je cherche des contacts. Donnez-les-moi. Vous toucherez votre part.

Payol haussa les sourcils. Au loin, un piano jouait des arrangements sirupeux, les cocktails cliquetaient aux quatre coins de la pénombre. On aurait pu croire qu'il était deux heures du matin. Le lieu était aussi coupé du monde extérieur qu'un caisson hyperbare.

– Qu'êtes-vous prête à faire au juste ? demanda-t-il finalement.

– Presque tout, si le prix est à la hauteur.

Payol sourit et changea brusquement de registre :

– Anal ? Double pénétration ? Threesome ? Bukkake ? Fist fucking ?

Elle se mit au diapason :

– On peut me fourrer un hamster dans la chatte si on me paie en conséquence.

Le maquereau ferma lentement les yeux comme s'il faisait un calcul mental.

– Prenons la question dans l'autre sens, si j'ose dire. Quelles sont vos limites ?

– Je touche pas au kaviar.

Le mot, dans l'univers des perversions sexuelles, désigne les excréments. La version allemande, *Kaviar und Klyster*, y ajoute les lavements.

– L'ondinisme ?

– Pas de problème.

– Pas d'allergies particulières ?

– Du genre ?

– Blacks, Arabes, Niakoués...

Elle sourit :

– Plus on est de fous...

Payol continuait d'estimer la « palette » de Gaëlle :

– Le SM ?

Elle marqua un temps : elle n'avait jamais voulu jouer avec la douleur. Pas question qu'on lui fasse mal, pas question non plus de simuler. Pourquoi était-elle bloquée sur ce plan, elle qui avait fait bien pire ? Une crainte superstitieuse : la souffrance faisait partie de sa vie intime. C'était le tissu même de son destin, de son identité. *Domaine réservé.*

Soudain, elle se ravisa. Après tout, elle poursuivait un autre but. Tous les moyens étaient bons pour parvenir à ses fins.

– À condition qu'il n'y ait aucun risque, dit-elle.

Le maître mot du milieu SM : on pouvait tout faire, tout supporter, pourvu que ce soit *safe*. Le mal devait rester superficiel, sans danger. Cesser sur un claquement de doigts.

– Dans ce cas, on peut y réfléchir, répondit Payol.

Gaëlle sentait fondre sur elle des forces longtemps conjurées. Ses mains étaient moites. Des sucs gastriques lui brûlaient les entrailles. Pour la première fois, elle envisageait un contrat avec le diable.

Payol l'enveloppa de son long bras. Les effluves de parfum se mêlaient maintenant à des relents de sueur. La bête sourdait sous le mince vernis de civilité. À moins que ce soit sa propre transpiration à elle...

– Écoute-moi bien, petite, murmura-t-il de sa voix de carnassier, si tu es prête à aller loin, alors y a beaucoup, beaucoup de fric à se faire.

Elle répondit en fredonnant une chanson de Shinedown : « I'll Follow You ». Elle chantait pour ne pas reconnaître sa propre voix, pour ne pas mesurer sa propre chute. Le maquereau l'interpréta au contraire comme une ironie supplémentaire. Quelque chose de cynique et de totalement distancié.

– Qu'est-ce que tu dirais de commencer demain soir ?

– Quel est le programme ?

Il gloussa en sortant son téléphone portable :

– T'as déjà entendu parler du no limit ?

37

C'EST COMME ÇA que vous vous faites des amis ? Avec un soin de mère poule, Archambault nettoyait les plaies d'Erwan – il avait pris du matos à l'infirmerie. C'était lui qui, mû par une intuition, l'avait cherché dans l'école puis avait interrompu la petite fête thermale. En faisant irruption dans les douches, il avait provoqué la débâcle des troupes. Il n'avait arrêté personne, ni même identifié le moindre coupable mais il avait sauvé le flic de Paris et, à ses yeux, c'était l'essentiel.

Maintenant, on aurait dit qu'il souffrait à la place d'Erwan. Chaque fois qu'il effleurait les bords d'une blessure avec du coton, il se mordait les lèvres pour ne pas crier. Erwan, de son côté, n'aurait pu ni crier ni mordre quoi que ce soit : sa lèvre inférieure avait triplé de volume.

– Ce sont eux qui l'ont tué, bredouilla-t-il d'une voix pâteuse.

Archambault s'attarda sur une entaille. Erwan grimaça. L'officier lui avait injecté un analgésique mais la douleur persistait. Il sentait le sang séché tirer sur son visage comme de l'eau de mer après une baignade.

– On va les arrêter ?

– On a rien. Seulement des présomptions.

– Vos présomptions saignent pas mal, je trouve.

Un rire d'adolescent lui échappa. Erwan nia de la tête. Il était amorphe mais ses mains avaient encore la tremblote.

– Il faut les laisser libres. Ils vont finir par faire une erreur.

– Ils vont surtout vous faire la peau. Je connais ces gars-là, ils ne rigolent pas.

Il passa aux compresses. Erwan savoura cette parenthèse mais des décharges de violence revenaient sous son crâne. Les coups de sabot. La cabine pleine de sang. Les cicatrices... Derrière cette sauvagerie, il sentait la présence de l'Autre : di Greco. Dans le livre de Job, l'Éternel demande à Satan : « D'où viens-tu ? » Le démon répond : « J'ai rôdé sur la terre et je l'ai parcourue... »

On frappa à la porte. Branellec, l'Homme-Béquille. Enfin...

– Alors ?

– Le PC banal d'un jeune passionné d'aviation.

– Les réseaux sociaux ?

– Wissa avait une bande de potes au Mans et quelques camarades d'aéroclub. J'ai lu certains messages. La routine.

Archambault, tenant de la gaze verdâtre imprégnée de liquide lymphatique, souffla à Erwan :

– Bougez pas.

– Vous êtes tombé ? ironisa l'informaticien.

– En prenant ma douche. Pas de nana ?

– Pas d'officielle.

– Côté porno ?

– Consommation raisonnable. Rien de compulsif.

– Quelle tendance ?

Branellec fit un salut comique :

– Hétéro, mon général ! La mer est calme et tout va bien !

Archambault appliquait les pansements.

– Faites le minimum, lui conseilla Erwan.

Il ferma les paupières – la sensation des adhésifs sur la gaze avait quelque chose de contradictoire. Agréable et funèbre, rassurant et inquiétant. On était en train de murer son visage.

– C'est tout ? demanda-t-il en revenant à Branellec. On attend depuis des heures ton bilan...

– Non. Y a quelque chose de bizarre.

Erwan rouvrit les yeux.

– Un dossier résiste encore. Un truc verrouillé. J'étais sûr de le forcer avant ce soir mais...

– Tu veux que je fasse venir des spécialistes de Paris ? le provoqua-t-il.

– Ça va pas, non ? J'aurai fini avant demain matin.

– T'as une idée du type de programme utilisé ?

– Pas encore. Mais c'est du lourd. Peut-être des logiciels qui viennent de l'Est.

– C'est courant comme technique ?

– Pas du tout. On trouve plutôt ce type de verrous dans l'armée, les services secrets.

– Et voilà ! fit Archambault en reposant son matériel avec des airs de chirurgien au sortir d'une greffe cardiaque.

Erwan se leva et se dirigea vers le miroir de la salle de bains. Un pansement sur l'arcade droite, un autre sur la tempe, un troisième sous l'oreille : il s'attendait à pire. Son nez était gonflé. Sa lèvre fendue. Pour le reste, les biffures de sang deviendraient vite des croûtes superficielles.

Branellec parlait toujours de « cryptage sophistiqué », de « cybernétique militaire ». Erwan songea à un scénario écarté depuis longtemps, un mobile lié au passé de Wissa ou à un autre secret. Quelque chose qui n'aurait rien à voir avec le bizutage ni la culture de violence de la K76.

Ses origines coptes ? L'actualité prouvait que cette communauté pouvait être active sur le terrain du terrorisme : ils venaient de produire *Innocence of Muslims*, le film blasphématoire contre Mahomet, provoquant des émeutes aux quatre coins du monde musulman.

Wissa, un terroriste ? Une taupe infiltrée dans une école militaire ?

Ça ne tenait pas debout. Erwan revint dans la chambre.

– Côté religion, t'as remarqué quelque chose ?

– Que dalle. Notre ami n'avait pas l'air très pratiquant.

Le flic revit la croix tatouée sur le poignet arraché.

– Ok. Je te laisse encore cette nuit.

– À vos ordres, chef !

Le geek disparut. Erwan nota qu'il avait tout de suite tutoyé l'informaticien alors qu'il vouvoyait encore ses trois comparses. Il avala deux Doliprane et se prépara du café. La chambre, avec les ordinateurs, les imprimantes, les moniteurs et le réchaud, ressemblait de plus en plus à leur bureau du 36. Il songea à Kripo – il pouvait tenir sans lui jusqu'au lendemain.

Archambault proposa d'aller dîner mais Erwan n'avait pas faim – et pas question d'exhiber ses plaies au mess. En vérité, il n'aspirait qu'à s'écrouler sur son lit. Il libéra le lieutenant et s'installa derrière son Mac. Dans le silence de sa chambre, il était comme dans un cocon. L'anesthésie l'enveloppait. Les Doliprane venaient en renfort. Dehors, la nuit tombait et mettait les scellés sur le soir…

Il ne pensait plus à la violence démente des douches, ni à la sale gueule de Gorce (où était-il ? Où se faisait-il soigner ?). Il revoyait l'amiral aux mains d'araignée, avec sa tête de spectre et ses os qui avaient trop poussé. Cette école était possédée par son esprit.

Internet, nouvelle recherche sur di Greco.

Au bout d'une heure de liens, de connexions, de déductions, il réussit à recomposer un maigre CV. Le père, Piero Francesco, d'origine lombarde, s'était installé en France dans les années 50. Après plusieurs années de service dans les DOM-TOM, il avait pris la nationalité française et achevé sa carrière en tant que commandant d'infanterie à Djibouti. Jean-Patrick, né en 43, avait grandi dans les territoires français d'outre-mer : Mayotte, Guyane française, Guadeloupe. Après l'école aéronavale de Rochefort, il était sorti major de sa promotion à Saint-Cyr en 1967. À partir de là, les informations devenaient sporadiques. Sa carrière se voilait d'ombre. Stratège militaire ? Espion ? Consultant occulte ? On le retrouvait dans les années 80 aux commandes de vaisseaux

d'importance puis conseiller dans le cadre d'opérations majeures
– il avait participé à la guerre du Golfe, mais impossible d'identifier son rôle exact.

Sur ses faits d'armes : pas un mot.

Sur sa maladie : pas un mot.

Sur sa philosophie de la guerre : pas un mot.

Côté portrait, Erwan n'avait pu dénicher qu'un cliché datant
de 1962. Un beau jeune homme de dix-neuf ans au visage tourmenté, tout droit sorti d'une nouvelle d'Edgar Allan Poe.

Erwan se souvint des paroles d'Almeida, à propos du *furor*
guerrier de l'Antiquité. Quelques pages sur le Net confirmèrent
les informations du médecin : di Greco cherchait sans doute à
aguerrir ses hommes jusqu'à libérer en eux une rage supérieure
tout en la dominant – comme les chercheurs américains de Los
Alamos avaient maîtrisé l'énergie atomique. Un rêve de vieil
homme malade...

Son portable sonna : Neveux, l'analyste criminel.

– Ça devient vraiment chelou, attaqua-t-il.

– Explique-toi, ordonna Erwan en passant aussi au tutoiement.

– J'ai analysé quelques pointes retrouvées sur l'île ce matin,
autour du trou. J'y ai décelé, en quantités infinitésimales, de
l'urée, du glucose, de l'acide urique et des hormones.

– Qu'est-ce que c'est ?

– De la salive. A priori, le tueur a sucé ces pointes, à moins
qu'il les ait fait sucer à sa victime...

– Elles n'étaient pas dans les chairs ?

– Non. Elles ont dû être expulsées au moment de l'explosion.
D'ailleurs, il y a aussi dessus du sang appartenant au groupe de
Wissa.

Le crâne rasé, l'ablation d'organes, le viol à coups de masse
d'armes – et maintenant ce détail cinglé. Malgré le climat délé-
tère de Kaerverec, on revenait toujours à l'œuvre d'un meurtrier
solitaire – la folie secrète d'un psychopathe. Gorce dans ses
œuvres ?

– Ces pointes, tu penses qu'elles proviennent d'une arme ?

– J'en sais rien. Ce sont des débris trop infimes.

– Et l'ADN de la salive ?

– Rien à en tirer. Les échantillons sont pollués.

– T'as reçu les pointes de Clemente ?

– Je les attends.

– Rappelle-moi dès que tu les auras regardées de près.

– Dernier truc : au fond du trou, on a aussi découvert des bouts de miroir. Soit le tueur s'en est servi pour infliger ses mutilations, soit il en a besoin pour lui-même.

– C'est-à-dire ?

– Se maquiller, se coiffer, je sais pas. Il s'est passé dans ce bunker quelque chose… d'inimaginable.

Erwan était d'accord mais il s'abstint de tout commentaire – chez les flics comme partout ailleurs, moins on en dit, plus on a l'air malin. Il raccrocha après l'avoir remercié. Aussitôt, la vibration reprit dans sa main. Il allait finir par choper la maladie de Parkinson.

– C'est moi.

Le Padre en personne.

– J'allais t'appeler, dit Erwan, j'ai pas eu le temps de rédiger la synthèse de…

– Ton frère est en garde à vue.

– Quoi ?

– Ce con s'est fait accrocher avec douze grammes de coke. Je sais pas qui est derrière ça mais…

Un tueur qui volait des organes, suçait ses instruments de torture, violait avec des armes acérées… Face à une telle démence, les frasques du petit frère millionnaire ne pesaient pas lourd.

– Tu lui as envoyé un avocat ?

– Non. Une nuit en cellule, ça lui fera pas de mal.

– Tu vas en rester là ?

Rire tonitruant. Le rire d'un ogre qui n'aurait pas mangé depuis longtemps.

– Je t'appelle pour savoir si tu connais quelqu'un aux Stups.

– Plus maintenant mais je peux me renseigner, je…

— Laisse tomber. Il faut que tu rentres.

— Pour torcher mon frère ?

— J'ai un mauvais pressentiment : rentre.

— Je dois boucler cette affaire.

— Où t'en es au juste ?

— Il faut oublier le bizutage. Et même ma théorie du lynchage. On a affaire à un tueur dément. Sans doute un des pires meurtriers du début du siècle.

— Qu'est-ce que c'est que ce verbiage ? T'es flic ou journaliste ? Bon dieu, accroche-toi aux indices et retrouve l'enfoiré !

— Donne-moi la nuit.

— Quand je t'appelle demain matin, t'es sur l'autoroute.

38

ERWAN RACCROCHA et considéra un instant le mobile au creux de sa paume. À la différence du Vieux, il savait qui était à l'origine du coup des Stups.

Il composa un numéro de mémoire et attaqua sans préambule :

– Qu'est-ce que t'as foutu avec Loïc ?

– Je t'avais prévenu.

– T'es en train de briser une famille.

– Elle est bonne.

Sofia perdait beaucoup de son charme au téléphone : elle avait une voix aigre, trop aiguë.

– Je sais pas ce que tu cherches mais les enfants ont besoin de leurs deux parents.

– Économise-toi pour l'audience, répliqua-t-elle. Vos discours ne pèseront pas lourd face à mon dossier. C'est ce que vous dites chez les flics, non ? « Des faits, rien que des faits. »

Malgré lui, il admira son aplomb : elle était de taille à affronter les Morvan.

– Pourquoi ne pas vous entendre ? Renoncer au divorce pour l'instant ? Vous réfléchissez et...

Elle éclata de rire :

– Vous vous êtes toujours crus les plus forts mais la loi est la même pour tous : c'est une Italienne qui va vous le prouver.

– Tu peux t'organiser avec Loïc...

– Non. Je veux un accord en bonne et due forme.

Il révisa mentalement ses arguments : une plaidoirie improvisée.

– De toute façon, après deux ans de séparation de corps, tu obtiendras le divorce pour altération définitive du lien conjugal.

– Tu es bien renseigné.

– Votre séparation prend la tête à tout le monde.

– Tu veux dire à toi et ton père.

– Peu importe. Vous êtes déjà séparés depuis un an, encore une année et...

– Trop long. Pendant ce temps-là, mes enfants sont ballottés entre deux domiciles et ils vivent la moitié du temps sans règle ni horaire.

– Tu noircis le tableau. Il n'y a pas que Loïc. Il y a Maggie, Gaëlle...

– Une hippie à moitié givrée et une...

– Tais-toi !

Elle marqua une pause. Il l'entendait tirer sur sa cigarette et imaginait son visage voilé par les volutes bleutées.

– Concrètement, qu'est-ce que tu espères avec les Stups ? reprit-il.

– Si Loïc signe une conciliation selon mes conditions, je ne citerai jamais son arrestation.

– C'est une garde à vue !

– Selon mon avocate, avec douze grammes dans les poches, il peut être inculpé pour trafic illicite et recel aggravé.

– Toi aussi t'es bien renseignée. Et s'il refuse ?

– J'invoque la faute grave.

– Quelle est la différence entre les deux options ? Tu gagnes à tous les coups.

– S'il accepte, il pourra voir les enfants régulièrement. Si nous allons devant le juge pour faute, il ne les verra plus : on ne confie pas des mômes à un trafiquant.

Il essaya de déglutir. La bile lui brûlait l'œsophage.

– Pourquoi te faire confiance ?

– D'abord, parce que vous avez pas le choix. Ensuite, parce que je pense aussi que nos enfants ont besoin de leur père.

– Je vais parler à Loïc.

– Tu aurais dû le faire quand je te l'ai demandé.

– Ça ne te gêne pas d'agir comme un maître chanteur ?

Nouveau rire :

– C'est Machiavel qui l'a dit, et il était de chez moi : on doit s'adapter à son ennemi. Loïc est un être faible mais ton père est un homme dangereux contre lequel je dois me protéger.

Beaucoup plus dangereux que tu ne penses... Si elle continuait à ce rythme, il était capable de foutre un contrat sur sa tête. Mais elle bénéficiait d'une assurance vie : Morvan voulait que ses petits-enfants grandissent auprès de leur mère.

Tout à coup, il fut pris d'une terrible lassitude. Qu'ils se démerdent entre eux, les deux parrains, la sorcière italienne et le défoncé bouddhiste... D'ailleurs, pourquoi s'opposer à ce divorce ? Loïc, malgré ses bonnes intentions, était un père déplorable. Quant au Vieux, personne ne comprenait pourquoi l'officialisation de cette rupture le mettait dans tous ses états. Il n'avait jamais pu encaisser Sofia et haïssait le ferrailleur florentin.

Erwan allait raccrocher quand elle proposa :

– Et si on dînait ensemble à ton retour ?

– Pour quoi faire ? demanda-t-il sur la défensive.

Elle rit encore, d'un rire franc et moqueur. Dans ces cas-là, son timbre baissait de plusieurs degrés et on y percevait tout à coup les accents rauques des chansons italiennes.

– D'habitude, j'ai plus de succès.

– Excuse-moi : dînons ensemble, bien sûr.

– Quand ?

– Dans quelques jours, hasarda-t-il.

– Appelle-moi à ce moment-là. Je vais demander à mon avocate si j'ai le droit de te parler.

Elle raccrocha sans qu'il sache si elle plaisantait ou non. Troublé, il empocha son cellulaire et se replongea dans ses recherches.

Il allait cliquer sur une ligne portant sur les navires amiraux quand un bruit lui fit tourner la tête.

– Putain !

Dehors, un homme agrippé au châssis de la fenêtre l'observait. Erwan attrapa son calibre, bondit et tenta d'ouvrir la vitre. Pas moyen. Cinq bonnes secondes pour piger le mécanisme latéral et débloquer enfin la poignée.

L'autre avait sauté à terre et détalait en direction du tarmac. Erwan évalua la hauteur : trois mètres au moins. Encore une prouesse de jeune homme.

Il rengaina, enjamba la pièce d'appui et se posta sur la gouttière : pas impossible mais après la corrida des thermes... Il sauta en ramassant son corps au maximum, atterrit sur le gazon, roula sur lui-même et se remit debout avec difficulté. Il avait mal partout. Ou plus exactement, pas une zone de son corps ne lui semblait indolore.

Qui était ce gars ?

Courir d'abord. La réponse au bout.

39

LA NUIT AVAIT LA GORGE SÈCHE.

Sur la lande, toute trace d'eau ou d'humidité avait été aspirée. Le ciel, l'air, la terre paraissaient près de se casser comme du verre.

Erwan n'avait jamais dépassé l'enceinte des bâtiments. Entre les deux édifices, il découvrit un paysage absolument plat, offrant sans doute, de jour, une visibilité jusqu'à la mer. Le fuyard se découpait comme une flamme noire dans le halo des projecteurs.

Erwan ne gagnait pas du terrain, il en perdait. Mais il était sûr de sa méthode. Sa proie n'avait pas d'autre choix que de foncer droit devant lui. Tôt ou tard, il se fatiguerait, alors Erwan le rattraperait. S'il avait renoncé aux sports de combat, il pratiquait toujours assidûment la course, et cette fois, pas question de se faire avoir.

Il sortit de la zone protégée par les hangars comme on sort de la rade d'un port et soudain, la nuit révéla sa vraie nature. Un vent furieux, craché par le large, faillit l'abattre au sol. Il récupéra son équilibre et repartit de plus belle. L'autre s'éloignait toujours, luttant contre les bourrasques, sautillant de droite à gauche, s'épuisant au fil de la piste. Il était vêtu d'un treillis militaire et d'un anorak noir : un homme de la base.

Erwan trouvait son rythme. Il progressait de trois quarts face au vent, déchirant la nuit comme un couteau tranche la toile d'une tente. Ses points de douleur se réveillaient mais ils lui semblaient se dissoudre dans la chaleur de son corps.

Trois cents mètres environ le séparaient de l'autre. Il n'accélérait toujours pas : il faisait confiance au décor. À droite et à gauche, les avions tremblaient sous leurs housses. Des câbles invisibles, des crochets ne cessaient de cliqueter, rappelant les drisses des voiliers qui tintinnabulent dans les ports.

Tarmac. Plus de projecteurs, seulement des veilleuses enfouies dans le gazon. L'espion montrait des signes de fatigue. Erwan allongea sa foulée. Le vent ne le freinait pas mais le nourrissait. Il se gorgeait des rafales, buvait leur fraîcheur.

Le fugitif à deux cents mètres. Ils couraient maintenant dans un silence oppressant. Les mâts et les avions étaient loin derrière eux. Ne restaient que le vent qui mugissait, le ciel qui lançait des traînées huileuses, irisées, façon aurores boréales, et leurs pas qui frappaient le ciment – tap-tap-tap-tap...

Cent mètres. Devant Erwan, la nuque et la coupe en brosse. Aucun moyen de l'identifier. Cinquante mètres. Il se ferma au monde extérieur et attaqua son sprint.

Trente mètres... Vingt mètres...

– HALTE !

En un mouvement réflexe, il tourna sur lui-même sans s'arrêter, cherchant la voix dans les ténèbres. Un soldat jaillit d'un fossé, FAMAS en main. La base de Kaerverec était soumise à une surveillance militaire. Comment avait-il pu oublier ça ?

Malgré lui, il ralentit. Erreur fatale. L'autre continua de plus belle, se fondant dans les ténèbres. Le flic voulut hurler quelque chose mais il était à bout de souffle. Il se plia en deux, mains en appui sur les genoux, crachant un gémissement. Chaque seconde creusait un peu plus la distance avec le fuyard. Une radio VHF retentit : le garde baissa les yeux vers sa ceinture.

Sans réfléchir, Erwan repartit à fond.

– ARRÊTE-TOI ! ARRÊTE-TOI OU JE FAIS FEU !

Roulements de pas, cavalcades autour de lui. Des sirènes, des grondements de moteur. L'alerte était donnée. Il courait toujours. Une détonation éclata dans le vide de la nuit. Tir de semonce.

– ARRÊTE-TOI !

Il essaya d'accélérer. Impossible. Il sentait, comme un mur, la limite de ses forces. Quelques foulées encore et il s'effondrerait sur le bitume. Nouvelles détonations. Des soldats largués par des véhicules. Des interférences, des codes hurlés aux quatre coins de la piste. Il reprit de la vitesse – la peur, le plus puissant des stimulants.

Une fois dans les bois, il ralentit malgré lui. Tout son corps était brûlé par l'acide lactique. L'adrénaline gorgeait son sang. À travers ses larmes, les arbres se déformaient, l'obscurité coulait entre les troncs comme du goudron. Derrière lui, la cavalerie arrivait. Il se dit qu'il était cuit mais déjà les fûts s'espaçaient : la forêt n'était qu'un mince ruban avant la plage.

Une levée sablonneuse, puis le fracas du ressac. Il tenait sa proie. Retrouvant un semblant d'espoir, il se hissa sur la dune et découvrit la marée haute. Les rouleaux se brisaient à quelques dizaines de mètres seulement devant lui.

Personne. Des sommations dans son dos. Erwan tomba à genoux quand un éclair blanc déchira le ciel. Un missile. Non, une fusée éclairante. La patrouille arrivait sur la plage et faisait la lumière sur la zone.

Il balaya la grève d'un regard. À deux cents mètres sur sa gauche, le fugitif se détachait. Erwan se releva et repartit alors que des flammèches retombaient déjà dans des chuintements.

Cinquante mètres. L'obscurité revenait. Trente mètres. Le fuyard titubait comme un ivrogne, penchant vers les flots, remontant sur le sable, toujours au bord de la chute. Dix mètres. Erwan s'élança et le plaqua au sol. Ils roulèrent dans l'écume. Il l'attrapa par le col et le retourna.

– Qui tu es ? hurla-t-il.

Pas de réponse. Il ne voyait qu'un visage noyé d'ombre. Les vagues remontaient vers eux et leur léchaient les membres. Le vent charriait une odeur de soufre.

– QUI TU ES ?

Erwan levait le poing quand une nouvelle fusée éclata. Dans le flash, il reconnut le visage : il l'avait déjà vu quelque part mais impossible de dire où.

– D'où tu viens ?

– J'm'appelle Frazier. J'suis du *Charles-de-Gaulle* !

Un des officiers mariniers qu'il avait croisés sur le porte-avions, dans la lueur rouge des couloirs.

– Pourquoi tu m'espionnais ?

Le brasier blanc dans le ciel faisait osciller la plage. Erwan avait empoigné le marin par le col et le serrait à l'étouffer. Les soldats déboulaient de tous les côtés à la fois. Plus que quelques secondes pour lui tirer un mot.

– Parle, nom de dieu !

– La nuit de vendredi... j'ai vu quelque chose...

– Où ? Sur le *Charles-de-Gaulle* ?

Une nouvelle fusée explosa.

– PARLE !

– Quelqu'un a pris la mer... Sur un ETRACO...

– QUI ?

Le flash passa dans les pupilles du jeune gars. Erwan voyait ses lèvres trembler. Derrière lui, l'écume se cuivrait et évoquait un métal en ébullition.

– LÂCHE-LE ET MAINS EN L'AIR !

– Qui a pris la mer ? QUI ?

– LÂCHE-LE OU ON TIRE !

Le flic leva les bras. C'était foutu. Sur la crête de sable, une ligne de soldats le tenaient en joue sur fond de pins scintillants de soufre.

À cet instant, Frazier se redressa et l'agrippa au col.

– Di Greco, lui cracha-t-il à l'oreille. Di Greco est parti à terre cette nuit-là !

40

LE BAR S'APPELAIT Du côté de chez Wam.

Il avait commencé ses recherches en début de soirée. Il avait interrogé les portiers, les barmen, menacé les patrons, arraché des promesses : quiconque croiserait Gaëlle cette nuit devait l'appeler. Il avait poursuivi avec les concierges des palaces, visité les boîtes à partouzes, les bars sombres de la rive droite – mais rien n'était encore ouvert.

Personne n'avait vu sa fille. Personne ne possédait la moindre information. Ou personne ne voulait lui parler.

Il n'était peut-être plus assez malin, ni assez convaincant. C'était ce qu'il s'était répété à chaque fois, pour se rassurer, au volant de la Golf qu'il avait empruntée à la fourrière de Balard. La méthode Coué : se dire que Gaëlle s'amusait quelque part et qu'on voulait simplement le lui cacher.

Le fait qu'elle ait disparu n'était pas si grave – après tout, elle était majeure et en avait fait bien d'autres. Ce qui l'inquiétait, c'était qu'elle ait faussé compagnie à ses sbires. Morvan connaissait sa fille : être suivie ne la gênait pas, au contraire, l'idée qu'on puisse rendre compte à son père de ses frasques devait lui plaire. Mais cet après-midi, elle en avait décidé autrement. Pour manifester son indépendance ? Se rendre à un rendez-vous secret ? S'enfuir ? Morvan s'affolait sans doute trop vite. Gaëlle avait simplement repris sa liberté pour un soir. Mais sa crainte majeure était qu'elle se soit fourrée dans un merdier qu'elle ne maîtrisait pas. La prostitution peut mener à un beau mariage mais aussi à une place au cimetière.

Grâce à la DCRI, il avait une vision assez claire du quotidien de Gaëlle. Elle n'avait rien d'une professionnelle. Elle michetonnait seule, irrégulièrement, et toujours au nom de ses rêves. Ses partenaires étaient invariablement liés, de près ou de loin, au milieu du cinéma. Ou à celui du pognon – ce qui était plus ou moins la même chose.

S'il n'obtenait rien d'ici demain matin, il lancerait les grandes manœuvres, avec les moyens que son statut lui conférait. Mais autant crier sur les toits : « Ma fille est une pute. » Ou encore : « Je ne suis pas maître chez moi. » Or sécurité bien ordonnée commence par soi-même.

Installé au bar, il leva les yeux et observa autour de lui l'espace sombre à moitié vide – l'idée qu'on puisse venir s'enfermer ici toute la nuit pour s'amuser lui échappait totalement. Il régla son Perrier et retrouva la sortie.

Se dirigeant vers sa voiture, il passa à ses autres préoccupations. Il avait menti à Erwan : il n'avait plus sa chevalière. Il l'avait perdue le mois précédent ou on la lui avait volée. Pourquoi ? Pour la placer sur la scène de crime ?

Cette histoire de Kaerverec prenait une tournure étrange. D'abord, il y avait eu l'appel de di Greco. Des années qu'il n'avait pas revu l'amiral à tête d'endive. Il aurait dû se débarrasser de ce bâton merdeux mais il avait décidé au contraire d'en charger son propre fils. Il avait cru y voir une bonne occasion de l'éloigner au moment du suicide de Marot. Son instinct l'avait-il trahi pour la première fois ?

L'enquête devenait maintenant une affaire personnelle. On avait frappé sur le terrain d'un ancien partenaire, le forçant d'une certaine façon à intervenir, tout en plaçant sur la scène de crime un objet compromettant... Une machination ?

Il n'avait pas roulé un kilomètre qu'il trouvait de nouveaux arguments pour nourrir sa parano. D'abord ce projet de bouquin qui menaçait de révéler son passé, puis la mort de Nseko qui, quoi qu'il prétende, allait redistribuer les cartes du côté du Katanga. Et maintenant cette histoire d'OPA sur Coltano ou il ne savait trop quoi... Sans parler du message reçu par Loïc. Dès demain, il retournerait voir Luzeko : l'homme à la minerve aurait bien appris quelque chose...

Il commençait à se demander si tous ces événements n'étaient pas liés. Orchestrés par un homme, ou un groupe, voulant sa perte. Qui ? Il avait tellement d'ennemis...

Ses réflexes au volant l'avaient ramené à la niche : place Beauvau. Finir la nuit au bureau et enchaîner direct ? Non. Il devait reprendre sa recherche mais avant, manger quelque chose. Il prit la direction de l'hôtel Bristol, à quelques centaines de mètres du ministère.

Voiturier. Clés. Porte tambour. Quand il traversa le hall, le concierge se planqua derrière son comptoir. Morvan se rappela qu'il l'avait bousculé quelques heures auparavant. Il lui fit un signe amical : il n'était plus d'humeur belliqueuse.

Il accéda à la salle du restaurant où des femmes de ménage passaient l'aspirateur, puis rejoignit les cuisines. Quelques marmitons le reconnurent et le saluèrent. Il s'assit à la table du fond – un comptoir d'inox réservé aux intimes du chef.

On lui servit un club sandwich au saumon – son plat favori – sans qu'il ait un mot à prononcer et de l'eau minérale. La simple vue de la bouteille lui fit penser à ses anxiolytiques. Les avait-il pris ce soir ? Dépressif et amnésique, vraiment temps qu'il raccroche...

Le divorce de Loïc occupait maintenant son esprit. Il ne pouvait accepter cette perspective. Pour des raisons personnelles, secrètes, mais aussi parce que l'idée d'un éclatement de sa famille lui était intolérable. D'une certaine manière, c'était la seule chose qu'il avait construite – et réussie, si on omettait cette haine unanime qu'il avait instillée autour de lui, à son corps défendant.

Un divorce ? Pas question. Il ne désespérait pas de négocier avec la Vierge de glace mais la partie serait difficile.

Savourant son sandwich, il se mit à rêvasser, les yeux dans le vague, alors que les cuisiniers rangeaient leur matériel. Des soirs heureux, pris au hasard. Quand Erwan, interne à l'école des flics de Cannes-Écluse, trouvait le temps de venir dîner à l'improviste avenue de Messine. Quand Loïc, adolescent, promenait sa beauté surnaturelle dans la maison, sans même se rendre compte de son caractère unique (en réalité, il était déjà alcoolique et c'était lui, Morvan Senior, qui était aveugle). Quand Gaëlle, pesant encore un poids raisonnable, dans son petit pyjama en éponge, était autorisée à veiller avec ses frères devant la télévision.

Les rouages de sa mémoire se grippèrent et se fixèrent sur cette image : Gaëlle à l'abri du mal. Des années plus tard, elle était devenue un être méconnaissable, d'une maigreur atroce, rappelant un insecte géant de film d'horreur.

Morvan repoussa son assiette. Gaëlle avait toujours été un mystère. Cette nuit encore, il n'était pas foutu de retrouver sa trace. Il signa sa note – il avait un compte à l'hôtel – puis fila dans les toilettes pour se refaire une beauté. Une heure du matin. Il se passa le visage sous l'eau et essaya de lisser sa veste et son pantalon – son costume était aussi froissé qu'un kleenex après une branlette. Dans la glace, il se fit l'aumône d'un sourire comme il aurait donné un billet à un clochard.

Allez, retour bitume.

41

DEPUIS UNE HEURE, Erwan essayait de survivre. En fait d'hélicoptère, il n'avait réussi à réquisitionner qu'un Hurricane – un Zodiac uniformément noir, de onze mètres de long, boudin en hypalon et coque en résine. Un des fameux ETRACO des commandos de la marine. « Six cents chevaux ! » avait fièrement annoncé Archambault à la barre. Le Guen jouait le rôle du navigateur, concentré sur le radar embarqué et le GPS. Verny suivait le mouvement.

« Va falloir s'accrocher, avait prévenu l'Asperge alors qu'ils sortaient du chenal, la météo n'est pas bonne ! » *Sans blague...* La houle les avait aussitôt happés pour les faire plonger dans le ventre noir de la mer. Un ventre plein, gonflé, qui semblait porter dans ses flancs une vie furieuse. Une force à la fois maternelle et maléfique, rageuse, destructrice. Une Médée qui allait les dévorer...

Erwan se tenait à l'arrière, en gilet de sauvetage, agrippé à la main courante de son siège jockey, de trois quarts face aux vagues. Par mesure de sécurité, on l'avait attaché à son siège. Après la bagarre des douches et la course du tarmac, il touchait le fond.

Devant lui, Archambault se cramponnait à la barre. Son poignet était relié au poste de commande par un bracelet coupe-circuit.

S'il tombait à la baille, cela coupait directement le moteur et évitait que le Zodiac rejoigne tout seul l'Angleterre.

– Ça va pas mieux ? demanda Le Guen par-dessus son épaule.

Le Homard paraissait plus bienveillant qu'à terre. La mansuétude du vainqueur, sans doute. Erwan se pencha pour vomir. Encore raté. Il sentait le souffle fétide de la mer, saturé de sel, sous le flotteur. Il avait pris un antihistaminique contre le mal de mer – aucun résultat sauf un, contradictoire : il avait entendu dire que ce type de médicaments pouvait avoir un effet excitant ; tout ce qu'il ressentait, c'était une puissante envie de dormir, aggravée encore par les antidouleurs qu'il avait avalés avant le départ.

Il s'efforçait pourtant d'analyser les nouveaux faits. Une fois le calme revenu à la base, il avait fait amende honorable pour la violation du couvre-feu – qu'il avait lui-même imposé. Le colonel Vincq s'était montré compréhensif et l'avait autorisé à poursuivre l'interrogatoire de Patrick Frazier, le « témoin spontané » à l'origine du rodéo nocturne. L'officier marinier n'avait rien à ajouter : il avait vu, dans la nuit du vendredi au samedi, aux alentours de 21 heures, l'amiral di Greco s'embarquer sur un ETRACO et partir en direction du continent. Le vieil homme ne l'avait pas fait comme son statut et sa santé l'exigeaient, accompagné d'un pilote et après avoir signé tout un tas de paperasses. Il s'était esquivé discrètement, par une soute ouverte sur la mer, où plusieurs annexes étaient disponibles. Selon Frazier, di Greco était un marin hors pair et malgré ses déficiences physiques, il était capable de gagner la côte en solitaire.

Pourquoi le soldat n'avait-il pas témoigné plus tôt ? Pourquoi cette visite nocturne et cette fuite absurde ? La réponse était dans la question : après plusieurs jours d'hésitation, Frazier s'était résolu à parler mais il voulait le faire le plus discrètement possible. Et même dans ces conditions, il s'était dégonflé à la dernière minute – on ne touchait pas impunément au Commandeur.

Une vague plus forte arracha Erwan à ses pensées. Il sentit son cœur remonter vers sa gorge. Il se voyait bien le cracher sur le pont puis le regarder palpiter, à la manière d'un poisson qui s'asphyxie. Pour balayer cette hallucination, il releva la tête et découvrit un décor cauchemardesque. Sous la pluie, les vagues noires s'élevaient maintenant comme des falaises au rythme d'une respiration géante, prêtes à s'abattre et à les engloutir.

Il baissa de nouveau les yeux, serra les dents et se concentra sur ses pensées. Qu'allait faire à terre di Greco cette nuit-là ? Son expédition avait-elle un lien avec la mort de Wissa ? Ou le bizutage ? L'amiral était-il le commanditaire du meurtre ? Ou avait-il voulu au contraire calmer ses troupes qu'il sentait en surchauffe ? Quand était-il rentré sur le porte-avions ? Autant de questions que le flic avait l'intention de poser à sa seigneurie en personne.

Ce départ à la sauvette n'était pas une bonne idée. D'abord, les conditions météo étaient, comme on dit, « défavorables ». Ensuite, convoquer l'amiral à terre – non pas à Kaerverec mais à la gendarmerie – plutôt que de l'affronter, encore une fois, sur son terrain aurait constitué une meilleure stratégie. Erwan avait opté pour une tactique différente : la surprise. Ils n'avaient prévenu personne de leur arrivée – il fallait maintenant espérer qu'on les accepterait à bord.

Une déferlante stoppa toute réflexion. L'eau mousseuse remplit l'ETRACO comme un bassin. Verny se détacha d'un geste et vérifia le vide-vite, un drain situé sous le flotteur qui permet d'écoper en quelques secondes. Une minute plus tard, il était de nouveau sanglé au siège jockey.

Avec une coupable satisfaction, Erwan constatait que ses compagnons n'étaient pas à la fête non plus. Engoncés dans leur gilet fluorescent, gavés de Mercalm, ils portaient des lunettes de plongée – consigne d'Archambault – et affichaient un teint verdâtre.

Nouvelle vague. Erwan somnolait. Secoué, ballotté, douché, il ne cessait de perdre conscience, entre mer et orage. Ses doigts crispés sur la main courante ne lui appartenaient plus.

Une voix le ramena à la réalité.

Impossible de dire qui criait mais il finit par saisir un nom : Verny. Il réalisa enfin la situation : le gendarme avait disparu. À force de quitter son siège pour écoper, il était passé par-dessus bord.

Le temps qu'il essaie de se lever, Archambault manœuvrait déjà, en hurlant :

– Personne se détache !

Le Guen était penché sur l'écran GPS, le protégeant des deux mains pour mieux y voir. Erwan se souvint que les gilets de sauvetage étaient équipés d'une balise de localisation – il fallait espérer que Verny aurait eu le réflexe de la déclencher. La brassière était aussi munie d'un dispositif clignotant.

Braquant à la volée, Archambault réussit à faire demi-tour. Chacun tentait d'apercevoir quelque chose tout en essuyant ses lunettes. Soudain, à une cinquantaine de mètres, le clignotement de la balise jaillit au creux d'une crevasse bouillonnante. Un pacemaker battant dans une cage thoracique monstrueuse. Archambault se rapprocha et se plaça face au vent. À fleur d'écume, Verny se débattait dans son ciré, luttant contre le poids de son corps qui l'emportait par le fond.

Le temps qu'Erwan saisisse ce qui se préparait, Le Guen détacha sa ceinture, ôta son gilet de sauvetage et arracha ses vêtements : il portait dessous une combinaison de plongée. La seconde suivante, il avait enfilé un masque, chaussé des palmes et bouclé un nouveau harnais autour de sa taille. À cet instant, Erwan se demanda comment il pouvait prétendre enquêter sur cet univers dont il ignorait tout.

Le Guen plongea, relié au Zodiac par une corde – un « bout » en langage marin. La voix d'Archambault devint perceptible. Pas ses mots, sa voix seulement. Un cri de gorge qui répétait les deux mêmes syllabes alors qu'il restait accroché à la barre et à la manette des moteurs, tentant, quasiment couché sur le sol, de stabiliser l'ETRACO :

– Le bout !

Erwan comprit enfin. Se détachant à son tour, il rampa le long des flotteurs et parvint à gagner l'étrave. À travers la pluie et les embruns, il découvrit la corde qui fouettait le pont : elle était reliée à un tambour. Maladroitement, il se posta derrière l'engin, cala ses pieds contre le boudin, empoigna les deux manivelles de part et d'autre du rouleau et attendit un signe du capitaine.

Archambault manœuvrait toujours, trimant vers le haut pour éviter que le bateau ne se remplisse d'eau. Les moteurs rugissaient, ahanaient, sifflaient. Les hélices fourrageaient dans ces eaux de vaisselle. Le lieutenant leva la main : Le Guen avait récupéré Verny. Erwan tourna les manivelles, luttant contre ses propres douleurs.

Bientôt, il les vit : attachés l'un à l'autre, les naufragés n'étaient plus qu'à quelques mètres, disparaissant puis réapparaissant au gré des flots, jouant à cache-cache parmi les lames. Erwan accéléra ses moulinets.

Enfin, ils jaillirent au-dessus du boudin et s'accrochèrent aux poignées de portage – le Homard hurlait des syllabes inintelligibles. Il y eut quelques secondes d'incertitude puis Erwan réalisa qu'en actionnant toujours le tambour, il les tirait et les compressait contre le flotteur. Il lâcha les manivelles et se précipita.

Il se vautra d'abord, se releva, hissa Verny qui roula sur le pont. Encore un effort, Le Guen bascula à son tour du bon côté de la vie. L'ETRACO faisait toujours des bonds furieux et les paquets de mer menaçaient de les engloutir. Pourtant, ils étaient tous sains et saufs et durant quelques secondes, il y eut une sorte de répit. Ils ne bougeaient plus, savourant la victoire qui venait de changer de camp.

Puis le fracas des vagues revint. Erwan retrouva sa lucidité. Verny toussait, vomissait, balbutiait des prières et des remerciements. Le Guen dans sa combinaison tentait de s'extraire de son harnais, les pieds dans le bout qui se tordait à la manière d'une bobine de fil géante.

Erwan prit une décision. À quatre pattes, il revint vers le poste de pilotage, se hissa à la hauteur de la barre puis hurla à l'attention d'Archambault :

– On rentre !

– Quoi ?

– ON RENTRE !

En guise de réponse, le pilote tendit l'index :

– Trop tard. On y est !

Le flic se retourna et découvrit la muraille noire. Entre les remous des nuages et la surface boursouflée des flots, l'aplat sombre se détachait, sans la moindre lumière. La vision du vaisseau dans la tourmente était absolument dantesque. Plus sombre que les ténèbres qui l'entouraient, plus fort que la tempête, il paraissait impassible, détaché du tumulte – immobile alors que la mer se déchaînait contre ses flancs.

Erwan tomba en arrière, rebondissant contre le flotteur, les bras écartés – un boxeur sauvé par le gong. À cet instant, dans un énorme grincement, un portail s'ouvrit dans l'obscurité, révélant une plateforme bordée de chevrons jaunes. Erwan songea à une effrayante branchie, une faille palpitante dans le ventre d'un monstre marin. L'ouverture qui se profilait, encadrée de deux chaînes massives, était phénoménale : de quoi laisser passer des camions-citernes et des escadrons entiers. La lumière qui s'en échappait était complètement rouge.

Archambault envoya les gaz. Le Guen, encore dégoulinant, hurlait dans la radio. Verny restait cramponné à un flotteur. Blotti sur son siège, Erwan observait, fasciné, la lumière incandescente qui irradiait la surface des flots.

La plateforme parut se poser au ras des vagues, formant un embarcadère d'acier. Le Zodiac s'approcha encore. Archambault accélérait, décélérait, trimait en haut, en bas, montait à l'assaut des derniers obstacles, chassant de l'arrière, dérapant puis zigzaguant jusqu'à passer la crête. Des gaffes se tendirent, des grappins cliquetèrent, des bouts retombèrent dans l'eau rouge.

Le spectacle était rassurant – la vie revenait après la mort. Erwan en avait les larmes aux yeux.

Cette nuit, ce n'étaient pas les pêcheurs qui avaient harponné la baleine mais la baleine qui avalait le bateau des téméraires.

42

QUAND ILS POSÈRENT LE PIED sur la plateforme, ils n'avaient plus grand-chose à voir avec une brigade de choc venue interroger un suspect. Trempés comme des éponges, salés comme des harengs, ils faisaient peine à voir. Verny avait l'air d'un noyé. Le Guen était toujours en combinaison gonflée d'eau. Archambault avait les bras encore tremblants de ses manœuvres à la barre. Erwan courbait la tête sous sa capuche, en signe d'allégeance au dieu de la mer.

Cette fois, les manœuvriers n'étaient pas seuls à les attendre. Des fusiliers-commandos encadraient l'amarrage, doigt sur la détente. La passerelle monta jusqu'à la gueule d'acier, inondée de lumière rouge. Tout le monde se réfugia à l'intérieur.

– Qu'est-ce que vous foutez là ? aboya le capitaine d'armes.

– Nous venons auditionner l'amiral di Greco, fit Verny sur le même ton.

Avec le fracas des vagues, il fallait hurler pour se faire entendre.

– Vous avez une commission rogatoire, quelque chose ?

– Pas besoin : nous sommes saisis par le parquet de Brest dans le cadre de l'information judiciaire sur la mort du soldat Wissa Sawiris. Nous sommes habilités à mener toute démarche et toute audition dans l'intérêt de la vérité.

Le gendarme avait prononcé son discours d'un trait. Pas mal pour un survivant. Le galonnard ne parut pas impressionné. Il attrapa sous son ciré une radio, tourna le dos au vent et se mit à parler en se penchant, comme s'il cherchait à allumer une cigarette.

– On doit attendre le capitaine de vaisseau, dit-il en revenant vers eux.

– On y va, fit Erwan à bout de nerfs. Il nous rejoindra.

D'un seul mouvement, les soldats lui barrèrent le passage, armant leurs fusils. Dans la même seconde, Verny et Archambault réussirent à dégainer. La violence de la scène était encore accrue par les lampes écarlates.

– On se calme.

Les regards se tournèrent vers la voix qui venait de trancher le bruit des flots. Un homme en parka sombre se découpait dans le halo rouge. Petit, la cinquantaine, sans escorte ni signe distinctif : Erwan devina qu'il s'agissait du chef suprême du navire.

– Capitaine de vaisseau Martin, confirma-t-il. Vous croyez qu'on peut aborder comme ça le *Charles-de-Gaulle* ? Vous vous prenez pour qui ?

Erwan se présenta et résuma la situation, répétant à peu près le discours de Verny, dans un langage à la fois plus modeste et plus circonstancié. L'officier ne répondit pas. Les fusiliers-commandos s'étaient groupés autour de lui – sans baisser leurs armes.

– Pourquoi voulez-vous entendre l'amiral ? demanda-t-il enfin.

Par la porte ouverte, le vent sifflait si fort que les voix humaines évoquaient de simples interférences échappées dans la nuit. Pourtant, Martin ne haussait pas le timbre. Maître des lieux, maître de la tempête.

– Secret de l'instruction, asséna Erwan. Je pense que l'amiral est assez grand pour nous répondre ou nous envoyer au bain si le cœur lui en dit.

Il avait usé de termes familiers pour briser la glace – la tentative tomba à plat. L'homme en parka conserva le silence, mains dans le dos. Les fusiliers les tenaient toujours en joue.

– Cela a à voir avec l'officier marinier Frazier ?

La nouvelle les avait donc précédés. Le jeune soldat avait dû s'enfuir du porte-avions pour livrer son témoignage. Mais Erwan était certain que personne ici n'en connaissait le contenu.

– Je suis désolé, je ne peux rien dire. Nous devons voir l'amiral.

– Il est trois heures du matin.

– Si nous nous sommes déplacés à cette heure, c'est qu'il s'agit d'un...

– Son état de santé ne lui permet pas de vous recevoir.

– Voilà ce que je vous propose : on renonce à l'audition cette nuit mais on présente au moins notre requête. On ne le dérange que quelques minutes pour l'aviser, il choisira lui-même le moment de l'entrevue. S'il peut nous recevoir demain matin, on attend à bord.

– Et s'il dort ?

Ces détails prosaïques trahissaient la situation : aux yeux de tous, di Greco n'était plus qu'un vieil homme malade, une légende à l'agonie.

– Lors de notre première rencontre, bluffa Erwan, l'amiral a évoqué ses insomnies. Je ne pense pas qu'on risque de perturber son sommeil. (Il sourit.) Il doit observer la tempête par son hublot.

Nouvelle familiarité, nouvel échec : on ne parlait pas d'un souverain en ces termes. L'officier posa le regard sur ses hommes toujours en position de tir. Un seul geste et les marins baissèrent leurs fusils.

– Dix minutes. Montre en main. Je vous conduis moi-même.

Coursives. Ascenseur. Lumières rouges. À l'intérieur du bâtiment, on oubliait la tempête mais Erwan sentait encore l'eau salée au fond de ses poches et les vibrations des flotteurs dans son sang. Il était comme imprégné de la mer, de sa fureur.

Deuxième ascenseur. Nouveau couloir. Devant le seuil de l'amiral, l'escorte s'écarta pour laisser le flic frapper : après tout, c'était son idée. Il s'exécuta à la manière d'un huissier en marche pour une saisie.

Pas de réponse.

Il frappa de nouveau, plus fort.

Toujours pas de réponse.

Erwan baissa les yeux. Un rai de lumière sous la porte. Il échangea un regard avec le capitaine de vaisseau. Ils se comprirent.

– On a un passe.

Sur un signe du gradé, un des hommes sortit un trousseau de clés et fit jouer la serrure. Il y eut un instant d'hésitation puis Erwan pénétra dans la cabine, la main sur son arme.

Les plafonniers étaient allumés. Tout était dans l'ordre – c'est-à-dire le désordre – de la première fois. Dossiers entassés, cartes enroulées, armoires surchargées.

Assis derrière son bureau, près du hublot qui constituait son « unique privilège », di Greco était défiguré. La balle avait fait sauter sa boîte crânienne et projeté sa cervelle derrière lui.

Il portait toujours sa veste d'uniforme bleue sans décoration. Sa main tenait encore le calibre qu'il avait utilisé pour mettre fin à ses jours : un Beretta 92G inox qu'Erwan connaissait bien – c'était son arme de service à la BRI. Il s'approcha et constata que le sang n'était pas encore sec : le suicide datait de moins d'une heure, alors qu'ils avaient déjà pris la mer. L'avait-on prévenu ? Savait-il que tôt ou tard, il serait arrêté ?

Erwan éprouvait un sentiment mitigé. Ce suicide allait passer pour un aveu. On bouclerait l'enquête le plus vite possible. En même temps, aucune réponse n'était plus à espérer. Quel mobile ? Quelles circonstances ? Comment tout ça avait-il pu survenir ?

Il s'avança pour voir si di Greco avait laissé un mot d'adieu.

Il était sur la table, feuille pliée couverte de minuscules taches de sang. Erwan se plaça à côté du mort pour s'orienter dans l'axe de la lecture et ouvrit le papier. Grand Corps Malade avait seulement inscrit, en lettres capitales :

LONTANO

43

– N<small>AM-MYOHO-RENGE-KYO</small>… *Nam-myoho-renge-kyo*…
Nam-myoho-renge-kyo…

Loïc murmurait à voix basse le *Sûtra du Lotus*, dans
la version japonaise de Nichiren. La phrase essentielle, qui contenait le sûtra tout entier et qui l'avait si souvent inspiré dans les
pires situations. Il n'avait pas dormi et les épreuves ne faisaient
que commencer. Après la garde à vue, il aurait droit à une com-
parution devant le juge puis à une mise en examen et, pourquoi
pas, une détention provisoire. Douze grammes de coke, ça vous
propulsait direct en préventive.

Sans compter le vrai châtiment : l'utilisation immédiate de ces
accusations par Sofia et sa pute d'avocate pour obtenir une injonc-
tion en urgence. Ses enfants lui seraient retirés, il n'aurait plus
le droit de les voir que quelques heures par mois, avec un flic
en guise de nounou.

– *Nam-myoho-renge-kyo*… *Nam-myoho-renge-kyo*…

Malgré ses efforts, dans cette cage de verre sordide, il ne parvenait pas à faire le vide dans son esprit. Des questions pragma-
tiques revenaient lui cingler les tempes : qui l'avait balancé ? Le
dealer de la veille ? Les Blacks vengeurs ? Ce n'était le style ni
de l'un ni des autres.

Sofia était la suspecte idéale. Il ferma les yeux et repoussa la bouffée de haine qui le submergeait. Pour le bouddhiste, haine et amour se valent, or il faut sortir du cercle des passions, quelles qu'elles soient.

Pour l'instant, il se serait bien contenté de sortir de cette cellule. Son voisin – un clodo qui « connaissait ses droits » – beuglait comme un veau et frappait la vitre à coups de pied. Loïc renonça à sa prière.

Faute de mieux, il se concentra sur son passé. Le meilleur passage de sa propre légende dorée.

Calcutta, février 2001.

Il n'avait jamais su comment il s'était retrouvé dans la capitale du Bengale-Occidental. Sans doute avait-il été viré du voilier dont il était le skipper, après avoir été surpris en train de sniffer les solvants de la salle des machines ou quelque chose de ce genre. Des îles Andaman, il avait embarqué à bord d'un cargo puis dérivé avec des pêcheurs dans les Sundarbans, la plus grande mangrove du monde. Son seul souvenir : le maddok, dérivé bon marché des pailles d'opium ramassées lors de la récolte, qu'il fumait au fond des barques.

Quand il avait débarqué à Calcutta, on aurait pu le prendre pour un sadhu. Vêtu d'un pagne, il était si crasseux et si brûlé de soleil qu'il était devenu noir. Sa barbe lui descendait à la poitrine, ses ongles dessinaient des virgules, sa tignasse était pleine de poux.

Il s'était choisi une marraine : Kali, déesse sombre, funeste, qui veille sur la ville. Elle porte un pagne de bras coupés, tire une langue sanguine, détruit tout ce qui ne lui plaît pas. Un bon symbole pour la capitale. À l'époque, dix millions d'habitants y survivaient à l'ombre de palais victoriens en ruine. Mendiants, lépreux, camelots, salariés, sadhus, brahmanes, intellectuels, intouchables, tout ça coulait dans les rues en une crue irrésistible.

Loïc flottait sur ce courant, dépensant ses derniers dollars en héroïne douteuse et opium frelaté. Il se faisait des fix sous les porches, mangeait des restes de riz, buvait des *chai* à une roupie. Dans ses rares moments de lucidité, il partait dans le parc du Maidan, emportant un livre aux pages maculées : *The Gospel of Sri Ramakrishna*, en anglais. Il en comprenait environ une ligne sur deux mais l'idée de mourir ce bouquin à la main lui plaisait.

Un jour, recroquevillé sur un trottoir, il prit conscience que ses jambes étaient en train de pourrir. Aucune panique : il l'avait bien cherché. Il allait crever dans cette peau, piétiné par des milliers de tongs, de sandales, de pieds nus, en rêvant de dieux dont il ne parvenait pas à prononcer les noms. Il souriait, prêt à se dissoudre dans l'odeur de fleurs et de merde de Calcutta. Se réincarner en dieu ou en pierre.

C'est alors qu'une voix s'était penchée sur lui :

– Toi, il va falloir te redonner le sens des réalités.

Loïc se redressa et discerna l'image sans relief d'un Occidental à large tête grise, aussi ridée que le cul d'un éléphant. L'individu portait une robe de chanvre et la triple corde des brahmanes symbolisant les trois dettes de l'homme : envers les sages, les ancêtres et les dieux.

Dans un demi-songe, il pensa : *Encore un Blanc qu'a trop fumé…*, puis il s'évanouit. À partir de là, ses souvenirs se mélangeaient. Injections. Perfusions. Délires. Pas d'effet de manque. Pour le reste, odeurs de camphre, relents de fleurs moisies, terre humide. Et fièvre incandescente. Beaucoup de sommeil.

Quand Loïc se réveille, un médecin indien l'affranchit : son tube digestif est rongé de parasites, ses intestins grouillent de vers, son corps est couvert de lésions, il souffre de scorbut. Seule bonne nouvelle : il a évité le sida et l'amputation.

– L'amputation ?

Il se rappelle être tombé d'un bateau dans les Sundarbans. Il revoit ses deux genoux blessés, le pus suintant des plaies.

– Ça s'appelle la gangrène. On a stoppé l'infection.

Il devrait remercier le toubib mais il n'est pas en état. Ses membres sont agités de spasmes, sa chair brûle. Il demande – il supplie – qu'on lui injecte quelque chose, n'importe quoi, ou qu'on le renvoie à ses limbes, délivré de toute sensation.

Coma.

Quand il reprend conscience, il a l'impression d'avoir sué sa cervelle sur l'oreiller. Le Gourou est là, cette fois en trois dimensions. La soixantaine. Riche et bien nourri. Veste à col Mao blanche, pantalon de pyjama de lin, accent écossais. Il lui parle de cauchemars, d'hallucinations. Lui explique que tout ça est lié au sevrage, aux plantes qu'on lui fait ingérer ici.

– Ici ?

Il lui parle de vérité, de sagesse, d'unité. Il s'exprime par images, par paraboles.

– On se connaît, non ? parvient enfin à demander Loïc.

– Tu as skippé un de mes bateaux, il y a deux ans.

Aucun souvenir. L'homme sort des ciseaux et entreprend de lui couper les cheveux, les ongles, la barbe.

– L'hindouisme ne te vaut rien, dit-il alors que les draps se couvrent de corne et de tifs. Je ne crois pas non plus pour toi au bouddhisme classique. Je veux dire : le Petit et Grand Véhicule. Ce qu'il te faut, c'est le Vajrayana. Le Véhicule de diamant. Le bouddhisme tibétain.

– Qu'est-ce que ça veut dire ?

– Qu'on part demain.

Ils n'atterrissent pas à Lhassa, capitale du Tibet, mais à Kunming, dans la province du Yunnan, près de la frontière sud-est du pays. L'Écossais tient à respecter un certain parcours avant d'atteindre les contreforts de l'Himalaya. D'abord en 4 × 4 puis à cheval.

Trois mille mètres d'altitude. Falaises de terre cuite. Au fond, un fleuve, rouge lui aussi : l'embryon du Mékong. Loïc a l'impression d'évoluer dans un gigantesque utérus, flancs féconds d'une déesse indienne assoupie au pied des glaciers. Il grelotte sur sa monture. On l'a emmitouflé comme un bébé nomade, dans des peaux et des fourrures, puis attaché à sa selle. Il n'a d'autre choix qu'admirer le paysage et souffrir du manque.

Il met plusieurs jours à réaliser qu'ils sont en train de traverser une région interdite, étroitement surveillée par l'armée parce que jouxtant le Triangle d'or. Il ne comprend pas les motivations de l'Écossais. De cheval à cheval, Loïc essaie de le provoquer :

– Si tu crois qu'après tout ça je vais coucher avec toi.

– Ne t'en fais pas, c'est déjà fait.

– Quand ?

– Pendant notre croisière.

Aucun souvenir non plus. L'homme s'appelle James Thurnee, il vient d'Édimbourg et a fait fortune en Europe. Plusieurs fois. D'abord dans la fabrication de guitares électriques et de consoles d'enregistrement, puis dans les télécommunications et enfin sur Internet. Maintenant, il gère sa fortune à distance. Il peut prier ici et là, se consacrer aux visiteurs en détresse...

Les semaines passent. Ponctuées, dans le désordre, d'embrouilles avec la police chinoise, d'averses dantesques, d'éboulements, de traversées du fleuve sur un câble, de tempêtes de grêle, de camions accidentés au bord de la route, d'une explosion au fond d'une mine de cuivre où ils doivent jouer les premiers secours...

Ils croisent maintenant des colosses à chignon noir portant à la ceinture un poignard d'argent, des femmes au visage absolument plat barbouillé de terre, de lait et de pluie. Des Tibétains, premiers messagers de la frontière.

Un jour, ils découvrent une immense vallée. Au fond, un village aux murs chaulés a l'air d'être construit en morceaux de sucre. Au-dessus, deux tours carrées, blanches et puissantes, jaillissent de leur gangue lie-de-vin. Le monastère. Tout autour, des champs d'orge et de blé ondulent dans le vent du soir, accueillant les ombres immenses des nuages en un ballet chatoyant.

Loïc n'a jamais contemplé une telle merveille. Des larmes de reconnaissance lui viennent aux yeux. D'autant plus que son corps est purgé : il a vaincu l'absence – celle de la drogue.

Une année parmi les moines. Réveil au son des trompes, prières, sermons, cueillettes, mandalas... En Inde, il a connu une spiritualité enivrante comme une fièvre. Ici, la foi a la vigueur d'un poing serré. Après lui avoir purgé l'organisme et lavé les yeux, Thurnee lui nettoie l'âme. Loïc connaît encore de terribles crises de manque. Cloué au lit, pris de convulsions, il supplie qu'on équarrisse son corps et qu'on en donne les morceaux à manger aux vautours, comme le veut la tradition tibétaine. Personne ne vient et la crise passe. Il reprend alors le quotidien du temple : prières, méditation, enseignement...

Parfois, il pense à son père qui le croit toujours sur les mers. Au fond, sa méthode a eu du bon. Loïc s'initie au Vajrayana. Il lit, écoute, médite. La prière devient une nouvelle forme de drogue mais aux effets inverses : il quitte son corps pour mieux retrouver son âme.

Alors, contre toute attente, Thurnee lui propose de revenir au monde des illusions, le samsara, la vallée des larmes – ce que les autres appellent la « réalité ». Le bouddhisme n'est pas une fuite, explique-t-il à son protégé, mais un envol. Il l'emmène à New York, l'initie à la finance. Loïc se passionne pour ce monde d'extrême vanité. C'est comme jouer aux échecs en n'oubliant jamais que tout ça n'est qu'un jeu.

Mais les sentiments sont toujours là. Il rencontre Sofia à Manhattan et en tombe instantanément amoureux. Pour assurer face à l'Italienne, il reprend de la coke. En un seul rail, il réduit à néant deux ans de sevrage. Pas grave : il est drôle, charmeur, volubile, il séduit la demoiselle. De son côté, Thurnee l'emmène dans une clinique spécialisée pour lui faire greffer des parois de titane sur les cloisons nasales.

Pas d'engueulade, pas de sermon : Loïc ne comprend pas.

– Les passions ont cette faiblesse de ne pas durer, répond Thurnee.

Il avait raison : sept ans plus tard, Loïc et Sofia se haïssaient de toutes leurs forces. Bientôt, ils s'oublieraient dans une indifférence réciproque.

Un claquement de verrou le fit sursauter. La porte de la cage s'ouvrit. Loïc se rendit compte que le clodo vindicatif s'était endormi et que ses autres compagnons de cellule étaient aussi à moitié assoupis.

Il jeta un regard réflexe à son poignet – on lui avait pris sa montre lors de la fouille à corps.

– Morvan, suis-moi.

Montant l'escalier à la suite du planton, il se dit qu'on allait enfin l'entendre. On allait lui permettre de téléphoner à son avocat, qui le ferait libérer dans l'heure.

Ce n'était pas un flic qui l'attendait dans le bureau mais Sofia.

Il noua ses poings pour lui casser la gueule. Il allait bondir quand elle lui ordonna simplement :

– Assieds-toi.

Il obéit sans un mot.

Au fond, la vie était simple auprès de l'Italienne.

44

COMMENT T'ES ENTRÉE ICI ?
— Mon avocate.
— Il faudra que tu m'expliques comment une avocate du droit de la famille a des connexions avec la brigade des Stups.

— Elle sait y faire.

— Elle leur a servi le fils Morvan sur un plateau, oui.

— C'est sûr que t'es pas en territoire ami, sourit Sofia. Je découvre que ton père n'a pas que des alliés dans la police.

Il eut un rictus mais quelque chose se coinça dans sa gorge. Ses organes se vissèrent en une crampe, une onde de chaleur monta dans son thorax et se répandit en fièvre d'angoisse. Le manque. Sofia lui parlait, il n'entendait plus.

Son visage s'était couvert de sueur. Il ne cessait de ciller comme s'il était ébloui. Il parvint à se ressaisir.

— Qu'est-ce que tu veux au juste ?

— Trouver un arrangement.

Il exhiba ses poignets — les flics lui avaient remis les bracelets :

— C'est sûr que je suis en bonne position pour négocier.

— T'es en position de m'écouter et de réfléchir.

Il ne se souvenait plus d'avoir aimé Sofia. Elle était maintenant beaucoup plus réelle, beaucoup plus légitime dans le rôle de l'ennemie. Il redoutait ses attaques, ses stratégies, ses manipulations. Elle était devenue sa déesse Kali.

– D'après mon avocate, tu vas être inculpé pour trafic illicite et recel aggravé. Même si ton père parvient à magouiller quelque chose, la garde à vue laissera des traces. Si je produis ces pièces devant le juge aux affaires familiales, tu n'auras plus jamais les enfants.

Il serra les mâchoires. Ses dents étaient douloureuses comme à l'époque où tous les dealers de Paris lui refusaient de la dope.

– Qu'est-ce que tu proposes ?

– Un mercredi sur deux et un week-end sur deux.

– Pas question.

– C'est ça ou deux heures par mois, en présence d'une assistante sociale.

– Pourquoi tu fais ça ? Je suis pas capable de les élever ?

– Tant que tu te soigneras pas, non.

Se soigner... Combien de fois avait-il entendu ce mot ? Comme si la drogue était une maladie. Grossière erreur : elle était le remède. Il n'avait jamais croisé un défoncé qui ait été équilibré et heureux *avant* la came.

– J'ai apporté une proposition de conciliation selon mes conditions, reprit Sofia. Tu la signes et je te jure qu'on ne parlera jamais de cette garde à vue durant l'audience.

– Pourquoi je te ferais confiance ?

– Parce que t'as pas le choix et que je suis une femme de parole.

Elle ouvrit son éternel Balenciaga – une vieillerie de cuir souple, grande comme une gibecière, qu'elle préférait à tous les modèles qu'elle achetait régulièrement – et en extirpa une liasse de feuilles et un stylo plume au capuchon nacré. Chaque détail rappelait à Loïc qu'elle était la femme la plus chic qu'il ait jamais rencontrée. Pourtant, elle ne valait pas mieux que lui : ils étaient tous deux des enfants de gangster.

– Tu dois parapher chaque page.

Il attrapa le stylo et s'exécuta. Les gribouillis produisaient des couinements de plume en or et des cliquetis de menottes.

– Tu ne lis pas ?

– Non.

Le temps qu'il revisse le capuchon, le diable avait remballé son contrat.

– T'as fait le bon choix.

– Pour qui ?

– Pour nos enfants.

Le bruit des bracelets persistait. Ses mains tremblaient sur ses genoux. Sans doute pour ne pas montrer qu'elle l'avait remarqué, Sofia détourna les yeux et ferma son sac. Elle se leva, déployant son allure de reine dans ce bureau miteux.

Mais sa beauté ne le touchait plus. C'était comme écouter à la radio un hit qu'on a passionnément aimé : les notes, les arrangements, la voix sont bien là mais le charme n'opère plus. Le temps a tout détruit.

À l'exacte seconde où il lui semblait être perdu dans un désert sans espoir ni émotion, elle lui passa la main dans les cheveux.

– Dommage que James ne soit plus des nôtres, murmura-t-elle.

Cette simple remarque prouvait qu'elle le connaissait mieux que personne. James Thurnee, son père de substitution, son ami, son amant, était mort d'un AVC trois ans auparavant. Loïc fondit en larmes. D'une manière irrépressible, sans retenue ni pudeur, comme si on lui avait crevé le cœur. Au bout de longues secondes, il réalisa que Sofia lui caressait la nuque. C'était un geste de tendresse, sans arrière-pensée.

Il releva la tête et se vit dans ses yeux : un horrible masque de désespoir.

– Je me demandais…, bredouilla-t-il en reniflant, tu en as ?

Sofia lui balança un sachet de coke au visage et quitta le bureau.

45

ERWAN NE S'ÉTAIT PAS COUCHÉ.
Après la découverte du corps de di Greco, il avait attendu à bord du porte-avions, avec ses compagnons, les spécialistes de l'identification criminelle. On les avait accompagnés au mess et pour ainsi dire enfermés à l'intérieur. Durant plusieurs heures, ils avaient enchaîné les cafés, en silence, chacun essayant de digérer la catastrophe. Sous les coups de la douleur qui se réveillait, Erwan savait qu'il vivait là un des pires moments de son existence – qui en comptait déjà pas mal. Il avait décidé de ne pas appeler son père tant qu'il ne serait pas certain des circonstances du décès.

Les TIC étaient arrivés aux environs de quatre heures du matin, en hélicoptère. Des officiers, des responsables, des politiques leur avaient emboîté le pas – tous paniqués. Un suicide à bord du premier vaisseau de guerre français, ça faisait désordre. Pendant ce temps, on avait cherché qui était la famille proche à prévenir. Il n'y avait personne. Pas d'épouse ni d'enfant, en tout cas. Comme Dracula, di Greco avait vécu seul dans son château.

À 6 heures, après avoir briefé Neveux et ses comparses, Erwan avait réquisitionné un des Dauphin pour rentrer sur le continent – la dépouille de l'amiral serait transférée après examen détaillé de la scène d'infraction. Ses acolytes s'étaient précipités dans son sillage pour ne pas rester une minute de plus sur ce bâtiment de malheur (même Archambault avait abandonné son ETRACO).

Durant le vol, il n'avait pas desserré les mâchoires, ne cessant de secouer les faits pour essayer d'obtenir une explication plausible.

La première : Jean-Patrick di Greco, coupable du meurtre de Wissa Sawiris, se sentant démasqué, avait préféré mettre fin à ses jours. Son suicide était une forme d'aveu et réglait définitivement l'enquête. Erwan détestait ce genre de conclusions. Cela lui rappelait la blague des étudiants en médecine : « Opération réussie. Patient décédé. » L'acte de l'amiral ne résolvait pas les principaux écueils de ce scénario : absence de mobile, faiblesse physique…

Une autre hypothèse émergeait dans son esprit – qu'il n'avait bizarrement jamais évoquée : Wissa Sawiris avait pu être torturé et mutilé à l'intérieur même du tobrouk. Dans ce cas, le missile avait servi le tueur sur un point : l'explosion avait balayé la scène de crime et effacé tout indice.

Revenons à di Greco. Un autre scénario, pour ainsi dire inverse, était envisageable : l'amiral, pressentant que l'apprenti pilote était menacé par les Renards, avait voulu le protéger, ou du moins calmer ses troupes. N'y étant pas parvenu, il s'était tué par remords – ou n'acceptant pas la faillite de sa méthode : il ne maîtrisait pas ses hommes, il avait simplement ouvert une boîte de Pandore. Cette version n'était pas non plus satisfaisante : pourquoi sacrifier cet élève ? Pourquoi tant de sadisme ? Ces mutilations bizarres ? Comment di Greco, le maître absolu de l'école, n'aurait-il pas su retenir ses Renards ?

Entre ces deux hypothèses, Erwan imaginait des variantes. Di Greco n'avait pas tué Wissa de ses mains mais incité ses sbires à le torturer jusqu'à la mort ; réalisant que le no limit était allé trop loin, il avait mis fin à ses jours. Ou bien encore il avait poussé Wissa à endurer des épreuves et c'était le jeune soldat lui-même qui avait voulu dépasser son seuil de tolérance, acceptant, pour ainsi dire, une mort programmée. Mais aucune de ces théories ne cadrait avec le profil du tueur : un homme dominé par une folie intime, possédant des connaissances médicales, souffrant de frustration sexuelle et de graves penchants sadiques.

Quelles que soient ses réflexions, on revenait toujours à la même équation : l'expédition à terre du vendredi, associée à son suicide, désignait di Greco comme le coupable – ou au moins comme un complice du meurtre. C'était ce que les autorités diraient à la conférence de presse, dans quelques heures.

Le plus étrange était le mot laissé par l'amiral : « Lontano ». En attendant l'équipe scientifique, il avait effectué une recherche sur Internet. Il avait obtenu pas mal de réponses mais aucune ne collait avec l'affaire ni le geste de di Greco.

Lontano signifiait « loin » en italien. Di Greco était d'origine lombarde mais était-ce une explication suffisante ?

Lontano était aussi le titre d'une œuvre du musicien du XXe siècle György Ligeti. Erwan avait pris le temps d'en écouter quelques mesures : de longues notes émergeant d'un accord dissonant sans fin. Di Greco avait-il pensé à ce morceau au moment de se faire sauter le caisson ? Peu probable.

C'était également le titre d'une mélodie plus chaleureuse d'Ennio Morricone – qui avait fait les beaux soirs d'une chaîne française dans les années 70, sous le titre *À l'aube du cinquième jour*. Erwan ne croyait pas non plus que l'amiral ait sifflé cet air avant d'appuyer sur la détente.

Lontano était encore une compagnie française de production musicale, un festival anglais de musique, une société espagnole de transport, une chanson de Luigi Tenco, un distributeur d'épices, une marque de jeans... Bref, comme toujours avec Google, on constatait que le mot désignait à peu près tout et n'importe quoi.

De retour à la base, Erwan emprunta une voiture pour trouver une pharmacie : les points de souffrance éclataient en lui comme des feux d'artifice. Le village n'était qu'à quelques kilomètres. Entre les soubresauts des essuie-glaces, un véritable ker apparut bientôt : maisons de granit et volets bleus, à la fois superbes et sinistres.

Il faisait encore nuit mais Erwan distingua une place cernée de murets noirs, des boutiques qui semblaient creusées à même la roche, un clocher dressé comme un glaive au fond de l'espace. Il repéra la croix verte. Bien sûr, la pharmacie était fermée. Il boucla son ciré et frappa avec violence à la porte qui jouxtait la vitrine – le domicile du maître des lieux.

Son badge fit office de prescription :

– Donnez-moi ce que vous avez de plus fort contre la douleur.

Le pharmacien, mal réveillé, déballa pilules, sirop, onguents, injections et se fendit de quelques conseils : heures et quantités de prises, effets secondaires indésirables... À chaque produit, il ajoutait des commentaires du type :

– Surtout, évitez de conduire après l'avoir ingéré...

Erwan régla et embarqua le tout. Dans la bagnole, il ingurgita ce qui lui parut raisonnable, s'envoya un shoot, s'appliqua des pommades anesthésiantes. Effet placebo ou non, de retour à la K76 il se sentait déjà mieux.

Dans sa chambre, il prit une douche jusqu'à vider le ballon d'eau chaude. Défoncé par les calmants, hanté encore par la nausée, il avait l'impression que la salle de bains tanguait.

Une fois changé, il fila chez Vincq, qui n'avait pas dormi non plus. Outre le suicide de l'amiral, le colonel venait d'apprendre que les parents de Wissa avaient accordé une interview au journal *Ouest-France* à paraître le matin même. L'officier en avait déjà une copie sur son bureau. Les coptes avaient tout balancé. La violence du bizutage. La pagaille qui régnait à la K76. Le retard pris par l'aéronavale pour annoncer le drame. Et ils avaient aussi laissé entendre qu'une autre version de la mort de leur fils était possible. Une version criminelle et non plus accidentelle.

Vincq partait pour une nouvelle réunion de crise afin de préparer la conférence de presse. Il fallait calmer le jeu, jouer la transparence, avouer le principal : l'enquête s'orientait désormais vers un homicide volontaire dans lequel di Greco était sans doute impliqué.

Le colonel n'avait pas l'air peiné par la disparition de l'amiral – dans son esprit, il était sans doute mort depuis longtemps. Une sorte de zombie qui empoisonnait l'existence de l'école avec ses discours ésotériques et sa culture de l'endurance.

En quelques mots, Erwan résuma ce qui s'était passé sur le porte-avions. Pour l'instant, il n'y avait rien à ajouter. Sans aucun doute, Neveux, l'analyste criminel, confirmerait la thèse du suicide – poudre sur les doigts, axe de tir déduit de la blessure et des projections de sang. Il évoqua aussi le mot laissé par di Greco mais Vincq ne parut pas intéressé : il était pressé de le congédier, de mettre au point son intervention. Erwan n'était convié ni à la réunion interne ni à la conférence de presse. L'armée entendait montrer qu'elle maîtrisait l'enquête, en collaboration avec les seuls gendarmes : on restait entre galons et képis.

À 7 h 30, il se retrouva dans la cour de l'école, les bras ballants, oppressé par un sentiment de vacuité. La pluie ne désemparait pas. Les drapeaux étaient toujours en berne – pour Wissa ou di Greco ? Cette question en appela une autre : la nouvelle du suicide était-elle parvenue aux élèves ?

Pour vérifier, il se décida à aller boire un café au mess. Il traversa la cour – le temps de se faire tremper jusqu'aux os – puis se coula dans la semi-pénombre de la salle. On distinguait à peine les EOPAN qui mangeaient sans dire un mot. Le lino du sol, les murs en PVC, les tables en formica, tout semblait avoir été fabriqué à la manufacture du désespoir.

Le silence était éloquent : oui, la nouvelle était tombée. Erwan n'avait pas fait deux pas qu'il reconnut ses ennemis de la veille – Gorce et sa garde rapprochée. Il se servit du café au buffet et attrapa deux croissants à peine décongelés. Tenant son plateau comme dans un self d'entreprise, il fit mine de chercher une place puis s'avança vers la table de son adversaire :

– Je peux m'asseoir ?

Pas de réponse. Il trouva une chaise et s'installa comme si on l'y avait invité. Il but quelques lampées de café, mordit dans son croissant. Les soldats le regardaient fixement.

Assommé par son traitement antidouleur, Erwan les observait en retour, avec une distance nébuleuse. En bout de table, Gorce portait des pansements – il était amoché, mais pas plus que lui. Son expression semblait coincée en un rictus lugubre, comme s'il était frappé de paralysie faciale.

– T'es content de toi, petite salope ?

Son œil gauche était toujours gorgé de sang. Dans la pénombre, on aurait juré qu'il n'en avait plus qu'un.

– Je suis désolé, répondit Erwan.

La nuit blanche, associée aux anesthésiants, le privait du minimum de repartie exigée dans une telle situation.

– T'es désolé ? répéta Gorce en frappant sur la table.

– L'enquête continue. On...

– T'ES DÉSOLÉ ?

Le pilote s'était levé, les poings serrés. Erwan recula sur sa chaise : pas question d'un match retour. D'un seul geste, Gorce balaya vaisselle et couverts et se rua sur Erwan, qui n'eut que le temps de bondir en arrière. Il s'attendait déjà à être tabassé mais pour une obscure raison, les autres bloquèrent leur chef. Les soldats des autres tables vinrent à la rescousse. La bête, qui gueulait et balançait encore des coups de pied dans les airs, était maîtrisée.

Erwan se dirigea vers la sortie, gagné pour de bon par cette conviction : Kaerverec vivait un double drame – disparition d'un nouveau, suicide d'un ancien –, mais tout ça ne collait pas avec la folie spécifique du meurtre de Wissa. La solution était hors des murs de la K76.

Il n'avait pas mis un pied dehors qu'il tomba nez à nez avec Branellec, qui protégeait sous son ciré un ordinateur portable.

– J'ai réussi à ouvrir le dossier verrouillé ! fit-il avec un air de triomphe.

46

LA BÉCANE DE SAWIRIS ne recelait ni échanges codés, ni conspiration religieuse, ni secrets militaires. Dans sa mémoire verrouillée, le copte avait simplement planqué ses chats et ses mails avec un interlocuteur de choix : di Greco lui-même.

La chronologie des échanges était facile à déduire : quand Wissa avait su qu'il était admis aux premiers tests de l'école, début juillet, il avait contacté l'amiral par voie postale – sans doute une déclaration d'admiration et d'enthousiasme ; l'amiral lui avait répondu par mail, initiant une véritable correspondance.

Au début plutôt froid, Grand Corps Malade était rapidement devenu bienveillant à l'égard de l'étudiant, lui prodiguant conseils et avertissements. Ce ton ne collait pas avec l'idée qu'Erwan se faisait de la personnalité de l'officier, mais l'âge et la maladie l'avaient sans doute ramolli. À moins qu'il ne s'agisse d'un piège... Quoi qu'il en soit, il retrouvait dans son style la solennité qui l'avait frappé lors de leur première rencontre : di Greco écrivait avec la même voix grave et sentencieuse.

Erwan passa aux messages du mois d'août. Les encouragements devenaient des ordres, des exhortations. En quelques semaines, di Greco semblait avoir totalement lavé le cerveau du gamin. Les « lettres ouvertes à un jeune pilote » tournaient désormais au pur endoctrinement en vue de ce que di Greco appelait le « baptême ». L'amiral voulait savoir si Wissa accepterait un apprentissage parallèle… Erwan n'avait pas le temps de tout lire mais il devinait que le maître attirait déjà son disciple sur le chemin du *furor* guerrier.

Ces échanges avaient quelque chose de fascinant. D'abord, par la rigueur de leur écriture : pas une faute d'orthographe ni de syntaxe, pas d'abréviation façon SMS. Ensuite, di Greco ne cachait rien : ni nom ni lieu. Plusieurs fois, il évoquait Bruno Gorce, son « homme de confiance ». Souvent, il parlait du no limit et de l'épave du *Narval*.

Erwan avait donc vu juste : depuis le départ, au-delà des simagrées du bizutage, Wissa était prêt à endurer un rituel beaucoup plus dangereux. Le gamin paraissait résolu à s'engager « jusqu'à la mort », façon kamikaze.

– Ça fout les jetons, hein ?

Erwan tourna la tête : planté derrière lui, Branellec sirotait un café. La salle de classe où il s'était installé rappelait un studio d'enregistrement. Des ordinateurs tournaient à plein régime – machines à sonder, à décrypter, à fouiller l'univers immatériel du Web. Des câbles s'enchevêtraient au sol. Des imprimantes crépitaient sur des pupitres. Des disques durs bourdonnaient le long des cloisons, sous des cartes d'état-major et des schémas d'avions. L'Homme-Béquille ne s'était pas contenté de forcer l'ordinateur de Wissa, il analysait toutes les bécanes de l'école et les connexions Internet aux alentours.

– Du lavage de cerveau standard, minimisa Erwan. Je ne pense pas qu'on ait là la clé du meurtre…

– Je ne sais pas ce qu'il vous faut. (Le N'tech s'approcha et pianota sur le clavier, debout au-dessus du flic.) Le dernier mail de di Greco donne clairement rendez-vous à Wissa sur le *Narval* vendredi à 22 heures.

Branellec disait vrai. Un bref instant, Erwan estima l'affaire bouclée. Il tenait le coupable : un vieil homme aigri, sadique et manipulateur. Le mobile : la volonté de faire le mal et le culte de la souffrance. Les circonstances : un no limit qui avait mal tourné et s'était achevé en bacchanales de sang. Les preuves : ce message qui confirmait que di Greco avait attiré Wissa sur le *Narval*. On pouvait même y ajouter, puisque le seul point litigieux était la faiblesse physique de l'officier, quelques complices, comme Bruno Gorce et ses fidèles soldats. Avec le suicide de l'officier en guise de nœud final pour envelopper le tout.

Puis Erwan revint au principe de réalité. Ni le vol d'organes, ni le viol, ni les détails rituels ne cadraient avec un concours d'endurance parti en vrille.

Il n'excluait pas la culpabilité de di Greco mais d'une autre manière, qui restait à définir. D'ailleurs, même en parcourant les messages de l'officier, il avait surpris quelques allusions à un autre secret. Le militaire évoquait un « récent bouleversement » dans sa vie, un « tournant radical » qui avait changé son « être profond ». De quoi parlait-il ? De sa maladie et de son aggravation ? Il promettait de s'en ouvrir au jeune étudiant quand ils se rencontreraient sur la plage funeste.

Derrière ces mots, di Greco révélait une complicité ambiguë avec le jeune Wissa. L'amiral en vieil homosexuel refoulé ? *Essayons ça* : Grand Corps Malade donne rendez-vous au copte sur le *Narval*, l'endort d'une manière ou d'une autre, le ligote puis le torture à coups de pointes de fer ; il le viole ensuite avec une masse d'armes, lui arrache des organes, le transporte jusqu'au tobrouk.

Ça ne tient pas. Le timing d'abord : le vieil homme aurait exaucé ce cauchemar en une nuit puis aurait tranquillement regagné le porte-avions avant l'aube ? Impossible. La force physique ensuite : ce scénario demandait une énergie que le vieux briscard n'avait plus depuis longtemps. Le profil enfin : on ne devient pas un tueur psychopathe après la soixantaine. À moins que l'amiral n'ait eu des antécédents. Un passé guerrier qui aurait satisfait impunément sa soif de sang...

Il fallait creuser encore, demander de l'aide aux militaires eux-mêmes. À ce stade, les autorités ne pourraient plus lui refuser le dossier complet de l'amiral.

– Tu peux vérifier d'où étaient envoyés les mails de di Greco ?
demanda-t-il pour revenir à des considérations concrètes.

– Techniquement, c'est facile. Sur le plan légal, ça sera plus har-
dos. Le serveur utilisé par di Greco est celui du porte-avions et...

– C'est prioritaire. (Erwan se leva.) Tu me copies tout ça sur
une clé ?

– C'est comme si c'était fait.

L'Homme-Béquille sifflota en insérant la clé dans un des
disques de son installation. L'ordinateur se mit à ronronner.
L'assurance et la satisfaction de Branellec irritaient Erwan. Elles
préfiguraient la conviction qui allait s'étendre dans toute la base.

Lui voyait pointer maintenant un autre scénario : di Greco s'était
rendu sur le *Narval* mais Wissa n'était jamais arrivé, il avait fait
une autre rencontre dans la lande ; l'amiral n'avait pas su protéger
son disciple. Ce remords-là pouvait aussi expliquer son suicide.

Mais que signifiait « Lontano » ?

D'un geste, Branellec débrancha la clé USB et la lui tendit :

– *Help yourself* !

Se dirigeant vers le seuil, Erwan vit la pendule fixée au-dessus :
8 h 30. Devait-il livrer ces nouvelles données à Verny et aux autres
– pour nourrir la conférence de presse ? Trop tôt. D'abord relire
ces textes à tête reposée, les assimiler avant de rédiger une synthèse.

Il allait ouvrir la porte quand on frappa. Il tourna la poignée
sans répondre. Michel Clemente, le légiste, se tenait sur le seuil.
Il était drapé dans un trench trempé et portait un petit chapeau
écossais à la Sherlock Holmes. Du pur comique involontaire.

– Qu'est-ce qui se passe ?

Le médecin tiqua devant le visage marqué d'Erwan.

– Vous avez une minute ? demanda-t-il enfin. Il faut que je
vous parle.

Le flic jeta un œil à Branellec, qui n'avait même pas levé le
nez de ses ordinateurs.

– Venez avec moi.

47

SANS UN MOT, ils traversèrent de nouveau la cour sous la pluie. Le jour s'était levé. À leurs pieds, des flaques s'élargissaient, des ruisseaux s'infiltraient entre les failles du macadam. Erwan déverrouilla la porte du réfectoire (il avait gardé la clé), pénétra dans la salle et la trouva comme il l'avait laissée. Sombre, vaste, poussiéreuse.

Il fit entrer Clemente et lui demanda une minute.

La douleur revenait en force. Peut-être aurait-il dû filer à l'hôpital, faire des radios, voir un médecin – ou simplement se faire examiner par Clemente. L'attitude des gens sains quand il leur arrive des trucs malsains. Il se contenta de piocher des calmants au hasard dans son sac à pharmacie et les avala d'un geste. Puis il alluma son portable afin de vérifier ses messages. L'écran sembla lui péter à la gueule : pas moins de dix-sept messages. Sans doute les effets cumulés de la mort de di Greco et de l'article dans *Ouest-France*. Du pouce, il fit défiler les noms et les heures. Muriel Damasse, Vincq, son père… Pas la force de les lire.

Clemente s'était assis au bout de la longue table en inox. Il n'avait pas retiré son imper – seulement son chapeau. Sa jambe droite tressautait et la commissure de ses lèvres frémissait. Nerveux, le mec.

– Je vous écoute.

– J'ai poursuivi mon analyse de l'abdomen.

– Là où des organes ont été prélevés ?

– Exactement. Pour observer à nouveau les blessures internes. J'ai fait une autre découverte.

Il sortit de sa poche un tube à essais fermé. La pièce était toujours plongée dans la pénombre. Erwan saisit l'objet translucide et l'orienta vers la fenêtre. On y discernait des fragments difficiles à identifier.

– C'est quoi ?

– Des rognures d'ongles, une mèche de cheveux.

Erwan, qui pensait être anesthésié, tressaillit :

– Vous avez trouvé ces trucs dans l'abdomen de Wissa ?

– Absolument.

– Il lui a fait manger ?

– Non. Il les a simplement placés là, post-mortem. Ça devient vraiment dingue : ils viennent d'un autre corps.

– Comment le savez-vous ?

– Regardez vous-même. Les cheveux sont roux.

Erwan plissa les yeux et fit tourner les échantillons à la lumière. Un autre détail attira son attention : les ongles étaient longs, effilés – et vernis en noir. Des ongles de femme sans doute, modèle gothique.

Il posa le tube à essais sur la table et regarda Clemente qui semblait avoir largement dépassé son seuil de tolérance. Ils s'étaient déjà compris : selon toute vraisemblance, ces éléments provenaient d'une autre victime – déjà assassinée ou en voie de l'être.

C'était la confirmation qu'Erwan attendait. L'amiral di Greco n'avait pas tué Wissa. Impossible de l'imaginer se procurant on ne sait où des ongles et des cheveux d'une autre victime. Le copte, en se rendant à son rendez-vous sur l'épave, avait croisé un meurtrier qui n'avait rien à voir avec la K76 ni l'armée. Un assassin qui avait déjà tué ou prévu de le faire après ce meurtre et laissé une sorte de message désignant le prochain ou la prochaine de sa liste.

– Qu'est-ce que vous dites ?

Clemente poursuivait ses explications mais Erwan n'avait rien écouté.

– Je disais qu'on va procéder à une reconstitution du corps ce matin, avec Neveux.

– Pourquoi Neveux ?

– Il doit venir récupérer d'autres pointes que j'ai extraites. On va essayer de déterminer la position exacte du cadavre dans le tobrouk.

– C'est possible ?

– Je vous ai déjà parlé de la rigidité cadavérique du corps au moment de l'explosion. D'après l'angle de brisure des os, on pourrait peut-être déduire sa posture dans le puits.

Erwan demanda d'un ton hagard :

– Et alors ?

Le temps d'une fulguration, Clemente répondit en vrai enquêteur :

– Une chose que j'ai comprise. Malgré son état, ce corps est comme une boîte de Pandore : plus on ouvre, plus on trouve.

48

UNE NUIT DEHORS POUR RIEN.
Aucune trace de Gaëlle.
Il avait arpenté les bars, les boîtes, les rades qui accueillent les afters, tous sur la liste des lieux prisés par sa fille – il avait une fiche sur chacun d'entre eux. Il avait ruminé jusqu'à l'aube, faisant semblant de boire – il détestait l'alcool –, faisant semblant de s'amuser – il détestait la fête et, en un sens, il détestait les femmes.

À sept heures du matin, il était repassé avenue de Messine, avait avalé ses cachets, pris une douche froide – choc électrique mais bénéfique. La sueur rance, les odeurs de la nuit, les âmes en perdition avaient disparu. Il s'était senti redevenir le géant qu'il avait toujours été, toisant les faiblesses humaines et les utilisant.

Il se rasa. Tous ses espoirs reposaient maintenant sur Erwan, il espérait qu'il était déjà en route. Une fois habillé – nouveau costume, nouvelle chemise et bretelles –, il se décida à s'occuper de Loïc. Une nuit au poste, c'était suffisant.

Il appela son chauffeur (il avait abandonné sa Golf près du parc Monceau) pour se faire conduire Quai des Orfèvres.

Durant le trajet, il essaya d'appeler – pour la cinquième fois – son aîné. Ce con ne répondait pas. Depuis la veille, il ne donnait plus signe de vie. Où en était-il ? Quand le procureur se déciderait-il à annoncer la mort de Wissa ? Déjà ce matin lui-même avait reçu plusieurs coups de fil de la Place Beauvau : on venait aux nouvelles. Il avait dû admettre qu'il n'en avait pas et s'était pris des savons dignes de ses débuts. Pas grave. Il était un fusible et comme tous les fusibles, il était habitué aux coups de chaud.

Pour plus de discrétion, il demanda au chauffeur de le laisser à quelques centaines de mètres du Quai.

Il ne connaissait pas le commandant Kursanoff, le responsable de l'arrestation de Loïc, mais il connaissait les flics des Stups qu'il avait toujours considérés comme de dangereux guérilleros. Des gars tellement à la marge qu'on ne savait plus s'ils étaient des condés infiltrés ou des défoncés émargeant chez les keufs.

Il franchit le porche alors que tous les plantons s'écartaient, au garde-à-vous. Pour l'anonymat, il devrait repasser. Dans les escaliers, il révisa ses atouts face à l'ennemi. Il n'en avait qu'un, mais de taille : le proc de permanence, un vieil ami, lui avait signé un ordre de remise en liberté pour son fils, agrémenté d'un « classement sans suite ». Tout ça était bidon : le parquet ne pouvait préjuger des développements d'une enquête et libre aux OPJ de prolonger une garde à vue (jusqu'à quatre jours pour une affaire de stupéfiants). Mais le document serait une bonne entrée en matière.

Il retrouvait le 36 sans la moindre nostalgie : les couloirs, les filets antisuicide, les câbles plaqués en grappes au plafond qui lui avaient toujours semblé absorber les tensions d'angoisse qui couraient dans ces lieux.

Il était encore tôt et il croisa peu de monde. Tant mieux. Marchant tête baissée, ses épaules frôlant les murs, il repéra enfin le bureau de Kursanoff. Il frappa puis, sans attendre de réponse, entra.

Un petit gars d'une quarantaine d'années en veste de treillis parlait au téléphone, pieds sur la table. D'un geste, il fit signe à Morvan de refermer la porte derrière lui. Grégoire obtempéra puis détailla le bonhomme. Chétif, une barbe de trois jours, des cernes sous les yeux. Ses pupilles étrécies semblaient griller dans ses orbites comme des marrons au fond de l'âtre.

Kursanoff acheva sa conversation puis raccrocha avec une délicatesse exagérée.

– Ho, ho, ho, mais qui voyons-nous venir ? fit-il d'une voix théâtrale. Le maître de la place Beauvau, *the Punisher* en personne. Que nous apportez-vous là, grand maître ?

Morvan plaqua sur le bureau l'ordonnance du proc et siffla entre ses dents :

– Torche-toi avec ça. Tu sors mon fils du dépôt, là, tout de suite, et j'essaie d'oublier ton nom.

Le commandant fit tomber ses pieds sur le sol, simulant une fatigue exagérée, puis ouvrit un tiroir. L'un après l'autre, il lança sur le bureau des sachets de coke, eux-mêmes empaquetés dans des enveloppes à scellés transparentes. Toutes étiquetées « Loïc Morvan ».

– Douze grammes, fit-il en changeant de ton, ça fait un peu beaucoup pour une consommation personnelle, non ? Je parlerais plutôt de trafic illicite de stupéfiants. Ou encore d'éléments constitutifs de recel aggravé.

– Tu peux pas étouffer quelques grammes, non ?

Kursanoff prit un air offusqué : ses yeux sombres parurent reculer au fond de ses cernes.

– Depuis quand les Stups s'assoient sur des quantités pareilles ?

– Depuis que tout l'étage se talque le pif. Putain, me la joue pas incorruptible ou je vais vraiment m'énerver !

Le flic se leva et contourna son bureau. Il ne devait pas dépasser un mètre soixante-dix ni peser plus de soixante kilos. Pourtant, il ne manifestait aucune peur face au colosse :

– Les temps ont changé, papa. Tu peux plus arriver ici et faire ta loi. Les barbouzes, c'est bon pour les livres d'histoire.

Grégoire comprit enfin qu'il n'était pas en position de force. D'abord, il venait chercher son fils – le péché de sa chair. Ensuite, il se sentait mal à l'aise sur le terrain de la drogue – le seul ennemi qu'il n'avait jamais su vaincre.

– Écoute, répondit-il plus calmement, cette GAV te mènera nulle part. C'est pas mon fils qui va te permettre de pêcher quoi que ce soit. Alors, on déchire le PV, restitution de la fouille et...

– Je suis pas d'accord, fit l'autre d'une voix de velours. Je compte plutôt la prolonger. J'ai déjà l'ordre de perquise à son domicile.

– Putain, mais à quoi tu joues ? s'emporta Morvan. C'est juste un financier qui s'envoie une ligne de temps en temps pour tenir le coup !

– La porte est derrière toi. Et c'est moi qui vais essayer d'oublier que t'es venu ici pour nous menacer.

Morvan recula d'un pas. Il cadrait déjà la fenêtre et ses barreaux, conçus pour empêcher les tox de se suicider : ces grilles feraient un splendide filet de réception pour le têtard en treillis kaki.

Il allait bondir quand il eut une nouvelle inspiration. *Des couilles, mais aussi de la cervelle.* Sa mémoire d'éléphant, qui lui avait si souvent servi, se mit enfin en marche.

Kursanoff : ce nom n'était pas courant et il l'avait déjà entendu ici même, au 36. Celui d'un schmitt de sa génération qu'on avait gentiment poussé à la retraite quand on avait découvert qu'il dirigeait en loucedé une chaîne de hammams à pédés. Un triste sire de la Brigade des mœurs qui avait plus contribué à la propagation des mycoses rue Sainte-Anne qu'aux arrestations dans le 1er arrondissement.

Avec un peu de chance, un membre de sa famille.

– J'ai connu jadis un Kursanoff, fit-il pensivement. J'espère que t'as aucun lien avec lui.

L'OPJ ne répondit pas mais son visage se figea. Sa pâleur s'accentua et ses cernes s'assombrirent.

Son père, à tous les coups.

– C'était la belle époque, continua-t-il avec perfidie. Le temps où on laissait chacun faire son business et...

– Putain de salopard…

Morvan fut plus rapide : il lui enserra le poignet pour l'empêcher de dégainer. De son autre main, il lui attrapa la gorge et lui écrasa la tête sur le bureau. *De la cervelle, mais aussi des couilles.* Il appuya davantage, faisant passer le têtard du blanc au vert puis du vert au rouge. Quand l'autre devint violacé, il relâcha son emprise et lui murmura à l'oreille :

– Va chercher mon fils, enfoiré. Sinon, demain, tout l'étage saura que ton père suçait des bites de mineurs dans son bain à la turque.

Dix minutes plus tard, Loïc arrivait dans son costard froissé, penaud et honteux comme un gamin qui sort de colle. Dès qu'il le vit, Morvan sentit sa colère s'évanouir. Il était toujours émerveillé par la beauté de son fils – il ne pouvait s'empêcher d'en éprouver une fierté viscérale.

Ils franchirent le porche sans un mot. D'un signe de tête, Morvan désigna la voiture qui les attendait plus loin, en double file. Le chauffeur était déjà au garde-à-vous.

– Papa…

– Monte.

– Non, laisse-moi t'expliquer…

– C'est bon. J'attends pas ces connards pour savoir ce que tu te fous dans le pif.

– Je veux te parler d'autre chose.

Morvan se figea. À nouveau, il fut sidéré par la régularité des traits de Loïc et la fraîcheur qui y persistait, malgré la drogue, malgré l'alcool, malgré tout.

– C'est Sofia, papa…

– Quoi, Sofia ?

– C'est elle qui m'a donné. Elle et son avocate ont monté un dossier contre moi. Avec des détectives, tout ça. Tu la connais pas. Elle est capable de tout. Elle…

Morvan chassa d'un signe le chauffeur et ouvrit lui-même la portière à son fils.

– On s'en fout. Ils vont détruire les traces de ta GAV et…

– Elle m'a menacé, papa.

S'arrêtant de nouveau, il comprit enfin qu'il était arrivé trop tard :

– Qu'est-ce que t'as fait ?

– J'ai signé la conciliation de divorce. Je ne...

Loïc n'acheva pas sa phrase : Morvan venait de lui balancer une gifle à toute volée.

C'était la première fois qu'il levait la main sur un de ses enfants.

49

– QU'EST-CE QUE TU FOUS, bordel de dieu ?
La voix du Centaure en colère. Celle qui résonnait à travers les murs de la cuisine quand il dérouillait leur mère. Erwan s'était enfin décidé à rappeler son père.

– Je poursuis l'enquête.

– Putain, mais tu te sors la tête du cul au moins ? T'es au courant qu'il y a le feu dans toute la Bretagne ?

– Les choses sont compliquées et…

– J'ai toujours pas reçu la moindre synthèse.

– On a un nouveau mort sur les bras.

– Qui ?

– L'amiral di Greco.

Un blanc. Erwan eut l'impression d'avoir frappé son père en plein ventre. Soudain, il comprit ce qu'il aurait dû deviner depuis longtemps : les deux hommes se connaissaient.

– Qu'est-ce qui s'est passé ?

– Suicide.

– Impossible.

Erwan sourit : il pouvait encore compter sur son instinct, même s'il toussait un peu à l'allumage.

– Vous vous connaissiez ?

Pas de réponse.

– C'est lui qui t'a appelé ?

Enfin, le Vieux concéda :

– Quand j'étais flic au Gabon, il dirigeait la flotte qui protégeait les puits de pétrole de Port-Gentil. Il m'a appelé le week-
end dernier, quand on a retrouvé le cadavre sur l'île.

Les prédateurs se tiennent toujours les coudes. Lors de sa visite
sur le *CDG*, di Greco ne l'avait pas affranchi. Le goût du secret.
Ou pire encore...

– Tu étais resté en contact avec lui ?

– Pas vraiment. On se voyait de temps en temps.

– À quelles occasions ?

– Des remises de médailles. Des cérémonies officielles. Des
conneries.

– Durant toutes ces années, quelles étaient ses fonctions exactes
dans la marine ?

– Aucune idée.

– Il n'a jamais fait du renseignement ?

– Aucune idée, je te dis. J'ai pas travaillé avec lui depuis
l'Afrique si c'est ta question. Mais je connaissais ses valeurs : il
n'a pas pu se suicider.

– Il s'est tiré une balle dans la tête cette nuit, sur le *Charles-
de-Gaulle*.

– Absurde.

– C'est moi qui l'ai découvert dans sa cabine. Les analystes
criminels sont en plein boulot, ils confirmeront cette version.

Erwan percevait la respiration de son père, lourde, lente. Un
buffle au-dessus des terres fumantes d'Afrique.

– Tu crois qu'il est lié au meurtre ? reprit enfin Morvan.

– Peut-être.

– Un flic ne connaît que deux réponses : oui ou non.

– Di Greco conditionnait des élèves de la K76. Il les poussait
à se mutiler, à endurer des épreuves, à s'aguerrir pour devenir
des supersoldats. Il a peut-être rendu fou un des pilotes, qui s'est
lâché sur Wissa. (Erwan ne croyait déjà plus à cette version mais

il voulait sonder son père.) Y a autre chose : di Greco et Wissa échangeaient une correspondance plutôt... curieuse.

– Tout ça, c'est de l'indirect. Concrètement, qu'est-ce que tu as ?

– Ils avaient rendez-vous la nuit du meurtre.

– Et alors ? Ils se sont vus ? Où sont tes preuves ?

Erwan éluda la question :

– Le suicide de di Greco va être annoncé ce matin. Son acte est déjà considéré comme un aveu.

– Ça va pas, non ? Laisse-le en dehors de tout ça.

– Pourquoi ?

– Il n'est pour rien dans ce merdier. C'est lui qui m'a appelé. Il voulait boucler cette enquête au plus vite et il m'a demandé un flic en béton pour diriger la procédure. Vous allez salir sa mémoire alors que le vrai assassin court encore.

– Est-ce que le nom de Lontano te dit quelque chose ?

Cette fois, le silence prit une profondeur abyssale. Il n'était pas si fréquent de surprendre la vieille barbouze.

– Tu sais ce que ça veut dire ou non ?

– Pas au téléphone.

– Donne-moi au moins une piste.

– Non. Je dois t'en parler de vive voix.

Le calme, la puissance dans le timbre : Erwan ne parviendrait jamais à une telle autorité. C'était la différence entre les vrais patrons et les suceurs de bitume comme lui.

– Revenons à l'essentiel, reprit son père. As-tu la moindre idée de l'identité du tueur ?

– Non.

– Alors tu rentres à Paris. Maintenant. Tu leur laisses le bébé et tu rappliques.

– Impossible. J'ai commencé l'enquête et...

– Tais-toi. Y a plus important à régler ici.

– Quoi donc ?

Son père parut prendre une inspiration puis cracha :

– Ta sœur a disparu.

– Je croyais que tu la faisais suivre.

– Justement. Mes gars l'ont perdue.

– Quand ?

– Hier après-midi. Elle les a plantés. Je suis inquiet.

– T'as checké son portable ?

– Je veux que ce soit toi qui t'en occupes.

– Pas question. Je finirai le boulot ici.

Il faillit évoquer la sinistre découverte de l'aube – les cheveux roux, les ongles noirs annonçant sans doute une prochaine victime – mais, pour une obscure raison, il se tut.

Morvan paraissait réfléchir.

– La conférence va mettre le feu aux poudres, répondit-il sur un ton plus posé encore. Les militaires et les gendarmes vont lancer les grandes manœuvres. Le Finistère sera sous haute surveillance. Reviens à Paris et occupe-toi de Gaëlle. Tu prendras une décision après ça.

– Et le délai de flagrance ?

– Quand l'histoire sera rendue publique, le parquet nommera un juge, tu le sais comme moi.

Son père avait raison. Après la conf' il ne serait plus question de mener son enquête en solitaire, aidé par trois mousquetaires. Les politiques, les médias, l'opinion publique allaient faire pression. L'enquête virerait à l'affaire d'État.

– Je te propose un deal, continua Morvan. Reviens à Paris, retrouve ta sœur. Ensuite, si l'assassin n'est toujours pas identifié ou qu'on découvre un autre cadavre, tu retournes là-bas. Crois-moi, un jour ou deux de recul te feront du bien.

Erwan se posta face à la fenêtre et réalisa que la météo s'était encore plus dégradée. Des sentinelles baissaient les drapeaux, verrouillaient les fenêtres, condamnaient des portes. Avis de tempête confirmé.

Il fut soudain pris d'une lassitude extrême. Cette base militaire, ces soldats, ce pays... Il avait la nostalgie des ponts parisiens, de l'odeur de l'asphalte, des gaz d'échappement, des crimes familiers de la violence urbaine.

– Et Loïc ? demanda-t-il comme pour se donner une raison de plus de revenir.

– Je viens de le faire libérer.

– Comment ?

– T'occupe.

– Y aura une suite ?

– Non, mais le mal est fait. Ce con a signé sa conciliation de divorce. Sofia lui a arraché sa signature durant sa garde à vue.

Les plis mongols de ses yeux. Ses taches de rousseur. Ses cheveux de squaw. Son invitation à dîner…

– C'est plutôt une bonne nouvelle, non ?

– Le problème dans notre famille, c'est que personne ne comprend jamais rien.

– Prends le temps de nous expliquer.

– Reviens. On en parlera face à face. Tu veux la nationalité bretonne ou quoi ?

Erwan pesa encore une fois le pour et le contre : à Paris, il pourrait interroger le Vieux sur Lontano, il parviendrait peut-être à placer di Greco sur l'échiquier.

– Je serai là cet après-midi, dit-il enfin. On se voit à ton bureau et je repars aussi sec.

– Tu retrouves d'abord ta sœur.

– J'aurai mis la main dessus avant ce soir. Commence les réquises, les fadettes et le reste.

– Je t'attends place Beauvau à partir de 15 heures. Laisse-les se démerder !

Son père raccrocha. Erwan ne bougea pas, la tonalité dans l'oreille, les yeux brouillés par l'averse qui inondait les vitres.

Le Vieux.

Gaëlle.

Loïc.

Il eut soudain envie d'appeler sa mère pour compléter le tableau de famille. La ligne fixe de la maison. Maggie laissait toujours son portable au fond de son sac ou dans un tiroir. En tant qu'ex-hippie, elle se méfiait des appareils électroniques et de leurs ondes cancérigènes.

La sonnerie retentit. Pas de réponse. Jadis, il se serait inquiété. Le Padre l'avait-il assommée ? Blessée ? Tuée pour de bon ? Enfin, la boîte vocale. Erwan laissa un message en comprenant, les tripes serrées, que jadis, c'était maintenant.

Il avait toujours autant la trouille.

50

DI GRECO SUICIDÉ : il ne pouvait le croire. Morvan ne l'avait pas dit à son fils mais il était du même avis : impossible que ce ticket de sortie ne soit pas lié à la mort du gamin. Impossible aussi que leur rendez-vous n'ait aucun rapport avec le meurtre. Que signifiait ce bordel ?

La vieille endive avait toujours eu le chic pour se foutre dans des guêpiers de première, ou sombrer dans des états proches de l'internement. Quand il lui avait téléphoné, Morvan avait simplement eu peur. Passé un certain âge, l'appel à l'aide d'un ami ressemble toujours à une menace de chantage.

Son erreur avait été d'envoyer son fils. Pourquoi avait-il eu besoin d'impliquer sa famille ? Avait-il voulu, inconsciemment, rapprocher Erwan de son passé africain ?

Et Lontano : pourquoi l'amiral avait-il exhumé ces années maudites au moment de mourir ? Qu'avait-il voulu dire ? La culpabilité ressurgissait-elle au seuil de la mort ? Dans ce cas, lui ne craignait rien car les remords ne l'avaient jamais quitté.

Son chauffeur l'arrêta place d'Iéna. Trop tard pour renoncer à son projet matinal : visiter la Vierge de glace.

Sofia Montefiori vivait toujours dans l'appartement que Loïc et elle avaient acheté à l'époque où elle était enceinte de Lorenzo. Rien qu'à considérer la façade de l'immeuble, Morvan sentit sa détermination revenir : pas question de briser ce patrimoine. Lui qui avait partagé sa vie avec une gorgone pour préserver le sien, il ne pouvait imaginer que des écervelés pourris-gâtés par la vie décident de se séparer à la moindre discorde.

Il utilisa sa clé universelle pour pénétrer dans le hall puis obtint le deuxième code par la concierge. Il se souvenait de l'étage : quatrième. Ascenseur à l'ancienne, porte grillagée, boiseries vernies, tout ce qu'il aimait. Lui, le gamin de nulle part, n'avait jamais trouvé mieux pour se rassurer que la douceur du luxe.

Il rajusta son nœud de cravate dans l'étroit miroir de la cabine. Pour affronter l'héritière des Montefiori, il fallait être au top de son charme.

La Philippine qui lui ouvrit le reconnut et le fit entrer à regret. D'après ses souvenirs, il y en avait trois qui bossaient ici à temps plein – ce qui, pour une mère inactive avec deux enfants, faisait pas mal de monde. Mais Sofia concevait ainsi son rôle de femme au foyer.

Une fois, elle lui avait dit : « Je suis crevée : j'ai dû tout expliquer à la nouvelle nounou. » Sofia ne percevait pas le ridicule de telles phrases : elle était née dans la soie et mourrait dans du cachemire, en critiquant encore sa texture. Mais Morvan aimait chez elle une vérité souterraine : sa grâce, son élégance, son assurance étaient l'œuvre d'un seul homme, son père. Une brute qui avait fait fortune dans la ferraille et qui, aujourd'hui encore, ne devait pas vraiment savoir lire ni écrire.

Il traversa le vestibule, grand comme un salon, puis accéda au séjour, vaste comme une salle de concerts. Hautes fenêtres, parquets en point de Hongrie, mobilier design – le soleil était compris dans le forfait. Il paraissait s'inviter avec plaisir par les larges ouvertures, circulant à son aise dans ces espaces où meubles et sols lui renvoyaient des reflets d'une qualité particulière.

Morvan contempla ce décor avec satisfaction. Indirectement, c'était aussi son œuvre. Il fantasmait déjà sur ce mirage quand il n'était qu'un exilé miséreux au Zaïre. À l'époque, il se prétendait encore de gauche mais il lisait *Les Beaux Quartiers* de Louis

Aragon et rêvait de ces lieux où « les tapis sont épais » et où « de petites filles courent pieds nus dans de longues chemises de nuit ».

– *Nonno !*

Ses petits-enfants venaient d'apparaître dans leur tenue d'écoliers. Bilingues, ils avaient pris l'habitude d'utiliser le mot italien pour « grand-père ». Il n'avait rien contre. Au contraire...

Ils bondirent vers lui avec enthousiasme. Morvan leur ouvrit les bras. Cette seule embrassade racheta sa nuit de merde. Durant une seconde, il se sentit fort et valeureux.

– Qu'est-ce que tu fous là ?

Il reposa les anges et considéra Sofia dans l'encadrement de la porte. Elle portait un pyjama de soie blanche froissée et des chaussons tibétains doublés de fourrure – Morvan avait les mêmes, ainsi que tous les membres du clan : cadeaux de Loïc.

Pas le moins du monde gênée d'être surprise dans cette tenue, elle était superbe.

– Si t'es là pour Loïc, sa garde à vue finit aujourd'hui. Je l'ai vu tout à l'heure.

Le monde à l'envers : c'était l'Italienne qui lui donnait des nouvelles de la maison poulaga.

– Tu m'offres pas un café ?

Sofia regarda sa montre :

– J'ai pas trop le temps, là : j'ai rendez-vous.

– Un cours de Pilates, peut-être ?

La vanne lui avait échappé. Elle eut un geste de lassitude.

– Viens dans la cuisine.

Ils avaient toujours partagé une étrange familiarité, inexplicable en surface mais compréhensible en profondeur. La comtesse avait hérité une part de la brutalité, de la moralité louche de son père. Cet atavisme était tout de suite entré en résonance avec le Vieux.

Elle confia ses enfants aux *pinay* (c'était ainsi qu'elle appelait ses Philippines, comme on le faisait au pays) qui se tenaient prêtes près de la porte, puis elle le rejoignit dans la cuisine – un laboratoire lisse et immaculé où la nourriture semblait être avant tout affaire de chiffres, de chimie et de parcimonie. Morvan s'installa sur un tabouret, s'accoudant au bloc central couvert d'un granit brésilien. Il se sentait mieux ici que dans les autres pièces de la maison. Avec ses cent kilos bien pesés, il préférait se confronter à ces matériaux bruts plutôt qu'aux machins raffinés du salon.

– Ils ont école le mercredi ?

– Ils vont au catéchisme.

Sofia attrapa une cafetière italienne et le servit.

– De quoi tu voulais parler ?

– De votre divorce.

– C'est plié. Loïc a signé la...

– Je suis au courant.

– Alors quoi ?

Il tournait sa cuillère dans sa tasse – geste purement symbolique : il ne prenait pas de sucre.

– T'es sûre de ta décision ?

– C'est une blague ?

– T'as pensé aux enfants ?

– Une autre blague ?

Elle se servit à son tour. Un breuvage d'un vert mordoré passa d'un thermos chromé à une petite tasse de grès.

– Loïc les verra régulièrement, fit-elle après avoir bu une lampée de chat. Il est pas en état de faire beaucoup plus. Tu le sais comme moi.

– Mais... et votre histoire ? Tout ce que vous avez construit ? Vous ne voulez pas vous donner une deuxième chance ? Vous...

Elle posa sa tasse avec violence :

– Grégoire, t'es pas venu chez moi à une heure pareille pour me parler d'amour !

– Et votre patrimoine ?

– On est mariés sous le régime de la communauté réduite aux acquêts. Je renonce à tout ce qu'il a pu gagner pendant notre mariage. Il me cédera l'appartement. Le deal est équitable.

– Tu sais ce que disait Aristote ? « La somme des parties n'est jamais égale au tout. »

Elle soupira :

– Où tu veux en venir ?

– T'as pensé aux enfants ? À ce que vous leur laisserez ? Si vous restez mariés, vous bénéficierez vous-mêmes d'un solide héritage et...

Sofia plaqua ses deux mains sur la pierre glacée :

– De quoi tu parles, nom de dieu ? Mon père et toi, vous avez toujours été contre ce mariage. Vous vous êtes toujours haïs et vous étiez verts à l'idée que vos deux fortunes puissent un jour se réunir.

– Ton père et moi, nous sommes le passé. Je te parle de votre avenir.

Elle se pencha vers lui, avec son air eurasien et ses taches de rousseur. Un mélange enjôleur contrecarré par la colère des pupilles, dorées comme des dos d'abeille.

– Les enfants ne seront jamais lésés : ils sont ma priorité absolue.

Morvan quitta son tabouret en capitulant :

– Je devais t'en parler une dernière fois.

Sofia l'observa d'un œil soupçonneux :

– T'as une sale gueule. T'as passé la nuit dehors ?

On ne pouvait rien cacher à la Florentine.

– Le boulot. Te casse pas, je connais le chemin.

Une fois dehors, il évalua ses sensations : chaleur des enfants, froideur de la mère. Il ne s'avouait pas vaincu. Il devait trouver, d'une façon ou d'une autre, une solution pour éviter la séparation des biens. Comme tous les gosses de riches, Sofia ne soupçonnait pas les enjeux troubles et dangereux du monde dans lequel elle vivait – et dont elle était, à son insu, le pur produit.

Il vérifia son portable. Déjà plusieurs messages : la routine des plaintes et des réclamations. Il se dirigea vers sa voiture. Un torrent de merde l'attendait pour une partie de rafting en solitaire.

51

DERNIER INVENTAIRE avant liquidation. Erwan, Verny, Le Guen et Archambault avaient préféré se réunir loin de la base. Ils suivaient maintenant le gardien ensommeillé à travers les couloirs de la petite mairie de Kaerverec. Ils se décidèrent pour la salle des fêtes – pièce sinistre aux voilages gris qui ne méritait pas vraiment son nom.

– Asseyez-vous, ordonna Erwan.

Ils déplacèrent des tables pour former une microsalle de classe. Erwan s'éclaircit la gorge et commença par résumer ce que tous savaient déjà : les faits et gestes supposés de Wissa durant la nuit du vendredi, le raid clandestin de di Greco et sa correspondance ambiguë avec le copte, la culture de la violence de la K76, le profil inquiétant des Renards et les mutilations très spécifiques subies par la victime.

Durant quelques secondes, il laissa reposer ces éléments. Verny prenait des notes, toujours en vue de la conférence de presse. Le Guen crayonnait sur sa table, dans le rôle taciturne du mauvais élève. Archambault laissait ses grandes jambes trépigner, comme désolidarisées de son corps. En soixante-douze heures, ces gars-là avaient vieilli de dix ans. Livide sous les plafonniers, leur expression était sinistre.

Erwan reprit la parole pour évoquer la découverte des ongles et des cheveux apparemment féminins dans l'abdomen de Wissa, en lieu et place des organes volés. Ce nouveau scoop produisit son effet : les gaillards se mirent à s'agiter sur leurs chaises comme s'ils cherchaient à se réveiller d'un cauchemar.

– A priori, on peut supposer qu'il y a une autre victime dans la nature. Ou que le meurtrier sait déjà qui il va tuer dans les prochains jours.

Verny leva la main :

– Je dois en parler aux journalistes ?

Erwan sourit :

– Tout dépend du degré de panique que vous voulez provoquer.

– Sérieusement.

– Je vous le déconseille : moins les médias en sauront, mieux on se portera.

– Et di Greco ? demanda Le Guen.

Erwan prit son souffle et fit un portrait mi-réel, mi-fantasmé de l'officier. Il le décrivit comme un vieil homme autoritaire et malade, claquemuré dans sa cabine. Une sorte de gourou maléfique responsable du pourrissement des esprits de la K76.

Le Guen et Archambault échangèrent un coup d'œil : malgré tout, ils n'aimaient pas qu'on parle ainsi de Kaerverec et de son chef spirituel.

– Concrètement, reprit Verny, vous pensez qu'il est l'assassin ?

Erwan venait de parler à Thierry Neveux. L'analyste criminel lui avait confirmé que les traces de poudre sur la main de di Greco prouvaient le suicide. Par ailleurs, le premier décryptage de son ordinateur avait révélé que l'amiral recevait les bilans de l'enquête régulièrement envoyés par Verny aux autorités militaires (Erwan ignorait l'existence de ces messages et il aurait pu engueuler le gendarme mais on n'en était plus là).

– Ces deux faits, continua le flic après les avoir exposés à son auditoire, l'accusent. D'autant que selon les premières constatations du légiste, di Greco est mort aux environs d'une heure du matin. Or, c'est à ce moment précis qu'il a reçu un message concernant le témoignage de Frazier qui l'incriminait.

– Ce suicide pourrait donc passer pour l'aveu d'un homme acculé, conclut Erwan.

– Vous n'avez pas l'air d'y croire, remarqua Archambault.

– Non. D'une façon générale, tous les liens qu'on a pu imaginer entre le meurtre de Wissa et le bizutage ou la personne de l'amiral sont à oublier. Les nouveaux échantillons prouvent qu'on a affaire à un tueur organisé, qui a tout prémédité. Un homme d'une grande intelligence et d'une force physique peu commune. Un prédateur qui connaît la région, qui possède des connaissances médicales et qui sait passer inaperçu. Même si di Greco était toujours vivant, il ne correspondrait pas au profil.

Verny, maussade, se fit l'avocat du diable :

– Un élève de la base ?

– C'est une piste que je n'exclus pas mais sans plus. Malheureusement, l'enquête est plus ou moins revenue au point zéro. Wissa était nu, épuisé, vulnérable : il est tombé sur le pire prédateur qu'on puisse imaginer et à mon avis, il a ouvert le bal.

– Qu'est-ce que vous voulez dire ?

– Que les meurtres ne font que commencer.

Ses compagnons se tortillèrent encore sur leur chaise. Ils portaient leur long ciré noir, celui qu'ils arboraient lors du premier rendez-vous. Erwan se dit avec tristesse qu'ils n'avaient pas avancé d'un pouce depuis leur entrevue à La Brioche dorée.

– Concrètement, qu'est-ce qu'on fait ? s'impatienta Archambault.

– La prochaine onde de choc sera la conférence de presse. La pression va redoubler. Des renforts vont arriver. Vous allez devoir briefer les nouvelles troupes, rendre des comptes à tous, peaufiner un dossier pour le juge qui va être nommé sous peu. Tout ça va considérablement ralentir l'enquête.

– Pourquoi vous dites « vous » ? demanda Le Guen, l'air suspicieux.

– Parce que je rentre à Paris. C'est à vous de jouer. Vous reprenez le bébé et vous travaillez en collaboration avec le magistrat.

Le trio parut abasourdi.

– Les rats quittent le navire, cingla Le Guen.

Erwan sentit monter sa colère et s'efforça de revenir à la température réglementaire. Il avait déjà appelé la substitute du procureur et le colonel Vincq pour les prévenir : sonnés, ils n'avaient même pas réagi.

– Je n'ai pas dit que je n'allais pas revenir. Tout dépend de mes ordres à Paris et de l'évolution de l'affaire.

– Vous voulez dire… si on découvre un autre corps ?

– Exactement.

Le Guen se leva avec humeur :

– Alors quoi ? On attend les bras croisés qu'un autre cadavre fasse surface ?

– J'espère que le tueur sera identifié avant.

Erwan se fit penser à un homme politique qui balance des promesses auxquelles personne ne croit, même pas lui.

– Vous n'avez rien dit sur le mot étrange qu'a laissé di Greco : « Lontano »…

– J'ai fait des recherches cette nuit et pour l'instant, je n'en sais pas plus. En revanche, j'ai une source à Paris qui pourra me renseigner.

Leurs yeux s'allumèrent : le flic ne les abandonnait pas totalement.

Le Homard demanda, d'un ton plein de rancœur :

– Pourquoi vous partez aussi vite ?

Sa sœur disparue. Son frère sortant de garde à vue. Sa mère aux abonnés absents. Son père peut-être mouillé, à un degré quelconque, dans ce chaos…

– Raisons familiales.

Quand ils sortirent, la tempête semblait être passée et le soleil pointait derrière les maisons noires, jetant un violent clair-obscur sur tout le village.

Erwan avait demandé qu'on lui amène sa voiture. L'idée de prendre le volant lui foutait les nerfs en pelote – il aurait adoré, comme Kripo, s'avachir dans un siège d'avion et rejoindre Paris en une heure. Il salua tout le monde, essayant de faire passer dans sa poignée de main l'affection qu'il éprouvait pour ses partenaires.

Erwan démarra sans regarder son rétroviseur : il ne voulait pas voir les mousquetaires lui faire des signes de la main comme les membres d'une famille de province qu'on quitte à regret (mais aussi avec soulagement). Des têtes de nœud qu'il avait fini par apprécier et auxquelles il penserait souvent.

En passant la troisième, son coup de mou se transforma en coup de traître. Son corps devint glacé : il était naïf de penser qu'il serait capable de lâcher cette enquête. Il devait la vérité à Wissa et à ses parents. Et aussi à celle ou celui dont les ongles et les cheveux reposaient au fond de l'abdomen du copte.

D'ailleurs, il rentrait surtout à Paris pour arracher à son père des informations. En dépit de tout ce qu'il venait de dire, il n'excluait pas que le meurtre de Wissa, celui de la victime aux cheveux rouges et le suicide de di Greco aient un lien avec Morvan.

52

URANT PRÈS DE DEUX HEURES, Erwan pulvérisa les radars de la N104. À chaque péage, il déclenchait sa sirène avec une joie féroce et franchissait les portiques en ralentissant à peine. Comme pour pas mal de flics, sa propre indépendance s'accommodait mal de la rigueur de la loi. La prévention routière en particulier l'irritait. Cette théorie du zéro risque lui paraissait lamentable. Un jour, on interdirait carrément les voitures.

11 h 30 : il avait couvert plus de trois cents kilomètres. À ce rythme, il serait à Paris en début d'après-midi. Il avait prévenu Kripo qu'il pouvait rester l'attendre – tout s'était bien passé avec l'IGS, qui avait sans doute déjà entendu parler de l'excentrique. Aux alentours de Rennes, il s'arrêta dans une station-service.

Tout en faisant le plein, il ruminait encore les éléments de l'enquête. Un point en particulier le tracassait : cet événement récent dont parlait di Greco dans ses mails et qui avait « bouleversé sa vie », « quelque chose qui changeait la signification de toutes choses ». À quoi faisait-il allusion ? Un fait qui pouvait expliquer son suicide ? Ou le meurtre de Wissa ? Erwan songea aux aiguilles que le vieil homme avait, selon le docteur Almeida, implantées dans le corps. Peut-être suivait-il lui-même une autre quête, aux confins de la douleur…

Son portable sonna alors qu'il achevait de remplir son réservoir.

– C'est Maggie.

– Je te rappelle dans cinq minutes.

Il paya, but un café dégueulasse, acheta une bouteille d'eau et s'enfila plusieurs antidouleurs. Puis il alla se garer un peu plus loin sur l'aire de stationnement. Il ressortit de sa voiture, prit une grande goulée d'air matinal sur fond de rugissement d'autoroute et composa enfin le numéro de sa mère.

Avant de lui parler, il préférait toujours prendre son élan.

Maggie était un être à deux faces. Quand le Vieux était dans les parages, ou traversait seulement son esprit, elle avait un visage effrayé dont les yeux exorbités – elle souffrait de la thyroïde – semblaient jaillir des orbites. Sa voix dans ces cas-là était précipitée, tendue, murmurée. Mais il y avait l'autre Maggie, souriante, et même séduisante. Une belle femme aux lèvres sensuelles, avec quelque chose de cool, de perpétuellement amusé dans l'attitude. Cette femme-là prenait un certain plaisir à jouer avec la vie, à se moquer des valeurs bourgeoises, à toujours capter un ressort comique sous chaque détail du quotidien.

Les deux Maggie n'avaient pas la même origine. La première venait des ténèbres de l'Afrique et semblait marquée par un passé qu'aucun des trois enfants n'avait jamais élucidé. Une créature de peur et de latérite, façonnée par Morvan lui-même. L'autre était un pur produit de la génération hippie, libérée, droguée, révoltée. Une jeune femme avec des fleurs dans les cheveux et des utopies plein la tête. Maggie avait été une égérie de la contre-culture, parfumée au patchouli, portant des boubous africains ou dansant les seins nus sur la musique du film *More*, signée Pink Floyd. La légende voulait même qu'elle ait joué dans un groupe de rock féminin en Afrique : les Salamandres.

Aujourd'hui, baba devenue bobo, elle était végétarienne, bouddhiste, militait pour l'accouchement dans l'eau et luttait contre la mondialisation ou le réchauffement climatique. Elle était une émanation de tout ce qu'exécrait le vieux Morvan, tueur apolitique qui comparait volontiers le monde à une vaste fourrière où il fallait tenir l'homme en cage.

Pour l'instant, son fils ne savait pas à quelle Maggie il avait affaire. Elle venait d'attaquer une litanie sur Loïc, qui avait eu des « ennuis » – à l'évidence, elle n'était pas au courant de la fugue de Gaëlle.

– Tout va bien avec papa ? coupa-t-il.

– Bien sûr. Pourquoi ça n'irait pas ?

Elle l'agaçait déjà : elle avait toujours vécu dans le déni du problème majeur de sa vie – la violence de son mari – et prenait toujours sa défense ; dans sa bouche, il apparaissait comme un héros incompris.

– Quand vas-tu rentrer ? reprit-elle.

– Je suis en route.

– On compte sur toi dimanche.

Le fameux déjeuner dominical. Elle lui semblait totalement déconnectée de la réalité – à moins que ce soit lui, avec son tueur voleur d'organes et ses militaires SM, qui soit dans une dimension parallèle.

Il allait raccrocher quand un détail lui revint : Morvan avait connu di Greco en Afrique, Maggie l'avait peut-être croisé ?

– Tu te souviens d'un militaire du nom de di Greco ?

– Non.

– Un officier de marine, qui travaillait à Port-Gentil.

– Je ne suis jamais allée au Gabon.

Erwan confondait les périodes : Morvan avait commencé par former les troupes du président Bongo en 1968 puis s'était rendu au Zaïre en 1969 pour enquêter sur l'Homme-Clou.

Di Greco appartenait au chapitre gabonais. Maggie au zaïrois.

– Il est peut-être venu au Katanga…, hasarda-t-il.

La mémoire de Maggie se réveilla :

– Un type au physique particulier ?

– Plutôt : il faisait plus de deux mètres avec des mains de vampire.

– Tu en parles au passé, il est mort ?

– Cette nuit.

– Ça concerne ton enquête en Bretagne ?

– Plus ou moins, éluda-t-il. Essaie de te souvenir.

– Il bossait dans la brousse, je crois, au plus près des mines…

– Celles de papa ?

– Il n'en avait pas encore à l'époque. Le type dont je me souviens était chargé de la sécurité des gisements de la Gécamines, la grande société minière du Katanga.

– C'est papa qui l'avait fait venir ?

– Aucune idée.

– Qu'est-ce qui te revient ?

La voix se fit vaporeuse :

– C'est si loin… Un bonhomme dur, violent, très maigre et tourmenté. Une ordure avec les Noirs. J'ai essayé d'organiser une association de défense des ouvriers. J'étais très impliquée et…

– Tu te souviens de ses relations avec papa ?

– Plutôt amicales, je crois.

– Ils ont assuré des missions pour le gouvernement français ?

Elle rit en douceur :

– Pourrir en Afrique, c'était déjà très « citoyen », crois-moi…

Elle avait pris ce ton qu'il aimait : léger, détaché. Mais l'image des deux barbouzes était sinistre, l'un traquant un tueur en série, l'autre persécutant une armée d'esclaves. Deux monstres en herbe qui allaient bientôt s'épanouir à l'ombre du pouvoir.

– C'est tout ce que tu peux me dire ? insista-t-il. Réfléchis encore.

Maggie cherchait ses mots :

– Il paraissait… fou, comme habité par la violence.

– Il devait faire la paire avec papa.

– Ne parle pas comme ça.

– Tu vois très bien ce que je veux dire.

La voix de Maggie, imperceptiblement, changea, comme si Morvan était entré dans la pièce :

– Je n'aimais pas qu'ils se voient... Il avait une mauvaise influence sur ton père...

Erwan faillit éclater de rire.

Une question lui échappa, hors du contexte, mais qui lui brûlait les lèvres depuis des années :

– Qu'est-ce qui s'est passé entre vous, en Afrique ?

– Je comprends pas ta question.

– Vous vous êtes rencontrés et vous avez décidé tout de suite de vous marier ?

Elle eut un rire bizarre :

– On était amoureux...

– Ça n'a pas dû durer longtemps.

– Tu te trompes. L'amour est toujours là. C'est différent, c'est tout.

– Jamais je ne pourrai te suivre.

– Ton père est malade.

Erwan arpentait de plus en plus nerveusement le parking. Le grondement des voitures vibrait sous ses tempes. Le ciel était bleu mais il avait la dureté d'un métal en fusion.

– Tu invoques toujours l'excuse de ses nerfs, reprit-il comme un gamin qui chercherait la bagarre. C'est peut-être juste un salopard qui cogne sa femme, non ? Au 36, il y en a beaucoup comme lui. Crois-moi, ces enfoirés ont rien à voir avec Artaud ni Althusser.

Le poète et le philosophe étaient les grands héros de sa mère. Deux intellectuels qui avaient fini leurs jours en asile psychiatrique – avec un petit plus pour le second : il avait étranglé sa femme un jour de crise en 1980.

– C'est ça le plus triste. Tu ne nous as jamais compris.

– J'ai partagé votre quotidien pendant près de vingt ans.

– Tu n'en connais qu'une partie. Tu ne sais pas ce qui se passe dans l'intimité d'un couple.

– Épargne-moi les détails.

– On a toujours fait chambre à part, rétorqua-t-elle en baissant la voix. Mais dans le secret de la nuit, la violence révèle son vrai visage…

Il s'enfonçait dans ses confidences comme dans un marécage. Le timbre de Maggie, à la fois murmuré et proche, était hypnotique.

– Faut que je raccroche, là. Je suis en plein boulot et…

– Vous ne connaissez que la version diurne de sa maladie. La nuit, on se rend compte qu'il est réellement… possédé.

Erwan revint vers sa voiture et ouvrit sa portière.

– Maggie, je te rappelle, je…

– Tu te souviens quand il plaçait son arme sur la table avant les repas ?

– Comment je pourrais oublier ça ?

– Une nuit où nous étions seuls, il m'a tiré dessus.

Erwan s'appuya sur le toit de sa Volvo, coudes en avant, et baissa la tête entre ses bras. Le passé de son père, c'était comme les archives du nazisme : on peut gratter, on trouve toujours une nouvelle abjection, une horreur inédite. La source n'était jamais tarie.

– Tu… tu as été blessée ?

– L'arme était chargée à blanc. Je me suis évanouie et j'ai fait sous moi.

Il eut l'impression que des lividités cadavériques recouvraient son âme.

– Je raccroche…

– Il m'a humiliée des mois et des mois avec cette histoire.

– Pourquoi tu me racontes ça ?

– Pour que tu comprennes qu'il n'est pas juste violent : il est fou.

– Qu'est-ce que ça change ?

– Tout. Il n'est pas responsable de ses actes.

– Dans ce cas, il faut l'interner.

– Dis pas n'importe quoi.

Son ton signifiait : « Que ferait la France sans Morvan ? »

Le café qu'Erwan venait de boire lui remonta dans la gorge. Il ne savait pas ce qui le rendait le plus malade : son père, sa mère ou leur entente délirante.

Il allait vraiment raccrocher quand il décida de poser la question au hasard :

— Lontano, ça t'évoque quelque chose ?

— Bien sûr, c'est la ville qu'on habitait là-bas.

— Au Katanga ?

— Une ville nouvelle construite avec les bénéfices des mines. Une ville de colons. J'y vivais avec toute ma famille.

Une fois, son père lui avait dit : « Ta mère est la fille exsangue d'une famille de consanguins d'origine wallonne qui moisit depuis plus d'un siècle au Zaïre. Elle est à la fois belge et congolaise. Deux tares pour le prix d'une ! »

— Avant de se suicider, di Greco a écrit ce nom sur une feuille, pourquoi à ton avis ?

— Mais... je ne sais pas.

— C'est le dernier mot qu'il a choisi avant de mourir : il a bien dû se passer quelque chose d'exceptionnel dans ce bled, non ?

— Peut-être pour lui... Je te répète que je le connaissais très peu.

— Réfléchis. Tu te souviens pas d'un événement spécial ?

Elle eut un soupir qui était aussi un sourire – elle prit sa voix tout droit d'Ibiza :

— Je ne m'en souviens que d'un seul, très important, mais pas pour di Greco.

— Lequel ?

— C'est là-bas que tu es né, mon chéri.

53

ORVAN SE RÉVEILLA EN SURSAUT. Un bref instant, il crut qu'il était frappé à la fois d'amnésie et de tétanie. Mais il s'ébroua et retrouva ses facultés. Coup d'œil à sa montre : midi dix ! Il reconnut son bureau de la place Beauvau. *Bon dieu de merde.* Il avait dû s'asseoir dans son canapé et s'était simplement endormi. Comme un vieux !

Personne n'avait osé le déranger – et surtout pas sa secrétaire qui attendait toujours qu'il se manifeste pour esquisser le moindre mouvement. Il n'avait même pas entendu la sonnerie de son portable...

Il étouffa un nouveau juron puis s'arracha du sofa. Son premier réflexe fut d'écouter ses messages. Pas la moindre nouvelle de Gaëlle ni d'Erwan. Il vérifia les télex de l'État-major : le flux ordinaire. Il allait devoir lancer les grandes manœuvres.

Son téléphone vibra – il mit plusieurs secondes à le trouver : il était glissé entre les coussins. Maggie. Putain, la journée commençait décidément mal.

– Je viens d'avoir Erwan, fit-elle sans même lui dire bonjour. Il m'a questionnée sur Lontano.

Morvan se passa la main sur le visage.

– Il m'a appelé aussi. Je gère. Qu'est-ce que tu lui as dit ?

– Qu'il était né là-bas.

Il s'approcha de la fenêtre et s'aperçut qu'il faisait beau. Cette simple constatation lui crispa le cœur. Il aurait voulu qu'un orage roule ses nuages au-dessus des toits et que des pluies torrentielles engloutissent la ville.

– Et toi ? reprit-elle.

– Rien. J'attends de le voir.

– Qu'est-ce que c'est que cette histoire avec di Greco ? Cette connerie de mot ?

– Je ne sais pas. Je m'en occupe.

– Ça a un lien avec l'affaire d'Erwan ?

– Je l'attends. Il va m'expliquer.

Silence de Maggie. Puis :

– Je te jure que si ce vieux fou a écrit ça pour réveiller le passé, je creuserai sa tombe et lui arracherai les yeux de mes propres mains.

– Je te dis que je gère.

Il raccrocha violemment et eut une fulgurance : il avait rêvé de Lontano, il en était sûr, mais pas moyen de se souvenir d'autre chose. Pourquoi le Zaïre refaisait-il ainsi surface ? Qu'avait voulu dire di Greco ? Maggie se trompait. L'amiral n'avait pas voulu exhumer les crimes de jadis. Il lui avait adressé un message, à lui et à lui seul. Mais lequel ?

Il se passa la tête sous l'eau puis régla la climatisation en mode frigo. Il balaya le nom honni et se concentra sur l'urgence : Gaëlle. Attrapant son téléphone fixe, il contacta plusieurs de ses hommes. Il choisit, par principe, d'autres gars que ceux qui s'étaient fait planter par la gamine. Il leur ordonna de décrypter ses appels, ses connexions Internet, les mouvements de son compte en banque, ses allées et venues en Vélib (mademoiselle faisait du vélo), les appels téléphoniques et mails de ses proches, de checker les compagnies de taxis... Il exigea aussi qu'un avis de recherche et un appel à témoins soient diffusés à l'échelle de Paris. Il n'était plus temps de jouer les pères pudiques.

Une fois cette machine lancée, il revint à Lontano. Il chaussa ses lunettes et se connecta sur Google. Il doutait qu'un fait nouveau se soit produit autour de ce trou perdu mais sait-on jamais.

Pas une ligne, pas un mot sur « son » Lontano. Les cendres de jadis étaient bien froides. À l'heure actuelle, l'ancienne cité n'était plus qu'un champ de ruines rongé par la brousse, planté au cœur d'une zone de guerre. D'ailleurs, s'il s'y était passé quelque chose, il en aurait été le premier informé.

Le téléscripteur bourdonna. Morvan jeta un œil sur les lignes imprimées et son souffle s'arrêta. D'un geste, il arracha la feuille et lut avec attention : le corps d'une jeune femme – entre vingt-cinq et trente ans – venait d'être découvert au fond d'une des anciennes baies d'aération du bas-quai des Grands-Augustins, juste en face du quai des Orfèvres. Le cadavre avait été aperçu par des touristes en bateau-mouche aux environs de 11 heures – une des premières balades fluviales de la journée –, provoquant une onde de panique. La police avait débarqué. Tout trafic fluvial était suspendu jusqu'à nouvel ordre.

Le télex ne disait rien de plus. Pas de signalement de la victime. Aucune précision sur la cause de la mort. Pas un mot sur la position de la dépouille ni sur la manière dont on l'avait placée dans la cavité.

Morvan reprit son téléphone. En moins de cinq minutes, il obtint les coordonnées du capitaine Sergent – le nom sonnait comme une blague –, « diligenté pour procéder aux premières constatations sur la scène de crime ».

L'OPJ répondit à la deuxième sonnerie. Une bleusaille de la BC qui ne voyait pas qui était Morvan et ne connaissait que son fils, Erwan. Le gars paraissait totalement dépassé par la situation. Pire encore, il prit le préfet de haut, refusant de lui livrer la moindre info par téléphone.

Le Vieux, tout en s'efforçant de rester calme, lui fit comprendre que s'il continuait sur cette voie, il allait se retrouver au service études et statistiques de la préfecture plutôt que sur le meurtre le plus brûlant de la fin de l'été.

– La fille a été identifiée ?

– Pas pour l'instant, bredouilla l'autre. Elle est nue et couverte de blessures et...

– La couleur des cheveux ?

– Rouges.

– Rouges ?

– Enfin, roux. Mais il ne lui en reste plus que la moitié.

La pression sur sa cage thoracique se relâcha.

– Des signes particuliers ?

– Pour l'instant, on voit rien. Le corps est toujours encastré, replié sur lui-même, et sa peau est très abîmée. On lui a labouré la chair et...

– Des tatouages ?

– On en a déjà repéré quelques-uns. Les lettres O-U-T-L-A-W dans le cou...

Ses poumons se dilatèrent pour de bon : Gaëlle ne portait pas la moindre inscription sur la peau. Elle avait décrété que cela pouvait limiter le « champ des opportunités dans son métier ». Ils avaient échappé à cette connerie – une fois n'est pas coutume.

Mais un nouveau malaise pointait déjà.

– Elle en a un aussi sur la hanche : une tête bizarre de barbu..., ajouta l'OPJ.

Sa respiration s'arrêta encore une fois.

Avril 2009. Il faisait alors partie d'une commission des libérations conditionnelles. La môme à l'époque avait déjà purgé une peine de trois ans de sûreté à Fleury pour attaque à main armée, violences aggravées et association de malfaiteurs. Il lui avait demandé, devant les autres membres de la commission et le juge d'application des peines, qui était le personnage que son tee-shirt trop court révélait sur sa hanche gauche. Il entendait encore sa voix, rauque et craquante : « Charles Manson. »

Morvan lui aurait bien foutu une paire de claques. D'abord, parce que se tatouer le visage d'un taré sadique et illettré n'est pas un acte rebelle mais une connerie. Ensuite, parce que l'avouer devant le groupe susceptible de vous trouver un toit et un boulot est plus stupide encore. Pourtant, lors des délibérations, il l'avait défendue avec éloquence. Il *sentait* cette petite. Il avait obtenu sa conditionnelle.

« Tu aurais dû dire que c'était Marx », lui avait-il reproché plus tard, à quoi elle avait rétorqué :

« Un autre gourou criminel, non ? » Encore une connerie, pourtant la punkette lui plaisait. Elle débordait d'une énergie brutale, mal canalisée mais prometteuse. Il l'avait logée, aidée, fait embaucher. Au fil de leurs rencontres, il avait eu le loisir de remarquer ses autres tatouages, dont le mot OUTLAW dans son cou.

– Les techniciens de l'IJ ont terminé les premiers prélèvements, continuait le capitaine. On a ses empreintes : ça sera facile de l'identifier si elle est déjà fichée.

– Pourquoi elle le serait ?

– Je sais pas…, se reprit aussitôt le jeune flic. Les tatouages, les cheveux rouges… Elle a aussi les ongles vernis en noir.

La voix du flic lui paraissait lointaine. Il était toujours en 2009. Malgré ses vingt-trois ans, la gamine n'en paraissait pas plus de seize. La frontière imaginaire du désir à ses yeux. Et celle de la protection qu'il pouvait lui apporter. Depuis ce jour, il lui accordait au moins un déjeuner par mois, lui filant de l'argent à l'occasion. Il ne l'avait jamais touchée. Ce qu'il aimait, c'était jouer au pygmalion. Se désaltérer à cette source de jeunesse.

– Les pompiers vont la désincarcérer ?

– C'est en cours. Mais la baie est située à deux mètres de hauteur et…

– Attendez-moi pour ça.

– Mais…

– J'arrive avec le commissaire divisionnaire Fitoussi.

– Je comprends pas…

Morvan prit son ton bienveillant – le gars omnipotent mais sympa :

– Y a pas mal de choses que t'as pas comprises, petit. La fille s'appelle Anne Simoni. Elle a vingt-six ans et elle a fait de la taule à la suite d'un casse avec violences. Aujourd'hui, elle est, enfin, elle était totalement réhabilitée. Elle travaillait même à la préfecture de police, au service des cartes grises.

– Vous... vous la connaissez ?

– Vous bougez plus. Je serai là dans une demi-heure.

Il raccrocha et s'effondra sur son siège – un fauteuil qu'il avait fait renforcer lui-même avec des chevilles de chantier et des lamelles de carbone pour qu'il supporte son poids.

Cette sinistre découverte révélait plusieurs vérités.

La première : le tueur qui venait de frapper était aussi l'assassin de Wissa Sawiris. Les cheveux roux et les ongles noirs étaient ceux d'Anne Simoni, aucun doute là-dessus. Pour l'instant, Morvan ne voulait pas réfléchir aux conséquences de ce fait – tueur en série, préméditation, extrême organisation, liste macabre qui ne faisait que commencer...

L'autre vérité, c'est qu'on voulait l'impliquer, lui. Après la chevalière à Sirling (qui sait, le tueur avait peut-être laissé d'autres indices détruits par le missile), le choix de la petite Simoni était une autre manière de l'atteindre.

Cette fois, on allait faire le lien avec lui. S'apercevoir qu'il avait été l'artisan de son embauche à la préfecture, qu'il s'était porté caution pour son appart. On allait remonter ses mails et ses appels. Tout un tas de petites choses qui laisseraient croire aux enquêteurs que la gamine était sa maîtresse. On allait l'interroger, le suspecter, lui flairer le cul...

Il était certain que d'autres indices l'accuseraient, sur la scène de crime ou dans l'appartement de la môme. Il n'était plus question de parano : une vengeance était en marche. De qui ? De quoi ? Pas la peine de se casser la tête à ce sujet. Ce qu'il fallait retenir, c'était qu'on allait le détruire en utilisant ses propres méthodes, bruits de chiottes et fausses preuves à l'appui.

Il ne pensait déjà plus à lui mais à son œuvre. À tout ce qu'il avait construit – pouvoir et fortune – au nom de ses enfants. C'était ce royaume qui était menacé. Un écheveau de combines et de dossiers patiemment mêlé depuis plus de quarante ans était sur le point de s'écrouler. Il en avait perçu les premières fissures. C'était maintenant tout un bloc qui s'effondrait.

Il se dévêtit à nouveau et ouvrit son placard. Costume sombre fil à fil, bretelles, chemise bicolore, cravate noire. Respect pour les morts. Depuis l'Afrique, il n'avait jamais contemplé un cadavre dans une autre tenue.

Avant d'attraper ses clés, il s'assit derrière son bureau, coudes plantés sur la table, front baissé contre mains jointes. Il pria à mi-voix, y mettant toute son âme. Sous ses paupières fermées, il lui semblait voir la prostituée géante qui symbolise, dans l'Apocalypse de saint Jean, la ville de Babylone, la « mère des impudiques et des abominations de la terre ». Le « mystère de la femme et de la bête qui la porte, qui a les sept têtes et les dix cornes » était là, devant lui. Son œuvre. Son empire. Sa faute. Il allait enfin payer pour ses péchés.

En guise de prière, il répétait du bout des lèvres, et en boucle, le célèbre verset de l'Apocalypse, qui lui paraissait résumer son avenir proche :

– « La bête que tu as vue était, et elle n'est plus... »

54

À CENT BORNES DE PARIS, son portable vibra. Erwan était si tendu au volant qu'il eut l'impression que c'était la terre qui tremblait.

– J'ai du nouveau.

Il s'attendait à un appel de son père, de sa mère, ou de Kripo. C'était Thierry Neveux, l'analyste criminel de Rennes. Sa voix paraissait surgir d'un autre monde – d'un passé déjà lointain.

– Les pointes extraites de la chair de Wissa, on a réussi à les identifier.

– C'est quoi ? Des aiguilles ?

– Des clous.

– Jusqu'à présent, on parlait de fragments d'armes blanches, de masse d'armes, de débris de béton armé.

– On avait tort. Les pointes qui étaient à la surface de la peau ont été expulsées par l'explosion. Par ailleurs, elles étaient brûlées et déformées. Mais celles qui étaient enfouies dans les chairs sont en meilleur état. Aucun doute : ce sont bien des clous de différentes tailles, de différents modèles. Ils ont encore leur tête, marquée par un poinçon.

Des clous. Ce seul mot sonnait comme une malédiction. Impossible de ne pas songer à l'affaire qui avait fondé la gloire de Morvan Senior et marqué l'histoire de leur famille.

– Y a autre chose, continua l'ANACRIM. Clemente a reconstitué le corps, on a pu repérer des zones de concentration des blessures – c'est-à-dire des clous. Un foyer dans la joue. Un autre sous la gorge, descendant sur l'épaule, un autre encore dans le dos. Selon Clemente, y avait aussi plantés là des tessons de verre, des lames de fer…

Erwan voyait la route osciller à travers le pare-brise :

– Ça fait trois jours que l'autopsie est commencée et vous me sortez ça maintenant !

– Clemente a procédé par ordre. Il a passé au moins une journée sur une partie de l'abdomen et…

– Ok, Ok… Quoi d'autre ?

– Une autre série devait orner le flanc gauche, au niveau de la hanche, mais la chair est labourée à cet endroit et…

– Pourquoi « orner » ?

– Je dis ça comme ça. Le corps donne plutôt l'impression, comment dire, d'avoir subi des éruptions, des sortes de poussées d'acné dont les boutons seraient des clous…

Dans d'autres circonstances, Erwan aurait été pris de dégoût mais une chose le frappait : c'était presque, mot pour mot, les termes que Morvan utilisait pour décrire les victimes de l'Homme-Clou, le tueur du Zaïre.

– Et ce n'est pas fini. On a bossé toute la matinée sur la position du corps en étudiant la manière dont les os des articulations étaient brisés…

– Et alors ?

– C'est pas certain à cent pour cent mais on pense que le cadavre, avant l'explosion, était replié, un peu comme une momie inca. On vous a envoyé plusieurs mails. Des schémas.

– Attendez.

Erwan mit ses warnings et s'arrêta sur la bande d'arrêt d'urgence. Il coupa le contact et ouvrit son ordinateur. Il ne mit que quelques instants pour accéder à sa boîte aux lettres. Parmi la cascade de mails, il alla droit à celui de Clemente. « Documents joints ». Encore quelques secondes à patienter, sur fond de vrombissement des bagnoles. Tic-tac-tic-tac... Il sentait les déclics pulser au fond de son estomac mais le vrai crochet à la mâchoire vint avec les images.

Le corps était assis, jambes repliées sous le menton, bras enserrant les genoux, nuque penchée et visage levé. Le dessin semblait représenter un *nkondi*, une des statuettes africaines collectionnées par son père. En fait, il évoquait plus encore les victimes de l'Homme-Clou – Erwan enfant avait pu en apercevoir quelques photos. Le visage meurtri, les grappes de clous, la position foetale, tout y était.

– Vous êtes là ?

– Je suis en train de regarder vos images.

– C'est complètement dingue. On pense qu'il lui a enfoncé au moins plusieurs dizaines de clous, de son vivant, dans chaque zone et l'a placé dans cette posture après sa mort. Ça vous parle ?

Quand Erwan était gamin, son père lui avait souvent raconté son enquête – sa « chasse au fauve ». Comment le tueur, un jeune ingénieur d'origine belge, perçait ses victimes de centaines de clous, reproduisant les sculptures sacrées de l'ethnie yombé du Bas-Congo. Comment, dans sa folie, il croyait se protéger des esprits malfaisants en transformant ces femmes en fétiches. Comment, après des mois d'investigation, Morvan avait fini par l'identifier et l'avait traqué jusqu'au cœur de la brousse, le long des pistes défrichées des scieries.

– Je vous rappelle, dit-il brutalement avant de raccrocher.

Il ouvrit sa portière et vomit son café d'un trait. Durant plusieurs secondes, les salves acides lui coupèrent le souffle. Bientôt, il n'eut plus rien à dégueuler mais resta ainsi, observant sa propre bile sur l'asphalte, les jambes flageolantes, le sang lui battant les tempes.

Depuis le départ, il avait tout faux.

Comment un tueur arrêté en 1971 pouvait-il ressurgir aujourd'hui ? En admettant qu'il soit encore vivant, avait-il été libéré ? Dans ce cas, il devait avoir plus de soixante ans. Pourquoi se jeter sur la première victime venue ? Et pourquoi dans la lande bretonne ? Quel était le lien avec la K76 ?

Di Greco ?

En une seconde, Erwan recomposa les éléments. Un imitateur connaissait l'affaire dans ses moindres détails et suivait le modus operandi du meurtrier. Seul problème : en France, personne, ou presque, n'avait entendu parler de cette histoire vieille de quarante ans qui s'était déroulée à sept mille kilomètres de là.

Autre scénario possible : son père s'était trompé, il n'avait pas arrêté le vrai coupable au Zaïre. Pour une raison inconnue, l'Homme-Clou reprenait du service aujourd'hui. Un volcan mal éteint s'était réveillé de la façon la plus brutale.

Quelle que soit l'option choisie, la possible culpabilité de di Greco regagnait des points. Marqué par le tueur – le futur amiral était au Zaïre quand l'Homme-Clou sévissait –, il avait voulu avant de mourir renouer avec ce sinistre héritage. Autre hypothèse, encore plus démente : di Greco avait toujours été le tueur du Katanga, épargné par Morvan, volontairement ou non. Au crépuscule de sa vie, il était revenu à ses premières amours.

Il y avait une autre option, plus plausible : informé par Verny des détails de l'enquête, l'amiral avait discerné la main de l'Homme-Clou dans le meurtre de Wissa Sawiris, ou bien encore il avait vu quelque chose ce soir-là, sur la lande. Avec son mot, il avait simplement voulu adresser un message aux enquêteurs – Lontano, Erwan le réalisait maintenant, était la ville où l'assassin avait frappé. À qui au juste était destiné ce message ? À Morvan bien sûr. Le seul à connaître de bout en bout l'affaire. Avant de tirer sa révérence, l'officier avait voulu l'avertir.

Pour l'heure, c'était Erwan qui allait devoir reprendre l'enquête de zéro. Remonter l'histoire du criminel du Katanga. Retrouver sa carcasse vivante ou sa sépulture. Décrypter sa folie et son éventuelle influence sur d'autres esprits.

Il attrapa la bouteille d'eau qu'il avait achetée pour avaler ses médocs et se rinça la bouche. Il démarra en trombe, laissant de la gomme sur le bitume. Très vite, il atteignit sa vitesse de croisière – deux cents kilomètres-heure. Dans trois quarts d'heure, il serait à Paris.

Son téléphone portable était fermé, ainsi que son ordinateur et ses vitres. Personne ne pouvait le contacter. Personne ne savait où il était. Cette idée le rassurait. Il était parfaitement seul pour réfléchir mais justement, il ne *devait* pas réfléchir. Il devait rejeter toute question, toute spéculation jusqu'à Paris et sa confrontation avec son père.

II
TU
RETOURNERAS
À LA POUSSIÈRE

55

L E BAROUF ÉTAIT À SON COMBLE.
Les quais étaient fermés. Tous les flics et véhicules séri-
graphiés du 36 semblaient être de sortie. Une ambulance,
des camions de pompiers embouteillaient la rive gauche, du pont
Neuf au pont Saint-Michel. L'ensemble était ficelé comme un
paquet-cadeau avec du ruban de balisage : « Ne pas franchir. »

Son chauffeur l'arrêta au milieu du quai des Grands-Augustins.
Tout se passait en contrebas, au plus près du fleuve. En descendant l'escalier vers la Seine, Morvan remarqua la plénitude de
l'air, la douceur du soleil, en total désaccord avec l'atmosphère
de panique qui régnait côté terre. La pierre brillait comme de
l'argent. Tout était chaud, scintillant, léger. Ne manquaient que
les baigneuses aux pieds nus, les pêcheurs, les joueurs de guitare,
les promeneurs à l'ombre des boîtes en fer peintes en vert des
bouquinistes, plus haut...

Jean-Pierre Fitoussi, le commissaire divisionnaire, l'accueillit en
bas des marches. Livide, engoncé dans son costume noir, il se
planquait derrière ses lunettes sombres de pilote d'hélicoptère.

– Juste en face de chez nous, grommela-t-il en ouvrant la
marche. L'enfoiré a fait fort.

Morvan le suivit sans un mot. Dépassant la flicaille d'une tête,
il pouvait déjà observer la scène. Le corps se trouvait approxima-

tivement sous le 35, quai des Grands-Augustins. Quasiment dans l'axe de l'entrée du 36, quai des Orfèvres, de l'autre côté de la Seine.

Malgré ses ordres, les pompiers étaient déjà en train d'extraire la dépouille de sa niche. Anne Simoni n'était pas seulement écorchée ou mutilée : ligotée en position accroupie, elle était transpercée par des centaines de clous, des fragments de miroir enfoncés dans les globes oculaires.

D'un coup, il comprit la signification du message de di Greco : la bête était de retour. Le cauchemar qui les avait possédés au Zaïre surgissait de nouveau. Comment était-ce possible ? Et comment l'amiral était-il au courant ? Morvan ressentit un nouvel impact, à la manière d'un direct décoché de nulle part. Erwan avait parlé de pointes de fer, d'ablation d'organes, de vestiges organiques cachés au fond des chairs… Comment n'avait-il pas fait le rapprochement ? Effet de l'âge : obnubilé par la disparition de Gaëlle, il avait perdu sa capacité d'analyse.

Les pompiers descendirent le corps avec d'extrêmes précautions. Autour d'eux, les techniciens de l'IJ – ceux qu'il surnommait les « Cotons-tiges » –, hissés sur des escabeaux, photographiaient chaque détail. Les miroirs dans les orbites lançaient des clins d'œil éblouissants à l'attention du 36.

Il y eut un mouvement d'effroi. Le public était pourtant constitué uniquement de pros, de flics expérimentés, de spécialistes qui en avaient vu d'autres, mais la morte appartenait à une autre dimension. Des clous lui hérissaient le crâne à moitié rasé. D'autres bourgeonnaient sur la nuque, l'épaule droite, le flanc gauche. Ces proliférations évoquaient une atroce maladie. Les poignets étaient ligotés avec de la vieille corde, enserrant aussi les jambes repliées sous le menton. L'ensemble de la dépouille formait un bloc d'horreur compressé.

– T'as déjà vu un truc pareil ? lui demanda Fitoussi.

Morvan ne répondit pas.

Dans l'assistance, il était le seul qui ait *déjà* vu ça.

La victime fut déposée sur une civière surélevée. Morvan avait envie de pleurer : à travers les mutilations, sous le sinistre retour de ses années les plus sombres, il disait adieu à cette môme décharnée. Ce n'était pas sa fille – personne ne prendrait jamais la place de sa fille –, mais elle était une de ces tristes demoiselles des faux départs et des rendez-vous manqués. Celles pour qui il aurait donné sa vie.

Déjà, comme quarante ans auparavant au Zaïre, un remords le taraudait. Il n'avait pas réussi à la sauver. Il n'avait pas prévu le carnage – et il n'avait pas été capable de lui éviter ces heures de souffrances inimaginables, cette mort obscène, exposée aux yeux de tous.

Soudain, alors que les pompiers l'allongeaient, ses deux jambes glissèrent sous ses bras ligotés et se déplièrent selon des angles inversés. Murmure horrifié dans l'assistance. Le pantin désarticulé venait de révéler son secret : son ventre n'était qu'un trou béant, délimité par les côtes qui sortaient des chairs comme des serres. Pas besoin d'être chirurgien pour deviner que plusieurs organes avaient été prélevés : estomac, foie, ovaires...

Sans doute aussi les reins... Morvan connaissait les règles. Il ne les avait jamais oubliées. Pour faciliter la circulation des réseaux d'énergie activés par les centaines de clous, il fallait « purifier » le corps-fétiche. Il savait aussi que cette cavité contenait sans doute des mèches de cheveux, des rognures d'ongles – selon la tradition africaine, des échantillons de la personne à protéger ou à envoûter. Dans le cas présent, des fragments de la prochaine victime. C'était un des traits de l'Homme-Clou : il transformait un rituel sacré en sinistre rébus.

Une troisième victime était donc à redouter.

– Je peux pas regarder ça.

Fitoussi tourna les talons au moment où les pompiers, aidés par les techniciens scientifiques, en équilibre sur leur Fenwick et leurs escabeaux, regroupaient maladroitement les membres de la victime. Enfin, les gars de l'IJ ouvrirent une bâche au-dessus des manœuvres. D'un coup, le grand-guignol baissa son rideau.

Tous parurent soulagés. Pas Morvan : il voyait plus loin, plus haut. Il voyait le tableau qui se dessinait derrière la scène de crime. Il voyait son passé le plus enfoui s'exhumer. Ses années de formation – qui avaient été aussi les pires de son âge adulte – revenir en fanfare.

– Sergent m'a dit que t'avais identifié la victime.

Fitoussi était déjà revenu, avec son allure de croque-mort dégoûté, mains dans les poches et bidon en avant.

– Elle s'appelait Anne Simoni. Elle avait vingt-six ans. Elle travaillait aux cartes grises.

– Comment tu l'as identifiée ?

– Par ses tatouages.

Fitoussi, qui craignait et détestait à la fois Morvan, joua des sourcils :

– Tu la connaissais d'où ?

Le préfet chaussa ses lunettes noires. Rien à voir avec les Ray-Ban du divisionnaire, des Emporio Armani qui lui rappelaient Bréhat et ses virées solitaires en voilier. Il se dit pourtant qu'en cet instant, ils ressemblaient tous les deux aux Blues Brothers.

– Je l'ai sortie du merdier pendant sa conditionnelle. Je lui ai trouvé un logement et un boulot à la préfecture.

– Je vois.

– Tu vois rien du tout et je te conseille de te tenir à l'écart de ce coup.

Fitoussi rougit comme s'il venait de se prendre une gifle.

– Qu'est-ce que c'est que ce ton ? fit-il en retirant ses lunettes d'un geste ulcéré.

– Celui qui convient à la situation. T'as pas compris ce qui se passe ?

– On a un cadavre sur les bras, on…

– Non. On a un tueur en série comme Paris n'en a encore jamais connu. Un salopard qui va aligner les victimes comme des bières sur ta table basse un soir de match.

– Qu'est-ce qui te fait croire un truc pareil ?

Morvan lança un regard aux hommes qui fermaient la housse mortuaire.

– J'ai connu une affaire similaire.

– Quand ? Où ?

– Laisse tomber.

– Je vais saisir Erwan pour l'enquête préliminaire. C'est déjà ok avec le proc.

– Pas question.

Fitoussi fit un pas vers lui. Grégoire avait beau avoir le bras long, il n'était pas sur son territoire. Un divisionnaire décide des assignations dans sa brigade.

– Le 36, c'est chez moi, Morvan. Tu l'as déjà expédié je ne sais où sans mon autorisation. La fête est finie. Retour maison. Ton fils va nous régler ça aux petits oignons. (Il lui fit un clin d'œil.) Surtout si tu lui files quelques tuyaux.

– C'est pas une bonne idée, grogna-t-il. C'est...

Son portable vibra dans sa poche. Il l'extirpa et regarda le nom du correspondant. *Quand on parle du loup...* Il avait envoyé un message d'urgence à Erwan, lui donnant rendez-vous sur place. Le SMS disait simplement : « Je suis là. »

Levant les yeux, il l'aperçut qui jouait des coudes parmi les plantons.

56

CHEZ LES FLICS, c'est comme dans les médias. On croit tenir un scoop et on est coiffé au poteau par un autre, plus frais, plus fort. Erwan revenait avec sa révélation stupéfiante : l'Homme-Clou était de retour ! Mais « son » cadavre datait déjà de cinq jours et Morvan l'attendait quai des Grands-Augustins avec une confirmation spectaculaire : une nouvelle victime.

En accédant à la berge, Erwan avait posé quelques questions aux flics qu'il connaissait. Le peu qu'il en avait tiré l'avait sidéré. Il avait à peine intégré la situation que son père se dressait devant lui. Les paroles de retrouvailles furent réduites au minimum – c'est-à-dire à rien. Morvan ne fit même aucun commentaire sur l'état de son visage.

– Suis-moi, ordonna-t-il.

– Je veux voir le corps.

– Il est déjà emballé. Tu le verras à l'IML.

Ils dépassèrent l'attroupement et s'engagèrent en direction du pont Saint-Michel puis continuèrent vers Notre-Dame. Le quai était désert, des flics en interdisaient l'accès. En revanche, au-dessus d'eux, les badauds s'agglutinaient pour tenter de voir ce qui se passait. Leurs voix formaient une rumeur lointaine, chargée d'inquiétude.

Erwan résuma les nouvelles du jour – la reconstitution du corps et sa position de momie, les débris identifiés comme des clous. Cette fois, il parla aussi de la mèche de cheveux et des débris d'ongle. Son père lui confirma que d'après ce qu'il avait pu voir, les mutilations de la nouvelle victime correspondaient au mode opératoire du tueur zaïrois. Mais il ajouta aussitôt :

– Ça peut pas être lui.

– Pourquoi ?

– Parce que Thierry Pharabot est mort y a trois ans dans un centre spécialisé, une unité pour malades difficiles. L'institut Charcot.

Bizarrement, ce nom disait quelque chose à Erwan.

– C'est où ?

– En Bretagne.

– Où exactement ?

– Dans le Finistère. À quarante bornes de Kaerverec.

– Et c'est maintenant que tu le dis ?

– Déconne pas. Je te dis que Pharabot est mort et incinéré.

Erwan se souvint : Verny avait fait le tour des prisons et des asiles psychiatriques de la région, l'institut Charcot était sur sa liste – rien à signaler.

– Il a pu influencer un compagnon de cellule, imagina-t-il à chaud. Un gars qui est sorti depuis et...

– Non. Il était placé en isolement. J'ai toujours gardé un œil sur lui.

– Wissa Sawiris a été tué à quelques kilomètres, ça ne peut être un hasard !

– Ça serait trop simple.

Erwan balança un regard furieux à son père qui marchait en observant, de l'autre côté du fleuve, les grappes de lierre du square Jean-XXIII qui s'alanguissaient le long des contreforts de l'île de la Cité.

– Qu'est-ce que tu veux dire ?

– Si quelqu'un imite aujourd'hui l'Homme-Clou, ce n'est pas par folie meurtrière. Du moins pas seulement. Ces meurtres entrent dans le cadre d'un complot plus vaste.

– Putain, arrête avec tes conspirations !

Morvan s'immobilisa. Il ne cessait de tripoter les branches de ses lunettes noires, un geste de nervosité qui ne lui ressemblait pas.

– Je dois te dire d'abord quelque chose, mon grand.

Erwan redoutait le pire : son père ne l'avait pas appelé ainsi depuis vingt-cinq ans.

– La bague que t'as trouvée à Sirling est la mienne.

Il avait oublié ce détail et voilà que l'indice ressurgissait avec force.

– Enfin, nuança Grégoire, je suppose que c'est la mienne. Je l'ai perdue y a trois semaines.

– Tu l'as perdue ou on te l'a volée ?

– J'en sais rien. Mais si on me l'a piquée, c'était pour la poser à côté du cadavre.

– Pour t'impliquer ?

– Y a pas d'autre explication.

– Donc un type surgi de nulle part imite l'Homme-Clou, un tueur que tu as arrêté il y a quarante ans, et essaie de te faire porter le chapeau. C'est ça ton idée ?

– D'autres faits sont survenus. Des embrouilles qui me touchent à chaque fois, directement ou indirectement.

– Comme ?

Reprenant sa marche sur les pavés, Morvan se lança dans une explication confuse à propos d'un soupçon d'OPA visant le groupe minier dans lequel il possédait des parts. Erwan décrocha – dès qu'on lui parlait finance, ses facultés d'analyse se fermaient.

– Cette OPA existe ou non ? demanda-t-il pour couper court.

– Je ne sais pas encore mais dans le milieu de la Bourse, les rumeurs suffisent pour foutre le bordel.

– En quoi ce buzz pourrait t'atteindre ?

– Trop long à t'expliquer. Y a aussi les menaces reçues par ton frère.

Le Vieux se mit à lui raconter une histoire improbable de langue de bœuf arrivée par la poste. Erwan n'avait laissé sa famille que deux jours et voilà le résultat.

– J'ai d'abord cru que c'étaient des réfugiés de la RDC qui nous mettaient la pression mais ça n'a pas l'air d'être eux, poursuivit le Centaure.

– Qui donc alors ?

– Je vais le savoir bientôt.

Ce n'étaient plus des soupçons, c'était l'auberge espagnole. Il n'y avait aucune raison de fourrer toutes ces galères dans le même sac. Erwan reconnaissait plutôt le délire de persécution de son père qui aimait citer la phrase célèbre d'Andrew Grove, le P-DG d'Intel : « Seuls les paranoïaques survivent. »

Ils croisaient des péniches amarrées qui semblaient elles aussi verrouillées. Un des chalands faisait restaurant mais avait remballé menu, chaises et clients. Des Zodiac surpuissants de la Brigade fluviale sillonnaient les eaux vertes de la Seine. C'était la plus longue scène de crime de l'histoire de la BC.

Sous le pont au Double, le quai s'amenuisait. L'ombre les enveloppa. Erwan frissonna. L'odeur de moisi altéra sa respiration tandis que le froid lui couvrait les épaules.

– Qui pourrait t'en vouloir à ce point ?

Il avait posé la question sur un ton ironique.

– Le casting est large, fit Morvan sans sourire (sa voix grave résonnait sous la voûte). Inutile de chercher des noms pour l'instant. L'urgence, c'est de retrouver Gaëlle.

Erwan fut surpris par cet enchaînement inattendu puis il comprit où le Vieux voulait en venir :

– Tu crois que sa disparition est liée à tout ça ?

– J'en sais rien. Retrouve-la.

Il refusait de s'angoisser au sujet de sa sœur. Trop souvent il avait couru Paris, sirène hurlante, le cœur dans la gorge, pour simplement la cueillir à moitié bourrée, dans une after avec des « gens bien placés ».

Surtout, il n'avait pas encore son compte d'infos sur l'Homme-Clou.

– Revenons aux meurtres, fit-il d'un ton de juge d'instruction. À ton avis, le tueur respecte exactement le rituel de Pharabot ?

– Trop tôt pour le dire. Le cadavre de ton pilote est en capilotade. Il faut attendre l'autopsie de la petite. Pour l'instant, l'utilisation des clous, le crâne rasé, l'ablation des organes correspondent. Seul le viol anal ne colle pas.

– Le Belge ne violait pas ses victimes ?

– Pas question de ça. Je t'ai raconté l'histoire. C'était un *nganga*, un guérisseur. Ses meurtres avaient une valeur sacrée.

– Qui est au courant de cette affaire ?

– Personne, justement.

– À part tous ceux qui ont participé au procès, je suppose.

– C'était à Lubumbashi, au Katanga, et ça remonte à plus de trente ans.

Ils retournèrent à la lumière. Tout en marchant, Erwan réfléchissait à la meilleure question à poser. Il en avait tant que c'était comme tirer des noms d'un chapeau.

– Et les victimes ? se décida-t-il. Elles n'ont aucun lien avec toi ?

Morvan se frotta le visage. Il avait la peau si sèche qu'il pelait régulièrement. Enfant, Erwan était fasciné par ces lambeaux que son père décollait avec lenteur, en regardant la télévision, à la manière d'un serpent qui se débarrasse de ses écailles.

– Le pilote, jamais entendu parler. La fille des quais, je la connaissais.

– Tu me l'as déjà dit : une nana des cartes grises et...

– Je la connaissais mieux que ça.

– Tu veux dire... ?

– Non. Je mange pas de ce pain-là.

Tu m'étonnes. Son père lui avait toujours fait l'effet d'un titan asexué. À se demander comment il avait réussi à procréer.

– Une gamine qui sortait de taule. Je l'ai aidée dans le cadre d'un programme. Je la soutenais, je la conseillais... Je... enfin, j'étais très attaché à elle.

Avec un soupçon de perversité, Erwan contempla ce spectacle inhabituel : le Vieux rougissant en évoquant des sentiments intimes.

– On l'aurait tuée pour t'impliquer ?

– Ou simplement me faire du mal.

Ils avançaient toujours sur les pavés argentés. Le périmètre sécurisé s'achevait. Les touristes ici n'étaient pas encore au courant de la sinistre trouvaille. L'insouciance planait comme une vapeur mordorée au-dessus de la foule. Retour au fleuve souverain, aux berges ensoleillées et aux glaces Berthillon.

Erwan choisit une nouvelle question au hasard :

– Pourquoi l'Homme-Clou prélevait-il des organes ?

– Je te l'ai dit, il luttait contre les sorciers. Il se croyait lui-même menacé par un tas de sortilèges. Il s'est mis à transformer ces femmes en *minkondi*. D'ordinaire, les statuettes sont taillées dans du bois. Chacune d'elles abrite un esprit, une charge magique. Quand on veut l'activer, on y plante un clou ou un tesson.

– C'est ce que faisait Pharabot ?

– À une cadence délirante. En une nuit, il activait son fétiche humain avec des centaines de clous pour élever ainsi une barrière invisible entre lui et ses ennemis.

– Ça me dit pas pourquoi il prélevait des organes.

– Il pensait que ça facilitait la libération des énergies à l'intérieur du corps. Si le nouveau tueur suit à la lettre le rituel de Pharabot, il a dû aussi faire boire à ses victimes une mixture pour les faire vomir. Avant le sacrifice, l'organisme doit être… détoxifié. Tout ça est assez difficile à comprendre. Surtout à sept mille kilomètres du Congo.

– Il plaçait aussi des échantillons de sa prochaine victime dans l'abdomen du cadavre ?

– Toujours. Une sorte de jeu de piste. Il s'amusait avec nous, tu comprends ? Je parierais ma chemise que le cadavre d'Anne contient aussi des cheveux et des ongles étrangers. Le cycle a commencé. Il ne cessera qu'avec l'arrestation du cinglé.

Erwan frissonna encore. Une autre question :

– Di Greco était avec toi au Zaïre. Y a-t-il une chance pour qu'il se soit pris pour l'Homme-Clou quarante ans plus tard ?

– Aucune. Il était givré mais pas à ce point-là. D'ailleurs, on peut estimer qu'il était déjà mort quand Anne s'est fait tuer.

Un point pour le bon sens paternel.

– Et le mot « Lontano » ?

– L'explication la plus simple est qu'il avait compris ce qui se passait. Il a voulu nous prévenir, toi et moi.

Aussi étrange que cela puisse paraître, Erwan n'avait jamais entendu ces trois syllabes avant le message de di Greco. La ville où l'Homme-Clou avait sévi était une sorte de lieu mythique, sans nom ni localisation.

Cette idée en appela une autre :

– Tu m'as toujours dit que j'étais né à Kisangani. C'est ce qui est inscrit sur mon passeport.

– C'est une décision qu'on a prise avec ta mère. Lontano, c'était un mauvais souvenir pour tout le monde.

Ils parvenaient à un nouvel escalier. Sur leur gauche, l'île Saint-Louis se découpait comme un gigantesque paquebot, étrave en avant. Peupliers et platanes jouaient le rôle des passagers.

– Rentrons. Fitoussi te saisit de l'enquête.

– Quoi ?

– C'est dans l'ordre des choses. T'as travaillé sur le premier meurtre.

– Personne ne sait que les deux affaires sont liées.

– Ça va pas tarder et c'est pas la question. T'es le meilleur pour ce coup. T'as toujours été le plus doué pour retrouver la bite du curé dans le cul du bedeau.

– Très élégant.

– Si tu voulais boire le thé à cinq heures, fallait faire diplomate. Un conseil : oublie toutes ces vieilles histoires pour l'instant. Concentre-toi sur les éléments concrets. Cherche des témoins, des indices tangibles. Il faut piger comment on a pu placer un cadavre à cet endroit sans se faire remarquer. (Morvan empoigna la rampe de pierre et se retourna.) Mais avant tout, retrouve ta sœur !

57

– J'AI TES RENSEIGNEMENTS.
La voix d'Arnaud Condamine : le broker avait donc pris
au sérieux ses soupçons.

– Il semblerait qu'un mouvement se prépare.

– Une OPA ?

– Pas nécessairement mais des positions changent. Des traders
ont acheté des paquets de Coltano, d'où la hausse actuelle.

– Combien ?

– On m'a parlé de plusieurs dizaines de milliers.

L'ampleur des acquisitions traduisait une vraie volonté de modifier le paysage au sein de l'entreprise. Sans doute même d'en
prendre le contrôle.

– Qui achète ?

– Je peux pas te donner de noms. Mon tuyau vaut déjà beaucoup.

Loïc fit comme s'il n'avait pas entendu :

– Qui donne les ordres ?

Condamine à son tour éluda la question – un vrai dialogue de
sourds :

– Tu m'as demandé de me renseigner, voilà le topo. Je compte
sur toi pour me renvoyer l'ascenseur. Quand tu sauras ce qui se
passe chez toi, donne-moi une longueur d'avance.

Le financier raccrocha. Loïc garda un moment le combiné à l'oreille, sans réagir. Il considéra son bureau en demi-cercle : sa « cabine de pilotage ». À cet instant, il avait l'impression d'être dans celle du *Titanic* – l'iceberg était en vue et il était déjà trop tard pour dévier le cap...

D'où venait la menace ? Pour l'heure, personne n'était sorti du bois mais on visait une prise de contrôle forte – les 30 % de minorité de blocage par exemple. Une domination qui permettrait aux acquéreurs de dégager ceux qui ne leur plaisaient pas – à commencer par Grégoire Morvan.

Loïc repensait aux paroles du Vieux et à sa parano légendaire. Pour une fois, peut-être avait-il raison. On était en train de tuer le père, de virer le fondateur historique de Coltano.

Mais à qui pouvait profiter ce grand ménage ?

En tête de liste, les Africains eux-mêmes. Les membres de la cour personnelle du président Kabila et actionnaires majoritaires de Coltano, en charge du bon fonctionnement de l'extraction minière, cette gigantesque pompe à fric qui ne bénéficiait qu'à quelques-uns. Avaient-ils intérêt à dégager Morvan ? En termes économiques et logistiques, non. Mais comme disait souvent son père, « l'Africain est versatile ».

Il y avait aussi Heemecht, le groupe luxembourgeois qui possédait 18 % des actions dont Loïc n'avait jamais réussi à identifier les actionnaires ni leurs intentions. Sans compter les autres candidats. Les prédateurs extérieurs qui s'intéressaient à l'Afrique et ses matières premières, Chinois en tête, qui raflaient là-bas tout ce qu'ils pouvaient. Ou les Américains dont l'activité technologique impliquait une forte consommation de coltan, ou encore d'autres pays européens, ou même la Corée ou le Japon...

Mais quels que soient les acheteurs, il fallait qu'il y ait eu un déclic, provoqué par un élément nouveau. Une fuite à propos des futurs gisements ? Personne, hormis son père et lui – ainsi que les géologues qui avaient travaillé sur le terrain –, n'était au courant des résultats mirifiques des prospections. Sans doute Nseko était-il aussi dans le secret : avait-il parlé avant de mourir ?

Morvan était sûr que non. Quant aux rumeurs sur place, elles étaient peu crédibles : même si son père avait déjà dû démarrer l'exploitation clandestine des filons, tout se passait au fond de la brousse, dans une zone de conflits où personne ne voulait foutre les pieds.

À titre de sonde, Loïc envoya un mail, le plus insignifiant possible, aux trois experts qui avaient mené les prospections. Il ne les connaissait pas directement mais son père lui avait assuré qu'ils étaient de confiance. Leurs rapports avaient-ils été piratés ? Impossible : le Vieux se méfiait au point d'interdire la moindre communication satellite, le moindre support informatique. Les géologues avaient dû rédiger leur bilan à la main. Loïc en avait une version dans le coffre de son appartement.

Revenons aux acheteurs. Le terrain où il était le plus à son aise. Il établit une liste de plusieurs brokers qui avaient le profil pour organiser une telle opération et en retint cinq sérieux. Il ajouta aussi quelques traders qui avaient les épaules pour acheter à ce niveau. Pas question de leur téléphoner. Il fallait les rencontrer, les faire parler, que tout ça ait l'air spontané. 16 h 30. Autant s'y mettre tout de suite.

Il pouvait choper les gars dans leurs agences de courtage ou dans les bars qu'ils affectionnaient après le boulot, avant d'essayer les restos chics et les boîtes à la mode où ils claquaient leurs bonus. Il avait la soirée et la nuit pour recueillir des infos.

Une ligne pour la route et *vamos*. Aucun effet. On réglerait ça plus tard.

Dans le parking, il brandit sa télécommande et déverrouilla son Aston Martin. Il en éprouva un frisson dont personne ne pouvait comprendre l'exacte nature. Il ne jouissait pas de posséder cette voiture, il savourait au contraire la vanité. Il achetait les biens les plus précieux uniquement pour en désamorcer le désir, en tuer l'illusion. Il jouait avec le samsara en attendant de s'en extraire…

Il démarra et décida de commencer par une des plus grandes agences de Paris, rue de la Paix. En route, une autre galère lui revint à l'esprit. Sofia, qui avait marqué un point décisif dans leur guerre pour la garde des enfants. À l'idée de ne plus les voir qu'un week-end sur deux, il sentit craquer quelque chose en lui, avec la dureté d'un os qu'on brise.

Une fois dans le parking de la place Vendôme, il estima qu'une nouvelle ligne lui ferait du bien. À l'abri du troisième sous-sol, entre deux bagnoles, il sniffa avec optimisme. Toujours rien. Cette putain de came ne lui procurait plus la moindre sensation. Peut-être un pas vers le détachement absolu ? La libération dont rêvent tous les bouddhistes ? Il était simplement en train de confondre le nirvana avec la léthargie d'un looser suicidaire.

Dans l'ascenseur, un autre souvenir l'électrisa : la langue de bœuf dans son papier journal. Les Africains reviendraient-ils à la charge ? Son père lui avait promis des nouvelles dans la journée. Il se dit que si son frère avait reçu la même menace, il l'aurait oubliée en quelques heures. Lui ne pensait qu'à ça. Il sourit en se regardant dans le miroir de la cabine, livide et secoué de tics. Il pouvait toujours compter sur la trouille pour se sentir vivant.

Il se retrouva à l'air libre, place Vendôme, et se concocta une petite prescription personnelle. Si la coke ne lui faisait plus d'effet, il se remettrait à l'héroïne. Si le brown ne donnait rien, il... *Arrête tes conneries.*

Il franchit le seuil de l'agence en sentant la sueur lui plaquer sa chemise sur le dos. *Concentration, Loïc, concentration...*

58

17 HEURES. Erwan retrouva avec plaisir son étage Quai des Orfèvres. Son vrai domicile, c'était ici. Après la grande scène du deux avec son père, il était passé chez lui prendre une douche rapide. Nouvelles fringues, idées plus claires – il avait déjà intégré le fait qu'il n'allait ni souffler ni se reposer avant longtemps.

Première étape : passage obligé chez Fitoussi. D'ordinaire, le taulier suivait de loin les enquêtes mais cette fois, la violence du meurtre d'Anne Simoni et sa mise en scène provocante faisaient de l'affaire une priorité. Ce n'était pas tous les jours qu'on découvrait un cadavre sous ses fenêtres. Fitoussi était tellement à cran qu'il ne parut même pas remarquer les blessures d'Erwan.

Ce dernier subit le discours creux et attendu du divisionnaire – urgence, discrétion, résultats, médias... – en hochant la tête et en regardant sa montre. Il ne chercha même pas à évoquer les liens présumés entre l'affaire des Grands-Augustins et celle de Kaerverec. À lui de faire bouillir sa marmite.

Fitoussi conclut sur son père : le Vieux lui avait signalé les similitudes avec l'histoire de l'Homme-Clou. Erwan se demanda si le commissaire n'espérait pas que Grégoire le piloterait en sous-main. Non. À l'heure actuelle, il était un meilleur enquêteur criminel que son père, ranci par le pouvoir et les magouilles occultes. Et on n'attrapait pas les criminels avec des souvenirs de quarante ans.

Cinq minutes plus tard, Erwan était dans la salle de réunion de la BC où il avait convoqué son groupe. Ils étaient tous là et déjà au courant. Avant d'attaquer, il prit quelques secondes pour les observer – hormis Kripo, il ne les avait pas vus depuis la mi-août.

Sans parler de « dream team », son équipe était la plus efficace de l'étage – l'année précédente, ils avaient atteint un taux d'élucidation de 92 %, un record au 36. Erwan avait parfois l'esprit puéril : il comparait ses gars aux compagnons de Robin des Bois.

Dans le rôle de Petit Jean, le costaud joueur de bâton, Kevin Morley, le troisième de groupe. Un mètre quatre-vingt-dix pour cent dix kilos. Un collier de barbe et une frange courte dessinaient autour de son visage une cagoule très Moyen Âge. En guise de bâton, Morley jouait du tonfa comme personne. Il avait fait ses armes dans les cités du 92 et sa dextérité avec son BPPL (bâton de police à poignée latérale) était devenue légendaire. À cette époque, tout le monde l'appelait Casse-tête mais ce surnom était tombé en désuétude quand il avait réussi son examen d'entrée à la PJ. Aujourd'hui, il était (presque) devenu un intellectuel. Il portait un costume noir, prenait des notes sur un carnet minuscule et ouvrait des yeux perplexes à chaque découverte. Malgré ça, personne n'avait oublié son passé de cogneur et il avait hérité à la BC d'un nouveau surnom : Tonfa.

Will l'Écarlate, le chien fou, c'était Nicolas Favini, quatrième de groupe. Un Marseillais de vingt-neuf ans qui avait intégré la Brigade criminelle grâce à des états de service exceptionnels. Un physique de petit frimeur gominé, tout droit sorti des calanques, portant des costumes satinés et des chaînes en or. Les autres, jaloux de ses conquêtes féminines, l'appelaient la Sardine, fine allusion à son côté huileux et ses origines méditerranéennes.

Dans le rôle d'Allan-a-Dale, le ménestrel de la bande, aucune hésitation : Kripo, le Joueur de luth, qu'Erwan avait retrouvé sur la berge des Grands-Augustins. L'éternel lieutenant affichait son flegme habituel et avait déjà promis de rédiger une synthèse de l'enquête bretonne à destination des autres collègues.

Quant à Marianne, la fiancée de Robin, pas le choix : Audrey, la cinquième de groupe, la seule femme de l'équipe. La trentaine, elle arborait un look grunge : baskets hors d'âge, jean élimé, veste de treillis kaki informe, gibecière en bandoulière – d'où on s'attendait à ce qu'elle sorte un lapin tué en forêt le matin même. Elle avait des traits fins mais effacés, des cheveux blonds si ternes qu'ils semblaient gris, un sourire mutin qui aurait pu être charmeur s'il n'avait été perdu dans une froideur de cadavre. Audrey Wienawski était, comme on dit, d'« extraction modeste » – fille de mineurs, née quelque part dans le Nord ou peut-être même plus haut, Pologne ou Pays baltes. Elle avait mené des études sommaires puis avait eu une période punk à chien, dormant dehors et refusant toute structure. Finalement, on ne sait comment, elle était devenue flic. Quand elle menait l'enquête, Audrey se révélait aussi dure et pugnace qu'un trépan de forage, tournant, vrillant, creusant jusqu'à briser l'imbrisable. Bien que macho à tendance misogyne, Erwan devait l'admettre, elle était son meilleur élément.

Sa revue de troupe n'avait duré que quelques secondes et il se rendit compte qu'ils attendaient ses consignes, assis autour de la table, café en main. Il les connaissait mal et n'avait jamais cherché à devenir leur ami, mais il partageait avec eux quelque chose de beaucoup plus précieux que l'amitié : le boulot. Ces flics n'avaient pas choisi la police par devoir civique ni peur du chômage. Ils ne gagnaient pas un rond et leur avenir se résumait à quelques grades à obtenir jusqu'à la retraite. Ils étaient là pour la prime d'adrénaline. Éprouver le terrible frisson du gouffre, des ténèbres, du Mal.

Malgré son humeur – échec de Kaerverec, nouveau cadavre, révélations obscures de son père –, il attaqua son briefing, comme d'habitude, par la même blague éculée :

– Des questions ?

59

LES PREMIÈRES CONSTATES du capitaine Sergent étaient arrivées (Fitoussi lui avait demandé d'intégrer la bleusaille dans son équipe mais pour l'instant, Erwan n'était pas chaud : un débutant dans un tel merdier ne pouvait que les ralentir). Après avoir rappelé les faits essentiels du rapport et les éléments qui venaient de tomber – l'identité de la victime avait été confirmée par ses empreintes digitales –, Erwan commença par évacuer une partie du boulot :

– Pour ce qui concerne la Seine, on délègue à la Brigade fluviale de Paris. Ils verront avec la capitainerie si une embarcation suspecte a été signalée cette nuit ou ce matin.

Plus question de se colleter des histoires de barques ou de Zodiac, comme à Kaerverec, mais il en avait la quasi-certitude : si le même homme avait fait le voyage à Sirling et déposé le corps quai des Grands-Augustins, alors c'était un marin, et même un excellent navigateur, aussi à l'aise en mer que sur un fleuve.

– Je vais leur demander de réfléchir à ce prodige qui consiste à amarrer un bateau en toute discrétion puis à hisser un corps dans une baie d'aération située à plus de trois mètres de hauteur, juste en face du quai des Orfèvres.

– Il a peut-être procédé à l'inverse, remarqua Audrey, bloc sur les genoux.

– C'est-à-dire ?

– Il a pu arriver par le haut du quai, côté bouquinistes, et descendre le cadavre par un système de cordée. Après tout, les gardiens du 36, en face, n'ont remarqué aucune embarcation.

Erwan éprouva un sentiment mitigé : irritation de ne pas avoir eu l'idée lui-même, admiration face à cette femme insignifiante qui était toujours la plus réactive.

– Impossible, fit-il en toute mauvaise foi. Trop de trafic : un conducteur l'aurait repéré.

– À quatre heures du matin ? Avec une camionnette et du bon matos ?

– Ou un déguisement de mec de la voirie ? (Erwan avait lancé sa vanne par provocation mais à ce stade, tout était possible.) Si tu sens cette piste, je te charge du porte-à-porte côté quai.

Audrey gribouilla quelques lignes.

– Tonfa, tu files à l'IML pour assister à l'autopsie. Qui est le légiste ?

Le géant feuilleta son carnet :

– Yves Riboise.

– Riboise, parfait. Demande-lui si notre client possède des connaissances chirurgicales. Il se pourrait qu'il ait embarqué des organes.

Les flics se regardèrent : personne n'avait entendu parler de ça. Erwan devait les affranchir au plus vite à propos de l'Homme-Clou et du meurtre de Kaerverec, mais il préférait pour l'instant s'en tenir au conseil de son père : se concentrer sur Anne Simoni, creuser les éléments matériels, laisser de côté les fantômes ainsi que le fiasco breton.

– Je veux un rapport détaillé sur les techniques utilisées.

Comparée au puzzle du corps de Wissa, la dépouille d'Anne Simoni offrait un solide support de travail. Avec un pincement à l'estomac, Erwan se rendit compte que ce fait lui procurait une satisfaction trouble.

– Demande aussi au toubib de vérifier si la cage thoracique ne contient pas des corps étrangers.

– Du genre ?

– Des ongles, des cheveux qui pourraient être ceux d'une victime à venir.

Nouveaux regards dans l'assistance. Impossible de retenir plus longtemps les informations bretonnes. Sans compter ses marques au visage qui nourrissaient le suspense depuis son arrivée. En quelques mots, il résuma son enquête dans le Finistère, glissa sur la bagarre et dressa un inventaire des sévices que le tueur faisait subir, a priori, à ses proies.

Kripo se risqua à demander :

– Qu'est-ce que tu espères si on découvre de nouveaux échantillons ?

– Que l'ADN soit fiché dans nos services, pour une raison ou une autre. Dans ce cas on pourra au mieux éviter le prochain meurtre, au pire rechercher le corps.

Lourd silence. Personne dans la salle ne souhaitait jouer à un tel cadavre exquis. Erwan enchaîna sur le modèle du tueur actuel : l'Homme-Clou du Zaïre. Nouveau discours, bref et concis.

– L'Homme-Clou, répéta la Sardine, c'est pas le gars que ton père a arrêté dans les années 70 ?

– Exactement.

– On aurait affaire à un copycat ? reprit Tonfa.

Erwan soupira – il détestait ces mots sortis des fictions télévisées, de préférence américaines.

– Ne partons sur aucune idée préconçue. Concentrons-nous sur les meurtres d'aujourd'hui. Ensuite seulement on les comparera avec le modèle.

Cette idée lui rappela le nouveau détail que lui avait révélé son père : jadis, le meurtrier « purifiait » ses victimes en les faisant vomir.

– Tonfa, demande aussi une anapath et des tests toxico. Je veux la totale.

– Il va me falloir les réquises.

– Tu les auras. Kripo, tu t'en occupes.

L'Alsacien acquiesça mais Erwan remarqua qu'il tirait la gueule sans doute vexé d'apprendre ces faits en même temps que les autres. En tant que procédurier et complice de la K76, il estimait avoir droit à la primeur de ces infos.

– Je file tout de suite, dit Tonfa en se levant.

– Attends. Tu iras voir ensuite nos amis de l'IJ. Clous, morceaux de verre, bouts de métal, tout doit être analysé. Ces trucs viennent bien de quelque part. Par ailleurs, demande-leur des prélèvements ADN sur les clous en priorité.

– Quel intérêt ? demanda la Sardine.

– Notre client les suce avant de les planter dans ses victimes.

Nouveau silence. Tous semblaient partager le même sentiment ambigu : affaire de leur vie ou cauchemar à rallonge ?

– Nico, reprit Erwan, est-ce que tu connaissais Anne Simoni ?

– Pourquoi je la connaîtrais ?

– Elle bossait à deux pas d'ici, aux cartes grises. C'est un de tes terrains de chasse, non ?

L'intéressé considéra les photos remontées des archives.

– Non, fit-il, pas mon style.

– Parce que t'as un style, maintenant ? demanda Audrey.

Ricanements dans la salle. Erwan frappa sur la table. Il détestait qu'on manque de respect aux morts – aux mortes en particulier. Par ailleurs, il haïssait les dragueurs ainsi que les vannes de cul, dont l'existence même, pensait-il, constituait une insulte à la gent féminine.

– Tu connais des filles là-bas ?

– Ça s'peut, murmura l'autre avec un sourire suffisant.

Erwan avait envie de claquer le Marseillais.

– Tu les retrouves et tu leur tires les vers du nez. Je veux un portrait détaillé d'Anne Simoni. Personnalité. Habitudes. Humeur des derniers jours. Elle avait des antécédents mais s'était racheté une conduite.

– Quel genre, les antécédents ? demanda Audrey.

– Sept ans à Fleury pour agression à main armée. Libérée au bout de trois. Depuis, elle n'avait plus de problèmes avec la justice.

La fliquette insista :

– On peut devenir fonctionnaire avec un casier ?

– Elle avait des appuis.

– Quels appuis ?

Erwan éluda la question et s'adressa à Favini :

– Tu me retrouves son dossier et tu vérifies ses anciens complices. Elle avait sans doute coupé les ponts avec eux mais on sait jamais. Renseigne-toi aussi sur ses nouveaux amis, sa famille, la came habituelle.

– Tu penses à quoi au juste ?

– Notre tueur peut émerger de cette galerie. Il peut aussi l'avoir rencontrée dans les endroits qu'elle fréquentait. Vérifie.

Le kakou notait tout sur un carnet en moleskine à bandeau élastique – soi-disant le modèle d'Hemingway, de Picasso, de Bruce Chatwin. Favini aimait les marques, les références.

Pendant ce temps Erwan ruminait les questions d'Audrey. Ils allaient rapidement croiser la route de son père. Personne ne voudrait croire qu'il ne couchait pas avec la victime. Au Vieux de se démerder. Il se demanda soudain si Kripo avait rédigé un PV à propos de la chevalière de Sirling.

– Dernière chose, conclut-il à l'attention du Marseillais, t'organises une perquise chez la petite pour demain matin.

– Ok.

– Mais tu vas y jeter un œil, ce soir, en douce.

– Pas très réglo.

– Depuis quand la police suit les règles ? On a pas une minute à perdre. (Il se tourna vers l'Alsacien.) Kripo, tu t'occupes des fadettes, de l'ordi, la gamme complète. Récupère aussi les bandes vidéo. Selon les premiers témoignages, elle a quitté son bureau hier soir, à 18´ heures. Elle n'est jamais arrivée chez elle, rue d'Avron, dans le 20ᵉ. Soit elle avait rendez-vous avec notre client, soit il l'a abordée et l'a persuadée de le suivre, soit il l'a arrachée d'une manière ou d'une autre. Tu la suis à la trace, sur les quais, dans le métro, avec les caméras.

Kripo hocha la tête avec scepticisme.

– Fouille aussi dans nos fichiers, on sait jamais.

– Je cherche quoi ?

– À ton avis ? « Clou », « miroir », « ablation d'organes », comme premiers mots-clés, ça sera un bon début. Le gars s'est peut-être déjà fait la main avant de sortir le grand jeu. Dernière chose, tu contactes le parquet et tu te démerdes avec eux. Pendant une semaine, je veux avoir les mains libres et aucun juge dans les pattes.

Le Troubadour acquiesça en se levant.

– Sur un coup pareil, intervint la Sardine, on va faire appel à un profileur ?

Depuis une dizaine d'années, le fort de Rosny, le QG des gendarmes, possédait un département de sciences du comportement réunissant une poignée de profileurs, en majorité des femmes. Erwan n'était pas contre mais pour l'instant, pas question d'agrandir l'équipe. Dans la police, plus on est de fous, moins on rit.

– On va se débrouiller seuls, dit-il sobrement.

Le profileur, c'est moi. Le profileur, c'est mon père. Le profileur, c'est l'Afrique...

– Au boulot ! conclut-il en frappant dans ses mains, très chef de chantier. Le point ce soir à 20 heures.

Les flics se dirigèrent vers la porte sans oser lui demander ce qu'il allait faire, lui.

60

ERWAN FONÇA PLACE BEAUVAU où son père lui avait laissé le dossier de recherche sur Gaëlle. Tout était consigné dans un ordinateur mais aussi sur des bouts de papier, que la DCRI affectionnait encore. Impossible d'effacer une mémoire informatique mais on pouvait toujours brûler ou avaler un blanc – au sens littéral du terme : salive et mastication.

En vitesse, il consulta les rapports. Les gars avaient travaillé comme des cochons. Après avoir étudié ses fadettes – Gaëlle n'avait plus utilisé son portable ni sa carte bleue depuis sa disparition –, ils s'étaient focalisés sur son entourage – amis, relations, compagnons de galère… En vain. Ils avaient aussi fouillé son appartement et constaté que la fugitive avait emporté portable et agenda – et sans doute du cash.

Mais il y avait un moyen tout simple de connaître ses projets et ses castings : appeler son agent, Barbara Soaz, patronne de Cinénova, rue Saint-Ambroise, dans le 11ᵉ arrondissement. Or personne ne l'avait contactée.

19 heures. Encore une chance de trouver quelqu'un là-bas, mais mieux valait y aller en personne. Sirène hurlante, Erwan reprit les quais. En route, il récapitula le programme de sa propre enquête une fois sa sœur retrouvée. L'Homme-Clou, l'Afrique,

son père : il n'avait pas l'intention d'éluder ces pistes, il se les réservait.

D'abord, vérifier que Thierry Pharabot était vraiment mort. Ensuite, se plonger dans son histoire, par l'intermédiaire du Padre mais aussi des minutes du procès qu'il devait se procurer. Quand les fantômes inspirent le présent, ils deviennent des pièces à conviction.

Les paroles du Vieux ne cessaient de tourner dans sa tête. Des aveux à la Morvan : indéchiffrables. Une fois, un gradé de la police lui avait confié : « Ton père ment tellement qu'on ne peut même pas croire le contraire de ce qu'il dit. » Erwan était d'accord : la barbouze était passée maître dans l'art de mélanger le vrai et le faux.

Il atteignit la rue Saint-Ambroise en moins de vingt minutes. Les bureaux de Cinénova faisaient face à l'église du même nom, près du Bataclan. Il se gara sur un passage piétons, rabattit son pare-soleil marqué « Police » et inspecta son visage dans le rétro. Sa lèvre avait déjà désenflé et les ecchymoses s'effaçaient. Il arracha ses pansements : ça pouvait passer.

Clé universelle. Interphone. Troisième étage. « Sonnez puis entrez ». Malgré l'heure, ambiance de ruche dans la petite agence artistique. Une apprentie comédienne photocopiait un scénario, une autre, en larmes, expliquait à un assistant distrait qu'elle avait été supplantée par une « salope qui couchait ». Une autre encore restait immobile, les yeux fixes. Ses lèvres prononçaient des mots silencieux. Sans doute répétait-elle un rôle. On aurait pu se croire dans la salle d'attente d'un psychiatre.

Un assistant se matérialisa. À la fois bodybuildé et efféminé, des tendances qui ne faisaient pas bon ménage. Erwan se présenta. La maîtresse de maison était là, on allait la prévenir et... Le flic se dirigea vers sa porte et l'ouvrit brutalement.

Barbara Soaz ne ressemblait pas à un agent, elle en était la caricature. Âgée d'une soixantaine d'années, installée dans son fauteuil comme une reine koushite sur son trône, elle était drapée dans un châle noir. Mise en plis impeccable, poitrail imposant, énormes lunettes d'écaille qui rappelaient les masques d'aviateur de la grande époque.

Elle n'eut pas l'air effrayée par l'intrusion d'Erwan : elle en avait vu d'autres. Sans préambule, il l'interrogea sur Gaëlle. Le coup du frère inquiet ne la convainquit pas. Sa carte de flic s'avéra plus efficace.

Aussitôt, elle partit dans un monologue sur la « crise du métier » :

– Trop d'acteurs, pas assez de rôles !

– Oui, bon. Gaëlle avait-elle des castings prévus ces jours-ci ?

– Aucune idée, répliqua Barbara Soaz d'un ton qui laissait entendre qu'elle ne s'occupait pas du menu fretin.

– Elle a passé un casting lundi dernier pour *Qui perd gagne*, fit une voix sortie de nulle part.

Une lucarne reliait les bureaux de la souveraine et du culturiste.

– C'est quoi ? fit Erwan en tournant la tête.

– Un projet de jeu télévisé.

Monsieur Muscles lui tendit à travers l'embrasure un formulaire portant l'en-tête d'une boîte de production, Anagram.

– Elle a pas été prise, ajouta l'assistant sur un ton plein d'empathie.

– Cette boîte, elle est claire ?

L'assistant regarda la reine mère sans répondre.

– Qu'est-ce que vous voulez dire ? répéta Barbara Soaz.

– Ces boîtes engagent des semi-putes pour de la figuration. Je veux savoir si elles s'occupent aussi de l'autre moitié du boulot.

– Vous avez une vision pittoresque du métier, protesta-t-elle en riant. Le temps des courtisanes, c'est fini.

Il s'approcha du bureau, l'air menaçant :

– Qui est le patron de la société ?

– Ils sont plusieurs. C'est une énorme boîte qui couvre 30 % des créneaux « émissions » des chaînes principales du PAF. Ils ont des centaines d'employés.

Retour vers l'assistant – dans ce cas précis, mieux valait s'adresser aux saints qu'au bon dieu :

– Qui organisait le casting ?

– Un dénommé Kevin. Tout le monde l'appelle Kéké. Je le connais vaguement. Lui-même travaille en free-lance. Un petit maquereau de rien du tout.

Le mot provoqua un déclic dans l'esprit d'Erwan :

– Où a eu lieu le casting ?

– Dans leurs locaux : ils ont des lofts près de Nation.

Erwan trouva l'adresse sur le formulaire : avenue de Taillebourg, dans le 11ᵉ arrondissement. Il leva les yeux vers Barbara Soaz, déjà plongée dans un nouveau scénario – pour elle, l'incident était clos.

Il lui arracha les pages des mains et posa une dernière question :

– Gaëlle a-t-elle la moindre chance de devenir une comédienne professionnelle ?

– Autant qu'un sacristain de devenir pape.

En fourrant l'adresse dans sa poche, il se sentit pris d'une immense tristesse pour sa petite sœur.

61

NOUVEAU DÉPART. Il rejoignit la place de la Nation en cinq minutes et descendit l'avenue de Taillebourg en moins de temps encore. Pour la première fois, l'inquiétude le gagnait. Il ne cessait d'imaginer Gaëlle assise avec les autres lors du casting, sorte de foire aux bestiaux pour producteurs dépravés.

Sa conscience se brouillait par intermittences, comme une télé captant un autre programme. Il se souvenait de la petite fille qui venait jouer dans sa chambre avec ses poupées pendant qu'il révisait son droit, le dérangeant en permanence mais le faisant fondre avec ses mimiques et ses « maquillages » (elle utilisait la crème Nivea de leur mère). Puis il la voyait grandir, maigrir, plancher sur ses devoirs (elle voulait être « plus forte que les garçons »). Plus tard encore, à l'hôpital, inanimée, respirant faiblement : squelette de trente kilos dont on craignait que les côtes déchirent la peau à chaque souffle. Mais surtout, il voyait Gaëlle réfugiée dans ses bras, sous la table de la cuisine, alors que leur père cognait leur mère, encore et encore...

L'adresse regroupait un ensemble d'ateliers rénovés dans une cour pavée. Erwan y pénétra et découvrit des lofts aux grandes baies voilées dont les seuils dégorgeaient des câbles épais comme des boas, surveillés par des vigiles et des jeunes gars ceinturés de

VHF, de gaffeurs, de tournevis : les sans-grade d'une armée factice.

Il se renseigna sur Kéké, obtint des réponses, des gestes, des signes : il chauffait. Il continua sa route et atteignit une deuxième cour cernée par d'autres hangars. L'espace était cette fois sillonné par des sauterelles à oreillettes et des gars à casque audio : tous semblaient reliés à un autre monde – celui de millions de téléspectateurs qu'ils nourrissaient d'images et de paroles sidérantes de laideur et de connerie. Nouvelles questions.

Kevin se tenait sur le porche d'un studio, en pleine pause cigarette. D'une maigreur famélique, dans un tee-shirt crasseux, il riait comme un grelot entre deux bimbos aussi clinquantes que des morues dans des papillotes de papier d'aluminium.

Erwan s'approcha, air méchant et badge en avant. Les deux poupées s'éclipsèrent.

– Gaëlle Morvan, ça te dit quelque chose ?

– Non.

Une baffe.

– Réfléchis bien : elle a participé au casting de *Qui perd gagne*

– J'en vois tellement, fit le gars en se frottant la joue.

Une deuxième baffe.

– Une jeune femme très mignonne, très blonde.

Un ricanement échappa à Kevin : il vivait dans un monde de femmes « très mignonnes, très blondes ». Erwan l'empoigna et le plaqua contre le mur. De l'autre main, il attrapa son portable et trouva une photo de Gaëlle sans maquillage, en marinière, à Bréhat. On lui aurait donné à peine seize ans.

– C'est ma sœur, enculé, hurla-t-il en braquant l'image. Tu lui as parlé ou non ?

L'autre se dégagea de son emprise et bomba son pauvre torse :

– C'est quoi, le plan, là ? Le grand frère flic qui vient jouer les gros bras ? D'où tu sors ? De *Plus belle la vie* ? Tu...

Il ne put achever sa phrase : Erwan venait de lui balancer un crochet dans le ventre qui le fit tomber à genoux. Puis il le saisit par le cou et lui écrasa la nuque contre le mur.

– Tu vas parler, pine d'huître ? Sinon je te jure que je vais m'occuper de toi. D'abord, te défoncer la gueule. Ensuite, te traîner au dépôt où tu passeras une nuit que t'es pas près d'oublier.

Kevin tremblait par à-coups. De jeunes actrices qui passaient par là s'enfuirent en courant.

– Je... je me souviens, ouais...

Pour l'encourager, Erwan lui frappa de nouveau le crâne contre la brique. Un carton mal scotché – « Casting » – tomba à terre.

– Tu te souviens de quoi ?

– On... on a fumé une clope. On a parlé.

– De quoi ?

– Elle voulait des contacts... Elle...

– Tu lui en as donné ?

– Un seul.

Sans s'en rendre compte, Erwan serrait ses doigts sur le cou du macaque, dont les yeux étaient voilés de larmes. Il le libéra et recula, crachant par terre de rage.

– Payol..., souffla Kevin, Michel Payol.

– C'est qui ?

– Un attaché de presse. Un mec branché, qui connaît plein de gens.

Coup de pied dans le ventre.

– UN MAQUEREAU ?

L'autre se courba en deux et vomit. Erwan attendit qu'il reprenne son souffle. Il était coutumier de cette violence. Pas si éloignée de celle de di Greco et de ses soldats.

– On utilise jamais ce genre de mots mais...

– Il gère des escorts ?

– Il fait le lien entre les filles et des mecs qu'ont de la thune... Souvent des étrangers, des diplomates, des financiers...

– Son adresse.

– J'peux pas faire ça... Je vais être grillé, je...

Erwan l'empoigna par les cheveux et le redressa :

– Vaut mieux être grillé qu'emballé sous vide.

– Pour… pourquoi vous dites ça ?

Il dégaina et lui planta son calibre sous le nez :

– Parce que si je te descends, c'est moi qui mènerai l'enquête, connard. Je suis de la Crime, *capisci* ? Gaëlle, c'était pas le bon choix… L'adresse perso du type, nom de dieu, et je me casse.

– 18, avenue d'Eylau.

– Pour lui avoir envoyé Gaëlle, tu vas toucher ?

– Je toucherai si elle… enfin, s'il se passe quelque chose…

L'attrapant par les cheveux, Erwan le retourna puis l'envoya à toute force contre le mur. Le nez du gars se brisa net.

– Il se passe déjà ça.

Il repartit vers sa voiture, croisant deux vigiles qui couraient vers lui, affolés. Il braqua sa carte tricolore et les oublia dans l'instant.

62

CHANGEMENT DE DÉCOR : avenue d'Eylau, courte et royale. Compression d'extrêmes richesses jouxtant la place du Trocadéro, s'ouvrant sur la tour Eiffel, de l'autre côté du fleuve.

L'inquiétude avait cédé la place à l'angoisse, l'angoisse à la panique. Dans quoi s'était fourrée sa frangine ? Il se gara devant la sortie du parking de l'immeuble, en cognant le trottoir.

Concierge. Ascenseur. Quatrième étage. Une seule porte sur le palier. Il avait l'impression de sonner chez ses parents.

– Vous êtes qui ?

Un grand échalas, la soixantaine, lunettes d'énarque et lèvres épaisses, se tenait devant lui dans la tenue casual de l'homme à responsabilités : pull en V couleur grand cru, chemise sans cravate, pantalon de velours côtelé. Il ne manquait que le cigare.

– Je suis une mauvaise nouvelle. Où est Gaëlle Morvan ?

– Qui ?

Erwan le poussa violemment et pénétra dans le vestibule.

– Je te donne une deuxième chance, Payol. Gaëlle Morvan. Jeune, jolie, arrogante. Elle a dû te contacter en milieu de semaine.

L'homme grimaça – il avait des dents à faire peur.

– C'est insensé, s'agita-t-il dans son pull Ralph Lauren. Vous débarquez chez moi et...

Il ne put achever sa phrase. Erwan venait de sortir son badge. Il vit Payol déglutir – sa glotte monta et descendit comme la boule d'un bilboquet.

– Je...

Le maquereau porta la main à son col et en resserra les deux côtés comme s'il s'agissait de sphincters, puis il coula un coup d'œil vers la salle à manger.

– Allons dans mon bureau, fit-il à voix basse.

– Qu'est-ce qui se passe ici ?

Une femme d'une cinquantaine d'années, chignon tulipe, cardigan beige, venait d'apparaître sur le pas de la double porte : le dîner familial prenait un tour particulier.

– Tout va bien, ma chérie.

Elle marcha d'un air furieux vers Erwan. Avec les années, il avait appris à se méfier des épouses : souvent les plus dures au mal au moment des perquises ou des arrestations. Il brandit de nouveau son porte-carte de la main gauche :

– Allumez la télé et restez dans le salon jusqu'à ce qu'on vous sonne.

Elle le toisa comme si elle allait lui cracher dessus. Deux adolescents apparurent aux côtés de madame, un garçon et une fille : ils paraissaient fascinés. Les bras croisés, leur mère hésitait encore. Le silence était plus bandé qu'un arc.

Payol désamorça la situation :

– Vas-y, ma chérie. Rien de grave. Je vous rejoins.

Serrant contre elle sa progéniture, elle recula avec méfiance, fusillant du regard l'intrus. Enfin, ils disparurent.

– Ton bureau.

Payol acquiesça et se dirigea vers le couloir. Erwan lui emboîta le pas. Il avait la main posée sur son arme glissée dans son holster. Il se sentait exclu. Il se sentait paria. Il se sentait fort.

Bureau sans surprise : meubles cossus, bibliothèque surchargée de livres anciens, tapis oriental. Une lampe de table diffusait une lumière parcimonieuse lustrant le décor comme de la cire.

– Assieds-toi.

Mentalement, il donna une chance au fils de pute : la pression des flics avant la pression des poings. Même s'il avait des relations, le proxo n'avait aucun intérêt à voir les Mœurs débarquer chez lui. Erwan n'avait même pas vérifié son casier ni passé un coup de fil aux collègues de la BRP : erreur de débutant.

Payol n'osa pas s'asseoir derrière son bureau. Il attrapa une chaise au dos tapissé de velours et s'y laissa tomber, rentrant les épaules, plongeant ses longues mains entre ses cuisses serrées. Il dégageait quelque chose de féminin.

Erwan brandit à nouveau le portrait de sa sœur sur son mobile :

– Gaëlle Morvan : je t'écoute.

– Elle ? On s'est vus hier soir.

– Où ?

– Bar du Plaza, en fin de journée.

Les gars de la DCRI l'avaient perdue quelques heures plus tôt. Elle n'avait pas voulu être suivie pour ce rendez-vous.

– De quoi vous avez parlé ?

– De boulot.

– Comme tu peux en fournir.

– Rapide et bien payé, oui. On s'est mis d'accord sur... les modalités.

– C'est-à-dire ?

Erwan avait l'impression qu'on lui enfonçait des esquilles sous les ongles.

– Elle cherchait des contacts... Je devais m'assurer de ses... compétences.

Le flic songea à l'ultime phrase du *Pickpocket* de Robert Bresson : « Oh Jeanne, pour arriver jusqu'à toi, quel drôle de chemin il m'a fallu prendre ! » Mais le chemin de Gaëlle ne devait rien au vol à la tire ni à la rédemption. C'était celui d'une volonté destructrice et du vice rémunéré.

– Depuis, elle a disparu. Où tu l'as envoyée ?

Payol suait toujours. Sa glotte tressautait mais il conservait le silence. Erwan l'attrapa par son pull et le secoua comme un tapis de sol de voiture :

– Où est-elle, bordel de dieu ? Réponds ou je t'arrache un œil !

– Elle était partante, couina l'autre. Personne l'a forcée !

– Partante pour quoi ?

– Un truc… spécial…

– Explique-toi.

– Ça s'appelle le no limit.

Erwan le lâcha et recula, la main sur le ventre. Un point de douleur fusait au fond de ses organes. Le no limit. Comment ce terme qui lui avait pris la tête pendant trois jours à Kaerverec pouvait-il ressurgir ici, dans un salon bourgeois, à propos de sa sœur ? Peut-être un hasard – mais pour un flic, ce genre d'explication est comme un fil qui finit toujours par se rompre.

– Qu'est-ce que c'est ? parvint-il à demander.

– Il… il s'agit pas de sexe. Un délire SM. Mais c'est de l'extrême et…

– Tu l'as prévenue des risques qu'elle courait ?

– Je lui ai dit ce que je savais !

– La soirée, c'était hier ?

– Ce soir.

Une douleur pour une autre, comme lorsqu'on agace une dent infectée. Il n'était peut-être pas trop tard.

– Où ça se passe ?

– Je suis désolé, je peux pas vous le dire. Il y a un secret de…

Erwan dégaina et le gifla avec sa crosse. Payol tomba sur le sol et se recroquevilla, main sur la bouche.

– Parle, enculé. Gaëlle, c'était pas la bonne personne à embaucher. Elle est plus riche que toi et elle est née dans une famille de flics !

L'autre n'en menait pas large. Des veines palpitaient sur son visage défait. Il avait perdu ses lunettes, saignait du nez et lançait des regards affolés autour de lui.

– Si je la retrouve pas cette nuit, tu vas tomber pour proxénétisme aggravé et je te ferai personnellement une réputation de pointu. Tu sais ce qu'on leur fait en taule ?

Payol s'accrochait aux plis du tapis comme s'il allait tomber plus bas encore.

– C'est à Bièvres, bredouilla-t-il. 42, allée Saint-Hilaire.

– Le nom des organisateurs ?

– Je sais pas. J'ai jamais su. Ils sont... très discrets.

Erwan rengaina.

– Si tu m'as menti, je reviens foutre le feu à ta baraque.

Il se dirigeait vers la porte quand Payol le rappela. Il était toujours assis sur le sol, un bras en appui, et avait retrouvé ses lunettes. Son regard dardait une lueur de rage vitreuse.

– Tu sais pas où t'as mis les pieds, flicard, cracha-t-il entre ses dents de chameau. Tu sais pas qui sont mes clients... C'est toi qui vas bientôt chanter...

Erwan le considéra durant quelques instants avec consternation. Il aurait volontiers passé l'éponge pour cette pitoyable tentative de sauver la face mais l'animal – toujours l'orgueil – voulut en faire trop.

Il dressa un doigt d'honneur et marmonna entre ses lèvres tuméfiées :

– Tu le vois çui-là ? C'est celui que j'enfoncerai dans l'cul d'ta sœur quand elle se f'ra mettre par des dictateurs africains et...

Erwan revint sur ses pas et dégaina à nouveau. Du pied, il écrasa la main de l'enfoiré, fit sauter le cran de sécurité, arma la chambre et appuya sur la détente. La phalange du majeur sauta dans un jet de sang, de fibres et de fumée.

Payol hurla et se roula en boule sur son tapis iranien qui devait coûter une année de salaire d'un flic moyen. Erwan partit sans lui jeter un regard et ouvrit la porte. Sur le seuil, l'épouse était là. Toute colère avait disparu de son visage pour laisser place à une panique exsangue.

Dans un élan de cruauté malsaine, Erwan sourit :

– Appelez le SMUR. Accident du travail.

63

MORVAN RACCROCHA avec satisfaction. Erwan avait retrouvé la trace de Gaëlle. Une histoire de séance SM à Bièvres. Ce n'était pas une bonne nouvelle mais cela aurait pu être pire. Son fils ne lui avait pas donné les détails mais il était en route pour la récupérer. Le point dans deux heures.

Il emprunta l'escalier de béton qu'il avait remonté pour pouvoir parler au téléphone. Sa respiration reprenait de l'ampleur. Son sang lui semblait mieux circuler. Il poussa la porte coupe-feu et retrouva le décor qu'il avait quitté quelques minutes auparavant : un immense parking saturé d'une musique assourdissante et rempli de milliers de Noirs.

Quelque chose qui aurait pu s'apparenter au Pandemonium de Milton. En tout cas du point de vue de Morvan.

Pour l'instant, il demeurait en haut des marches et dominait l'espace. Il avait l'impression de contempler les vagues d'un fleuve de goudron brûlant qui se soulevaient au rythme d'un furieux *ndombolo*.

Il replongea dans l'arène.

Le *ndombolo* est une musique pétaradante, à base de guitares en dentelle, de caisses claires espiègles, de basses sautillantes, ponctuée de cris d'allégresse et d'exclamations motivantes : « Chauffe ! chauffe ! chauffe ! » Ce soir, les résonances ne formaient plus qu'un bloc de vibrations. À mesure qu'il descendait, il sentait une compression sur le thorax et les tympans. Comme s'il avait chuté en eaux profondes, ceinturé de plomb.

Il contourna la piste et se mit à longer les danseurs : les groupes VIP étaient installés en bordure. Luzeko lui avait simplement dit : « J'aurai une table. » Morvan dévisagea les hommes assis qui oscillaient de la tête, les reines de beauté hilares dans leurs robes de marque. Bloquant la poussée de la foule avec son dos, il se sentait épuisé.

Soudain, une main se posa sur son épaule. Il se retourna, craignant un tapeur, un ivrogne ou, pire encore, une vieille connaissance. C'était Luzeko.

– Suis-moi ! lui hurla-t-il à l'oreille.

Le visage de Grande Chaleur rayonnait comme un astre de carbone au-dessus de sa minerve grillagée.

– On s'ra mieux en bas pour palabrer, vrrrrraiment !

Il avait l'air complètement défoncé. Quand il était sous l'emprise de la drogue ou de l'alcool, l'intellectuel se transformait en bamboula mal dégrossi, reprenant l'accent et le vocabulaire pittoresques de la brousse.

Ils se retrouvèrent un étage plus bas, dans un autre parking, vide et silencieux. Le Noir actionna un commutateur, révélant un décor sinistre. Néons et béton sur des milliers de mètres carrés. Quelques voitures, des ventilateurs dans des niches, des taches d'huile et d'essence. Morvan songea à un tombeau façonné pour un peuple entier. Le caractère funèbre était encore renforcé par le battement lointain, profond de la musique au-dessus d'eux.

– Viens, fit l'autre en tendant l'index vers le ventilateur. J'ai vrrraiment chaud !

Ils se déportèrent vers une énorme hélice qui tournait à plein régime – Morvan avait plutôt l'impression qu'elle crachait de l'air brûlant mais Luzeko s'en accommoda.

– J'ai pas de bonnes nouvelles, prévint-il en sortant une flasque de sa poche.

Il la tendit à Morvan, qui refusa d'un signe. Le Combattant portait un costume noir brillant, comme saupoudré de cristaux de basalte.

– C'est Kabongo qui t'a envoyé la langue.

– Le général ?

– En personne. Ton associé principal dans la galère du coltan.

Grégoire secoua la tête. Au Congo, on disait : « Le borgne n'a qu'un œil mais il pleure quand même. » Pour le coup, c'est lui qui s'était enfoncé une poutre dans le sien et n'avait pas fini de pleurer. Comment n'y avait-il pas pensé ? Kabongo, le « Monsieur Mines » de Kinshasa, avait eu vent de l'augmentation des actions. Il était sans doute persuadé que c'était Morvan lui-même qui travaillait en sous-main à ce rachat, via son fils. D'ici à ce qu'il découvre les nouveaux gisements, il n'y avait qu'un coup de fusil.

– Y dit que rafler toutes les actions du marché, c'est abuser.

– Mais c'est pas moi !

Sa voix grave s'était fêlée dans les aigus avant d'être absorbée par le grondement de la soufflerie.

– Alors, t'as intérêt à le prouver. Sinon, y aura des conséquences trrrrrès fâcheuses. Ça c'est Kabongo ça : y peut aussi bien se faire envoyer ton foie par la poste qui te foutre ses avocats sur le dos pour ti saigner jusqu'au trognon. Jé sé pas c'qu'est pire.

Il comprenait à peine le jargon de Luzeko. Ce qu'il pigeait, c'était qu'il était bon pour un aller-retour Kinshasa. Mais il avait d'abord besoin des noms des vrais acheteurs – pour donner au général un gage de confiance.

Où était Loïc ? Travaillait-il sur le dossier ? Cuvait-il sa coke dans un lounge branché, en ruminant son divorce ?

Il recula vers les piliers et s'ébroua, se demandant ce que Luzeko lui rappelait dans son costume noir. Soudain, il sut : avec sa haute minerve blanche et sa tête posée dessus, on aurait dit une pièce d'échec géante – un roi ou un fou, ébène et ivoire.

– Si tu t'es foutu de ma gueule, conclut Morvan, je te ferai bouffer tes couilles.

– Occupe-toi de sauver les tiennes : y a du boulot.

64

À 23 HEURES, Erwan pénétra dans la grande ceinture de ténèbres qui entoure Paris et ses lumières. Une sorte d'anneau de Saturne en négatif. Cette campagne lugubre l'effrayait. Forêts touffues. Champs d'obscurité. Maisons humides et tristes, fermées sur leurs secrets...

Il avait quitté l'autoroute et filait maintenant sur une nationale cernée d'arbres éblouis par ses phares. Il se penchait vers son pare-brise pour mieux voir. Les frondaisons semblaient faire de même, venant à sa rencontre. C'était la route qui l'emmenait là où elle l'avait décidé.

Il regrettait déjà ses actes de violence – la dérouillée de Kevin, le doigt mutilé de Payol... Il se contrefoutait des deux salopards mais un proverbe musulman dit : « Ce que tu fais aux autres, tu le fais d'abord à toi-même. » Il se voyait perdu, damné, dominé par sa propre brutalité.

En guise de châtiment immédiat, ses douleurs bretonnes se réveillaient. Dans la fièvre de la journée, il les avait presque oubliées. Maintenant, elles se rappelaient à son bon souvenir. Points sourds dans la poitrine, élancements sous les côtes. Sans compter une migraine furieuse qui lui emprisonnait la tête dans une cagoule d'acier.

Il dépassa Bièvres puis retrouva la forêt. La route était un ruban de ténèbres dont ses feux ne venaient jamais à bout. À nouveau, les arbres s'inclinèrent vers lui comme les monstres se penchent sur les enfants endormis.

Le moment idéal pour rappeler ses hommes – il avait déjà raté le point de 20 heures et était bien parti pour manquer celui de minuit. Tout le monde devait se demander ce qu'il foutait. Il saisissait son portable quand la voix du GPS lui annonça qu'il était arrivé.

Il longeait un mur aveugle et décrépit, couvert de lierre et de lichen. Plus de trottoirs mais des fossés cachés par des herbes folles. Soudain apparut une berline noire stationnée en épi devant un portail de fer forgé. Des gars en costard fumaient en se donnant des airs de durs. Erwan se dit que tout ça allait finir en farce.

Il ralentit et baissa ses phares. Il pouvait jouer à l'automobiliste égaré mais il puait le flic à dix kilomètres. Ou bien sortir sa carte et leur ordonner d'ouvrir la grille, mais le temps qu'il accède au manoir, tout le monde serait prévenu.

Restait la troisième option.

Il stoppa à quelques mètres, se gara tranquillement sur le côté, coupa le contact. Les gars l'observaient, l'air méfiant. Erwan sortit de sa Volvo en se grattant la tête d'un air indécis, chancelant comme s'il avait trop bu.

Le plus grand s'avança en agitant les bras :

– Faut pas rester là, papa, tu…

Erwan dégaina son calibre et le braqua à deux mains, position Weaver :

– Bouge plus.

Le type se pétrifia, l'autre, resté près de la berline, l'imita. De près, ils avaient plutôt l'air de chauffeurs ou de voituriers standard.

– Oreillettes et portables à terre.

Les mecs s'exécutèrent avec empressement. Erwan, sans les quitter des yeux, recula, ouvrit son coffre d'une main et attrapa des colliers Colson. En quelques gestes, leurs mains furent ligotées dans le dos.

– Le zap du portail, ordonna-t-il, en écrasant d'un coup de talon leurs deux mobiles.

– Dans ma poche, bredouilla le moins effaré.

Erwan fouilla, trouva, ouvrit la grille :

– Avancez, et pas de conneries.

Les deux cerbères, tout en cherchant à conserver un air digne, s'engagèrent dans l'allée de gravier, Erwan sur leurs pas. Le manoir se résumait à deux longères disposées en L, tapissées de vigne vierge. Des sculptures contemporaines, rétroéclairées, trônaient sur les pelouses. Des voitures de luxe étaient garées sous un auvent soutenu par des poutres.

Toutes les fenêtres du rez-de-chaussée du bâtiment central étaient allumées. Flashs blancs, reflets mordorés, palpitations sanguines... Cela suggérait un immense dance floor mais la musique ne cadrait pas : mélopée lancinante, comme jouée par un ghaïta, ce hautbois couinard qu'on entend en Afrique du Nord.

– Combien ils sont ?

– Plusieurs centaines.

– Le programme, c'est quoi ?

– On sait pas. On a pas le droit d'entrer.

– Allez jusqu'au hangar.

Ils s'exécutèrent et stoppèrent face aux voitures. Dans leur dos, Erwan avait le souffle court mais il se détendait légèrement. Tout ça sentait plutôt la bonne vieille partouze entre notables.

– Comment s'appelle le proprio ?

– Aucune idée.

Ils mentaient mais il s'en foutait. Après avoir récupéré sa petite sœur, il enverrait les gendarmes faire le ménage.

Un des cerbères se permit une remarque :

– J'sais pas ce que tu cherches mais tu déconnes grave. Ils ont jamais de thune sur eux et c'est du lourd. Tu...

Erwan lui donna un violent coup de talon dans le pli du genou, l'homme hurla et s'écroula. Dans le même mouvement, le flic abattit sa crosse sur la nuque de l'autre. Pas d'évanouissement mais deux hommes à terre bien amochés. Il repéra un anneau rivé à un puits de pierre – il avait pris d'autres bracelets de nylon –, obligea les deux types à se relever, les poussa puis les attacha au cercle roùillé.

Il repartit au pas de course vers les sonorités orientales.

Il faillit éclater de rire en pénétrant dans la première salle : tout le monde était à poil. C'était *Où est Charlie* ? mais sans Charlie ni pull rayé. Erwan se coula parmi la faune. La lumière rouge et l'affluence jouaient pour lui. Il longea les murs, en quête de Gaëlle, puis gagna la deuxième pièce où les choses se compliquaient.

La décoration, les costumes et l'atmosphère générale rappelaient un mauvais film aux prétentions sadiennes. Loups pailletés, capes de soie, cuissardes de skaï, chats à neuf queues... Les convives dansaient, buvaient, paraissaient très satisfaits de leur allure. Dans les coins, des quinquagénaires à tête de notaire étaient nus, à genoux, les fesses en l'air, un collier de chien autour du cou ou un bâillon en boule dans la bouche. Des maîtresses en corset de vinyle dominaient la situation sur leurs talons aiguilles.

Aucune trace de Gaëlle.

Il poursuivit sa recherche. D'autres pièces proposaient des femmes écartelées sur des croix de Saint-André, des « esclaves » ligotés ou humiliés dans des positions ridicules. Des fouets claquaient mollement et les gémissements n'étaient pas très convaincants.

Toujours pas de Gaëlle.

Jouant des coudes, il demanda aux invités où avait lieu le no limit comme il aurait demandé le chemin du buffet. Il reçut en retour des regards soupçonneux ou des mines outrées du style « Il ne faut pas prononcer ce nom. » Il avait l'impression d'évoluer au sein d'une secte grotesque, digne d'une comédie.

Enfin, il comprit que l'épreuve se tenait au sous-sol. Il trouva l'escalier éclairé avec des torches à l'ancienne et croisa encore quelques ceintures cloutées et harnais de latex sur des chairs avachies. Il accéda à la cave principale et d'un coup, il cessa de rire.

Au fond de la pièce, sur une scène drapée d'un linceul noir, Gaëlle était attachée à un trône de pacotille, des têtes de démon surmontant le dossier. Elle était nue et avait les jambes écartées, sanglées aux accoudoirs du fauteuil.

Couverte de sang.

Une sorte de bourreau officiait à ses côtés, cagoulé, le buste ceint d'un débardeur de cuir, brandissant deux énormes couteaux à sushis. Erwan ne prit pas le temps de réfléchir. Il dégaina et tira plusieurs fois vers le plafond. Sous une pluie de salpêtre, les spectateurs s'enfuirent vers l'escalier, empêtrés dans leur cape, se bousculant les uns les autres, aveuglés derrière leur masque au rabais. Erwan remonta le courant. Au passage, il visa les platines et fit feu alors que le DJ, déguisé en officier nazi, prenait ses jambes à son cou.

Il était à présent seul dans la pièce silencieuse et enfumée. Seul avec sa sœur ligotée, que personne n'avait pensé à délivrer. Une fois sur la scène, il mesura l'ampleur de l'imposture.

Le sol était jonché de cadavres de poules décapitées, voisinant avec le corps d'un porcelet éventré. Cette séance n'était qu'une parodie de magie noire à base d'incantations, de sang de volaille et de viscères de cochon.

Il s'approcha, manquant de s'étaler sur des fragments organiques. Gaëlle, toujours les cuisses ouvertes, maculée de croûtes brunâtres, le toisait d'un œil mauvais. Ses pupilles de chien sibérien semblaient plus claires encore dans ce visage souillé.

– Qu'est-ce que t'attends pour me détacher ?

65

À DEUX HEURES DU MATIN, Loïc n'avait toujours rien obtenu.

Il avait interrogé plusieurs financiers de sa liste : deux dans leurs bureaux, deux dans des bars, un autre au restaurant, dans le 8e arrondissement. Tous, sans exception, l'avaient envoyé au bain.

Il ne disposait d'aucun argument pour les cuisiner – dans un cas pareil, son père aurait sorti un dossier et son frère un calibre. Lui ne pouvait que leur offrir un verre. Brokers et traders sont tenus au secret professionnel – ils le violent chaque jour, à condition d'y avoir un intérêt. Or Loïc n'avait rien à vendre. Et tout le monde savait qu'il était l'homme de son père – c'est-à-dire celui à qui il ne fallait pas parler.

Morvan tentait de l'appeler régulièrement et chaque fois, c'était comme le coup de gong d'un combat que Loïc ne cessait de perdre.

Le pire était l'alcool. À mesure que la nuit avançait et qu'il multipliait les rencontres, il s'enfonçait dans un enfer de tintements de verre, de cliquètements de glaçons, d'odeurs de cocktails. Vous pouvez toujours prétendre avoir oublié l'alcool, lui ne vous oublie jamais. Une sorte de prurit interne lui démangeait les nerfs.

Depuis une heure, il était passé aux boîtes. D'abord le VIP, puis le Montana, et maintenant le Parnassium, près de la rue de Rennes. Un carré pas plus grand qu'un mouchoir de poche, qui rappelait ces records du type « À combien peut-on tenir dans une cabine téléphonique ? ». Juste une boîte noire avec pour seuls motifs des lumières violentes et sporadiques. Les petits soldats de la finance raffolent de ce genre de repaires d'artistes branchés, d'animateurs télé, d'intellectuels noctambules. Ce qu'ils ne possèdent pas au naturel – talent, charme, célébrité –, ils l'achètent avec leur pognon – du moins éprouvent-ils l'illusion d'appartenir au sérail.

Loïc commanda un Coca Zéro et se frotta à la mêlée. Il n'avait pas fait deux pas qu'il repéra une vieille connaissance : Hervé Serano. À l'époque de Wall Street, tout le monde l'appelait Jamón-Jamón. L'univers de la Bourse, tout en finesse... D'ailleurs, Serano, hormis ses prouesses commerciales, était connu pour ses acrobaties phalliques – hélicoptère, autosuccion et autres... Toujours la classe.

Loïc s'approcha. Il s'en voulait de n'avoir pas pensé à lui : le trader avait le bon profil. Retrouvailles. Petit, trapu, Serano était coincé sur une banquette entre deux bimbos passablement éméchées (dans un premier temps, Loïc avait cru reconnaître sa sœur). Le gars aussi était complètement ivre. Peut-être une opportunité à saisir.

Une des filles lui céda la place. Il tenait toujours son verre à la main, ce qui pouvait laisser croire qu'il buvait un whisky-Coca (en réalité, il n'avait même pas droit au vinaigre dans la salade). Sur un ton maison, mi-bourré, mi-complice, il commença à parler business. Serano déblatéra sur les millions qu'il avait gagnés dans la semaine.

– Et les minerais, où t'en es ?

– Je te vois venir, ricana l'opérateur. T'auras pas une info.

– Normal que je surveille mon territoire, non ? T'as acheté du Coltano ?

Sans répondre, Serano s'envoya une rasade de vodka au goulot. Loïc pouvait en sentir le parfum. C'était comme si on lui avait brutalement tisonné les viscères.

– T'en as acheté ou non ?

– Tu le sais aussi bien que moi.

Continue à dérouler le fil.

– Figure-toi que t'es pas le seul et que ça commence à m'inquiéter.

– C'est l'occasion de sauver tes miches ! fit Serano en agitant sa bouteille.

Nouvelle gorgée. La musique vociférait. Les enceintes étaient comme des fissures dans la coque d'un sous-marin, déversant des torrents sonores. Ces avaries allaient les engloutir purement et simplement.

– Ç't'à y rien comprendre d'ailleurs, ajouta le financier, soudain rêveur. Quand on voit vos résultats… (Il éclata de rire.) Soit dit sans te vexer !

La blonde à ses côtés lui massait discrètement l'entrejambe. Toute cette mascarade dégoûtait Loïc. Le pouvoir que le fric conférait à cet abruti de Jamón-Jamón. Un fric qu'il avait gagné en parlant simplement au téléphone. La veulerie de cette michetonneuse, prête à tout pour quelques centaines d'euros. Et l'odeur entêtante de l'alcool…

Il commençait à ressentir des bouffées de chaleur, prémices d'une crise d'angoisse.

– Tes clients, c'est qui ?

Serano se pencha à son oreille, la main en cornet :

– J'suis pas assez bourré pour te donner des noms.

– Ce sont des fonds ? Des sociétés minières ? Des raiders ?

– J'peux te dire qu'un truc, et c'est ça qu'est vraiment bizarre : ils veulent du Coltano et rien d'autre.

Au rythme de la techno qui battait la foule comme un tambour de machine à laver, une vérité émergeait : le scoop des nouveaux gisements avait filtré. Les géologues ? Des complices de son père qui bricolaient sur le terrain ? Comment auraient-ils connu des banquiers, des investisseurs ?

Loïc donna un coup de sonde dans une autre direction :

– Chez nous, on redoute une OPA...

– Tu parles ! s'esclaffa le trader. Ils veulent juste leur part du gâteau !

– Quel gâteau ?

Il n'entendit pas la réponse. Son malaise s'accentuait. Tempes moites, nausée, battements de cœur calés sur les cent vingt beats du dance-floor...

Il se leva et posa son verre :

– Tu m'assures qu'il y a aucune action concertée ?

– Pas à ma connaissance.

Serano s'offrit une nouvelle rasade :

– À ton empire !

Par réflexe, Loïc retint sa respiration pour ne pas inhaler les miasmes du poison. Il n'avait pas bu depuis presque dix ans mais son vice n'avait pas pris une ride. En apnée, il baissa les yeux et vit Serano qui gloussait en regardant son entrejambe tandis que sa compagne se redressait avec répugnance. Elle avait sorti l'engin, le trader en avait profité pour se soulager : ce con pissait sous la table !

– Ho, ho, ho, ho !

Loïc s'enfuit alors que les danseurs sur la piste pataugeaient sans le savoir dans la flaque d'urine qui s'élargissait. Il bouscula les visages déformés par les lumières, les rires qui partaient en larsens, les bouches qui s'étiraient en blessures sanguinolentes et trouva la sortie.

Les géologues... Une fois enfermé dans son Aston Martin, tremblant, glacé et brûlant à la fois, il se dit qu'un de ces bâtards avait parlé. La piste africaine ne tenait pas. Si son père, comme il s'en doutait, avait commencé l'exploitation des mines, c'était avec l'aide de Noirs perdus au fond de la brousse. Il ouvrit sa messagerie pour voir si les experts avaient répondu à ses mails : aucun retour.

Au passage, il compta : son père l'avait appelé huit fois dans la nuit.

Un seul recours. Il plongea la main dans sa boîte à gants. Papier cristal et poudre blanche. Sur son tableau de bord, il traça trois lignes qu'il sniffa sans reprendre son souffle. Il fut pris d'une convulsion et sa nuque vint battre l'appuie-tête.

Cette fois, c'était la bonne.

66

ELLE N'AVAIT PAS DIT un mot du retour. Il avait conduit sans l'ouvrir non plus. Le club des dents serrées ou quelque chose de ce genre. Au fil des kilomètres, il prenait de nouveaux analgésiques, à la fois pour calmer ses douleurs et endormir sa colère. À l'arrière, Gaëlle, roulée dans une couverture, braquait son silence comme une arme sur sa nuque.

Elle puait la boucherie, le sang animal et les excréments mais il n'osait pas aérer, de peur qu'elle prenne froid. Elle puait aussi la haine et la débauche mais on ne s'en apercevait que dans un deuxième temps – c'était une couche plus dure, plus ancienne, les fondations qui expliquaient tout le reste.

Une fois chez elle, il l'avait poussée sous la douche et lui avait promis une engueulade en règle quand elle en sortirait. Maintenant, il écoutait le crépitement du jet sur le carrelage et sa colère retombait déjà.

Coca Zéro. Mobile. Il pouvait enfin appeler son équipe.

Tonfa d'abord, toujours à l'IML en pleine autopsie. Riboise en avait pour jusqu'au lendemain matin – rapport au nombre de clous et de tessons plantés dans la chair.

– Il a trouvé des ongles, des cheveux ?

– Pas encore. Il doit procéder à l'examen externe complet avant d'inspecter l'abdomen.

Erwan n'allait pas apprendre son métier au légiste. Du reste, il croyait de moins en moins à la possibilité d'identifier à temps une prochaine victime. S'ils découvraient des échantillons organiques, ce seraient ceux d'un cadavre.

Les premières constatations confirmaient le mode opératoire de l'Homme-Clou. Le tueur avait rasé la tête d'Anne Simoni en épargnant quelques mèches – sans doute pour permettre de faire le lien entre les cheveux déposés sous les côtes de Wissa et ceux de la nouvelle victime. Il avait utilisé, pour activer son fétiche, des clous, des fragments de verre et de fer, des fibres dont la nature exacte restait à définir. Il avait enfoncé deux éclats de miroir dans les orbites et prélevé des organes – l'autopsie préciserait bientôt lesquels. Riboise confirmait aussi le viol, à l'aide d'un objet tranchant – et sans doute même à double tranchant. La jeune femme avait été soumise, vivante, aux abominations de son bourreau. Impossible de dater exactement le moment de sa mort. Hémorragie, hématome sous-dural ou crise cardiaque, son cœur avait cessé de battre durant la séance.

– Après sa mort, les mutilations ont continué ?

– Apparemment oui, et un bon moment. De nombreuses blessures n'ont pas saigné.

– Combien de plaies en tout ?

Tonfa siffla. Sa masse physique lui permettait d'encaisser pas mal d'atrocités. Comme un sac de boxeur rembourré ne dévie jamais de son axe porteur.

– Des centaines, concentrées en espèces de... buissons. Des floraisons de clous. Selon Riboise, les os ont éclaté sous leur impact. Le squelette est en miettes. Quant aux muscles, nerfs, veines et artères, tout est déchiré. Un vrai carnage.

– Sur l'origine du matos, Riboise a un avis ?

– Il a seulement constaté que le fer est rouillé et le verre usé. Que du vintage.

– Tu les as fait passer à l'IJ ?

– On a fait une première livraison, pour l'analyse ADN que tu as demandée.

– Les organes génitaux ont été enlevés ?

– Apparemment, oui. Le sexe n'est plus qu'une plaie béante.

– Mais Riboise est certain qu'il y a eu viol ?

– Aucun doute. Ça s'est passé à l'arrière du magasin : les tissus rectaux sont en charpie.

La piste sexuelle était la seule différence, pour l'instant, avec le mode opératoire des années 70. C'était peut-être par cette divergence que le meurtrier allait se dévoiler...

– Allez, ma grosse, conclut-il d'une voix joviale pour motiver Tonfa. Courage ! On se retrouve demain matin au bureau. J'espère que Riboise aura fini d'ici là.

– Ok, chef.

Nouveau numéro : Audrey.

– Rien encore, résuma la Teigneuse. Restos, boutiques : tout le monde était fermé à l'aube. J'avais misé sur un Citadines qui a un portier...

– C'est quoi ?

– Un appart'hôtel pour des hommes d'affaires de passage. Mais personne a rien vu.

– T'as parlé aux patrouilles de cette nuit-là ?

– Bien sûr. Pour l'instant, que dalle. Mais il me reste des gars à interroger.

Erwan regarda sa montre : trois heures du matin. Il songea à lui passer le relais pour ce qu'il s'était réservé : le côté Seine.

– Appelle la Fluve pour leur demander un bilan.

– Tu l'as pas fait ?

– Appelle-les et verrouille ce côté-là.

– Okay, fit-elle sans insister.

– Après ça, tu dors ce que tu peux. Rendez-vous à l'usine à 9 heures.

– Y a Sergent qui a appelé plusieurs fois.

– Qui ?

– Le capitaine Sergent. Celui qu'a rédigé les premières constates.

– Et alors ?

– Fitoussi lui a dit de nous rejoindre.

Impossible de l'écarter plus longtemps. Erwan croisait le jeune flic de temps en temps dans les couloirs : une bleusaille à l'air timide et déprimé.

– Tu le connais ?

– Comme ça.

– Qu'est-ce que t'en penses ?

– Il fait pas de bruit mais c'est un bosseur.

– Qu'il vienne au brief. Il t'aidera pour le porte-à-porte ou on le foutra aux fadettes.

Il raccrocha et appela dans la foulée la Sardine. Erwan fut étonné par ses résultats – il avait déjà interrogé les collègues de bureau d'Anne Simoni, identifié ses potes actuels et ceux de son passé violent. Il avait aussi dégoté son dossier aux archives.

– Commence par le background.

– Née en 1986, à Montélimar, de père inconnu et de mère québécoise, qui se tire après la naissance. Foyers, centres, familles d'accueil. Très vite, elle se met à déconner. Vols, voies de fait, drogue. En même temps, toujours de bons résultats en classe. Bac littéraire. Après, on la retrouve au TGI. Première condamnation, à sa majorité, de quatre mois avec sursis.

– Motif ?

– Baston dans une manif altermondialiste. Deux ans de silence. Ni boulot ni rien. Puis elle se fait accrocher une ou deux fois pour racolage et possession d'héro. Du toxipute standard. En 2006, c'est le casse qui l'envoie direct au trou pour sept ans.

– T'as des détails ?

– Un p'tit braquage qu'a mal tourné. Ses complices ont défouraillé. Le vigile a été blessé. Handicapé à vie.

– Tu as retrouvé les gars ?

– Des mecs de Vitry. Mi-manouches, mi-punks à chien. Cent pour cent tocards.

– Ils sont sortis de taule ?

– D'après mes renseignements, seulement deux, mais...

– T'as vérifié leurs alibis ?

– Pas encore. Y en a un qu'est sur la Côte d'Azur et l'autre, je l'ai pas encore logé. Mais j'ai vérifié avec Kripo les fadettes de la môme : a priori, elle avait plus aucun contact avec eux.

– Et maintenant ?

– Une vie rangée. Des collègues de travail, des sorties, un mec.

– Un type de la préfecture ?

– Pas du tout, malheureux ! rit la Sardine. Un DJ résidant dans plusieurs boîtes à la mode.

– Tu l'as contacté ?

– Je lui ai même annoncé la nouvelle en personne.

– Ton avis ?

– Il est clean. J'l'ai laissé en larmes dans le backstage du Rex. Peu de chances qu'il mixe cette nuit.

Erwan s'interrogeait sur la métamorphose de la jeune fille. De braqueuse à fonctionnaire, la route semblait longue.

– Parle-moi de son parcours après la taule.

La Sardine hésita. Erwan l'aida un peu :

– Je suis au courant pour mon père.

Il entendit le Marseillais souffler de soulagement avant de répondre :

– Il a fortement appuyé sa libération anticipée en 2009. Puis il l'a soutenue dans son retour à la vie normale : appart, job... Il s'est même porté caution pour son loyer.

Le Vieux en bon Samaritain, c'était dur à avaler.

– Elle a tout de suite bossé à la préfecture ?

– Non. Elle s'est d'abord farci une année à la mairie de Nanterre.

– Mon père l'avait pistonnée ?

– J'ai pas pu encore les joindre mais...

– Mais quoi ?

– On va devoir entendre ton père.

– Je m'en charge. T'as contacté son officier de surveillance ?

– Ouais. Pour lui, la petite avait vraiment repris le droit chemin.

– Elle s'est plus jamais fait accrocher ?

– Jamais.

– Pas de passes ?

– J'étais pas sous le lit mais a priori, nada.

– Et la défonce ?

– Idem. Elle touchait plus à rien.

L'expérience du crime n'incitait pas à l'optimisme côté réinsertion. Comme disait son père : « À quoi bon arroser les dunes ? » Mais il était le premier à sortir l'arrosoir.

– Et ses collègues, qu'est-ce qu'ils t'ont dit ?

– Rien de spécial. Une fille sympa.

– Elle avait changé ces derniers temps ?

– Ils ont rien remarqué.

– Elle avait l'air d'avoir peur ?

– Non.

Tout ça ramenait à la thèse d'un piège ou d'un rapt : on avait choisi Anne Simoni soit à cause de sa relation privilégiée avec Morvan, soit pour une autre raison, liée à son physique ou son passé.

– Ses réseaux sociaux ?

– J'ai récupéré son ordi dans son appartement. J'vais faire une copie du disque dur. Après ça, je file la bécane aux experts. J'ai aussi son agenda mais pour l'instant, tout le monde dort.

– Chez elle, c'est comment ?

– À l'image du reste : lisse et sans histoire.

Anne Simoni commençait à être trop parfaite pour être honnête.

– La perquise, c'est bon ?

– On y va demain matin, avec Audrey.

– D'ici là, essaie de dormir un peu. Briefing à la boîte à 9 heures.

Erwan raccrocha. Il tendit l'oreille : l'eau ne crépitait plus dans la salle de bains mais des cliquetis laissaient supposer que Gaëlle peaufinait sa toilette.

Le meilleur pour la fin : Kripo.

Le Troubadour avait déjà récupéré, via le Net, toutes les images vidéo susceptibles de retracer le dernier trajet d'Anne Simoni.

– On a des images d'elle jusqu'au pont d'Arcole. Après ça, plus rien.

– Comment ça « plus rien » ?

– Je sais pas. On la voit s'engager mais jamais atteindre la rive droite. Comme si elle avait disparu en plein milieu. En tout cas, elle a jamais pris le métro à Hôtel-de-Ville.

Idée cinglée : Anne Simoni était descendue sur la berge et le tueur l'avait embarquée sur son Zodiac.

– Les fadettes ?

– On remonte chaque contact. Pour l'instant, rien de folichon.

– Et côté archives ? Des tueurs qui auraient suivi le même mode opératoire ?

– Aucune trace d'un tueur à clous. Quand j'ai intégré les différents mots clés, l'ordinateur central m'a donné qu'un seul mot : Leroy-Merlin.

– C'est pas le moment de déconner.

– Tout ce que j'ai glané, c'est des affaires de violences domestiques avec usage de marteau et tournevis.

– Où t'es, là ?

– Chez moi. Je rédige les premiers PV.

– Essaie de voir ce que tu peux sortir autour de « no limit ».

– On en est encore là ? fit Kripo en songeant au programme de di Greco.

Erwan éluda la question et poursuivit :

– Vérifie s'il y a pas des réunions spéciales qui portent ce nom, à Paris ou ailleurs.

– SM, tu veux dire ?

Erwan eut une vision des corps meurtris de cicatrices des pilotes de la K76. Le no limit n'était pas toujours une mascarade.

– Cherche sur tous les fronts. Au taf à 9 heures demain matin.

Il raccrocha et se rendit compte que la salle de bains était silencieuse.

La peste blonde n'allait pas tarder à apparaître.

67

– T'ES CONTENT DE TOI ?

Il se retourna et découvrit Gaëlle enroulée dans une serviette de bain blanche. Elle semblait s'être ébouillantée avec sa douche. Ses bras et ses épaules portaient des marbrures écarlates, son visage lançait des éclairs rouges dans toute la pièce.

L'eau brûlante, mais aussi la colère.

– Super content, répondit Erwan sur le mode ironique. Tu disparais deux jours, les parents se font un sang d'encre, je dois laisser tomber le boulot pour te chercher et je te retrouve couverte d'abats et de merde, entourée de notables qui se branlent déguisés en Zorro. Que demander de plus ?

– C'est ma vie.

– J'ai eu peur que tu me parles de ta carrière.

Elle gagna la cuisine et prit à son tour un Coca – tous les Morvan se méfiaient de l'alcool, à cause de Loïc qui avait bu pour toute la famille.

– J'en peux plus de ta sale gueule de héros, marmonna-t-elle en plaçant la canette glacée sur sa joue. T'en as pas marre d'être parfait ? De toujours marcher du bon côté ? Tu te fatigues pas toi-même ?

Sa serviette éponge portait le sigle doré d'un palace parisien où elle avait dû se faire sauter. Parfois, il avait l'impression qu'elle se complaisait dans la dépravation comme une truie dans sa bauge.

En même temps, malgré tout, il admirait ses épaules rondes, ses petits mollets rebondis, son cul pousse-au-crime. Erwan, comme tous les Morvan, l'avait vue maigrir jusqu'à se réduire à une poignée d'os. Aujourd'hui, quoi qu'elle fasse, quoi qu'elle dise, elle portait dans sa chair cette bonne nouvelle : elle était guérie.

– Quand est-ce que tu grandiras un peu ? rétorqua-t-il. Te faire arroser de sang de poulet, à poil, devant des notaires de province ?

– Six mille euros, ducon. Deux mois de ton salaire de merde.

– Je gagne plus que ça. Et ne me dis pas que tu fais ça pour l'argent. Un coup de pompe dans tes assurances vie et tu en récolterais dix fois plus.

Elle s'assit sur le canapé en faisant claquer l'opercule de la canette :

– Je veux pas de ce fric. J'ai des principes.

– Tu me rassures, cingla-t-il.

Elle but lentement, le regard fixe.

– Je vis dans un monde en guerre, dit-elle enfin.

– Quelle guerre ?

– Celle des hommes et des femmes.

– Quel est l'enjeu ?

– L'argent.

– L'arme ?

– Le désir.

Il vint s'asseoir près d'elle, comme pour raisonner un enfant boudeur. Il respirait les effluves de savon et de crème émanant de son corps.

– Tu racontes n'importe quoi, fit-il, plus calme. Tu fais commerce de ton corps, c'est tout.

– Je refuse la logique de la bourgeoisie.

– Tu passes ta vie dans des suites à boire du champagne, alors ne viens pas me parler de lutte des classes.

– La bourgeoisie, c'est pas ça.

– Non ?

– C'est vieillir en regardant grandir ses enfants. C'est tout sacrifier au nom du confort et de la tranquillité. C'est s'ennuyer, mais à l'abri de tout danger. Crois-moi, mon monde n'est pas confortable. C'est un univers guerrier, hostile, performant. Les hommes doivent y être toujours plus riches, les femmes toujours plus belles. Ils couchent ensemble mais au fond, ils se détestent.

– Un monde de michetons et de putes.

– Erwan, tu es plus intelligent que ça.

Un jour, il l'avait accompagnée rue Lincoln, dans le 8e arrondissement. Avec un léger effet retard, il avait réalisé qu'il venait de la déposer pour une passe : son attitude dans la voiture, entre excitation et appréhension, son besoin de se remaquiller... Il avait bondi de sa bagnole, trouvé la société de production où elle avait rendez-vous, débarqué à l'accueil la main sur le calibre. Il avait vite compris que l'erreur, c'était lui. Tout le monde ici connaissait Gaëlle et était habitué à ses rendez-vous avec le boss. Un monde libre d'adultes consentants. Il avait battu en retraite, presque honteux.

– Quelle est la différence entre une mère au foyer et une femme entretenue ? continuait Gaëlle. La seconde est simplement mieux sapée.

– Et l'amour ? Les enfants ? La construction d'un foyer ?

– Tu veux dire : comme nos parents ?

Le mot était lâché. Depuis qu'elle était en âge de comprendre – c'est-à-dire d'avoir peur –, Gaëlle n'était plus que révolte. D'abord contre sa famille, puis contre le système hypocrite qui avait permis un tel mensonge.

– Laisse les parents en dehors de tout ça, fit-il d'une voix sourde.

– C'est justement le sujet ! Tu me reproches quoi au juste ? De coucher sans amour ? De baiser pour survivre ? C'est pas ce qu'a fait notre mère toute sa vie ?

– Non. Elle aime papa.

– Alors elle est encore plus conne que moi. Au moins, on me paie et on me cogne pas dessus.

Il se leva et fit quelques pas, baissant la tête sous le plafond mansardé. Il était déjà à court de répliques. Sur les étagères, *L'Homme unidimensionnel* d'Herbert Marcuse, *Un si funeste désir* de Pierre Klossowski, *La Naissance de la tragédie* de Friedrich Nietzsche… Il avait lu ces bouquins dans sa jeunesse – de la haute volée. À sa façon, Gaëlle était une intellectuelle.

– Je méprise les hommes, fit-elle entre ses petites dents. Mais je méprise encore plus les femmes.

– Quelles femmes au juste ?

– Pas besoin de chercher loin. Maggie bien sûr mais aussi mes copines, mes rivales. J'ai honte pour elles. Leurs histoires foireuses, leur complaisance dans leur rôle de victimes. Un siècle de libération pour ça ? Le MLF, Simone de Beauvoir, Nancy Fraser, pour obtenir quoi ? Le droit d'être un peu plus bafouées, un peu plus trompées ! Les seuls qui ont été libérés dans cette histoire, ce sont les hommes. Ils sont toujours aussi salauds mais ne sont même plus obligés de payer ni de respecter certaines règles. Plus besoin d'être gentlemen ni d'offrir le moindre cadeau pour baiser. C'est ça, l'égalité des sexes.

– Dans quel monde tu vis, Gaëlle ? On est plus au XVIIIe siècle, les femmes s'assument et ne demandent plus rien aux hommes !

– C'est exactement ce que je dis. Elles ont tout perdu.

– Les règles ont changé. Les femmes sont indépendantes. Elles vont au bout de leurs ambitions. Elles ne vivent plus à travers le désir des hommes.

– Alors pourquoi font-elles toujours la gueule quand le mec ne paie pas l'addition ? Pourquoi les boîtes de nuit sont-elles gratuites pour elles ? Pourquoi des femmes mariées prennent-elles des cours de pole dance ? On en revient toujours à la même balance : la danse du ventre d'un côté, le pognon de l'autre.

– Tu oublies le principal : l'amour, le sentiment.

– Tu comprends décidément rien. La seule prison des femmes, c'est l'amour. Elles seront toujours victimes de leur sentimentalisme. Un siècle de combats n'a rien pu faire contre cette faiblesse chronique. Simone de Beauvoir, malgré son « deuxième sexe », a été la plus belle cocue de Saint-Germain-des-Prés. Tu peux changer les lois, tu changeras jamais le code génétique. Ou alors pas avant des millions d'années...

Gaëlle avait le sens de la dialectique, son frère l'avait toujours admirée pour ça. Elle palabrait dans sa serviette de luxe mais elle aurait pu être à la Mutualité, en sous-pull et grosses lunettes dans les années 70.

– J'ai pas l'impression que tu sois un modèle de femme éman-cipée, rétorqua-t-il.

– Je joue le jeu des mâles et je les maîtrise, c'est pas pareil.

– Ben voyons.

– Les femmes me méprisent, moi, la pute, la femme-objet, mais en vérité, c'est moi qui contrôle la situation. Ce qui place la femme en esclavage, c'est pas le cul, c'est le cœur !

Il en avait assez entendu. La mission était accomplie : tout danger était écarté et Gaëlle avait retrouvé la forme.

– Bon, fit-il en attrapant sa veste, repose-toi. J'y vais.

– Tu connais rien à la vie ! cria-t-elle en se levant d'un bond. Les hommes sont des porcs ! Ils sont capables de te sortir leur queue, comme ça, sous une table. De te plaquer contre un lavabo et de t'arracher ta culotte. De te fourrer la main dans le cul au moindre coin d'ombre !

Erwan blêmit. En bon macho, c'est-à-dire le versant coincé de la bestialité que Gaëlle venait de décrire, il ne tolérait pas l'idée qu'on maltraite sa petite sœur.

Elle parut lire dans ses yeux :

– T'en fais pas, j'te dis, je maîtrise.

Il se dirigea vers le seuil. Elle le suivit d'un pas furieux :

– C'est ça, mon pouvoir ! Une femme qui jouit, c'est une femme qui se tire une balle dans le pied !

Elle hurlait maintenant malgré la porte ouverte. La rage de Gaëlle avait vidé la sienne. Il l'adorait, il ne pouvait rien faire contre ça. Sa beauté le fascinait. Sa colère l'attendrissait. Elle avait retrouvé sa pâleur naturelle. Sa tête de poupée russe, ronde et polie comme une sculpture de Brancusi. Ses yeux dont la clarté rappelait celle de la banquise au mois de juin, quand la glace redevient peu à peu la mer...

Il revint sur ses pas et prit son ton le plus doux :

– Calme-toi, Gaëlle : on sort de la même blessure, toi et moi. Je suis flic et tu es escort. Je cache ma violence derrière la loi, tu philosophes pour te justifier, mais la vérité est plus simple : personne ne changera notre enfance.

Elle voulut répondre mais il fut plus rapide :

– À quarante-deux ans, j'ai derrière moi dix ans de psy et deux ulcères, je passe ma vie chez l'ostéo et je porte un appareil dentaire la nuit. Toi, à vingt-neuf ans, tu dors toujours la lumière allumée.

– Comment tu le sais ?

Des larmes coulaient sur ses joues, si lourdes, si blanches qu'on aurait dit des gouttes de cire de bougie.

Il se pencha et l'embrassa :

– Repose-toi. Je t'appelle demain.

68

IL ÉTAIT ÉPUISÉ mais impossible de dormir.

Après le Parnassium, une fois rentré chez lui, son premier réflexe avait été d'ouvrir son coffre-fort et de relire le rapport établi en 2010 sur les nouveaux gisements potentiels dans le Nord-Katanga.

Selon les ordres de son père, le document avait été écrit à la main et il n'en existait que deux exemplaires – un chez Morvan, un chez lui. Des méthodes de conspirateurs : aucun ordinateur utilisé, aucun contact par téléphone ou Internet, aucune trace numérique d'aucune sorte.

Tout était resté secret. Les gars avaient creusé, prélevé, emporté avec eux leurs échantillons, ni vu ni connu. Les analyses ne s'étaient même pas faites sur place mais dans chaque pays d'origine des géologues. Personne sur le terrain ne pouvait soupçonner le pactole en puissance – le minerai en lui-même n'était pas encore accessible, seuls des experts pouvaient déduire de la composition de la roche apparente les trésors qu'elle recelait.

Quatre heures du matin. Il essaya de contacter par téléphone le Canadien, Harry Cook, installé dans les environs d'Ottawa. Personne. Il ne laissa pas de message mais rédigea un nouveau mail, sibyllin, demandant à être rappelé, « en urgence ». Il fit de même avec les géologues français et suisse, Jean-Pierre Clau et Sylvain Dumezat.

Il chercha ensuite des informations sur les trois experts. Il commença par le Français et son sang se bloqua. Jean-Pierre Clau était mort deux mois auparavant, en mission en Tanzanie. Les dépêches évoquaient un accident d'hélicoptère lors d'un retour à la base. Le crash – trois morts au total – restait toujours inexpliqué.

Prospecter dans ces contrées comporte toujours des risques mais l'« accident » pouvait être aussi connecté à Coltano. Clau avait-il été éliminé après avoir parlé ? Parce qu'on ne voulait pas le payer ? Pour effacer toute trace de transaction ?

Il passa aux deux autres. Aucune entrée particulière à propos de Sylvain Dumezat, hormis les habituelles occurrences LinkedIn ou Viadeo. Rien de spécial non plus sur Harry Cook. Tous deux experts en métallogénie et gîtologie, ils avaient roulé leur bosse à travers le monde. Loïc éteignit son écran. Dormir, coûte que coûte. Il y verrait plus clair demain. Il se leva, se dirigea vers le comptoir de la cuisine ouverte et avala un somnifère. Il déposait son verre dans l'évier quand un bruit l'arrêta. Un frottement provenant d'une des portes-fenêtres.

Immobile, il observa les rideaux blancs qui occultaient les balcons. On grattait derrière le châssis du milieu. Un oiseau ? Un voleur ? Il vivait au troisième étage et rien n'était plus facile que d'escalader une façade haussmannienne.

Par réflexe, il éteignit la seule source de lumière, des LED au-dessus du plan de travail, et resta sans bouger. Le rectangle des rideaux l'hypnotisait mais impossible de distinguer une ombre derrière le lin épais.

Les bruits se diversifiaient : chuintements, craquements, crissements... Le bois et le fer étaient torturés mais à l'étouffée. On était en train de démonter le cadre. Loïc avait l'impression de n'être plus qu'un corps vide, une caisse de résonance centrée autour d'une pulsation cardiaque.

Il pouvait encore fuir par la porte d'entrée mais ses jambes ne répondaient plus. Des esquilles de bois, de la poussière de plâtre tombèrent sur le parquet. Ce fut comme un signal : il courut vers le couloir mais d'autres bruits retentirent – scie, perceuse, levier... On s'attaquait aussi à la porte d'entrée !

Trop tard pour appeler la police et il n'avait pas d'arme chez lui. Il tomba à genoux. Les bourdonnements, les cliquetis, les frottements lui semblaient s'articuler comme les mécanismes d'une machine infernale.

La porte s'abattit dans un fracas d'obus. Un horrible craquement dans son dos : la porte-fenêtre. Loïc cria – ou eut l'illusion de crier – puis, comme un enfant, partit à quatre pattes se planquer derrière le comptoir. Le temps de rejoindre sa cachette, il aperçut les rideaux blancs se soulever : le vent de la nuit pénétrait dans le salon.

Il serra ses bras autour de ses jambes repliées, tête entre les genoux, guettant d'autres signes. Il ne percevait désormais que le silence, à moins que la peur lui ait assourdi les tympans. Il n'était plus capable de la moindre idée, la moindre décision.

La seconde suivante, il fut tiré vers le haut par des mains invisibles. Il passa par-dessus le comptoir puis roula sur le parquet. Par réflexe, il se recroquevilla encore et noua ses bras sur son crâne – la peur reptilienne des coups. Un moment passa encore puis il leva les yeux. Le cauchemar avait pénétré le monde réel.

Ils devaient être cinq ou six. Noirs, ils portaient des maquillages de craie blanche.

L'un d'eux avait l'ossature d'un crâne dessiné sur la figure. Un autre était talqué comme un marquis. Un troisième ressemblait à une citrouille d'Halloween : pupilles énormes et mâchoires en dents de scie.

Ils étaient torse nu – dessins de côtes apparentes, signes ésotériques, scarifications farineuses. L'enfer avait ri et laissé échapper ses messagers. Loïc réalisa qu'une des créatures portait un pantalon bouffant, un autre un simple slip, évoquant un carnaval dans les favelas. Et dire qu'il avait eu peur de deux flics à Saint-Maurice...

Ils se mirent à parler entre eux. Des rafales de dentales. Sûrement du *lingala*, la langue de Kinshasa. Il les regardait, entre ses bras croisés, sidéré par leur taille et leur musculature.

Un des zombies s'approcha :

– T'as déconné, patron.

Il portait des lentilles rouges. D'autres fantômes pénétrèrent dans le salon. L'un d'eux en manteau en cuir noir, coiffé d'un haut-de-forme, tenait une hache dans la main. Un autre, le visage à demi caché sous une perruque de femme, arborait des tatouages fluorescents.

– De... de quoi vous parlez ?

– T'as continué tes conneries. Ça, on t'avait pourtant prrrrré-venu...

Son accent africain était comique mais pas question de rire.

– Je... j'ai pas d'argent ici...

– Pas ici, patron... Mais du fric, t'en as beaucoup, et c'est le nôtre.

– Qu'est-ce que vous voulez dire ?

– On va se trouver un coin tranquille pour parler.

69

AVANT DE S'ACCORDER quelques heures de sommeil, Erwan passa au 36 pour voir s'il ne pouvait pas glaner de nouvelles informations auprès de son équipe. Il ne trouva que son second, toujours à pied d'œuvre, dans le bureau qui jouxtait le sien.

– T'en es où ?

Kripo leva la tête de son ordinateur – derrière lui, un grand drapeau à l'effigie de Che Guevara tenait lieu de décoration.

– Hakim Bey, ça te dit quelque chose ?

– Non.

– Un poète et philosophe américain, de son vrai nom Peter Lamborn Wilson. Il a passé plusieurs années en Orient où il est devenu soufi puis il est rentré aux États-Unis. Il est surtout connu pour être à l'origine du concept de TAZ, *temporary autonomous zones*, les zones d'autonomie temporaire.

– C'est quoi ?

– Des groupes invisibles qui partagent, durant un moment, un ensemble de valeurs communes, toujours à l'encontre des règles sociales et des normes établies. Des anarchistes des temps modernes.

Erwan ne put qu'esquisser un geste de lassitude :

– Je vois pas le rapport avec notre enquête.

– Dans les années 90, les raves étaient l'expression d'une TAZ. Des gens libres avec leurs propres règles. Comme les hackers aujourd'hui.

– Putain, Kripo, viens-en au fait.

– Une TAZ organise des no limit. Des hommes et des femmes fondus de fetish et de SM. Ils se considèrent comme des rebelles sexuels et affirment leur droit à la différence.

Erwan ne voyait pas comment di Greco et son endoctrinement sadique pouvaient entrer dans cette catégorie. Encore moins les notables de Bièvres. Il ne voulut pas décevoir Kripo, qui continuait :

– Les infos ne sont pas faciles à obtenir : ces groupes cultivent le secret. Mais il semblerait qu'ils aient un leader, une sorte de gourou : Ivo Lartigues, un sculpteur contemporain très coté.

– Garde ça sous le coude, dit Erwan pour en finir. L'urgence, c'est d'avancer sur le meurtre d'Anne Simoni.

– C'est pas incompatible. Certains membres de cette TAZ vont très loin. Tortures, châtiments... Pourquoi pas un meurtre ?

La punkette n'aurait donc pas été tuée par un meurtrier solitaire mais victime d'un sacrifice collectif. On revenait, par un détour sociologique, à son idée de cérémonie morbide en Bretagne. Il n'y croyait pas mais accorda un os à Kripo :

– Elle avait peut-être conservé des liens avec des marginaux. Vois ça avec Favini. Vérifiez si elle n'avait aucune connexion avec ta zone d'anarchie temporaire.

– Zone d'autonomie temporaire.

– Tu m'as compris.

Kripo nota quelque chose sur un Post-it avant d'ajouter :

– J'ai aussi contacté l'institut Charcot.

– C'est quoi ?

– L'UMD où Thierry Pharabot a fini ses jours. On les avait déjà appelés du temps de Kaerverec.

Il perdait la boule : non seulement il n'avait pas vérifié ce fait crucial – l'Homme-Clou était-il bien mort ? – mais il n'avait même pas mémorisé le nom du site. *Réveille-toi.*

– Comment tu sais ça, toi ? demanda-t-il pour faire diversion.

– Recherches personnelles. Thierry Pharabot n'est pas totalement inconnu. À sa mort, y a eu quelques papiers dans la presse. Je dois dire que j'ai été plutôt surpris : le fait que cette UMD et l'école de pilotage ne soient séparées que de quelques kilomètres ne peut être un hasard.

– Je suis d'accord. Il est bien mort, au moins ?

– Mort et incinéré, selon l'hôpital. Il a fait un AVC en 2009 dans sa cellule.

– Rien de suspect de ce côté-là ?

– Le gars avait soixante-deux ans. Ce qui est suspect, c'est qu'on l'ait gardé au trou jusqu'à sa mort. J'attends le certificat de décès. Détail : les cendres de Pharabot ont été disséminées dans l'espace de dispersion du cimetière de... Kaerverec.

Un nouveau lien entre l'institut psychiatrique et la K76. L'imitateur avait-il choisi l'école de pilotage pour sa proximité avec le cimetière ?

– Un espace de dispersion, qu'est-ce que c'est ?

– Une sorte de puits où on jette les cendres des disparus. « Souviens-toi que tu es né poussière et que tu redeviendras poussière. »

Erwan sentait qu'ils touchaient là un point important mais à tâtons, et armés seulement d'une canne blanche.

– T'as parlé au directeur de l'UMD ?

– En pleine nuit, j'ai pas parlé à grand monde mais je t'ai pris un billet d'avion pour Brest.

– Quoi ?

– Tu pars demain à 11 h 20, Orly Ouest.

Il faillit se mettre en colère avant de se souvenir que c'était sa première idée : Thierry Pharabot avait peut-être influencé (et formé) un autre détenu de l'UMD ; le disciple avait été libéré et reprenait la série des meurtres.

– J'ai pris qu'un seul billet, ajouta l'Alsacien. Tu m'en voudras pas de ne pas y retourner avec toi. J'ai aussi rappelé Muriel Damasse, elle nous renvoie le dossier complet.

Erwan s'imagina atterrissant à Brest et retrouvant les trois mousquetaires. À cette seule idée, il se sentit comme foudroyé par la
fatigue. Il devait dormir quelques heures, quitte à se faire une
injection de Rohypnol, et retrouver un semblant d'énergie.

– Des nouvelles des autres ?

– Tonfa est toujours à l'IML. La Sardine fait la tournée des
boîtes destroy, en quête des potes d'Anne Simoni. Quant à Miss
Brocante, elle doit arpenter les quais en guettant le lever des
rideaux de fer.

Kripo avait surnommé Audrey ainsi parce que ses vêtements
avaient toujours l'air de sortir d'un vide-grenier. Ce qu'Erwan
comprenait, c'était que malgré ses conseils, aucun d'entre eux
n'était allé dormir. Il décida finalement d'en faire autant – il se
reposerait dans l'avion.

– Okay. Je vais prendre une douche et gratter de mon côté
sur l'Homme-Clou. On se retrouve tous ici à 9 heures.

– C'est ça. Apporte les croissants.

70

– C'EST QUOI, C'EST CARNAVAL ?

Après avoir encaissé la nouvelle de Luzeko – la lettre de menace adressée à son fils venait de Kabongo, c'est-à-dire du pouvoir central de Kinshasa –, Morvan avait passé en revue tous les hommes à Paris liés de près ou de loin à Kabila. Il n'avait pas mis longtemps à retenir dans sa top-list Youssouf Ndiaye Mabiala, dit le Khmer noir. Un communiste fanatique d'origine luba, réputé pour se nourrir de quelques olives et vouloir exécuter tous les riches de la planète. Assez étrange qu'un tel lascar se soit acoquiné avec le gouvernement Kabila mais Morvan avait renoncé depuis longtemps à saisir les contradictions africaines. D'après ses renseignements, le Khmer noir résidait à Paris depuis quatre ans en tant que réfugié politique (il se faisait passer pour un opposant du clan qu'il servait et vivait aux frais de la princesse). Violent, tyrannique, stupide, il avait fait ses armes dans la région des Grands Lacs durant les deux guerres du Congo.

Morvan en était là de ses recherches quand il avait justement reçu un appel du coco en personne – parfait exemple de synchronicité. Celui-ci lui donnait rendez-vous dans un parking souterrain de Nanterre. Argument de poids : il tenait Loïc.

Avec fatalisme (il n'avait même pas eu le temps de savourer son soulagement concernant Gaëlle), il avait repris sa bagnole.

Durant le trajet, il avait hésité à prévenir Erwan puis avait renoncé : plus dangereux qu'utile. Alors qu'il s'engageait sur le boulevard circulaire, au pied de la Défense, un nouveau coup de fil l'avait guidé à travers les méandres de Nanterre jusqu'à une obscure zone industrielle où un Congolais assurait un rôle de vigile.

Finalement, dans un sous-sol crasseux, des gaillards peints comme des squelettes l'attendaient en fumant et en picolant. Morvan songea aux milices qu'il avait croisées à la frontière rwandaise, dans le Kivu, où des soldats surarmés portaient des perruques et des masques en caoutchouc. *Où est Loïc ?*

– Pourquoi ces faces de clown ? insista-t-il.

Un des spectres s'avança :

– Prends-le de moins haut, Morvan. On est déjà bien bons de t'avoir appelé avant de foutre ton gamin dans la Seine.

Il ne répondit pas : il venait d'apercevoir son fils à l'arrière d'une Mercedes noire, tête dans les épaules. Son visage dessinait une tache blême dans l'habitacle, comme si on avait explosé une bouteille de lait sur la vitre.

Morvan eut un geste vers le calibre glissé dans son dos mais il serra les poings pour stopper son réflexe. *Ne bouge pas, ne tente rien. Joue-la mollo.* Les morts vivants étaient au moins six, équipés d'armes automatiques.

– Qu'est-ce que vous voulez ?

Le Noir secoua la tête. À tous les coups, Mabiala en personne.

– On a envoyé un message à ton fils... Visiblement il sait pas lire le français.

– Et toi, tu sais pas l'écrire.

Le colosse rit en silence et s'approcha encore : ils étaient de la même taille. Au Congo, carrière rimait avec carrure. Si Morvan n'avait pas avoisiné les deux mètres, jamais il n'aurait pu s'imposer sur cette terre de colosses.

– C'était un avertissement, patron. Et ça, vous en avez pas tenu compte.

– De quoi tu parles, nom de dieu ? De Coltano ?

– Tss, tss, tss. Les magouilles doivent s'arrêter.

Morvan prit une inspiration. Ce rendez-vous lugubre allait peut-être permettre de clarifier les choses.

– Si tu penses qu'il y a magouilles, explique-toi.

– Les actions, patron, les actions…, chantonna le Noir. Vous êtes en train d'essayer de nous la mettre profond, *nquilé*…

Le « nous » amusa Grégoire : il doutait sérieusement que Mabiala soit impliqué dans les intérêts miniers du Congo. La solidarité des chiens envers leur maître.

– Si je te dis que c'est pas moi, ça servira à quelque chose ?

– Non.

– Qu'est-ce que je dois faire pour vous convaincre ?

Mabiala lança un regard à la voiture – façon de souligner ses arguments – puis revint planter ses yeux de carbone dans ceux de Morvan. Avec sa tête enfarinée, il rappelait les lutteurs noubas immortalisés par Leni Riefenstahl.

– Tu dois parler au général. Y a un vol demain matin pour le pays, à 8 h 20. (Il s'inclina et fit une révérence.) Sept cent treize euros, monsignèèèèère… Une paille pour votre bourse…

À l'idée de retourner dans le bourbier, il en avait déjà un haut-le-cœur. Quand donc les bamboulas lui lâcheraient-ils le jonc ?

– Ça changera quoi ? cracha-t-il. J'aurai pas plus d'arguments pour convaincre Kabongo.

– Trouves-en. Si c'est pas toi qu'achètes, trouve ceux qui le font. (Le Black frotta son pouce contre son index, produisant une vapeur de poudre blanche.) Cherche l'oseille, patron. Et ramène-nous l'ennemi sur un plateau.

– Je pourrai pas trouver d'ici demain matin.

– Le général, lui, il a pas de patience. Ça, non. Demande-lui un délai, et demande-le bien gentiment. Pendant ce temps, nous, on te garde ton gamin au chaud.

Mabiala l'enlaça par les épaules, sortit son portable – « Souris ! » – et se photographia aux côtés de Morvan en éclatant de rire. Puis il pianota sur son clavier pour sans doute envoyer la photo à Kabongo.

– Ça fera patienter le général... (Il regarda sa montre – la Jaeger-LeCoultre de Loïc.) T'as juste le temps d'aller faire ta valise.

Grégoire se vit dégainer et les abattre tous, en position de tir instinctif. Pam-pam-pam-pam ! La seconde suivante, il eut une vision très claire de son avenir proche : Paris-Kinshasa, se fader les conneries du général en costume Mao, Kinshasa-Paris, courir partout pour trouver qui était en train de la leur faire à l'envers. N'avait-il pas passé l'âge pour tout ça ?

– Je peux lui parler ? demanda-t-il en désignant la Mercedes.

– *Sé sé sé*. Va faire ta valise. Je trouve qu'on est déjà sympas de pas tous vous rôtir à la broche, *nquilé* de Blancs !

Le Khmer noir était soudain d'une gravité de bourreau. Il devait avoir cet air-là quand il coupait les mains ou les bras – « manches courtes, manches longues », disait-il – des électeurs qui ne votaient pas du bon côté.

Morvan acquiesça d'un hochement de tête. Il ne réussit pas à attraper le regard de Loïc mais il lui adressa un signe qui se voulait réconfortant. Il allait partir puis se ravisa : pas question de baisser son pantalon à ce point-là.

– Y a une différence entre toi et moi, murmura-t-il en revenant vers Mabiala. J'ai pas besoin de me poudrer le cul pour faire peur à mes ennemis.

71

SIX HEURES DU MATIN. Douché, rasé, habillé, Erwan se sentait d'attaque pour mener son briefing avant de s'envoler en direction de Brest. Mais il fallait d'abord interroger son père sur l'Homme-Clou.

Sans le vouloir, Kripo lui avait remis les idées en place : il devait fouiller la toile de fond de l'affaire. Que s'était-il passé exactement à Lontano, Katanga, entre 1969 et 1971 ? Et ensuite, durant près de quarante ans ? Avait-on simplement enfermé la bête et jeté la clé ?

Dans l'enfance d'Erwan, l'Homme-Clou avait remplacé les traditionnels sorcières et autres Barbe-Bleu. Chaque nuit, ce n'était pas un croquemitaine ni un vampire qui allait venir le chercher mais un jeune ingénieur belge portant une boîte à outils et des sacs de clous... Sans compter les sculptures effrayantes dans le bureau de son père. Il s'était toujours dit qu'un de ces démons avait mangé l'âme de son père. Voilà pourquoi le Vieux frappait sa femme.

Il se gara sous les platanes de l'avenue de Messine et prit l'escalier de service pour accéder directement à l'aile du Padre.

– Qu'est-ce que tu fous là ?

– Charmant, l'accueil.

Bizarrement, son père était déjà prêt lui aussi – l'uniforme standard : bretelles et chemise bicolore.

– Rentre, fit-il en regardant sa montre.

Le seuil donnait directement accès à un petit vestibule puis à la chambre-bureau. Erwan aperçut la valise ouverte.

– Tu pars en voyage ?

– Un aller-retour. L'affaire de deux jours.

– Où ?

– Kinshasa.

– Tu plaisantes !

Morvan empila plusieurs chemises dans sa valise format cabine.

– J'ai l'air de plaisanter ? Avec cette putain de chaleur, je suis bon pour me changer toutes les deux heures.

– Qu'est-ce que tu vas foutre là-bas ?

– Business. Café ?

– Je veux bien.

– Y en a du chaud dans la cuisine. Rapporte-m'en aussi.

Erwan s'exécuta. Il devinait que cette visite éclair au Congo était liée à Coltano et aux problèmes dont son père lui avait parlé. Il s'en foutait. Tout ce qui touchait au fric paternel le débectait. Il se demanda aussi s'il n'y avait pas un lien lointain avec le nouvel Homme-Clou...

Dans la petite cuisine, il trouva le café fumant dans la machine. À près de soixante-dix ans, le Padre menait ici une vie d'étudiant. *Tout ça pour ça...*

Il revint dans la chambre portant les deux mugs.

– Merci. Donne-moi des nouvelles de ta sœur.

– Tout va bien. Elle est chez elle et... calmée.

– J'espère bien. Où elle était encore partie, cette conne ?

– Je t'épargne les détails.

– T'as raison. J'ai un service à lui demander mais il vaut mieux que ça passe par toi.

Il revit Gaëlle vociférer sur le seuil de son appartement, roulée dans sa serviette-éponge. Il n'était pas sûr d'être le mieux placé pour lui demander quoi que ce soit.

– Quel genre de service ?

– On est vendredi. C'est le week-end de garde de Loïc. Il ne pourra pas l'assurer.

– Pourquoi ?

– Cas de force majeure.

– Me dis pas qu'il...

– Non. Il sera pas chez lui, c'est tout. Du moins pas ce soir. Il faudrait que Gaëlle aille chercher les petits à l'école et les garde chez lui jusqu'à son retour.

– Où est-il ?

– Désolé, je peux pas t'expliquer.

Morvan avait pris sa voix la plus posée. Malgré sa capacité à dissimuler ses vrais sentiments, Erwan le sentait anormalement nerveux. Son mug en main, il achevait sa valise : trousse de toilette, iPod, livres, serviette...

– Pourquoi ne pas demander à Sofia de...

Le Vieux laissa retomber son rasoir électrique, l'air accablé :

– T'as donc rien compris ? On n'a pas le droit à l'erreur.

– De quoi tu parles ?

– S'il y a divorce, Loïc doit être irréprochable. Cette salope italienne utilisera le moindre fait contre lui.

– Elle a pourtant promis d'enterrer la garde à vue, non ?

– Justement. Elle se servira de tout le reste.

Il ouvrit un tiroir de son secrétaire, attrapa un calibre dans son étui et le glissa entre deux chemises.

– Tu passes les contrôles avec ça ? s'étonna Erwan.

– Après quarante ans de boutique, encore heureux.

– Tu pars à la chasse ou quoi ?

– T'occupe. Qu'est-ce que tu voulais ?

– Parler de l'Homme-Clou.

Son père saisit une enveloppe bourrée de cash, feuilleta rapidement la liasse (que des billets de cent) puis la fourra dans sa poche de veste, avec son passeport.

– C'est vraiment pas le moment.

– M'oblige pas à te convoquer au 36. ·

– T'es en bagnole ? sourit Morvan. Emmène-moi à Roissy. On discutera en route.

72

— QUAND JE SUIS ARRIVÉ à Lontano, il avait déjà tué quatre femmes.

— T'étais en poste au Gabon, pourquoi t'envoyer au Zaïre ?

— Parce que la dernière victime était française, on voulait que j'aille voir tout ça de plus près.

— Resitue-moi le contexte. Parle-moi de Lontano.

— C'était une immense zone d'habitation, une ville nouvelle qui abritait tous les ingénieurs, cadres et contremaîtres du secteur minier. Des Belges en majorité. Des écoles accueillaient les enfants. L'université formait l'élite. À cette époque, ça faisait beaucoup de monde, pas un Noir n'avait encore accès à un boulot qualifié.

— Quand les meurtres se sont produits, ça a dû être la panique, non ?

— Plus personne n'osait sortir. En fait, plus personne ne voulait rester. La ville a connu un exode massif. Les Belges préféraient être rapatriés. Côté Noirs, c'était pas mieux : ils étaient persuadés qu'un démon rôdait et ne voulaient plus travailler dans les zones où le tueur avait déposé une de ses victimes. Toute la région était à l'arrêt.

Erwan ne pouvait s'empêcher de penser qu'il était né là-bas. Son père avait raison : ce lieu funeste pouvait apparaître comme une malédiction. À défaut de fées, c'était un tueur en série qui s'était penché sur son berceau.

— Que foutait la police ?

— Il n'y avait pas de police zaïroise et les Belges ne trouvaient rien. À leur décharge, il n'y avait alors qu'une seule voie d'investigation : les témoignages. Or personne ne savait rien. En tout cas, c'était la loi du silence. Tu mets pas le deux-tons ?

Erwan parvenait porte de la Chapelle. Il prit la direction de l'E19, l'autoroute du Nord.

— Non. On a encore le temps et je veux tous les détails.

— Pour ça, faudrait aller à l'aéroport à pied.

— Le gouvernement zaïrois t'a autorisé à enquêter ?

— Les Blacks m'attendaient comme le messie. L'affaire était revenue aux oreilles de Mobutu qui voyait d'un très mauvais œil l'exode de Lontano. Il redoutait le moment où toutes les mines du coin seraient obligées de fermer.

— Les Belges ont coopéré ?

— Ils avaient d'autres chats à fouetter. L'urgence était de rétablir l'ordre dans la ville. Leur erreur avait été de soupçonner les Africains, à cause des rituels magiques du tueur. Les Blancs s'en sont mêlés. Il y a eu des affrontements, des lynchages. Quand je suis arrivé, on était au bord de la guerre civile.

— Par quoi tu as commencé ?

— J'ai repris l'enquête de zéro. Les Belges avaient fait une découverte intéressante. Les pratiques de l'Homme-Clou étaient inspirées par une magie qui n'avait rien à voir avec le Katanga. Des rites du Mayombé, une région située à l'embouchure du fleuve Congo, à plus de mille cinq cents kilomètres à l'ouest. Le réflexe des flics avait été de chercher parmi les ouvriers des gars appartenant à l'ethnie yombé.

— Ils en ont trouvé ?

— Des centaines. Au Zaïre, le Katanga, c'était l'eldorado : on venait de partout pour y bosser. Ils se sont enfoncés eux-mêmes dans cette impasse. En fait, ils pouvaient même plus approcher les ghettos noirs sous peine de se faire lyncher à leur tour. Pendant ce temps-là, les victimes se multipliaient.

– Quel était leur profil ?

– Toujours le même : une jeune fille de bonne famille, étudiante ou travaillant dans les bureaux des sociétés minières. Des poulettes que tout le monde connaissait, qui dansaient le samedi soir à la salle des fêtes au son de « I'm a Man » ou de « Yellow River ».

– Tu te les rappelles ?

Le Vieux se mit à débiter, sans la moindre hésitation :

– Octobre 69 : Ann de Vos, vingt et un ans, étudiante en biologie. Décembre 69 : Sylvie Cornette, dix-neuf ans, secrétaire à la scierie Fyt Kolenmijn. Mars 70 : Magda de Momper, vingt ans, étudiante en lettres. Mai 70 : Martine Duval, dix-huit ans, étudiante en hypokhâgne.

– Tu te souviens de chaque nom ?

– Elles ont jamais quitté ma mémoire. Et encore, celles-là ont été tuées avant que je commence l'enquête. Celles qui sont mortes après, c'est comme si elles avaient appartenu à ma propre famille. (Le regard fixé sur la route, il reprit sa déclamation :) Novembre 70 : Monika Verhoeven, vingt-quatre ans, géologue chez Mangaan Corp. Février 71 : Anne-Marie Nieuwelandt, vingt et un ans, traductrice au consulat de Belgique. Avril 71 : Catherine Fontana, vingt-trois ans, infirmière au dispensaire du kilomètre 5. Mai 71 : Colette Blockx, vingt-deux ans, mère au foyer avec un nouveau-né de quatre mois. Novembre 71 : Noortje Elskamp, vingt ans, religieuse... Magne-toi, je vais finir par rater mon avion.

Erwan accéléra sans répondre. Ils venaient de dépasser le Stade de France, à Saint-Denis.

– Le tueur procédait toujours de la même manière, poursuivit Grégoire. Enlèvement, tortures, mutilations, dépose dans un coin de brousse. On ne retrouvait jamais de trace ni d'empreinte. Il frappait toujours durant la saison des pluies. Une seule averse et tout était balayé.

– Il attendait la pluie pour cette raison ?

– Non. Selon ses croyances, la mousson provoquait un afflux d'esprits, donc de danger. Il devait renforcer sa protection à ce moment-là. Il avait alors besoin d'un puissant fétiche – une victime.

– Ces meurtres me semblent trop espacés pour tenir en une seule saison.

Un sourire échappa à Morvan :

– T'es bien un flic ! Au Katanga, la saison des pluies dure huit mois, d'octobre à mai. Ça te donne une idée du bourbier.

Erwan remarqua en passant que le nouvel Homme-Clou ne respectait pas cette condition. Il n'avait pas plu dans la nuit du 7 au 8 septembre sur la lande de Kaerverec et il faisait plein soleil le mardi 11 septembre à Paris.

– Et les clous, les tessons, les morceaux de miroir ?

– Tout venait des décharges, des stocks des mines ou des usines. On n'a jamais pu retracer leur origine exacte. Encore une fois, c'était un autre temps. Et c'était l'Afrique...

Erwan parvenait aux abords de l'aéroport. Il n'aurait pas le temps d'entendre toute l'histoire.

– Comment l'as-tu chopé ? demanda-t-il abruptement.

– J'avais vingt-cinq ans. C'était ma première enquête criminelle. J'avais pas la moindre idée de la marche à suivre mais je suis entré, comment dire, en résonance avec ce tueur, avec sa folie. J'ai compris que la magie était noire mais que le tueur était blanc.

– C'est dans tous les manuels de criminologie : les tueurs en série s'attaquent en priorité à leur propre ethnie.

– À l'époque, les bouquins dont tu parles n'étaient pas écrits. Je me suis lancé à la recherche d'un Occidental qui aurait grandi ou vécu dans la région du Mayombé.

– C'est comme ça que t'as repéré Pharabot ?

– Non. Pas mal de Blancs avaient bossé un peu partout au Congo, notamment au Mayombé. Je pouvais pas interroger tout le monde. J'ai essayé de resserrer la liste de mes suspects en me fondant sur le profil du tueur.

– Tu veux dire... psychologique ?

– Pas vraiment. Je m'en suis tenu aux faits concrets. Quels savoir-faire impliquaient les meurtres, quelles connaissances, quelles croyances. Mon client était un Blanc qui avait pratiqué la magie yombé, c'est-à-dire qu'il avait vécu là-bas mais aussi fréquenté la communauté noire. Le gars connaissait la brousse comme sa poche : la dépose des corps le prouvait. Un homme de terrain – ingénieur, géologue, contremaître...

Erwan ralentit en vue des aérogares. Chaque seconde gagnée lui valait une information supplémentaire.

– J'ai alors croisé plusieurs données, continua Morvan, les lieux, les heures, les alibis de chacun de mes suspects. J'ai agi avec minutie, méthode. Vraiment le genre laborieux. Le pire, c'était que le tueur continuait à tuer. Ça me rendait dingue mais je pouvais pas aller plus vite. D'autant plus qu'on m'avait aussi assigné des missions de surveillance et de maintien de l'ordre dans les mines.

– Comme di Greco ?

– Exactement. À la cinquième victime, je suis moi-même allé chercher en avion un toubib français que je connaissais au Gabon pour qu'il pratique une autopsie digne de ce nom. Grâce à ça, j'ai fait une découverte : les ongles et les cheveux à l'intérieur du thorax.

– Ça t'a aidé ?

– Non. Ça a juste confirmé que le cinglé suivait les rites yombé.

– Finalement, comment tu l'as identifié ?

– Comme d'habitude : un coup de chance. La dernière victime, Noortje Elskamp, la religieuse, travaillait dans un dispensaire ouvert aux Noirs. J'ai interrogé les autres infirmières. Je leur ai demandé si elles avaient remarqué un mec au comportement bizarre qui rôdait dans le coin. Ou simplement un Blanc qui se faisait soigner ici. À Lontano, tous les Européens allaient à l'hôpital officiel, la Clinique blanche. Le dispensaire, c'était pour les Blacks.

– Ça a donné quelque chose ?

– Un jeune ingénieur était venu plusieurs fois pour se faire vacciner contre le tétanos. Ce qui était absurde : une fois qu'on est vacciné, on l'est pour des années. J'ai compris que je tenais mon client.

– À cause de la rouille des clous ?

– Exactement. Après chaque sacrifice, il venait se faire piquer. Ce qui était, au passage, une connerie : le tétanos provient de la terre et non du fer.

– Tu l'as arrêté ?

– Au nom de quoi ? Usage de vaccins abusif ? Pharabot correspondait exactement au profil que j'avais établi mais c'était un gamin que tout le monde aimait. Ses patrons l'appréciaient, ses ouvriers le respectaient.

– Qu'est-ce que t'as fait ?

– J'ai pris mon calibre et je suis allé l'abattre. Il s'est enfui dans la brousse et je l'ai rattrapé.

– Mais tu ne l'as pas tué.

– Non.

– Pourquoi ?

– Je me pose encore la question.

La sortie pour Roissy 2E était en vue. Fin de la première audition. Erwan s'orienta vers la zone des départs et montra sa carte pour accéder au plus près des portes.

– Tu crois que tu le connais ?

– Qui ?

– Le tueur d'aujourd'hui.

– Lui me connaît. Ou il a enquêté sur moi. Le choix d'Anne le prouve.

– Et Wissa Sawiris ?

– Celui-là, je ne l'explique pas. À moins de faire le lien avec di Greco mais ça me paraît vraiment tiré par les cheveux.

– Tu ne m'as rien dit sur lui. À l'époque, il a participé à l'enquête ?

– Non. Les patrons des exploitations françaises cherchaient un gars solide pour faire régner l'ordre dans les mines. J'ai proposé di Greco que j'avais connu au Gabon. Il est venu bosser deux années à Lontano.

– C'est tout ?

Morvan hésita :

– Il était... fasciné par cette histoire de tueur. Je crois que c'était devenu une obsession pour lui. Mais va pas te monter la tête.

– Quand tu l'as revu en France, il t'a reparlé de cette époque ?

– Jamais. C'est pas des bons souvenirs.

Le Vieux mentait mais Erwan n'avait plus le temps d'insister.

– Y a forcément un lien entre Kaerverec et Charcot.

– Oublie l'institut. Pharabot est mort y a trois ans. (Il regarda sa montre.) Faut que j'y aille. Je vais rater mon vol.

– Durant toutes ces années, t'es jamais allé le voir ?

– Jamais.

– Il a passé quarante ans en Bretagne ?

– Non, il a d'abord été interné à Kinshasa puis en Belgique. Ce n'est que dans les années 2000 que la France a proposé de récupérer le fauve. Charcot avait un nouveau programme, je sais pas quoi. Les Belges étaient trop contents de s'en débarrasser.

Le Vieux attrapa sa valise à l'arrière puis saisit la poignée de la portière.

– Attends ! J'ai encore des questions.

– J'ai plus le temps, là, protesta Morvan.

– Les victimes ont le crâne rasé, pourquoi ?

– Pour accentuer la ressemblance avec les fétiches en bois, les vrais *minkondi*.

– Les miroirs devant les yeux ?

– Ça symbolise le don de voyance. Un *nkondi* de ce genre peut voir l'avenir.

– Essaie de te souvenir de tous ces rituels. Il n'y en a pas un qui pourrait trahir le tueur aujourd'hui ? Avec nos moyens actuels d'analyse ?

Morvan réfléchit quelques secondes. Il puait l'eau de toilette d'Hermès mais quoi qu'il fasse, il suintait surtout une sourde menace, une puissance latente.

– Pour activer son fétiche, le *nganga* lui crache dessus, l'arrose de vin de palme... Pharabot était allé plus loin : il faisait couler son propre sang sur le crâne et les épaules de la victime.

– Ça signifie que...

– Les femmes portaient sa signature ADN, oui. Mais à l'époque, ça me faisait plutôt une belle jambe.

– Tu penses que notre meurtrier fait la même chose ?

– S'il veut suivre avec précision le même rituel, oui.

– Il laisserait son ADN sur le corps ?

– S'il est aussi fou que son modèle, il n'a pas le choix. Il doit se protéger des esprits.

– Je croyais qu'il se vengeait de toi.

– L'un n'empêche pas l'autre.

– Qui est au courant de ce détail ?

– Personne. Pharabot me l'a avoué des années plus tard, au moment du procès. (Morvan éclata d'un rire sinistre et lui donna une bourrade dans l'épaule.) T'as de quoi gamberger, là...

– Tu reviens quand ?

– Si tout se passe bien, demain matin.

– Et si tout se passe mal ?

– Alors, ça sera dans les journaux.

Erwan ne releva pas la boutade – il espérait que c'en était une. Son père ouvrit la portière mais s'arrêta :

– J'allais oublier.

Il lui tendit une enveloppe, format courrier.

– C'est quoi ?

– La liste des michetons de Gaëlle.

– Tu vas pas recommencer !

– C'est pour que ça recommence pas que tu vas aller les voir. Fais-leur passer le goût de ta sœur. Je veux plus de problèmes de ce côté-là.

73

NERVOSITÉ EXTRÊME DANS LA SALLE.
Audrey se tenait tordue sur sa chaise, bloc en main, toujours habillée comme si son idée de la séduction se résumait à donner son corps à la science. Tonfa avait l'air d'un catcheur qui a oublié sa cape. La Sardine la jouait sportive, survêtement noir aux couleurs d'un club de foot anglais. Quant à Kripo, il apportait comme d'habitude sa touche bohème : veste en velours carmin, gilet de soie gris, catogan qui lui donnait l'allure d'un bandit de grand chemin.

Un intrus s'était glissé dans les rangs : un jeune type en chemise blanche et costume noir mal coupé, portant en bandoulière un cartable en toile. Il ressemblait aux jeunes cadres qu'on croise le matin à Manhattan.

Présentations : le nouveau, dont le visage lui disait quelque chose, était Jacques Sergent. Erwan lui proposa de s'asseoir dans un coin. Sous-entendu : « Pas un mot. »

– J'ai du nouveau sur les quais, attaqua Audrey.

– Côté terre ?

– Côté Seine : la Fluve a recueilli le témoignage d'un marinier qui a vu un Zodiac amarré quai des Grands-Augustins aux environs de quatre heures du matin.

Le mot « Zodiac » lui rappela Kaerverec. Une idée absurde lui traversa l'esprit : le tueur était venu de Bretagne à bord de son embarcation.

– On a l'heure exacte ?

– Non. Le mec a juste remarqué qu'il était amarré dans la direction de Bercy.

– Une immat' ?

– Non. Sa péniche voguait dans l'autre sens.

– Quel modèle ?

– Un des plus gros du marché. Un truc qu'utilisent les commandos de marine. Ils appellent ça un ETRACO.

– Je connais.

– Je me suis déjà renseignée : y en a des centaines en circulation.

– Tu prends des gars d'autres groupes et vous vous fadez la liste.

– J'en étais sûre…

Erwan se tourna vers Tonfa :

– L'autopsie ?

– Riboise a toujours pas fini. Il est en train d'ouvrir la bête.

Le flic avait donc quitté son poste de veille pour assister à la réunion – totalement illégal.

– Pour l'instant, qu'est-ce qu'on a ?

Le colosse s'empara de son petit carnet :

– Soixante-quatorze clous, vingt-deux morceaux de verre – miroir, tessons de bouteille, débris de vitre… – et d'autres fragments de métal divers et variés.

– On m'a parlé de fibres, c'est quoi ?

– A priori, du crin de cheval ou du raphia. L'IJ précisera.

– Selon Riboise, combien de temps ont pris ces mutilations ?

– Ça a pu aller vite, avec un pistolet à clous.

L'utilisation d'un tel engin ne cadrait pas avec le caractère sacré du sacrifice. En même temps, Erwan imaginait la chronologie des faits : Anne enlevée vers 18 heures, dépose du corps à 4 heures. Ça laissait une dizaine d'heures à l'assassin pour emporter sa victime dans un lieu sûr, la torturer, la mutiler puis la ramener quasiment là où il l'avait cueillie.

– T'as fourgué les scellés à l'IJ ?

– J'ai fait une deuxième livraison, ouais.

– Qui dirige le groupe ?

– Cyril Levantin.

Le meilleur du labo : une bonne nouvelle.

– Toujours rien, côté ongles et cheveux ?

– On en saura plus en fin de matinée : Riboise a les mains dans le moteur.

Erwan se tourna vers la Sardine :

– Anne Simoni, ses réseaux sociaux ?

– Pour l'instant, que du standard. Mais y a un dossier verrouillé dans son ordi. J'ai demandé de l'aide aux nerds de l'étage.

Encore une fois, il songea à Kaerverec. Les deux enquêtes s'enchaînaient trop vite : la seconde était hantée par la première.

– C'est tout ?

– On s'est parlé à trois heures du mat.

– Creuse du côté d'éventuelles activités politiques.

– Comme quoi ?

– Altermondialisme. Anarchisme. Ce genre de conneries.

– Je crois qu'elle avait raccroché.

– Gratte tout de même. Vois aussi du côté sexe.

– Pour l'instant, son disque dur est kasher, à part le dossier inaccessible. Tu penses à un truc en particulier ?

– Le SM.

Un piano mécanique retentit dans la salle. La musique d'un vieux film de gangsters, *Borsalino*, avec Alain Delon et Jean-Paul Belmondo. La Sardine se mit à palper fébrilement ses poches pour trouver son portable puis il bondit vers la porte en marmonnant des paroles sucrées.

– Kripo, les fadettes ?

Le Luthiste parut mal à l'aise :

– Elle a appelé plusieurs fois la même personne le dernier jour...

– Quel numéro ?

– Il était protégé. On a mis la nuit pour…

– Quel numéro ?

– Celui de ton père. Son portable perso.

– On sait qu'ils se connaissaient.

– Ça n'explique pas pourquoi elle l'a appelé six fois en quelques heures.

– Je lui demanderai moi-même.

Il réalisa qu'il avait complètement oublié de l'interroger, en voiture, sur Anne Simoni.

– Les images vidéo ?

– Rien de neuf. La fille s'est volatilisée sur le pont d'Arcole. On fait un appel à témoins.

– C'est tout ?

– C'est tout.

Erwan frappa dans ses mains, à la fois pour balayer son malaise et stimuler les troupes qui lui paraissaient, malgré leur bonne volonté, en sous-régime.

– Audrey, tu tapes la perquise chez la victime ce matin. Vas-y avec Favini : il a déjà fait l'état des lieux.

– Pas de problème.

– Tonfa, tu retournes à l'IML pour la fin de l'autopsie.

– Et moi ?

Les regards se tournèrent vers la voix. Jacques Sergent avait la main levée. Comme à l'école. La petite trentaine, très brun, des traits ordinaires hormis un nez busqué et proéminent – modèle toucan –, un front déjà dégarni.

– Toi ? reprit Erwan. Tu te colles aux fadettes avec Kripo.

Le jeune flic acquiesça : rien de folichon mais il était intégré au groupe, c'était déjà beaucoup.

Erwan regarda sa montre :

– Kripo, dans l'immédiat tu m'emmènes à l'aéroport.

74

PENDANT QUE L'ALSACIEN briefait rapidement Sergent, Erwan passa dans son bureau et regroupa ses affaires. Il trouva une bouteille d'eau et la vida d'un trait. Il avait la gorge comme un four à pain. Soulagement. Pourtant, il s'en voulait de céder à ce besoin – il méprisait, par principe, les gens qui se désaltèrent pour un oui ou pour un non. Il y voyait la basse satisfaction d'un instinct plus bas encore. Presque un vice.

Erwan éprouvait de nombreuses aversions de ce genre, complètement absurdes. Au fond, il agissait souvent en fanatique religieux, haïssant sa propre nature, toujours à deux doigts de la flagellation. Le problème, c'est qu'il n'avait pas de dieu à qui s'adresser.

Coup d'œil à sa montre : qu'est-ce que foutait Kripo ?

Il en profita pour appeler Levantin, le coordinateur de l'IJ.

– Morvan. T'as reçu les nouveaux scellés ?

– Je suis dessus.

– Les premiers ont donné quelque chose ?

– Si tu me disais ce que tu cherches, ça m'aiderait.

– D'abord, l'origine et la composition des clous, des tessons, etc. Pour l'instant, c'est notre seul lien avec le tueur.

– À première vue, cette quincaillerie pourrait sortir de n'importe quelle décharge.

– Tu bosses pas « à première vue » et tu m'as habitué à mieux que ça. Le tueur d'aujourd'hui imite un assassin des années 70, qui frappait au Zaïre.

– Et alors ?

– Un lien avec l'Afrique est possible. Analyse la composition des métaux, du verre, de la rouille.

– À condition d'avoir les réquises.

– T'auras tout ce que tu veux : combien de temps pour du concret ?

– J'ai plusieurs dizaines de scellés. Faut compter au moins deux jours dans le meilleur des cas et en admettant que le 36 paie le tarif rush hour pour…

Erwan ferma les écoutilles. Ces problèmes de paperasse, de temps d'analyse, de budget lui vrillaient les nerfs.

– Fais le maximum. Je veux savoir aujourd'hui d'où viennent ces putains de clous.

– Bien, chef.

– Autre chose : Tonfa t'a parlé de la salive ?

– Non.

– Avant de les planter dans la chair, le tueur suce peut-être les clous.

– Si c'est le cas, ça va pas être facile d'en retrouver la trace. Encore une fois, le corps est un bourbier.

– Tu peux faire des miracles.

– On cherche aussi du sperme ?

– Pas du sperme, du sang. Parmi ses rituels délirants, le meurtrier a pu faire couler le sien sur la victime, afin de créer un lien… physique avec elle.

– C'est de la sorcellerie ?

– Appelle ça comme tu veux mais cherche des échantillons dont le groupe serait différent de celui de Simoni. Commence par la région du crâne.

– C'est un boulot de prélèvement énorme !

– Tu réquisitionnes toute ton équipe, t'appelles d'autres labos : y a le feu.

– Et si le tueur et la victime sont du même groupe ?

– Alors on l'a dans l'os. T'as reçu les scellés de Bretagne ?

Erwan avait fait revenir les cheveux et les ongles découverts dans l'abdomen de Wissa.

– Les éléments de Brest matchent avec la fille des Grands-Augustins, aucun doute possible. Je sais pas à quoi ça rime mais la rime est riche.

Le nouvel Homme-Clou avait donc prélevé les mèches et les ongles d'Anne avant le meurtre de Kaerverec. Quand ? Comment ?

– Tu m'appelles dès que t'as du nouveau.

En raccrochant, il fut pris d'un élan d'optimisme irrationnel : Levantin allait trouver l'origine des clous, ou bien isoler sur le corps d'Anne Simoni un sang dont l'ADN serait fiché au FNAEG.

– On y va ?

Kripo se tenait devant lui, manteau sur le dos.

– On fonce, tu veux dire.

Ils dévalèrent les escaliers du 36. Erwan serrait contre lui son cartable, bourré des PV de ses flics – la plupart écrivaient plus vite que leur ombre, tapant leurs rapports en voiture sur leur ordinateur portable. Cette prose l'occuperait durant son vol jusqu'à Brest.

Il avait envie de retourner en Bretagne comme de se couper un bras.

75

GRÉGOIRE MORVAN avait opté pour un vol direct. Huit heures seulement pour atteindre Kinshasa. Installé dans la cabine des premières, entouré de diplomates noirs et de patrons blancs, il s'agitait sur son siège en priant pour que le sommeil vienne – il avait pris un somnifère, en plus de ses anxiolytiques, et ne se souvenait plus si tout ça était compatible.

Il était surtout inquiet pour les siens. Pour son aîné, qui venait d'hériter d'une affaire qui le dépassait. Pour son cadet, aux mains de Négros survoltés. Pour sa fille, lancée dans une grande mission de destruction d'elle-même et de sa famille.

Il s'efforça de se rassurer. Erwan était le meilleur flic qu'il connaisse – après lui. Les ravisseurs de Loïc ne bougeraient pas une oreille sans un ordre de Kabongo. Quant à Gaëlle, elle finirait bien par se calmer. Même sa colère s'émousserait avec les années. Sa mission à lui était de la protéger jusque-là.

Pour se changer les idées, il ouvrit son ordinateur et relut le mail que Loïc lui avait envoyé dans la nuit. Jean-Pierre Clau, le géologue, s'était tué en hélicoptère deux mois auparavant. Il devinait entre les lignes les soupçons de son fils. Sceptique à propos d'une OPA contre Coltano, Loïc penchait plutôt pour un délit d'initiés : le scoop des nouveaux gisements avait fuité et un ou plusieurs financiers voulaient entrer dans la danse. Dans un tel scénario, les géologues pouvaient être les informateurs. Mais Morvan n'y croyait pas. D'abord, il connaissait les zigues : des pros. Ils avaient rempli sa mission puis étaient passés à autre chose. Ensuite, la mort de Clau ne signifiait rien : travailler en Afrique était déjà en soi un boulot à risque. Il appellerait les autres et leur tirerait les vers du nez. Il consulta le cours de l'action : encore deux points de gagné. *Merde.* Qu'allait-il dire à Kabongo ?

Son esprit devint confus. Effet du somnifère. Il songea à un détail : il appela des agents à la DCRI et leur ordonna de faire réparer les dégâts causés chez Loïc par les bamboulas. Pas question d'accueillir Milla et Lorenzo dans un appartement aux portes et fenêtres éventrées.

Il referma son ordi et plaça sur ses yeux un masque pour dormir. S'il parvenait à expédier Kabongo en une heure ou deux, il pourrait reprendre le vol du soir : il serait à Paris demain.

L'Homme-Clou traversa ses pensées. Il se remémora, mot pour mot, l'histoire qu'il avait servie à Erwan. Un savant mélange de vrai, de faux et d'omissions. Il savait que son fils reviendrait à la charge. Lui devait s'en tenir à sa version, ne pas dévier d'un millimètre sous peine d'ouvrir la porte des Enfers.

Dans son demi-sommeil, il revint à son obsession : les événements récents étaient le fruit d'une vengeance concertée. Les meurtres à l'africaine, la bague retrouvée à Sirling, le choix d'Anne Simoni, les attaques contre Coltano... *Qui est derrière tout ça ?*

Il sombrait dans l'inconscience mais s'accrochait encore à un semblant de lucidité.

Alors elles apparurent. Les seules femmes de sa vie.

Nues, crâne rasé, elles étaient enterrées ou simplement recroquevillées dans les sillons d'une terre sèche. Elles hurlaient sans que leur bouche produise le moindre son. Des croix gammées sur leur front suintait un pus noir qui s'insinuait dans l'humus et le fertilisait.

Leurs corps, comme huilés, rappelaient les formes à la fois sensuelles et répugnantes des célèbres poivrons photographiés par Edward Weston. D'ailleurs, ces créatures n'avaient ni mains ni pieds mais des crochets ou des racines.

Ces monstres n'étaient pas ses compagnes, mais ses mères.

Il leur devait la vie.

76

DU DÉJÀ-VU. Les trois mousquetaires l'attendaient comme la première fois à la cafétéria de l'aéroport. Ils ne portaient plus leur long ciré noir et étaient visiblement heureux de le retrouver. Ils s'accordèrent un café avant de prendre la route de l'UMD. Erwan leur devait des explications mais il leur demanda d'abord des nouvelles à propos de di Greco.

Son suicide était validé mais rien de nouveau concernant son implication dans le meurtre de Wissa. Aucune arme blanche dans sa cabine. Aucune trace dans son ordinateur d'un quelconque projet d'exécution. Aucun contact non plus avec le lieutenant Gorce et ses Renards. Pas la moindre preuve que l'amiral et l'apprenti pilote se soient vus dans la nuit du vendredi. Affaire classée, sans lien avec la disparition du copte. L'enquête sur le meurtre de Wissa continuait, en mode mineur, mais aucun juge n'avait été saisi et Muriel Damasse avait réclamé l'ensemble du dossier – Verny ne comprenait pas pourquoi.

Enchaînement facile, Erwan révéla son premier scoop, c'était le meurtrier de Kaerverec qui venait de frapper en plein Paris.

– Comment pouvez-vous en être certain ? s'étonna le gendarme.

– Je vous ai apporté une brève synthèse, fit-il en tendant à chacun quelques feuillets.

Kripo, toujours bienveillant, avait rapidement rédigé ces notes. Les militaires lurent en silence. Histoire de les achever, Erwan sortit de son cartable les photos du corps d'Anne Simoni.

– Le mode opératoire est identique, clous, tessons, miroirs, ablation d'organes compris. Sans parler du crâne rasé et du viol anal. L'autopsie est en cours.

Le Guen, toujours aussi rouge, attrapa un des tirages.

– Ça nous dit toujours pas ce que vous allez faire à Charcot.

Erwan rangea les clichés, prit son souffle et résuma les liens avec le passé. L'histoire de l'Homme-Clou. Son mode opératoire. Son internement en Bretagne dans les années 2000. La volonté de l'imitateur de frapper près de son lieu de décès.

– Sur ce tueur, intervint Verny, je veux dire l'africain, qu'est-ce que vous savez ?

Erwan donna des détails importés de Lontano. Des mots comme « sorcellerie », « réseaux d'énergie », « esprits » avaient de quoi les assommer.

– On y va ? conclut-il pour briser l'envoûtement.

Il s'installa à l'avant, côté passager. Archambault prit le volant, les deux autres montèrent à l'arrière. Tout ça avait décidément un goût de revival. Il songea aux parents de Wissa Sawiris mais n'osa pas demander de leurs nouvelles.

Pour son retour, la Bretagne lui offrait un tableau somptueux : ciel immaculé, soleil éclatant, reliefs tourmentés, bien nets, comme décapés par le vent. Des rocs noirs s'érigeaient sur des plaines de gazon gris, évoquant l'île de Pâques et ses totems de basalte.

– Vous vous êtes renseignés sur Charcot ?

– Dans la région, répondit Verny, tout le monde connaît l'UMD. On l'appelle la Cage aux monstres.

– C'est la réalité ?

– Non. Juste une prison spécialisée. Avec une partie pour la détention et une autre pour les soins. Ils traitent des patients dangereux, notamment des pédophiles. Ils pratiquent la castration chimique.

– C'est autorisé en France ?

– Aucune idée. Mais je pense pas qu'il y ait eu de réclamations.

– Vous avez prévenu de notre visite ?

Le gendarme eut un petit rire, qui ne lui ressemblait pas :

– J'ai même parlé de perquise !

– Pourquoi ?

– Pour être sûr de tout visiter.

À travers le pare-brise, le panorama reprenait des couleurs. Buissons rouillés émergeant des flaques, surfaces de vert chatoyant, floraisons de bruyère et d'hortensias. Erwan n'aurait su dire s'il était heureux de retrouver ces paysages. Il y avait en Bretagne une puissance qui inquiétait et épuisait à la fois. Au loin, la mer se gonflait comme le dos d'un animal fantastique. Ses écailles venaient se frotter à la lumière du ciel. Il songea à une respiration puissante, régulière. Une force au repos qui ne demandait qu'à se réveiller.

Son esprit dériva, revenant malgré lui à la blessure de la veille : sa sœur en bête de foire, les cuisses ouvertes sur son trône. Il ne se souvenait déjà plus des arguments de Gaëlle, plus forte pour la dialectique que pour l'équilibre psychique. Il se rappela tout à coup qu'il devait lui demander d'aller chercher les petits à l'école. Il opta pour un SMS, sans la moindre allusion à la nuit précédente. Gaëlle n'avait jamais refusé de garder les enfants de Loïc. Mystérieusement, elle considérait que cette mission faisait partie de ses devoirs.

Il leva les yeux : les panneaux indiquaient Locquirec, à la lisière du Finistère et des Côtes-d'Armor. L'institut n'était plus qu'à deux kilomètres.

À cet instant, son portable tinta – un SMS. Sans doute la réponse de Gaëlle. Il baissa les yeux.

Le dernier message auquel il aurait pu s'attendre : « J'ai checké avec mon avocate : on peut dîner. Ce soir ? Tu passes me prendre à 20 heures ? » Elle avait seulement signé d'un S.

77

À PREMIÈRE VUE, l'unité pour malades difficiles Jean-Martin Charcot ne différait pas d'une prison de haute sécurité. Mur d'enceinte haut de cinq mètres. Miradors surmontés de projecteurs aux quatre angles. Double rangée de fils barbelés cernant à bonne distance la forteresse. Les bâtiments étaient plantés sur une plaine rase ; les premiers bois devaient se trouver à un kilomètre : de quoi voir venir ou plutôt s'enfuir...

Le ciel s'était déjà couvert mais une lumière frémissante perçait çà et là, révélant des champs cultivés, des sous-bois, du bétail. À midi, des nappes de brume s'échappaient encore des sillons fertiles, donnant l'impression que la terre respirait.

Premier portail : celui des barbelés. Sous la clôture, des douves remplies d'eau. Cartes officielles. Photos. Empreintes digitales. Ni la Ford sérigraphiée ni les uniformes n'eurent valeur de passe-droits. Ils roulèrent plusieurs centaines de mètres jusqu'au bâtiment lui-même et son parking.

Nouveau contrôle. Laissant leur voiture, ils s'acheminèrent jusqu'à la porte blindée. La Cage aux monstres : l'idée paraissait de moins en moins farfelue. Dès le premier sas, ils durent se délester de leurs armes, ainsi que de tout objet métallique, de leurs portables et papiers d'identité, sous l'œil attentif des vigiles. Encore une fois, le fait d'être flic ou gendarme ne leur valut aucun traitement de faveur. Ces gardes étaient confrontés à un danger qui dépassait la banale délinquance : celui de la folie.

Encadrés par trois surveillants, ils accédèrent à la cour intérieure. Changement de décor : pelouses fraîchement tondues, terrains de sport, bâtiments blancs rénovés, drapeaux français et européen. Un vrai campus d'université. À gauche, un bloc compact qui devait être la prison elle-même – peu de fenêtres, encore des miradors, des clôtures, sans doute électrifiées. À droite, un édifice qui ressemblait à un hôpital standard : croix rouges, ambulances, signalisation au sol indiquant la direction des services. Des infirmiers fumaient sur le seuil, mains dans les poches, sabots aux pieds.

Un homme apparut, marchant d'un pas alerte en direction des visiteurs. Grand, athlétique, il devait avoir dépassé la soixantaine mais son sourire éclatant balayait les années avec insouciance. Son look preppy étonnait pour son âge : blazer à écusson, pantalon chino, mocassins bateau. Malgré sa crinière argentée, il paraissait sortir d'une salle de cours d'Oxford. Tout à fait raccord avec le décor. Sa poignée de main confirma le message : énergie et joie de vivre à revendre.

– Professeur Jean-Louis Lassay, psychiatre et neurologue. C'est moi qui dirige la boutique !

Erwan marqua son étonnement :

– Je croyais que les psychiatres et les neurologues se faisaient la guerre.

L'autre éclata de rire :

– Des blagues de journalistes ! Vous pensez bien que face à la complexité des maladies mentales, chacun a appris à coopérer, à associer son domaine d'expertise. Qu'est-ce que je peux faire pour vous ?

Erwan présenta ses collègues puis, en quelques mots, exposa la raison de leur visite. Lassay ne parut pas surpris : comme tout le monde, il avait lu la presse du matin et noté les similitudes avec le mode opératoire de Thierry Pharabot. Erwan n'évoqua pas le meurtre de Wissa. Il venait chercher des infos, pas en donner.

– Allons boire un café ! s'exclama le psychiatre.

Erwan acquiesça sans entrain : le café était devenu une sorte de maladie sociale, un poison censé huiler les rapports humains mais qui laissait surtout des aigreurs d'estomac et des relents de bile dans la gorge.

Quelques portes et fouilles plus tard, ils pénétrèrent dans une salle de réunion dont les murs paraissaient être en plastique. Longue table entourée de chaises du même tonneau, supportant thermos et gobelets de polystyrène. Lassay avait intérêt à leur lâcher un scoop. Erwan ne s'était pas tapé cinq cents bornes pour se retrouver dans ce décor de réunion commerciale.

– Je ne vois malheureusement pas comment vous aider, commença le médecin. Thierry Pharabot est décédé il y a trois ans. En novembre 2009.

– Nous le savons. Le problème est qu'à l'évidence, un tueur s'inspire de sa folie. Une histoire vieille de quarante ans dont personne, ou presque, n'a entendu parler.

– Quelle est votre idée ?

Erwan ne renseignait jamais ses témoins mais il voulait gagner la confiance du psychiatre.

– Partons de la plus simple, fit-il en ouvrant les mains. Pharabot aurait pu influencer un autre détenu libéré depuis.

– Ici, on dit plutôt « patients »... Non, ça ne tient pas. Il vivait seul dans une cellule. Il sortait très peu. Et nous ne « libérons » pas, comme vous dites, des pensionnaires qui présentent un danger.

– Vous l'aviez placé en isolement ?

– Pas du tout. C'était un solitaire. Il n'avait presque aucun contact avec les autres. En dix ans, personne n'a vraiment percé son mystère.

– Le personnel soignant ?

– Non plus.

– Qui était son psychiatre traitant ?

– Mais... moi.

– Il vous parlait ?

– Je vous arrête : l'article 4 du Code de la santé...

Erwan remit les pendules à l'heure :

– Docteur, soit vous témoignez maintenant et nous gagnons un temps précieux, soit je contacte le conseil de l'Ordre pour obtenir une dérogation qui vous libérera du secret médical. Personne n'hésitera à trahir les confidences d'un assassin mort pour aider à arrêter un meurtrier vivant.

Lassay se racla la gorge. Erwan avait marqué un point.

– Comment résumer dix années d'échanges, d'analyses, de soins ?

– Je me contenterai des grandes lignes.

– Pharabot était un « schizophrène paranoïde ». Il souffrait d'un délire de persécution. Il était persuadé d'avoir été envoûté durant son enfance. Des esprits puissants lui parlaient, le menaçaient, le persécutaient... Sa seule arme était de fabriquer des sculptures chargées de contre-pouvoir... Des *minkondi*.

– Durant toutes ces années, son état n'a pas évolué ?

– Malheureusement, non. La psychiatrie est souvent impuissante à guérir. Elle vise seulement à soulager.

– On m'a parlé d'un nouveau traitement... En quoi consistait-il ?

– Nous avons essayé des molécules inédites. Les noms ne vous diraient rien. Disons que certaines le calmaient, d'autres l'aidaient à faire la part des choses entre réalité et délire. Mais les résultats n'étaient pas probants.

Verny, Le Guen et Archambault s'étaient mis à prendre des notes.

– De quoi est-il mort ?

– D'un AVC, pendant son sommeil. Ou d'une crise cardiaque, on n'a jamais su.

– Il n'y a pas eu d'autopsie ?

– Pour quoi faire ?

– Présentait-il d'autres symptômes de maladies physiques ?

– Pas du tout : il était en pleine forme. On a tous été surpris.

– Était-il agressif ?

– Non. Toujours calme. Très doux, même.

– Il n'y a jamais eu de problème ?

– Non. Mais les médicaments y étaient pour beaucoup.

– Vous avez des portraits de lui ?

– Aucun. Il refusait d'être pris en photo. Des superstitions africaines.

– Et pour votre dossier anthropométrique ?

– Nous avons des dossiers médicaux, pas des fiches de police.

– Mais vous avez bien reçu son dossier d'instruction ?

– Celui des années 70 ? Non. Depuis longtemps, Pharabot n'était plus qu'un patient transféré d'un hôpital à l'autre.

Erwan lui aussi avait sorti un petit carnet, gagné par l'atmosphère studieuse de la salle.

– Recevait-il des visites ?

– Jamais. En dix années, pas la moindre demande le concernant.

– La justice se préoccupait-elle de lui ?

– Non. Aucun juge ne s'est jamais manifesté. Tout le monde avait oublié Pharabot. Son destin était de mourir entre ces murs.

Ce ton compatissant agaça Erwan :

– Vous savez ce qu'il a fait, au moins ?

– Vous voulez dire... à Lontano ? Les faits marquants seulement.

– Ça n'a pas l'air de vous choquer.

– Ne croyez pas ça. Simplement, au fil des années, j'ai mieux compris sa folie et je crois que nous avions réussi, comment dire, à la... désamorcer.

– Je ne comprends pas.

– Pharabot vivait dans la peur des esprits. Il aurait sacrifié n'importe qui pour se protéger. Mais ici, cette obsession n'était plus qu'un symptôme parmi d'autres. Il n'était plus du tout la bête sauvage que vous imaginez.

– Je pourrais voir son dossier ?

– Non. Secret médical.

– On en a déjà parlé, je crois.

Le visage du psy se ferma :

– Sur ce sujet, je ne céderai pas. Demandez les dérogations que vous voudrez, revenez quand vous les aurez obtenues, mais pour l'instant vous devrez vous contenter de cette conversation. Il me semble que je fais déjà preuve de bonne volonté.

Inutile d'insister.

– Revenons à notre problème actuel : un homme, un tueur, s'inspire du passé de l'Homme-Clou pour frapper aujourd'hui. Il paraît très bien renseigné sur son mode opératoire et je pense qu'il savait que Pharabot était interné ici. N'avez-vous jamais remarqué quelqu'un qui rôdait autour de l'UMD ? Une présence inhabituelle ?

– Jamais.

– Pas de vol d'informations, de piratage ?

– Non.

– Il recevait du courrier ?

– Non plus.

Erwan se leva :

– On pourrait voir sa cellule ?

Le professeur haussa les sourcils :

– Qu'espérez-vous y découvrir ? Il est mort depuis trois ans !

– Elle est occupée ou non ?

– Je ne crois pas. On a remarqué qu'elle avait un effet... négatif sur les patients.

– Vous voulez dire qu'elle est hantée ?

Sourire de Lassay :

– On évite de tomber dans ce genre de pièges. Disons plutôt que, quoi que vous en pensiez, personne n'a oublié que la 234 était habitée par le plus dangereux de nos patients. Allons-y.

78

LES ESPACES INTÉRIEURS de l'UMD étaient cloison-
nés, saucissonnés, verrouillés. Pas moyen de faire trois pas
sans jouer de son badge ni être obligé d'ouvrir une porte
à code. Grilles et parois blindées se succédaient. Aucune fenêtre
ne donnait sur l'extérieur. Tout était blanc, lisse, sans la moindre
prise ni aspérité. Un immense réfrigérateur dont chaque compartiment était fermé à double tour.

Des caméras de sécurité étaient fixées aux plafonds. Des vigiles
dans des cages vitrées montaient la garde, avec à leurs côtés de
superbes collections de menottes et de Serflex. Il ne se passait
pas grand-chose. En dix minutes de marche, ils ne croisèrent
personne, à l'exception d'un ou deux matons en blouse blanche.
Pas un bruit dans les couloirs. Encore moins derrière les portes.

Un élément ne trompait pas : l'odeur. Un mélange d'urine et
de médicaments rappelant à la fois la prison et l'hôpital.

Erwan songeait à son père : sa place aurait été dans un établissement de ce genre. À titre de preuve, il se remémora le jour
où le Vieux avait enlevé Maggie et l'avait enfermée dans leur
caveau de famille, à Montparnasse. Le gardien l'avait délivrée le
lendemain matin, tremblante, traumatisée. Elle avait refusé de
porter plainte. Erwan n'avait que quinze ans – il n'avait rien pu
faire mais il était allé sur le lieu du crime. Il avait découvert que

le caveau était vide : ni sépulture ni ancêtre. Aucune trace des Morvan-Coätquen.

Ils accédèrent au premier étage, celui des geôles – « des chambres », rectifia Lassay. En effet, tout était conçu pour faire oublier le dispositif d'incarcération. La lucarne de chaque porte était même voilée par un store de toile qui préservait l'intimité du patient.

– Vous êtes un établissement public ?

– Mi-public, mi-privé.

– Vous recevez des fonds de particuliers ?

– De quelques-uns, oui.

Erwan avait du mal à imaginer le profil des mécènes de ce type d'instituts. Remarquant sa surprise, Lassay sourit :

– Vous seriez étonné... Nous avons ici des pédophiles. Des familles de victimes nous versent de l'argent pour mener nos recherches. Le mal est une distorsion, une pathologie de l'homme. Il n'est pas étonnant que les premiers concernés, les parents des victimes, aient à cœur de financer nos travaux dans ce domaine.

Erwan laissa filer le discours. Son code génétique ne prévoyait pas de considérer les assassins et les violeurs comme des malades à soigner. Ils croisaient maintenant quelques patients qui déambulaient lentement, oscillant comme des Culbuto. Crâne rasé, yeux exorbités, jogging informe : ils avaient l'air complètement défoncés. Personne ne les surveillait mais ils semblaient si faibles qu'un enfant aurait pu les étaler d'un croche-pied. Ils lui faisaient penser à ces souches rongées par des termites qui, au moindre contact, s'effondrent en sciure.

Ils s'arrêtèrent sur le seuil d'une cellule. Lassay sortit son badge et déverrouilla la porte comme il l'aurait fait dans un hôtel.

– Voilà.

Un espace vide de sept mètres carrés environ. Pas de prise de courant ni de toilettes. Une table solidarisée au sol.

– Il n'a jamais changé de cellule ?

– Jamais.

Erwan commença à observer la pièce en mode Kripo, s'attardant sur les angles, les plinthes, à la recherche d'un détail, d'une trace de vie.

– Qu'espérez-vous trouver ? Des graffitis ?

– Quelque chose comme ça.

Lassay rit :

– Vous n'avez pas idée du mode d'existence de nos patients. Les vêtements, le matériel électronique, les affaires de toilette, tout est proscrit. A fortiori des stylos ou quoi que ce soit qui puisse devenir une arme. Ils ne peuvent quasiment rien toucher quand ils sont seuls.

Sur la pointe des pieds, Erwan se hissa jusqu'à l'étroite lucarne surélevée qui donnait sur les enclos de fil barbelé.

– Il détestait cette vue, souligna Lassay en s'approchant.

– À cause des clôtures ?

– Non. À cause des douves remplies d'eau. Il disait que les esprits se cachent dans ce genre d'endroits. Les Yombé redoutent les fossés, les flaques, les sources...

Erwan se souvint que Morvan lui avait parlé de l'importance de l'eau : Pharabot tuait à la saison des pluies, période de migration des esprits.

– Il ne sortait pas ?

– Rarement. Il avait peur de s'endormir au pied d'un arbre et de se transformer en fourmilière. Il vivait dans ce que les Africains appellent le « deuxième monde ».

Erwan regarda sa montre – il perdait son temps ici. Pharabot était fou à lier. Lassay avait raison : il avait été, du temps de Lontano, un monstre redoutable mais il était devenu un dément parmi d'autres, assommé par les médocs, en hibernation jusqu'à sa mort.

Le psychiatre parut deviner sa déception :

– Venez. J'ai quelque chose à vous montrer.

Nouveaux couloirs. Ils franchirent un sas qui donnait accès à une grande salle occupée par des tables, des chevalets, des pupitres. L'espace était désert – l'heure du déjeuner –, mais on y découvrait des dessins, des objets artistiques plus ou moins convaincants – certains étaient effrayants, d'autres semblaient avoir été confectionnés par des enfants maladroits.

– Vous pratiquez l'art-thérapie ?

– Il faut bien les occuper. (Il se dirigea vers une porte d'inox.) Nous conservons ici les pièces les plus réussies pour un projet d'exposition.

Dans le réduit en longueur étaient entreposées des œuvres de carton, de papier, de balsa – que des matériaux légers et inoffensifs. Erwan leva les yeux vers une étagère et resta pétrifié.

Une vingtaine de *minkondi* – pas plus hauts que trente centimètres – s'alignaient : des sculptures comme celles que collectionnait son père, éclaboussées de rouge. Les clous et les tessons étaient figurés par des cotons-tiges et des fragments de papier d'aluminium.

– Pharabot en réalisait plusieurs par an. Très habile de ses mains, il les décorait avec les moyens du bord.

Erwan détailla les statuettes. Une, hérissée d'esquilles de papier, évoquait un bourgeonnement de ronces. Une autre représentait une tête dardant ses épines, façon cactus, émergeant elle-même d'un froissement de feuilles d'apparence tropicale. Un homme debout, les genoux fléchis, portait une grappe de pics sur les épaules.

Lassay en saisit une autre : tête en œuf, yeux bridés de trisomique, bouche en forme de lame de rasoir. La petite langue qui en pointait lui donnait l'air espiègle.

– Celui-ci est réputé pour faire pendre la langue de ses ennemis. (Le psy sourit tristement.) À Charcot, ce *nkondi* paraît particulièrement efficace : la plupart des patients, sous l'effet des pilules, ont la bouche entrouverte et la langue sortie.

– Il se méfiait des autres patients ?

– Tous des sorciers selon lui. Il devait s'en protéger... avec ses statues.

Erwan s'approcha et en remarqua une qui s'ornait d'un collier de minuscules coquilles d'escargot.

– Selon les croyances yombé, expliqua le psychiatre, les coquilles d'escargot symbolisent l'enfantement, la fécondité. Les rares fois où il sortait, Pharabot cherchait dans les jardins des dépouilles d'animaux. Une de ses sculptures contient un œil d'oiseau, symbole de regard perçant, une autre une tête de serpent, qui rend plus fort.

– Savez-vous s'il plaçait dans ces fétiches des cheveux, des ongles ?

Lassay sourit en acquiesçant de la tête :

– Vous avez potassé la question. Oui, Thierry y cachait des mèches, des rognures d'ongles des autres patients.

– Où se les procurait-il ?

– Il se débrouillait. Dans les douches, les salles de bains. Parfois même, il les échangeait avec les intéressés eux-mêmes contre des cigarettes, des magazines.

– L'avez-vous déjà observé lorsqu'il confectionnait ces figures ?

– Souvent, oui.

– Suçait-il les cotons-tiges ou les esquilles en papier avant de les planter ?

– Oui. Il prétendait que ça renforçait le lien avec le fétiche.

– Ces éclaboussures rouges, c'est de la peinture ?

– Bien sûr.

– Il n'a jamais utilisé son propre sang ?

Lassay sourit de nouveau – il paraissait heureux d'avoir trouvé à qui parler :

– Je l'ai surpris une fois, si. Je l'ai laissé faire. Ces figurines, et le pouvoir qu'il leur prêtait, étaient sa meilleure thérapie.

Erwan se dit qu'il n'avait pas totalement perdu son temps avec ce voyage. D'une certaine manière, il s'était rapproché de Pharabot, de ses croyances, de sa démence.

– Je peux les emporter ?

– Vous me les rendrez ?

– Aucun problème mais à la fin de l'instruction, et même du procès, si procès il y a. Ce n'est donc pas demain la veille.

– Quand vous vous êtes présenté, votre nom m'a frappé. Vous êtes parent avec l'homme qui a arrêté Pharabot au Zaïre ?

– C'est mon père.

Le psychiatre ouvrit les mains et retrouva le sourire :

– Alors, embarquez-les. Ça restera dans la famille.

79

GAËLLE, depuis combien de temps je te suis ? Dix, douze ans ?

– Quinze ans. J'ai jamais eu d'autre gynécologue.

– Quinze ans. Alors permets-moi de te demander de réfléchir encore.

Elle ne répondit pas. Elle serrait son sac Fendi comme s'il s'agissait d'un baluchon contenant toute sa vie. Une immigrée polonaise sur Ellis Island.

– C'est tout réfléchi.

– Tu as bien compris qu'il s'agit d'une opération irréversible ?

– J'ai bien compris.

Le médecin leva les bras en signe de dépit. Elle aimait bien le docteur Biguenau : elle le trouvait marrant. Chauve, moustachu, il arborait une blouse à manches courtes, avait des bras très poilus et portait des santiags. Adolescente, elle l'appelait Bigorneau.

– Je peux savoir pourquoi tu as pris cette décision ?

– Pour en finir.

– Avec quoi ? s'exclama-t-il. Tu n'as même pas commencé ! En général, on me demande ça après une ou plusieurs grossesses. Une décision pareille sans jamais avoir eu d'enfant…

Gaëlle se tenait bien droite sur sa chaise : Biguenau la prenait encore pour une gamine mais elle avait toujours songé à la stérilisation. Pour dire la vérité, elle n'avait jamais eu d'autre horizon.

– C'est long comme intervention ?

Le gynécologue attrapa une planche représentant les organes génitaux féminins.

– Il y en a à peine pour trente minutes et on peut même se contenter d'une anesthésie locale si le fait d'être consciente ne t'impressionne pas.

– Au contraire.

Il soupira en la regardant par en dessous, l'air de dire : « Quand arrêteras-tu de jouer les fiers-à-bras ? » Il pointa son index sur le dessin – il portait une Rolex incrustée de minuscules diamants.

– Il s'agit de brûler l'extrémité des trompes de Fallope, ici et ici. De cette façon, elles seront obturées pour toujours. Le sperme et les ovules ne pourront plus être en contact. Plus aucune chance d'être fertilisée.

– Ça marche à tous les coups ?

– Le pourcentage de réussite, c'est-à-dire d'échec, dépasse 90 %.

Il se pencha au-dessus de son bureau et prit brutalement les mains de Gaëlle – ses doigts fins dans ces pattes poilues offraient un spectacle répugnant.

– Réfléchis encore. C'est irréversible ! Tu as peut-être un coup de cafard, des difficultés à trouver un petit ami ou…

Elle retira ses mains :

– Ça n'a rien à voir avec les mecs.

– Un peu tout de même, non ? sourit-il.

– Non. C'est une décision qui ne regarde que moi.

– D'où t'est venue cette idée ?

– Je veux pas me reproduire.

– Pourquoi ?

– Les blagues les plus courtes sont les meilleures.

Il agita son gros index dans sa direction, à la manière d'un professeur en colère :

– Tu crois que tu vas t'en sortir avec ce cynisme à la petite semaine ? Que toute ta vie, tu vas t'esquiver avec des répliques de téléfilm ? La vie, c'est pas ça, ma petite. Il faut accepter sa part de responsabilité, il faut s'engager. Tu t'es jamais demandé ce que tu foutais sur terre ? Ce qu'on inscrira sur ta pierre tombale ?

Elle ne répondit pas. Elle se voyait bien finir dans une fosse commune à l'ancienne, là où on jetait les cadavres des putes et des lépreux. Bigorneau soupira, presque un grognement, et lui tendit une brochure ainsi qu'un formulaire intitulé : « Consentement pour la stérilisation chirurgicale permanente ».

– Je te donne une semaine pour lire ce document et surtout réfléchir ! Il n'y aura pas de deuxième chance, Gaëlle.

Elle se leva, évita de lui serrer la main et insista pour régler la consultation – il avait d'abord refusé avec exaspération.

Une fois dehors, elle chercha un taxi. Elle n'avait qu'une demi-heure pour récupérer les petits à leur école, rue Paul-Valéry, dans le 16e arrondissement. Cette fin de journée était pleine d'ironie amère. Parvenue à destination, elle contempla ces mères de famille si fières, si heureuses de venir chercher leur progéniture.

Deux groupes distincts : les bourgeoises progressistes qui avaient choisi de mettre leur enfant « dans le public », et les concierges et autres bonniches, toutes d'origine étrangère, qui habitaient dans ce quartier chic, mais à la marge – rez-de-chaussée ou chambres de bonne. Gaëlle tranchait avec les deux catégories. Elle était plus jeune, plus belle – et plus originale. Elle portait un jean élimé, des boots Giuseppe Zanotti et une parka militaire piquée de badges écolos. Dans son dos était cousu l'Union Jack, le drapeau britannique, comme pour rappeler la sainte époque du Swinging London.

Elle méprisait ces mères qui piaffaient d'impatience devant le portail. Surtout, elle se méprisait elle-même. Elle se sentait funeste, déplacée dans cet univers. Un oiseau de malheur perché sur sa branche. Elle songeait qu'à vingt mètres, la rue Lauriston avait accueilli la Gestapo durant la dernière guerre mondiale, que plus loin encore, rue Copernic, une bombe avait explosé le 3 octobre 1980 devant une synagogue en plein shabbat. Même les longs murs aveugles du réservoir de Passy à proximité lui rappelaient une prison, ou un gigantesque tombeau.

Enfin, les portes des deux écoles s'ouvrirent. Elle devait être vigilante : Milla, en maternelle, allait sortir à gauche et Lorenzo, en primaire, à droite. Malgré elle, elle comptait sur eux pour la réconcilier avec la vie, lui redonner foi en l'amour et l'avenir.

Quand elle les vit (elle avait acheté des bonbons et des pains au chocolat), elle comprit que ses espoirs étaient vains. Ils eurent beau crier de joie, l'embrasser, l'étreindre de toutes leurs forces, rien n'y faisait. Leur vitalité, leur fraîcheur ne lui étaient d'aucun secours.

Elle tenait dans sa paume deux glaçons alors qu'elle brûlait en enfer.

80

– C'EST PAS POSSIBLE, nom de dieu : bouge-toi le cul ! Dans la flotte jusqu'aux genoux, Morvan retrouvait l'Afrique, la vraie, celle qui vous colle aux pompes et vous dégouline dans le cou. Il n'avait pas quitté l'aéroport de Kinshasa-N'Djili depuis trois kilomètres que son taxi était déjà embourbé, au milieu d'un chaos de voitures, de camions, de carrioles. « Embourbé » n'était pas le mot juste : un fleuve avait d'un coup remplacé la route habituelle. Sous la pluie battante, les automobilistes contemplaient, mi-peinés, mi-amusés, leur véhicule immobilisé.

– Si tu nous sors pas de là, hurla Morvan à son chauffeur, j'te jure que je vais te botter le cul !

– Patron, y a rien à faire...

Combien de fois avait-il entendu cette phrase ? Avec la même petite musique derrière : « Qu'est-ce qu'on en a à foutre ? » Les Noirs n'adhéraient pas au réel. Entre les événements et leur conscience, il y avait un flottement, un décalage qui provoquait les réactions les plus bizarres. Morvan s'était cassé mille fois les dents, les poings, les nerfs sur cet air et savait depuis longtemps qu'on ne pouvait rien y changer.

Il balança quelques euros à son interlocuteur, attrapa sa valise sur la banquette arrière et pataugea jusqu'au remblai qui bordait la route. En marchant d'un bon pas, il finirait par rejoindre un morceau de route praticable. Il était 16 heures : son vol avait atterri on time et il avait cru un instant – on n'apprend jamais – qu'il parviendrait à temps à son rendez-vous de 17 heures.

Après avoir maugréé durant plusieurs centaines de mètres, tête baissée, il leva les yeux et prit soudain conscience du décor. Une longue file de bus défoncés, de véhicules rafistolés baignaient dans la flotte rouge. Des milliers de Noirs gesticulaient dans la fange ou patientaient assis sur les talus, leurs chaussures à la main, s'abritant sous un journal ou carrément sous une bassine en plastique. Un tableau dantesque ou comique, au choix, dont les couleurs exacerbées procuraient une véritable ivresse. L'orage semblait avoir chauffé le ciel à la braise, marbrures violacées, lignes mauves s'échappant des nuages sombres comme les veinules encore brûlantes d'un magma noir. Au-dessous, un film monochrome se déroulait à perte de vue : du pur sépia, tendance rouge corrida, qui engloutissait toute autre teinte.

Morvan éclata de rire. Au fond, il aimait cette pluie, ce chaos, « le Vrai Ordre se rétablissant dans le faux ordre », disait Flaubert. La puissance de la nature balayant en quelques secondes les arrangements factices de l'homme. Contrairement à ce qu'on pense, personne n'est au-dessus des lois en Afrique, parce qu'il s'agit des lois de la nature. L'atmosphère y est plus saine qu'aux États-Unis par exemple, où l'homme se croit souverain. Puis Katrina passe et tout le monde est remis à sa place. En Afrique, Katrina, c'est tous les matins : alors, pas question de se prendre pour le pape…

Il devisait ainsi pour lui-même quand il s'aperçut qu'il avait dépassé la congestion de carrosseries et d'alluvions. La route s'élevait de nouveau au-dessus du courant. Il n'eut qu'à faire un signe pour arrêter un 4 × 4 défoncé. L'engin était si maculé de boue qu'il était impossible de distinguer le modèle.

– Où tu vas, patron ?

– Je t'indiquerai, fit-il en lingala.

Le Black tira la gueule car la phrase en langue locale voulait dire aussi : « Tu me la feras pas. » De mauvaise grâce, il embarqua le passager et s'économisa côté salive : pas la peine de lui servir son bullshit touristique. D'ailleurs, il était assez occupé à essayer de voir au-delà de son pare-chocs : la pluie écarlate cinglait les vitres avec une force de kärcher. L'impression générale était qu'on était en train d'égorger un bœuf sur le capot.

Kinshasa était immense : une alternance de grandes avenues rappelant qu'il y avait eu ici un « projet » et de minuscules quartiers groupés comme des termitières signifiant que tout ça était aujourd'hui oublié.

– Vers le fleuve, ordonna Morvan.

Ils filèrent sur le boulevard Lumumba. Se tenant à la poignée de la portière (ils étaient ballottés comme en pleine jungle), Grégoire regarda encore sa montre : 17 heures. Ici, les horaires importaient peu. Kabongo lui-même serait en retard. Mais son avion de retour décollait à 20 heures et il ne voulait pas le rater. En Afrique, on ne pouvait compter sur rien, même pas sur les retards.

– Prends l'avenue du Peuple et va jusqu'à la gare maritime.

Sous l'averse, les immeubles inachevés, les marchés misérables, les ruelles de boue se succédaient en un grand concert de gerbes pourpres, de passants trempés, de boutiques bariolées.

Enfin, ils arrivèrent. Morvan paya le chauffeur et courut. Kabongo lui avait donné rendez-vous dans une guinguette au bord du fleuve, près de Gombe, un quartier résidentiel de Kinshasa.

Sa seigneurie était déjà là : trois Mercedes noires en témoignaient. Une dizaine de gardes du corps faisaient les cent pas sous les auvents dégoulinants. Oreillettes, calibres, regards furtifs, ils paraissaient protéger Obama en personne. Morvan n'était pas dupe : ni les VHF ni les armes ne devaient fonctionner. Quant aux cerbères, leur haleine empestait déjà l'alcool de palme.

Après deux fouilles au corps, on le laissa passer.

Le bar-dancing ouvert aux quatre vents se résumait à une toiture posée sur quelques piliers. À cette heure, il n'y avait pas un rat. La piste était nue et vermoulue. Les chaises empilées dans un coin. Les enceintes sur l'estrade protégées par des sacs en plastique. La pluie mitraillait la tôle du toit comme du gravier.

– Salut, Isidore.

– Salut, Grégoire.

Morvan balança son pouce derrière lui, désignant les gardes du corps :

– C'est obligatoire, cette armada ?

– Le léopard se déplace pas sans ses taches.

Kabongo avait une manie : il utilisait à tort et à travers des proverbes incompréhensibles, soi-disant congolais, le plus souvent de son cru.

– Comment ça va, mon général ?

– Ça va mal, trrrrès mal. Et c'est à cause de toi !

Il se tenait près de la rambarde qui surplombait le fleuve, tirant sur une blonde vissée dans un fume-cigarette. De taille moyenne, cheveux crépus et gris, Isidore Ntahwa Kabongo portait l'abacost jadis imposé par Mobutu à tous les apparatchiks du régime : veste à col Mao et pantalon assorti qui représentaient une solution alternative au costard-cravate du Blanc, « abacost » étant d'ailleurs un condensé de « À bas le costume ! ». Une telle tenue aujourd'hui était un anachronisme. Pour Kabongo, c'était un message : il avait beau servir la dynastie Kabila, il n'oubliait pas qu'il devait tout à Mobutu.

Son parcours ressemblait à celui de Morvan. Cent pour cent luba (Kabongo est aussi le nom d'un territoire et d'une localité du Katanga), l'intellectuel zaïrois avait construit sa carrière sous Mobutu puis avait survécu aux gouvernements suivants : il devait sa longévité à son expérience de la terre. Deux fois ministre des Mines, des Industries minières et de la Géologie, il conservait un rôle d'expert : c'était lui qui, en sous-main, veillait à la bonne gestion des gisements de la RDC. Personne n'aurait pu le remplacer dans ce domaine.

Morvan avança et s'arrêta net. Il avait oublié une originalité du général : l'Africain possédait, à titre d'animal de compagnie, une hyène. Il avait eu beaucoup d'épouses et plus encore d'enfants (trente, prétendait la rumeur, sans compter les « balles perdues »). Mais rien ni personne ne pouvait remplacer dans son cœur Cocotte, l'horrible bestiole qu'il traînait partout. Une espèce de brouillon raté de léopard, avec pattes asymétriques et gueule noirâtre. La bête claudiquait autour de son maître, grognant sous sa muselière : la vieille carne paraissait à moitié aveugle mais toujours prête à vous sauter dessus.

– Je suis venu en paix, prévint Morvan. On est toi et moi dans la même galère.

Kabongo rit, dans un nuage de fumée :

– T'as raison mais c'est toi qui rames et c'est moi qui commande.

Morvan s'approcha de la balustrade. Une série de bouteilles de bière y étaient posées – Kabongo ne l'avait pas attendu pour l'apéritif. Il prit quelques secondes pour respirer l'air détrempé du fleuve. Pas question de voir aujourd'hui Brazzaville, la capitale de l'autre Congo, située juste en face. L'eau, la terre, le ciel semblaient mener d'obscures magouilles sous un rideau de brume. Un business de pluie et d'alluvions...

– Je suis venu te parler de...

– Non, coupa l'officiel, c'est moi qui vais parler et tu vas m'écouter. Assieds-toi.

Morvan attrapa deux chaises dans la pile et les disposa près de la rambarde. Kabongo resta debout : il dominait, un point c'est tout. Il saisit une bouteille de trente-trois centilitres dans un cageot : une Primus, la marque locale. D'un geste sûr, il coinça le goulot dans les mailles de la muselière de la hyène et fit sauter la capsule dentée.

– Bois ça, ordonna-t-il à Morvan.

Grégoire saisit la bière sans lâcher des yeux Cocotte. Un souvenir le traversa : les hyènes femelles possèdent un clitoris aussi gros que le pénis des mâles. De quoi faire débander le plus couillu de la meute.

— Mi-août, neuf mille actions Coltano ont été achetées, déclara Kabongo d'un ton de présentateur télé. Début septembre, douze mille. Lundi dernier, dix-sept mille. On en est à près de quarante mille actions qui ont changé de mains. Sans qu'on sache pour lesquelles ni pourquoi.

Morvan but une gorgée tiède. Il était surpris par la précision des chiffres. Son fils, dont c'était le métier, n'avait pas été foutu de décrocher la moindre information.

— Tu peux m'expliquer ? demanda le Noir de sa voix d'Isaac Hayes.

— Non.

— T'es dans la combine ?

— Non.

— T'es pas en train d'essayer de nous la mettre ?

— Je te jure que non.

— Parce que avec tout ça, tu finirais par avoir la minorité de blocage et tu pourrais faire la pluie et le beau temps dans notre belle province.

— Je te dis que j'y suis pour rien !

— Et tes amis du Luxembourg ?

— Je vérifierai mais je suis certain qu'ils ne sont même pas au courant. Quel intérêt pour nous de faire bouger les choses ? Vous êtes maîtres chez vous et ce ne sont pas quelques paquets d'actions qui changeront la donne.

Le général acquiesça d'un lent mouvement de tête.

— Si c'est pas toi, prouve-le.

— Je trouverai les acheteurs.

Morvan essaya de boire une autre goulée, pas moyen. Il eut même un renvoi qu'il tenta de dissimuler en un simulacre de toux.

— Elle est pas bonne ?

— Délicieuse.

– Tu crois que t'as le cul trop blanc pour t'asseoir à notre table ?

– Après tout ce que j'ai fait pour le Congo ?

Kabongo ne répondit pas. En réalité, le gouvernement congolais tenait beaucoup à Coltano – même si la compagnie payait moins de taxes que les autres. Du fait de sa position géographique, elle échappait aux pilleurs et autres milices de l'Est. C'était un des rares revenus liés au coltan qui parvenait dans les caisses de l'État.

L'autre paradoxe était que Morvan, le Blanc, connaissait mieux ces régions tourmentées (le Nord-Katanga n'était pas un eldorado tranquille) que la plupart des notables de Kinshasa. En d'autres termes, on avait besoin de lui.

Kabongo finit par répliquer, en toute mauvaise foi :

– C'est ça ton problème, patron : tu crois toujours que le Congo te doit. Mais c'est le contraire, tout à fait ! C'est ce bon vieux Zaïre qui a couvert tes exactions quand...

– Je sais, je sais... Revenons à Coltano. T'as l'air bien renseigné. Tu sais par qui sont passés les acheteurs ?

– Un trader du nom de Serano.

– Comment tu l'as appris ?

– Qu'est-ce que tu crois ? Qu'on passe nos journées à baiser et à manger des bananes ?

C'était exactement ce que pensait Grégoire mais il prit un air offusqué.

– Trouve les enfoirés, Morvan.

– Je me mettrai au boulot qu'à une seule condition.

La hyène ricana. Kabongo grogna.

– Libère mon fils aujourd'hui.

– C'était son boulot et il a merdé, ça.

– Il a des problèmes... personnels.

– Je connais ses problèmes et je connais les tiens. Trouve les *acquirères*, Morvan, et fais-les vendre.

– Qui rachètera ?

– On est preneurs : c'est le moment de regrouper nos forces au sein de Coltano.

Dans cette histoire, il allait finir à poil. Soit l'offensive était confirmée et il serait viré. Soit les généraux rachetaient ces actions et pour le coup, ils auraient la minorité de blocage et ne lui feraient pas de cadeau.

– Vous devez libérer Loïc. Il est le seul qui puisse m'aider dans mon enquête. Il...

La hyène s'était approchée et tournait autour de ses jambes.

– T'as la cote avec Cocotte ! gloussa Kabongo.

Le flic la repoussa du pied.

– C'est parce que je pue la mort. Libère mon fils.

– Va pas trop vite : on a un autre problème.

– Quel problème ?

– Cette histoire d'achat d'actions, là, c'est l'arbre qui cache la forêt.

– Comprends pas.

– La vraie question, c'est : pourquoi tout le monde veut du Coltano aujourd'hui ?

Il n'était pas étonné de la remarque : les Blacks savaient additionner deux et deux.

– Aucune idée.

– Peut-être que ces gens-là savent quelque chose que je sais pas. Y a peut-être des raisons de s'intéresser à notre vieille entreprise.

– Je comprends rien à ce que tu dis.

– Des nouveaux gisements, par exemple.

Morvan se leva. Cocotte ricana.

– Qu'est-ce que t'insinues ? s'indigna-t-il. Que je t'ai caché des informations ?

– Tu sais ce qu'on dit chez nous ? « Tout a une fin, sauf la banane qui en a deux. »

– Arrête de parler comme un dessin animé !

– Si t'essaies de nous la faire à l'envers, ça va chier, Morvan.

C'était le moment de hausser le ton :

– Lâche mon fils et je t'amène les acheteurs sur un plateau ! Sinon, je te jure que je bute tous tes gars, ce con de Mabiala en tête !

– Calme-toi. Je vais libérer Loïc, là, parce qu'on est comme des frères.

– À la bonne heure.

– Et aussi parce que tu vas me filer du fric.

– Quel fric ?

– Je veux une commission sur l'exploitation des nouveaux gisements.

– Y a pas de nouveaux gisements !

Cocotte ricana encore : au sens propre, elle était la voix de son maître.

– M'oblige pas à mettre mon nez dans tes magouilles, Morvan. M'oblige pas à découvrir ce que tu trafiques avec les Tutsis, les Maï-Maï ou autres… On va faire ça à la grecque. En douce et dans le dos de cet enfoiré de bâtard…

Il existait un tas de rumeurs sur Joseph Kabila selon lesquelles il n'était pas le fils de Laurent-Désiré. On prétendait même qu'il était d'origine tutsi. Ce qui étonnait le plus Morvan, ce n'était pas la déloyauté de Kabongo mais ce merveilleux principe : en Afrique, la corruption était la seule chose sur laquelle on pouvait compter.

Il capitula et tendit sa main :

– Je te tiens au courant.

– Ton fils sera libre ce soir, assura Kabongo en l'acceptant.

La messe était dite.

– Attends, fit le général en pivotant.

Dans son espèce de costume chinois, il marcha vers un réfrigérateur en ruine. Il l'ouvrit et en revint avec une assiette de *cossa-cossa*, de grosses crevettes à la carapace noircie, et une coupelle de sauce pili-pili.

Les amuse-bouches étaient servis. Morvan jeta un coup d'œil à sa montre : 18 h 15. Avec un peu de chance, il pouvait encore expédier ce pique-nique et attraper son vol.

Kabongo fit craquer une crevette entre ses dents et éclata de rire. Ses gencives mauves jaillirent dans toute leur splendeur.

– Mabiala... Le Khmer noir... Encore un con de Nègre !

Le vieux flic fit mine de rire en piquant une bestiole dans l'assiette en carton. La hyène avait senti l'odeur de la bouffe et tournait sur elle-même pour deviner qui pourrait lui donner à manger.

– File-lui donc une crevette, fit Kabongo. En Afrique, il faut toujours paaaarrrtager ! Ce coup-là, les nouveaux filons, il était trop gros pour toi, voilà. Comme on dit chez nous : « Qui mange une noix de coco fait confiance à son anus ! »

81

— RIBOISE A DU NOUVEAU. (La voix de Tonfa, sur-excitée.) Des particules d'ongles et des mèches de che-veux, dans l'axe de l'épigastre. Je sais pas trop ce que c'est mais...

– Vous avez lancé une analyse ADN ?

– C'est en route.

– Dans combien de temps les résultats ?

– Levantin a parlé d'une heure. Après, il faudra les soumettre au FNAEG et...

18 h 30. Erwan venait seulement d'atterrir. L'avion avait pris du retard. Il avait essayé de joindre son équipe mais personne ne lui avait répondu. Encore une erreur : il avait foutu une journée en l'air, dans les premières heures cruciales de l'enquête, simple-ment pour visiter un asile de fous et récupérer des sculptures en papier – elles seraient livrées dans les vingt-quatre heures par un gendarme.

Il sortit de l'aérogare, téléphone à l'oreille. Il tenait son sac en bandoulière et la sangle altérait sa respiration. Il avait mal partout : ses blessures récentes, son mal de dos plus ancien, ses dents qui grinçaient. Il tentait de défroisser ses idées comme on aplatit des feuilles chiffonnées avec son avant-bras.

– Vous avez d'autres résultats ?

– Levantin analyse les clous. Selon lui, chaque métal a sa signature et cette signature se précise avec la rouille.

– Donc ?

– Ils ont une sorte de catalogue... Les clous utilisés par le tueur sont constitués d'un alliage qui réunit plusieurs éléments spécifiques au Congo.

Erwan bouscula les voyageurs dans la file d'attente des taxis et brandit sa carte sous le nez du premier chauffeur :

– 36, quai des Orfèvres.

L'adresse coupa court à tout commentaire.

– Ils viennent de là-bas ? reprit-il en grimpant dans la voiture.

– A priori, oui. Mais les explications de Levantin, c'est vraiment chaud et...

Tonfa était le garde du corps de l'équipe, l'élément fort en cas de bagarre. Malheureusement, à la Crime, il n'y a jamais de bagarre. En revanche, il faut gamberger vingt-quatre heures sur vingt-quatre...

– On a rien de plus précis ?

– Levantin a lancé d'autres examens. Les clous portent des particules qu'il peut identifier. Grâce à elles, on pourra savoir s'ils ont servi à construire des baraques dans la forêt, sceller des caisses de machines-outils ou de fruits... Il a même mis des biologistes sur le coup.

– Des biologistes ?

– Des micro-organismes pourraient nous dire s'ils ont voyagé par air ou par mer. Du sel par exemple, ou du plancton, dans le cas d'un cargo...

Ces clous avaient finalement pas mal de choses à révéler. Encore une fois, le conseil de son père – s'en tenir aux éléments concrets – était juste. Le taxi filait à bonne allure. En face, au contraire, c'étaient les embouteillages des départs en week-end.

– Quand aura-t-on les résultats ?

– Dans la nuit.

– T'es où ?

– À l'usine.

Tonfa avait donc encore séché sa corvée d'autopsie.

– J'arrive.

Erwan raccrocha, passa à Audrey :

– C'est moi. La perquise ?

– Rien de spécial. L'appartement d'une jeune fille standard. Mi-sérieuse, mi-rebelle. On a juste trouvé des déguisements bizarres.

– Qu'est-ce que tu veux dire ?

– Je sais pas : des blouses orange, des masques médicaux, des tuyaux et des sangles... On dirait des costumes pour un film d'horreur.

Il conserva ce détail dans un coin de sa tête.

– Les Zodiac ?

– On continue à vérifier les ETRACO en Île-de-France : ça en fait un paquet. J'ai pris Sergent avec moi. Il téléphone aux capitaineries et aux propriétaires. Pour l'instant, rien.

– Et la Fluve ? Quelle est leur idée sur le tueur ?

– Un pro. Il s'est amarré, a hissé le corps – un poids plume : elle pesait quarante-cinq kilos – puis il est reparti comme il était venu. Presque une manœuvre militaire.

– Hormis le marinier, pas d'autres témoins ?

– Plein, mais que du bidon. Merci les médias. Tout le monde a vu quelque chose. Tout le monde a tué Anne Simoni. J'ai organisé un standard spécial pour gérer tout ça.

– J'arrive à la boîte. On se fait un point plus précis.

– Ça sera vite fait.

Porte d'Orléans, le trafic se ralentit brusquement. Il faillit ordonner au chauffeur de mettre le deux-tons et réalisa qu'il était en taxi.

Restait la Sardine. C'était le cas de le dire : Erwan ramassait ses filets.

– Les fadettes ont parlé, Anne Simoni avait gardé des contacts dans certains milieux plutôt glauques.

– Quel genre ?

– On est en train de dresser la liste : zonards, défoncés, dealers, ex-taulards.

– Tu les as localisés ?

– Pas encore : pour la plupart des squatteurs, des mecs qu'ont aucune existence légale.

– Creuse par là. Je sens quelque chose.

– J'espère que tu marches dos au mur.

Erwan glissa sur la vanne, bref tribut à la culture policière.

– Et mon père ?

– D'après ce qu'on a récolté, pas une relation suivie. Un déjeuner de temps en temps et basta. Mais on sait toujours pas pourquoi la môme l'a appelé six fois mardi. Tu lui as posé la question ?

Erwan songea au Vieux qui devait patauger dans la boue du Congo.

– Il est en déplacement. Demain sans faute.

L'avenue du Maine saturée. S'arrêter au commissariat central à quelques blocs ? Réquisitionner une bagnole et en avant la sirène ? Non, la démarche prendrait plus de temps encore.

– Une seconde… (Il s'adressa au chauffeur.) Vous pouvez doubler, non ?

– Et comment, je vous l'demande ? J'tiens à mes points, moi !

Erwan brandit son badge entre les deux accoudoirs :

– Si tu veux les garder, t'as intérêt à foncer, là, tout de suite. Démerde-toi.

En maugréant, le gars se déporta vers le centre de l'avenue et la remonta à contresens – par un miracle inexpliqué, c'était maintenant dans cette direction que la circulation était fluide.

Erwan revint à Favini :

– T'es au bureau ?

– J'allais partir pour les contrées sauvages.

– Tu m'attends. Je serai là dans cinq minutes.

– Tu parles ! ricana le chauffeur.

Erwan raccrocha. Ils roulaient maintenant rue de Vaugirard, toujours au ralenti.

– Grillez le feu.

– Mais…

– Je vais pas me répéter, putain !

Le chauffeur franchit la rue de Rennes dans un concert de klaxons. Erwan composa le numéro de Kripo – à ce rythme, ses gars n'auraient plus rien à lui dire à son arrivée.

– J'ai un truc à la marge, mais intéressant, fit l'Alsacien.

– Quoi ?

– Tu te souviens du sculpteur dont je t'ai parlé, Lartigues, le mentor d'une communauté adepte des no limit ?

– Vaguement.

– J'ai vérifié son profil sur le Net et je suis tombé sur ses sculptures. Je te conseille d'aller voir.

– Pourquoi ?

– Je t'ai envoyé des liens sur Internet, tu…

– Je suis en bagnole, résume-moi.

– Ce sont des versions géantes des fétiches dont tu m'as parlé.

– Les *minkondi* ?

– C'est ça. Des personnages énormes, criblés de clous et de tessons. Des machins terrifiants qui se vendent à prix d'or.

Erwan ne croyait pas à une connexion directe du type « Le sculpteur est passé à la chair humaine », mais c'était la confirmation du réseau qu'il pressentait : les no limit, la communauté SM, l'Homme-Clou, les meurtres actuels…

– Imprime-moi les photos, j'arrive au bureau. Sur Lartigues lui-même, qu'est-ce que t'as trouvé ?

– Il a émergé dans les années 80, après des études à Paris et à Rome. Il a tourné le dos aux mouvements de l'époque, Figuration libre, Trans-avant-garde et compagnie, pour se consacrer à une forme de sculpture brute, inspirée des arts africains. Le mec a la cote.

– Un casier ?

– Même pas un PV. Il gagne des fortunes depuis l'âge de vingt-cinq ans. Ateliers à Paris, Rome, New York. Expos retentissantes. La grande vie, mais façon bohème. Le genre à rouler en vélo pendant que son chauffeur astique la Jaguar.

– Les no limit : il a jamais eu d'emmerdes avec les flics ?

– Ça doit pas aller bien loin, et jusqu'à preuve du contraire, se faire fouetter le cul n'est pas répréhensible. Et toi, Charcot ?

– La piste est froide. Je t'expliquerai.

Alors que la voiture s'engageait quai des Orfèvres, Erwan regarda sa montre : 19 h 10. Briefing général et tout le monde retournerait au taf pour la nuit... sauf lui.

Il avait rendez-vous avec Sofia à 20 h 30 chez Mimmo, un petit restaurant italien rue Blanche. Quand on ne peut pas faire riche, autant faire simple.

82

IL MONTAIT LES ESCALIERS du 36 quand une jeune femme se rua sur lui : la secrétaire de Fitoussi, le patron de la Brigade criminelle.

– Il veut vous voir en urgence, chuchota-t-elle. Tout de suite !

– Je peux poser mes affaires dans mon bureau, au moins ?

– Non. Ça peut pas attendre. Il est furieux.

Il se trouvait à l'étage du divisionnaire. Dans le clair-obscur du palier, la fille avait l'air paniqué.

– Je vous suis.

Le bureau du taulier, le plus grand de la brigade, avait abrité des flics de légende mais Erwan n'était pas impressionné : quel que soit le décor, Fitoussi restait un con. Un gros bonhomme qui devait sa carrière à ses appuis politiques et voyait des complots partout.

– Où vous étiez, nom de Dieu ?

– Déplacement en Bretagne. Recherche d'éléments dans l'intérêt de la vérité.

– C'est pas le moment de déconner : ce voyage, c'était quoi ?

– Le meurtrier d'Anne Simoni s'inspire d'un assassin jadis interné dans une UMD du Finistère. Je devais fouiller cet aspect de l'affaire.

– Et alors ?

– Rien. L'homme est mort depuis trois ans. Il n'avait aucun contact avec les autres patients. Aucune libération ni évasion dans l'unité ces derniers temps.

Fitoussi se leva et carra ses mains dans ses poches. Il avait une bedaine qui posait question : quel type d'organisme pouvait se déformer à ce point ?

– Le parquet m'appelle. Le préfet m'appelle. Valls m'appelle. Et vous, vous retournez en Bretagne ? On m'a dit qu'il y a un lien avec l'histoire du bizutage, c'est vrai ?

– Tout porte à le croire. Wissa Sawiris, la victime de l'école de pilotes, a sans doute été tué de la même façon. Mais l'état du corps touché par le missile interdit toute certitude. La seule chose dont nous soyons sûrs, c'est que le meurtrier avait laissé à l'intérieur de l'abdomen du pilote des ongles et des cheveux de la victime des quais.

– C'est dégueulasse.

– Non, c'est religieux.

– Quoi ?

– Laissez tomber.

– Épargnez-moi vos grands airs, Morvan ! Ces trucs, ils peuvent nous mener au tueur ?

– Non. Mais le légiste en a trouvé de nouveaux dans le corps d'Anne Simoni. Ils pourraient nous conduire à la prochaine victime.

Fitoussi marcha vers la fenêtre. La plus belle vue du 36 : plan large sur la Seine, les quais, les immeubles du XVIIIe siècle. Malheureusement, aujourd'hui, ce décor rappelait plutôt le cadavre de la veille.

– Quoi d'autre ?

– Pas grand-chose. Notre client ne laisse aucune trace. On analyse les clous et les tessons : ils viennent probablement d'Afrique. On attend d'autres résultats : les pointes ont peut-être servi à sceller des caisses abritant des matières organiques ou…

Le gros flic se tourna brusquement vers Erwan. Il avait conservé ses Ray-Ban fumées – des lunettes de vue – qui lui donnaient l'air d'un entrepreneur mafieux de la Côte d'Azur.

– Vous avez pas l'air de comprendre, Morvan : on a pas le temps de mettre en culture des chiures de mouche. Ce genre de pinailleries, c'est bon pour la télé. Vous avez rien de plus concret ? Des témoignages ? Des suspects ? Y a le feu, putain !

– Les reportages ont provoqué des appels mais c'est du vent. Des fêlés, des zélés, rien d'utile.

– Quelle merde...

Fitoussi arpentait son bureau comme un ours obèse une cage trop petite. Erwan sentait, physiquement, les secondes passer. Il avait hâte de retrouver son équipe.

– Monsieur, bluffa-t-il pour en finir, je vous promets des résultats pour demain matin.

– J'espère bien. Il me faut quelque chose à dire aux médias.

Erwan décida d'ouvrir pour de bon le robinet à conneries :

– On a enrichi le groupe : nous sommes plus d'une dizaine sur le coup. Le labo scientifique tourne à plein régime. Le passé et l'entourage d'Anne Simoni sont décryptés et...

– Pas de problème de ce côté-là ?

– Quel genre de problème ?

– Vous savez bien...

Il comprit l'allusion :

– Mon père a soutenu la libération de la victime et l'a aidée dans sa réinsertion, c'est tout.

Fitoussi le regarda par en dessous, entre sourcils et monture :

– Grégoire m'a laissé entendre que cette affaire était peut-être liée à une enquête qu'il avait menée dans le passé.

– Exact. C'est lui qui a arrêté l'assassin dont s'inspire notre meurtrier.

– Celui qu'était interné en Bretagne ?

– L'Homme-Clou. Mon père l'a serré à ses débuts, en 1971, au Zaïre.

Le commissaire se frotta le front avec sa paume, comme s'il pouvait effacer d'un coup toute cette charge d'ennuis qui lui compressaient le cerveau.

– Je connais l'histoire. Bon dieu, c'est...

– Excusez-moi.

Le portable d'Erwan venait de sonner. Un SMS. Pas n'importe lequel : le signal sonore de son équipe.

Le message était signé Kripo :

« Radine-toi. Urgence. »

83

D ANS LA VOITURE qui fonçait en direction du
12ᵉ arrondissement, gyro hurlant, Erwan lisait les premiers renseignements sur Ludovic Pernaud. Les ongles
et les cheveux mystérieux avaient parlé : ils appartenaient à un
extrémiste politique de trente-deux ans, condamné à deux reprises,
dont l'empreinte génétique était fichée au FNAEG.

Pour l'instant, les informations sur Pernaud traçaient un portrait
incohérent. Militant d'extrême droite. Condamné à un an de
prison avec sursis et deux ans de mise à l'épreuve pour sa parti-
cipation à l'agression de quatre étudiants gauchistes en 2002 sur
le campus de la faculté de Nanterre. Puis, l'année suivante, trois
ans de prison ferme pour violences ayant entraîné la mort sans
intention de la donner contre des militants de la LDJ et du Betar
lors d'une manifestation pro-israélienne. Après une remise de
peine, le joyeux drille réapparaissait en 2006 en Guyane française,
lors d'une prise d'otages ratée à l'aéroport de Cayenne par des
militants créoles. Cette fois du bon côté de la barrière, si l'on
peut dire : il était un des parachutistes blessés pendant l'intervention. Nouvelle disparition. Il vivait aujourd'hui à Paris, au 45,
rue de la Voûte, près de la porte de Vincennes, apparemment
sans boulot ni revenus, hormis une pension d'invalide de guerre.

Pas de voiture. Pas de téléphone. Pas de compte en banque ni de carte de crédit.

Voilà l'homme dont on avait retrouvé des échantillons dans le cadavre d'Anne Simoni. Erwan était quasiment certain qu'il était déjà mort et ne savait pas qu'en penser. Pourquoi s'en prendre à lui ?

Parvenu porte de Bercy, il reçut d'autres nouvelles de Kripo, resté au 36 – plutôt un boulet sur le terrain. Un portrait photographique confirmait la première impression sur Pernaud : un facho aux idées ras la brosse. Des traits durs, inexpressifs, rectilignes comme un plan d'attaque. Le genre à s'habiller en kaki la semaine et en motifs camouflage le dimanche.

Pour l'intervention, Erwan avait appelé en renfort Tomasi et ses gros bras de la BRI. Il ne les appréciait pas mais ils étaient qualifiés pour une opération de saute-dessus. Pernaud était peut-être toujours vivant, et impliqué d'une autre manière dans les meurtres. Or son profil appelait à la prudence. D'après Kripo, il possédait une carte de la Fédération française de tir et détenait au moins cinq armes à feu.

Ils se pointèrent boulevard Soult pour s'apercevoir que la rue de la Voûte était à sens unique – leur GPS avait refusé de s'allumer. Ils rebroussèrent chemin, firent un grand tour pour découvrir, à l'autre bout de l'artère, un nouveau sens interdit. *Merde.*

Pas question de foutre le deux-tons en marche ni de prendre la rue à contresens. Après plusieurs manœuvres et engueulades par radio, arrêt cours de Vincennes devant le passage de la Voûte – un simple escalier qui permettait d'accéder à la rue du même nom.

Vamos. À pied, et sans brassard, ils dévalèrent les marches.

La nuit tombait. Les trottoirs étaient déserts. Clé universelle. Erwan laissa passer les membres de son équipe avec un sentiment de sécurité : Tonfa était solide, la Sardine un tireur hors pair, Audrey une vraie sandiniste…

Pas de concierge mais le nom des habitants dans un cadre sous verre avec, en tête de liste, Ludovic Pernaud, troisième étage gauche. Les renforts de la BRI avaient trouvé un deuxième accès par la cour intérieure. Briefing à voix basse, dans le hall obscur puant le moisi, l'encaustique et les poubelles.

– Tomasi, tu…

– Pas de nom pendant l'opération.

Erwan soupira :

– Je monte avec mon équipe, tu sécurises le rez-de-chaussée, les fenêtres de la cour intérieure et les toits.

Tomasi n'aimait pas qu'on lui donne des ordres mais il parut d'accord avec ce plan pour le moins basique. Sans un mot, il tendit une oreillette à Erwan, qui la fixa avec difficulté.

– On est sur la même fréquence, chuchota le cow-boy.

Rose et rasé comme un cochon de lait, il était plus proche des pilotes de Kaerverec que des flicards qui hantent le 36.

– Je vous préviens quand on est là-haut, répondit Erwan, percevant l'écho de sa propre voix dans le corridor.

Tous dégainèrent en produisant des arrachements de velcro qui résonnèrent trop fort dans le hall. Les gars de la BRI vers la cour, Erwan et les siens vers la cage d'escalier, se faisant le plus légers possible.

Sur le palier du troisième étage, il reprit la tête du groupe. Ils n'avaient pas allumé. Les lattes du sol couinaient horriblement. Dans les ténèbres, deux portes se découpaient sur la gauche.

Erwan alluma sa Maglite et éprouva la sensation que la lampe fonctionnait sur sa propre énergie, à lui. Il était bouillant, le cœur comme un gong. Dans le faisceau, il vit un nom inconnu au-dessus d'une sonnette. L'autre n'en portait pas. Il posa son oreille contre la porte : aucun bruit. Il fit un geste explicite à son équipe et recula pour murmurer dans son oreillette :

– On est en place. Et vous ?

– On est okay. Ça bouge à l'intérieur ?

– Que dalle. On tape.

Erwan s'avança, en se déportant sur la droite pour ne pas se trouver dans l'angle de tir. Il sentait la sueur qui coulait entre ses doigts et la crosse du flingue.

– Police, cria-t-il après avoir frappé. Ouvrez !

Aucun retour. Il s'attendait plutôt à voir les autres portes s'ouvrir comme ça arrivait chaque fois. D'un signe, il donna le feu vert à Tonfa, qui s'approcha armé d'un bélier Monoshock. Premier coup : le verrou résista. Un autre, puis un autre encore – le châssis était blindé.

À chaque heurt, Erwan revoyait les autorisations préfectorales de Pernaud : deux fusils 22 long rifle, un fusil à pompe Remington calibre 12, un pistolet automatique 9 mm Glock, un revolver à six coups Smith et Wesson 357 Magnum…

La porte s'arracha enfin de ses gonds, s'abattant vers l'intérieur. Les armatures métalliques se décrochèrent dans la foulée, manquant d'assommer Tonfa, emporté par son élan. Erwan l'écarta de l'épaule et bondit, en position de tir réflexe :

– POLICE ! PO…

Il ne put achever sa sommation. Les murs du studio étaient couverts de sang. Des traits, des motifs, des éclaboussures qui évoquaient les divinités yombé. Des masques aux traits naïfs. Des sagaies en forme de pénis. Des croissants aux allures de serpents.

Dans un autre temps, cette pièce avait été le repaire d'un homme de main passionné par les armes, l'extrême droite et pas mal d'autres conneries comme les sinistres voies de fait des supporters de foot – des articles épinglés au mur en témoignaient. C'était maintenant un champ de bataille retourné, fouillé, sondé en tous sens – et le théâtre d'un carnage. Un espace tellement ensanglanté que le sol ressemblait à un parterre d'abattoir. L'odeur de l'hémoglobine, lourde, métallique, était déjà sur le départ. Le sacrifice de Ludovic Pernaud datait d'au moins douze heures.

Sans un mot, ils s'avancèrent dans la pièce, formant d'instinct, comme on l'apprend à l'école de police, un chevron dont la pointe était Erwan, calibre au poing. Une voix résonna dans son oreille :

– Où vous en êtes, bon dieu ?

– C'est sécurisé. Y a plus rien de vivant ici.

– C'est comment ?

– Venez voir par vous-mêmes.

Au centre (le lit avait été relevé et plaqué contre un des murs), le corps de Ludovic Pernaud était accroupi dans un panier tressé circulaire d'un mètre de haut environ, raide de sang séché. Seule sa tête en sortait, dévastée par des grappes de clous qui bourgeonnaient sur le front, une joue, le menton. Malgré ces meurtrissures, on reconnaissait le parachutiste, la boule à zéro, bouche ouverte sur un cri d'agonie. Des éclats de miroir, placés dans ses orbites, achevaient le tableau. Où qu'il soit maintenant, Pernaud pouvait désormais voir le monde des esprits.

Les flics contournèrent le corps. Des lambeaux noirâtres sortaient du panier. Faciles à identifier : des lanières de peau ensanglantées. Erwan remarqua que le cadavre reproduisait une figurine du bureau de son père, réputée aspirer les sorts et les maladies. Et aussi une des statuettes de papier de Pharabot.

Il rengaina et souffla aux autres :

– Appelez le proc, l'IJ et les pompes funèbres.

Chacun craignait de marcher sur un des vestiges de peau. Erwan devinait qu'ils ne respiraient plus, en apnée dans ce bain de terreur. Toute la scène semblait se dérouler au ralenti, dans un climat d'irréalité.

Lui pourtant était dans un état différent. Il notait chaque fait, mémorisait chaque détail, avec recul, comme à distance. Sa respiration même – brève, retenue, pour ne pas inhaler l'odeur de barbaque – lui paraissait flotter hors de son corps.

Les flics de la BRI arrivèrent et ce fut pire encore : huit mecs dans une turne rouge sang en état de stupeur.

Erwan coupa son oreillette puis attrapa son mobile. Lentement – il avait l'impression que chacun de ses gestes était décomposé –, il rédigea un SMS à l'attention de Sofia : « Désolé. Je serai en retard. »

84

QUAND LES NOIRS L'ABANDONNÈRENT, il ne pouvait plus bouger les bras. Il avait passé près de vingt-quatre heures les mains ligotées dans le dos, accroupi au fond d'une voiture. On lui avait accordé deux pauses : l'une pour pisser, l'autre pour manger. On l'avait déplacé plusieurs fois, en lui mettant une cagoule sur la tête, qu'on lui retirait (ou non) à l'arrivée. De toute façon, le décor variait peu : parkings désaffectés, terrains vagues, friches industrielles...

Malgré cette constante atmosphère de menace, Loïc avait vu sa peur reculer – il se doutait que son père s'occupait de lui et que sa situation, imperceptiblement, s'améliorait.

Le problème était la coke : le manque l'avait torturé beaucoup plus que la peur, l'asphyxie ou les courbatures. Le besoin de drogue se manifestait par bouffées, brèves ou lancinantes. Parfois, une montée d'angoisse l'oppressait jusqu'à lui faire espérer la mort. Ou alors des sensations physiques l'assaillaient : accès de froid, crampes au fond du ventre, tremblements. D'autres fois, il voyait des traces devant lui, de beaux traits blancs qu'il ne pouvait pas approcher. Puis ça passait et il grinçait des dents de plus belle en attendant la prochaine crise.

Maintenant, il était seul dans un parking.

Les gars lui avaient arraché sa cagoule et avaient tranché son bracelet avant de le pousser dehors. La dernière voiture qu'ils avaient utilisée portait des plaques diplomatiques, façon de lui dire : « Tu peux noter l'immat', on est intouchables. » De toute façon, il n'avait pas eu la présence d'esprit de mémoriser quoi que ce soit. Il avait simplement ramassé son portable et son portefeuille lancés par la portière puis s'était massé les poignets.

Assis par terre (son costume était taché de graisse, le deuxième foutu en deux jours), il vérifia son téléphone : par miracle, il restait un peu de batterie, mais impossible de capter dans ce trou. Il gagna la sortie en titubant légèrement – faim, manque, engourdissement. Ses pas résonnaient dans l'espace vide. *Où je suis ?* pensa-t-il. Il fit le tri dans ses priorités. D'abord, se repérer – il était peut-être aux portes de Paris ou à l'autre bout de l'Île-de-France. Ensuite, trouver un distributeur de cash – on ne lui avait rendu que ses cartes de crédit.

Dehors, paysage mortifère de banlieue industrielle. Une longue avenue percée de réverbères, des blocs noirs, des cheminées d'usine. Il pouvait être à Nanterre, Gennevilliers ou Ivry-sur-Seine. Il se mettait en marche en quête de panneaux quand sa vraie préoccupation revint le saisir : Milla et Lorenzo. Entre ses crises, il n'avait cessé d'y penser : on était vendredi et c'était son week-end de garde. Qui était allé les chercher à l'école ? Avait-on prévenu leur mère ? Le Vieux avait-il géré l'urgence ? Il était sûr que oui.

Il appela Gaëlle – la préposée aux enfants quand il n'était pas dispo. En quelques mots, elle le rassura : elle était chez lui, les petits déjà couchés. En retour, elle lui demanda des explications, il répondit de manière vague. Elle l'interrogea aussi sur les travaux qu'il y avait eu chez lui, il fut plus évasif encore.

– J'arrive dans une demi-heure.

Il venait de voir un panneau : « Stains ». Il consulta ses messages : en vingt-quatre heures, il en avait reçu près d'une trentaine. Les seuls qui l'intéressaient étaient ceux de son père. Morvan avait déjà appelé deux fois. Il savait sans doute qu'il venait d'être libéré et voulait le vérifier « de vive voix ».

D'une pression, Loïc le rappela. Sonnerie bizarre.

– T'es dehors ? demanda le Vieux de sa grosse voix inquiétante.

– Ils viennent de me relâcher, ouais. Qu'est-ce que t'as fait ?

– Je t'expliquerai. Je suis en train d'embarquer.

– Pour où ?

– Pour Paris. Je suis à Kinshasa. Il a fallu négocier en haut lieu.

– T'as... t'as payé ?

– Non. Mais on a peu de temps pour prouver notre bonne foi.

– Quelle bonne foi ? Qu'est-ce qu'ils nous reprochent ?

Morvan éluda :

– Kabongo m'a balancé le nom du trader qui achète les paquets d'actions.

– Comment il l'a eu ?

– Il est moins con que toi. Un certain Serano.

Loïc étouffa un juron. La nuit dernière, il n'avait pas été foutu de lui tirer les vers du nez.

– Je le connais.

– Tu vas aller chez lui et tu vas le faire parler.

– Il a aucune raison de me répondre.

– Démerde-toi. On doit retrouver les acheteurs. C'est notre seule chance de convaincre les Négros !

Loïc se passa la main sur le visage. Il eut l'impression de toucher un cadavre.

– Je... je saurai pas faire.

– Alors, appelle Erwan.

L'évocation de son frère le ranima :

– Il va venir lui casser les dents et je ramasserai les infos, c'est ça ?

– Il peut être convaincant.

– Je sais pas dans quel monde tu vis, papa. Les affaires dont il s'agit se règlent pas à coups de poing. On parle de la Bourse, pas d'un saloon !

Quelques secondes passèrent. Loïc crut que la communication était coupée mais la voix de son père revint à la manière d'une lame de fond :

– Je monte dans l'avion. Rentre chez toi et prends un bain. Gaëlle s'est occupée des gamins. Demain matin, tu vas chez Serano.

– Je te dis que...

– Et moi je te dis que le monde est un vaste saloon. Tes financiers ne valent pas le crottin sous les bottes de mes cowboys. Ton frère t'accompagnera et crois-moi, Serano s'allongera en vous remerciant de lui laisser ses dents.

85

NAPPE À CARREAUX, carafe d'eau, bougie bon marché :
Erwan avait honte d'avoir invité Sofia dans un tel bouiboui. Ce qui était dans son souvenir un bon petit italien n'était qu'une sinistre pizzeria. Par ailleurs, l'idée d'amener ici une Florentine pure souche était à peu près aussi judicieuse que de proposer un fish & chips à un lord.

Tant bien que mal, il avait réussi à larguer ses hommes rue de la Voûte au moment où l'équipe de l'IJ et le fourgon à viande froide arrivaient. Il avait retrouvé Sofia déjà à table, patiente et souriante. En guise d'introduction, il avait risqué une blague sur ses propres blessures puis avait dû expliquer leurs origines.

Les ennuis avaient alors vraiment commencé.

Impossible de se concentrer. Deux meurtres en deux jours. Trois en une semaine, si on comptait Wissa. Sans doute l'affaire de sa vie. Un coup à passer divisionnaire en quelques années ou au contraire à croupir dans les entresols de la préfecture s'il échouait. Erwan percevait les mots prononcés par Sofia mais il n'en captait pas le sens. C'était comme entendre une langue étrangère.

– Tu m'écoutes ou quoi ?

– Bien sûr.

Pernaud écorché dans son panier, qui se répandait en pétales monstrueux. Un tueur qui évoluait dans le deuxième monde, où

rôdent démons et forces occultes. Erwan s'accrochait à son idée :
la seule différence entre l'ancien et le nouveau meurtrier était le
viol anal – à vérifier pour Pernaud. L'assassin luttait peut-être
contre ses pulsions homosexuelles ou nécrophiles. En violant ses
propres *minkondi*, il n'assouvissait pas ses désirs mais les exorci-
sait.

– Qu'est-ce que t'en penses ?

– Pardon ? sursauta-t-il.

– Je te demandais ton avis sur le rythme de l'alternance pour
les enfants : une semaine sur deux, ou un week-end sur deux et
tous les mercredis ?

– Vous en êtes pas encore là, non ? esquiva-t-il (il n'avait pas
la moindre idée sur la question). Pour l'instant, c'est toi qui as
la garde.

– À terme, ce n'est pas mon but. Milla et Lorenzo ont besoin
de leur père.

Erwan joua la provocation :

– Vous avez qu'à vous remettre ensemble.

– Pas question.

– Tu es certaine que tout sentiment est mort entre vous ?

Elle coupa un morceau de sa pizza et le mastiqua sans la
moindre expression.

– Tu sais ce que disait Nixon à propos de l'amour ?

– Le président des États-Unis ?

– « L'amour, c'est comme un cigare. Une fois éteint, tu peux
toujours le rallumer : il aura plus jamais le même goût. » À quoi
bon recoller les morceaux ? On est encore jeunes. D'autres histoires nous attendent. Et puis, il y a la drogue : tant que Loïc
n'en sera pas sorti, je dois protéger mes enfants.

Rien de neuf sous le soleil. Ce qui était inédit ce soir, c'était
le ton détaché de Sofia : elle paraissait apaisée, sereine. Comme
toutes les guerres, les divorces ont aussi leurs cessez-le-feu.

– Et toi ? relança-t-elle. On parle toujours des problèmes de
ton frère, des frasques de ta sœur mais toi, où t'en es ?

– Noyé dans le boulot. (Il regarda sa montre comme pour confirmer.) Je travaille justement sur une affaire qui...

Elle posa sa main sur la sienne, il frissonna.

– Non. Je te parle de ta vie personnelle. Qu'est-ce que tu attends pour te caser ? Faire des enfants ?

– C'est pas une obligation.

– C'est pas une malédiction non plus. Tu as quelqu'un de sérieux ?

Elle l'avait déjà interrogé dans les jardins du Luxembourg.

– Non. Ça va, ça vient...

– Très chic.

Il eut peur de rougir :

– C'est pas ce que je voulais dire, je...

– Tes nanas, où tu les rencontres ?

Les yeux de Sofia brillaient – on abordait enfin les choses sérieuses.

– Dans le boulot, au fil de mes enquêtes...

– C'est quoi ton genre ?

Il répondit sans hésiter. Ce soir, il était incapable de se composer un personnage. D'ailleurs, il n'aurait pas su lequel.

– Les serveuses, les vendeuses.

– Pour nourrir ton complexe de supériorité ?

– Je ne les ai jamais considérées comme inférieures.

– Pour leur conversation ?

– Sois pas comme ça, protesta-t-il. Je les aime... parce qu'elles sont jolies.

– Original.

– Tu me demandes, je te réponds.

– Elles ne le sont pas toutes.

– Presque toutes : ça fait partie de leur job.

Elle leva la main à l'attention du garçon.

– Je vais prendre du vin. T'es pas obligé de me suivre.

Il avait prétendu qu'il ne buvait jamais – il voulait retourner au 36 l'esprit clair.

– Je t'accompagne, concéda-t-il.

Une nouvelle carafe arriva, rouge. Il remplit leurs deux verres tandis que Sofia reprenait son assaut :

– Donc elles sont mignonnes. Mais y a pas que ça, si ?

– Elles ont aussi un petit côté perdu qui m'émeut.

– Dans quel sens ? demanda-t-elle en buvant une longue gorgée.

Il baissa les yeux sur sa pizza : il n'y avait pas touché. Impossible d'avaler un morceau. La proximité de Sofia. Le cadavre de la rue de la Voûte…

– J'ai une théorie sur la beauté féminine.

– Ho, ho, tu m'intéresses…

Elle tendit de nouveau son verre, déjà vide.

– On prête beaucoup aux belles et c'est un mensonge qui se referme sur elles. Quand elles sont petites, on leur raconte qu'elles seront princesses. En grandissant, on leur prédit un avenir de mannequin. Et plus tard encore, de comédienne. Peu à peu, ces filles s'alanguissent dans leurs rêves. Elles perdent toute ténacité.

– J'ai plutôt l'impression qu'il y a pas plus tenace qu'une apprentie comédienne. Regarde ta sœur.

– Oublie-la. Il s'agit toujours de rêves. Elles n'ont aucune force pour affronter la vraie vie : un job de merde, un chef de service sadique, un salaire dérisoire…

– Je suis pas d'accord : beaucoup de modèles ou d'actrices débutantes bossent dans des restos, enchaînent les petits boulots. À New York…

– C'est toujours du temporaire, dans l'espoir du vrai contrat.

– Où tu veux en venir ?

– Le provisoire devient du permanent. Ce soi-disant passage n'est que la réalité qui s'impose. Pendant ce temps, elles n'ont acquis aucune formation réelle. Pas d'école, pas de fac, pas de stage… Elles sont nues et désarmées face au combat de l'existence.

Elle éclusa son verre une nouvelle fois et se resservit elle-même. Elle portait un pull en V bleu marine aux mailles très fines. Au détour du geste, il aperçut, par accident (si tant est qu'il y ait des accidents dans ce qu'une femme a décidé de vous montrer), la bretelle de son soutien-gorge. Aussitôt, il baissa les yeux, comme un gamin pris en faute. Au fond, il avait toujours pensé que Sofia n'avait ni seins ni sexe. Elle n'était pas un être matériel.

– Tu veux donc les sauver ?

Il se renfrogna : il avait eu tort de se livrer. Sur le plan du désir et des sentiments, il n'avait pas dépassé treize ans d'âge mental. Et pour cause, il n'avait pas plus d'expérience qu'un adolescent.

– Laisse tomber.

Sofia eut un rire de gorge. Elle commençait à être un peu ivre et n'en était que plus séduisante. Elle croisa les bras sur la table et se rapprocha :

– Quelle a été ta préférée ?

– Une parfumeuse du Sephora des Champs-Élysées, avoua-t-il spontanément. Une petite femme très fière, très jolie, qui n'aimait pas faire l'amour.

– Un sacré handicap.

– Ça ne me dérangeait pas.

– Toi non plus tu n'aimes pas ça ?

– Pas trop, non.

Elle gloussa. À moitié saoule, elle paraissait plus proche, plus réelle. Le vin rosissait ses pommettes. Ses yeux en amande devenaient liquides.

– Y a quelques années, lâcha-t-il, j'ai fait une dépression.

– Je savais pas. Tu veux pas qu'on reprenne du vin ?

– Non. Je pense que t'as assez bu.

Le janséniste revenait. Un nouveau rire comme seule réponse. Elle attendait la suite de l'histoire.

– Je m'en suis sorti grâce aux anxiolytiques, aux antidépresseurs. Ces médicaments ont été miraculeux mais pas pour ma libido.

– C'est vrai ce qu'on raconte ? Ça rend impuissant ?

– Il a suffi que je le croie pour que ça le devienne. Depuis ce temps, faire l'amour est plutôt une source de stress, un sujet d'angoisse.

– Le trac de l'artiste.

Il s'accorda enfin une gorgée de vin.

– Autant partir modeste, l'arrivée ne peut être qu'une bonne surprise.

– Ça donne envie tout ça...

Il sentit qu'il valait mieux en rester là. Il régla à la caisse. Le dîner avait été un fiasco. Du moins, il n'avait rien apporté de neuf. Le flic et la comtesse : chacun était resté dans son rôle. *Pas grave*, se dit-il par pure lâcheté, *dans une demi-heure je serai au 36.*

Il l'aida à enfiler sa veste et la guida jusqu'au seuil. Il poussa la porte et sortit en premier, comme pour prévenir une embuscade.

– T'es venue en voiture ? Tu...

Il n'acheva pas sa phrase. Les lèvres de Sofia s'étaient posées sur les siennes. Il ne ressentit rien. Seulement un vertige à l'intérieur de lui-même. Son cerveau s'était enrayé. Il ne parvenait pas à analyser ce qui était en train de survenir.

Il fit un effort et revit seulement le corps de Pernaud épluché comme un fruit, le buste éventré d'Anne Simoni, les fragments de Wissa Sawiris. Retourner au bureau, reprendre l'enquête...

Il libéra ses lèvres mais à cet instant, il se ravisa et empoigna Sofia qui devint toute molle entre ses bras. Il l'embrassa avec violence, libérant d'un coup un sentiment qui ne l'avait pas quitté, il le comprenait maintenant, depuis la première fois qu'il l'avait vue.

Lorsqu'il relâcha son étreinte, elle eut un sourire gêné mais ce fut lui qui s'effondra sur le capot d'une voiture, les jambes coupées, la bouche pleine de son odeur de vin.

Sofia retrouva la première son sang-froid – des siècles de noblesse florentine étaient passés par là.

– Pour un curé, t'embrasses pas mal.

86

GAËLLE FUMAIT une cigarette sur le balcon.

Quand Loïc était rentré, elle l'avait douché puis vêtu d'un pyjama, peigné, parfumé. Elle lui avait cuisiné des pâtes avant de le mettre au lit comme un bébé. Sans poser de questions – Loïc était coutumier de ces virées mystérieuses.

Voilà où elle en était : un vendredi soir, téléphone saturé de messages, de SMS, d'invitations, à jouer les nounous chez son couillon de frère.

Il faisait encore chaud et, sous ses pieds nus, l'avenue diffusait une clameur bleue et souveraine. Accoudée à la rambarde, elle distinguait le parvis du palais de Chaillot, cerné par les deux blocs années 30 des musées des Monuments français et de la Marine nationale. Au loin, la tour Eiffel crépitait de lumières, preuve qu'il était exactement 23 heures. *Pas mal.*

Toute la soirée, elle avait ruminé sa honte de la veille. La partouze bidon, la cérémonie ridicule, les notables dépravés... Ce qui la tuait, c'était le regard de son frère. Il était à la fois la personne qu'elle aimait et haïssait le plus.

Pour les mêmes raisons.

Erwan, le héros, l'irréprochable.

Son père était un monstre, Maggie une cinglée, Loïc une épave. Au moins, avec eux, les choses étaient claires. Mais l'aîné... Elle réfléchit encore et parvint à ordonner les éléments d'une autre façon – cinq ans de philo, ça aide. Elle voulait humilier sa famille, piétiner leurs valeurs hypocrites. L'arrivée du frangin avait donc été une bonne chose : que vaut le blasphème si le croyant n'est pas là pour l'entendre ?

Elle se retourna et s'adossa à la rambarde de pierre. La pièce immense qui tenait lieu de salon se déployait dans la lumière brisée des lampes MaMo Nouchies d'Ingo Maurer. Sur le mur d'en face, le triptyque d'Anselm Kiefer devait valoir plusieurs millions d'euros. Le canapé, la table basse et les différents meubles profilés plusieurs centaines de milliers.

La beauté épurée de ces lignes la bouleversait mais elle était comme les Barbares qui admiraient la perfection des villes romaines avant de les détruire. L'admiration n'empêche pas la haine, elle la nourrit. Cet appartement, ces meubles, ces œuvres d'art allaient bientôt voler en éclats.

Elle ne voulait pas l'argent. Sa carrière même n'était pas si importante.

Elle voulait les mettre à terre.

Sa bonne humeur revint d'un coup.

Ils croyaient la tenir, la contrôler, la sauver. Mais elle était en train de les anéantir selon une stratégie qu'ils ne pouvaient imaginer.

87

IL OUVRIT LES YEUX. Le jour n'était pas encore levé. Un bref instant, il ne se souvint plus où il se trouvait. La chambre était blanche. Un parfum d'encens flottait. Sur le mur face à lui, un homme bleu ramait sur une mer d'écume rouge.

« La Trans-avant-garde italienne, lui avait murmuré Sofia à l'oreille alors qu'ils s'écroulaient sur le lit. J'ai couché avec tous les peintres du mouvement... » Dans l'obscurité, il avait vu son rêve de madone balayé comme un château de sable par la vague écarlate du tableau. Après ça, ses souvenirs se brouillaient. Des émotions, oui, mais dans le désordre, jouissance, peur, plaisir, remords...

Il regarda sa montre : 6 heures. Il était tellement excité qu'il n'était même pas sûr d'avoir dormi. Il sortit du lit, enfila caleçon et chemise puis attrapa son portable dans sa poche de veste et s'esquiva sans bruit. Il était souvent venu ici : à l'époque, c'était « chez Sofia et Loïc » et cette seule idée suffisait à lui faire tout trouver, jusqu'au moindre détail, ostentatoire et vulgaire.

Ce matin, c'était une autre histoire.

Il visitait le palais en guerrier victorieux. Tout lui semblait noble et magnifique. Il marcha jusqu'au salon. À gauche, la cuisine ouverte. Il réussit à faire fonctionner une machine à café futuriste puis se posta devant les portes-fenêtres du séjour. Les hauteurs de la place d'Iéna. Au centre, la statue de Washington. À gauche, la Seine et le palais de Tokyo. À droite, une forêt de toits gris qui montaient jusqu'au réservoir de Passy. Un point de vue d'empereur.

Il but son café d'une traite – du fort, du brut. Une fierté animale l'emplissait. Lui qui avait toujours prôné une nette séparation entre sexe et amour, désir et sentiment, lui qui se prenait pour un homme de principes, il avait fait l'amour avec Sofia, sa fée inaccessible, la femme de son frère – et il ne voyait qu'une chose : il s'en était bien sorti. Pas de problème d'érection ni de maladresse.

Dans l'élan, ses douleurs avaient quasiment disparu. Cette nuit d'amour avait agi à la manière d'un baume salvateur. Il n'aurait même pas su dire si cette étreinte lui avait plu – et il refusait d'envisager la suite des événements. L'important, pour l'instant, c'est qu'il avait assuré et...

Son enquête lui revint à l'esprit. Que foutait-il là à se pavaner au-dessus de Paris en divaguant sur sa vie sexuelle ? Il avait déjà gâché une nuit à courir après Gaëlle, une journée en Bretagne, et maintenant une nouvelle nuit dans les bras de sa belle-sœur.

D'un geste, il alluma son mobile, attendit sa mise en route, puis composa son code. Nouvelle attente. Enfin, il put accéder à ses messages.

Le premier, à 21 h 30, sonnait comme un avertissement ironique. Loïc : « Rappelle-moi. » Le temps d'une fulguration, il se dit que son frère savait déjà. Mais non, aucune raison de s'inquiéter. Ensuite, c'était la sarabande habituelle : Morvan, Fitoussi, Kripo, Audrey... On l'avait cherché toute la nuit. Un nouveau meurtre et pas de commandant à bord : une première au 36.

Il appela en priorité l'Alsacien, qui lui répondit la bouche pleine :

– Où t'étais ?

– Je t'expliquerai. Toi, où t'en es ?

– Je lutte contre la masturbation.

Le ton était jovial.

– Quoi ?

– Je suis au bureau et je mange des Kellogg's. Tu savais que les corn-flakes avaient été inventés par le docteur Kellogg dans le but de diminuer les pulsions masturbatoires des jeunes ?

Erwan soupira – assez perdu de temps :

– Kripo, je t'en prie.

– L'autopsie est en cours. Riboise aux commandes.

– Il a trouvé quelque chose ?

– Des cheveux dans la zone épigastrique de la victime. Cette fois, il savait où chercher. On aura les résultats ADN dans la matinée.

Quatrième corps en vue. La France n'avait jamais connu une série de meurtres aussi rapprochés. Et il fallait que le Vieux soit impliqué…

– Le légiste a aussi reçu les premiers résultats des analyses toxicologiques, continua son adjoint.

– Alors ?

– Les intestins de la fille contiennent des résidus d'un cyanure spécifique, qu'on trouve dans les tubercules de manioc.

– C'est ça qui l'a tuée ?

– Pas du tout. Riboise pense que ça lui a seulement fait vomir ses tripes : l'effet est instantané.

Son père lui avait parlé de la nécessité de purger le corps avant le rituel. Comment le nouveau tueur connaissait-il ces détails ?

– Les autres ?

– L'IJ a retourné la turne, passé le moindre recoin au peigne fin, sondé les siphons. Audrey et Favini écument le quartier. Pour l'instant, tout se passe comme sur les Grands-Augustins : pas de témoin ni d'indice. Notre gars est une ombre.

– Et sur Pernaud ?

– Rien non plus. Pas un abonnement, pas une carte à son nom, aucune trace d'activité professionnelle. C'est plus une enquête, c'est *SOS Fantômes*.

– Qu'est-ce que t'en penses ?

– Après avoir été terroriste et para, j'ai l'impression que Pernaud avait rejoint le « côté obscur de la force ».

– Comprends pas.

– Une barbouze.

Erwan ne pouvait pas entendre ce mot sans tressaillir.

– Réfléchis, insista Kripo. Le mec bénéficie d'une remise de peine inexplicable en 2005. On le retrouve l'année suivante chez les paras en Guyane. Ensuite, plus aucune existence officielle hormis son adresse où il touche une pension d'invalide de guerre. J'ai fait des recherches : ses blessures de Guyane n'ont entraîné aucun handicap. C'était une rétribution déguisée. Le facho était un agent dormant, payé à la mission en plus de sa rente.

N'importe quel bleu aurait compris : le gars travaillait pour Morvan. L'Homme-Clou l'avait choisi pour cette raison. Encore un point pour la théorie de la vengeance.

– Ça vaudrait le coup d'en parler à ton père, fit Kripo comme s'il suivait le raisonnement d'Erwan. Il le connaissait peut-être…

– Je m'en occupe.

– Après la petite Simoni, c'est…

– Je te dis que je m'en charge ! (Il avait crié trop fort. Il regagna la cuisine et se prépara un autre café.) Qui tape la perquise ?

– La Sardine et Audrey sont là-bas, mais tu te souviens de l'état du studio… Le tueur l'a retourné en profondeur. Soit il cherchait quelque chose qui l'intéressait, soit il connaissait la victime et a effacé toute trace de leur relation.

Le breuvage noir et âpre, une nouvelle fois cul sec.

– Un truc peut lui avoir échappé.

– Je suis sceptique, souffla Kripo, on a affaire à un esprit supérieur.

– Sans blague ? C'est tout ?

– Non. Levantin déboule au 36 à 9 heures. Il veut nous montrer quelque chose, à propos d'Anne Simoni.

– Quoi ?

– Il a pas précisé.

Erwan retourna vers les portes-fenêtres, en ouvrit une et sortit sur le balcon. L'air était vif, la vue à couper le souffle. Dans la lumière du jour naissant, l'image se révélait peu à peu comme un tirage argentique dans son bain chimique. Les détails, encore flous, doucement chahutés par les plis liquides de l'aube, se précisaient.

– T'as regardé les liens que je t'ai envoyés ? relança Kripo.

– Lesquels ?

– Les sculptures d'Ivo Lartigues.

– Pas eu le temps.

– Mais qu'est-ce que t'as foutu cette nuit ?

Il allait répondre quand un chatouillement effleura sa nuque. Il bondit de côté, comme si un scorpion l'avait touché. Sofia se tenait dans l'encadrement : tee-shirt Chloé et petite culotte taille basse, à moitié transparente, bordée de dentelle de Calais. En un éclair, il se souvint qu'il tenait ce vocabulaire de son adolescence, l'époque où il se masturbait sur les catalogues de lingerie volés dans les grands magasins.

Un mélange de pudeur et d'incitation au péché : tout ce qu'il aimait.

– Je serai à la boîte à 9 heures, fit-il d'une voix rauque.

Il raccrocha et s'aperçut qu'il était en érection.

88

SOFIA VOULUT faire l'amour à même le parquet mais il s'y refusa, par un obscur principe de décence, ou de respect, ou d'il ne savait quoi. Ils atterrirent dans la chambre. Cette fois, il fut plus lucide, plus serein – et toujours aussi vigoureux. Tout se passa sans bruit, sans éclat, alors qu'il attendait toujours, au-dessus de sa tête, des fracas d'orage, des semonces divines, des châtiments supérieurs...

Une demi-heure plus tard, ils étaient exactement à la même place que lorsqu'elle l'avait surpris au téléphone.

– Un autre café ? proposa-t-elle en passant derrière le comptoir.

– Non merci. J'en ai déjà pris deux. (Il regarda sa montre.) Faut que je file.

– Me la joue pas gros flic bourru ! rit-elle.

– Non, pas du tout. Je...

Elle revint vers lui, tasse à la main. Son parfum surpassait celui du café. Métabolisme mystérieux de la femme qui distille toujours un sillage douceâtre et envoûtant.

– Pour nous deux, grommela-t-il, je...

– Stop. Je préfère parler avant que tu dises des conneries.

Il ouvrit les bras d'un air penaud. Sa chemise pendait. Il était toujours en caleçon, pieds nus sur le parquet.

– Je pourrais te dire qu'hier j'avais bu et que je regrette. C'est précisément le contraire : j'ai bu pour oser faire ce que je regrettais de ne pas faire depuis un bon moment. Tu me suis ?

– Je crois, oui.

– Maintenant, rentre chez toi et réfléchis. Pour moi, c'est du sérieux. Et j'espère que pour toi, je suis pas la fille d'une nuit.

Il ne put s'empêcher de sourire :

– T'es pas vraiment le genre one-night stand.

– Alors, embrasse-moi.

Disant cela, elle posa sa tasse et l'attrapa par les deux pans de sa chemise. L'image qui lui vint : son propre cœur, organe palpitant, enduit de miel, embroché au-dessus d'un feu.

Il reprit son souffle comme un apnéiste au bord de la syncope.

– Pour moi, risqua-t-il, t'es la fille de toutes les nuits.

Elle rit encore, retrouvant sa voix de gorge, celle des chansons italiennes :

– N'en fais pas trop tout de même.

– Je voulais juste te dire...

– Plus tard. Maintenant, ouste : va attraper tes assassins.

Il obtempéra. Chambre. Pantalon. Veste. Elle se tenait derrière lui, les bras croisés. Il se sentit obligé de se justifier :

– Je vais prendre une douche chez moi. Faut que je me... reconstitue.

Elle lui posa la main sur le sexe :

– N'oublie rien au moment de l'assemblage.

Charme exquis de l'aristocratie : elle pouvait prononcer n'importe quelle obscénité, faire n'importe quel geste, ses actes étaient toujours élégants, raffinés. Ils infusaient dans la réalité aussi naturellement que des feuilles de thé dans de l'eau bouillante.

– Et Loïc ?

La question lui avait échappé alors qu'il fourrait son portable dans sa poche et fixait son holster. Il ne l'avait pas encore rappelé.

– Loïc, c'est mon affaire.

– C'est aussi mon frère.

– Je crois qu'on sera d'accord toi et moi pour ne rien dire pour l'instant.

Il acquiesça en enfilant sa veste.

– Je risque plus gros que toi sur ce coup-là, ajouta-t-elle. S'il apprenait ce qui s'est passé cette nuit, il serait beaucoup plus fort face aux juges.

– Adultère contre garde à vue, la balle au centre.

– Exactement.

Il sortit de la chambre et remonta le couloir. Elle le suivait d'un pas silencieux, à la manière d'un félin parfaitement intégré à son biotope.

– Je voulais te parler d'un truc, dit-elle dans le vestibule. La soirée ne m'en a pas laissé le temps.

– Quoi ?

– Mon avocate fait actuellement l'estimation de notre patrimoine, pour le divorce.

– Vous êtes en séparation de biens, non ?

– Non. Au début de notre mariage, c'était...

– Le grand amour ?

– Oui... On voulait fusionner tout ce qu'on avait. Et surtout faire chier nos pères.

Il sentit une morsure au fond du ventre. Il avait toujours été jaloux de son frère mais aujourd'hui, il lui semblait qu'il en avait le droit. La douleur lui parut simplement plus aiguë, et aussi plus juste.

– Elle s'est procuré des documents pour évaluer la fortune de Loïc. Elle est tombée sur un truc bizarre : ton père a déjà préparé son héritage.

– Ça n'a rien d'étonnant.

– Il prévoit de léguer à Loïc toutes ses parts de Coltano. Avec ta sœur, vous vous partagerez le reste des biens.

– Comment tu peux savoir ça ?

– Je te dis que mon avocate est une fouille-merde. J'ai pas les détails.

– Je suppose qu'il a fait une donation stricte qui t'exclut du testament.

– Justement, non. Les documents stipulent que tout me reviendra aussi à moi, selon la règle de la communauté réduite aux acquêts.

– T'as vu ces papiers ?

– Pas encore. C'est étrange, non ?

Il posa la main sur la poignée de la porte blindée :

– Je vais me renseigner. Je te rappelle.

Une touche humoristique aurait été la bienvenue pour briser la gravité de ces adieux mais il n'était pas inspiré. Sofia opta pour la version sans parole – le baiser, beaucoup mieux.

89

MORVAN ÉTAIT RENTRÉ à l'aube avec une seule idée : repartir.

La gravité de la situation exigeait une réunion en haut lieu, à Florence. À huit heures du matin, épuisé, courbaturé, il était arrivé dans son repaire et avait aussitôt préparé de nouvelles affaires. Douché, rasé, il buvait un café en essayant de remettre de l'ordre dans ses projets.

Son plan à propos des nouvelles mines, à peine ébauché, était déjà éventé. Il ne comprenait toujours pas d'où venait la fuite. Pas un seul salarié sur le terrain n'était au courant. Aucun investissement n'avait pu le trahir. Son blitzkrieg minier se déroulait à des centaines de kilomètres de Lubumbashi, dans une zone non sécurisée. Un enrichissement éclair avant de céder la place à sa propre compagnie et d'entrer dans une phase conventionnelle d'extraction. Il pouvait le faire.

En Afrique, on peut tout.

Mais maintenant, il devait compter avec Kabongo, et finalement, ce n'était pas si grave. La complicité de l'Africain rendrait l'opération sur le terrain plus sûre. Ils siphonneraient, d'un commun accord, la part du gouvernement et se partageraient le butin. Ce qui le mettait en rage, c'était *pourquoi* le projet de départ avait capoté.

Loïc soupçonnait les géologues et il avait tort. Clau était mort et rien ne prouvait que sa disparition soit suspecte. Quant aux deux autres, il avait réussi à les contacter de Kinshasa, la veille au soir – rien à signaler. L'information avait filtré d'ailleurs.

Il fallait que le trader, Serano, livre le nom de ses commanditaires. Ensuite, on irait les interroger pour obtenir leur source. Quand Morvan aurait le nom de la taupe, il saurait comment agir.

Son téléphone vibra : Erwan, enfin.

– Je t'ai appelé je ne sais combien de fois !

– Excuse-moi. L'enquête me prend cent pour cent de mon temps et...

– Je t'appelais pas pour ça. Il faut que tu aides ton frère.

– Quoi ?

– Ce matin, il va aller interroger un opérateur de marché. Je veux que tu l'accompagnes.

– Tu crois que j'ai que ça à faire ?

– C'est très important. Y a eu des fuites au sein de Coltano et seul ce gars peut...

– J'en ai rien à foutre. J'ai déjà perdu une nuit à retrouver ma sœur, c'est pas pour griller une nouvelle matinée avec...

– Ça te prendra une heure. Loïc posera les questions. Ta présence suffira pour intimider le mec.

Erwan eut un rire forcé :

– Le méchant qui ne dit rien ?

– Si tu le fais pas, ça pourrait mal tourner pour Loïc.

– Il est impliqué dans les fuites ?

– Non, mais nos amis africains le soupçonnent. Aide-le. Tu lui dois bien ça.

– Qu'est-ce que tu veux dire ?

Même à l'autre bout du fil, Morvan perçut le changement de timbre : son fils n'avait pas la conscience tranquille. Il se promit d'en trouver la raison.

– Tu es l'aîné, répondit-il posément. Le maillon fort de la famille. Que tu le veuilles ou non, tu es responsable de ton frère.

– Je l'appellerai ce matin, capitula Erwan.

– L'enquête, où t'en es ?

– On a un nouveau meurtre.

– Quoi ? J'ai reçu aucun télex !

– On a pas encore rédigé la dépêche.

– C'est vous qui l'avez découvert ?

– Grâce aux échantillons organiques dans le corps d'Anne Simoni.

– Qui c'est ?

– Un dénommé Ludovic Pernaud.

Morvan encaissa le coup. Son homme à tout faire. Celui qui avait liquidé Jean-Philippe Marot. Voilà pourquoi il ne donnait plus de nouvelles.

– Tu le connais ? reprit Erwan.

– Le nom me dit quelque chose.

– Arrête tes conneries, papa. Le type était une barbouze.

– Faut que je vérifie.

– Tu contrôles depuis quarante ans toutes les opérations souterraines de l'État. Ce type travaillait pour toi, oui ou non ?

À quoi bon mentir ? Autant que chacun gagne du temps.

– Oui.

– Que faisait-il ?

– Des basses besognes.

– Tu témoignerais à ce sujet ?

– Non.

– Tu connais son emploi du temps de ces jours derniers ?

– Non.

– À quand remonte votre dernier contact ?

– J'ai des carnets pour ça. Je te dirai.

– Essaie pas de m'enfumer, papa. Je t'ai évité la convoc au 36 pour Anne. Cette fois, tu risques d'y avoir droit.

– Je ne pourrai rien dire. Secret d'État.

Erwan ricana :

– T'as pas l'air de comprendre la nature de ton problème. Sur le premier site, le tueur a laissé ta bague. La deuxième victime était ta protégée. Maintenant, c'est un de tes cerbères qui est dégommé. Ta théorie de la vengeance est devenue une réalité. Alors, joue franc jeu avec moi.

– T'as une bien grande gueule ce matin. Occupe-toi de ton frère et rappelle-moi.

Il raccrocha violemment et demeura quelques secondes immobile. Son fils avait raison. Pernaud, après Anne et la bague. Au Mayombé, les *minkondi* sont des fétiches vengeurs. On les utilise pour contrer un sorcier ou se venger de lui. À l'évidence, c'était lui, Grégoire Morvan, que l'assassin prenait pour un démon à combattre.

Il boucla sa valise. Cette nouvelle catastrophe le confortait dans son départ pour Florence. S'il devait y rester, autant régler les seules affaires qui comptaient pour lui : celles de ses enfants.

En descendant l'escalier de service, il eut une pensée pour Pernaud. Sa mort avait dû être atroce mais à la différence d'Anne, lui était formaté pour une telle fin. Morvan ne l'avait jamais apprécié mais le facho n'avait pas froid aux yeux. Solitaire, criminel, à moitié fou : un guerrier utile.

Qu'on établisse qu'il travaillait pour lui ne serait pas dramatique – l'État le couvrirait. Mais Erwan pouvait remonter jusqu'à la disparition de Jean-Philippe Marot. Or personne n'avait ordonné ce « suicide ». *Affaires personnelles…*

Sur le trottoir, il héla un taxi et s'engouffra à l'intérieur.

– Roissy. Terminal 2G.

90

ERWAN ARRIVA au 36 à 9 heures pétantes. Il s'était décapé au gant de crin pour finalement sortir de sa salle de bains rouge comme un homard. Il s'était rasé, parfumé, avait revêtu un nouveau costume – il ne savait pas quand il rentrerait de nouveau chez lui. Il était passé à la boulangerie et avait englouti trois croissants en roulant vers le bureau. Malgré le coup de fil de son père qui l'avait mis en rogne, il se sentait encore d'humeur conquérante – depuis combien de temps n'avait-il pas fait l'amour avant d'aller au boulot ?

Dans la salle de réunion, ses champions l'attendaient. Tonfa était encore à l'IML mais le groupe s'était enrichi d'un nouveau membre : Levantin, le coordinateur de la police scientifique, qui affichait un air réjoui. C'était un grand gaillard aux cheveux d'Apache, regard clair sous des sourcils ombrageux, avec une démarche de fier paysan de retour des champs. Tout le monde l'appréciait, sauf la Sardine, qui le jalousait. Ce que Favini obtenait des femmes à force de blagues, d'invitations, de cadeaux, Levantin le gagnait en un sourire.

Il lança sur la table un sac à scellés qui produisit un bruit métallique.

– Les clous d'Anne Simoni ont fini par parler, fit-il en enfilant des gants de latex.

Avec précaution, il ouvrit le sac, saisit une des pointes et l'exhiba à la lumière. D'un signe de tête, Erwan fit signe à Audrey de lui envoyer des gants.

– La composition du métal est spécifique à l'Afrique centrale mais il y a plus. On voit ici que la tête porte un poinçon. Ces clous étaient utilisés il y a plus de cinquante ans par une société aujourd'hui disparue : la CBAO, Compagnie belge d'Afrique occidentale, implantée principalement au Zaïre. Ce sont des sortes... d'objets de collection.

– Comment sont-ils arrivés en France ?

– L'analyse a mis en évidence du sel et d'autres micro-organismes marins sur la rouille. A priori, ils ont voyagé par cargo.

Erwan en attrapa un : tordu, usé, corrodé.

– Selon toi, ils viennent de RDC et le tueur les a récupérés d'une façon ou d'une autre dans un port français ?

– C'est l'explication la plus probable. À moins qu'il les ait lui-même rapportés d'Afrique.

Instinctivement, il excluait la piste d'un tueur congolais.

– Où arrivent ce genre de marchandises ?

– À Marseille. Je me suis permis de passer quelques coups de fil.

Levantin avait trop regardé *Les Experts*. Ce n'était absolument pas dans ses attributions de mener ainsi l'enquête. Le Beau Brun ne leur laissa pas le temps de râler :

– Selon les services du port de Fos, des caisses de vieille ferraille importées de RDC sont de temps en temps acheminées par un groupe international d'origine luxembourgeoise, Heemecht. (Il consultait ses notes sur un cahier.) Plusieurs conteneurs partis de Matadi, le port du Bas-Congo, arrivent justement cet après-midi dans les bassins ouest de Fos.

– Ils contiennent des clous ?

– Aucune idée. Mais ça vaudrait le coup de vérifier. Soit notre prédateur se fournit à la source, au moment du déchargement, soit il passe par un revendeur européen. Visiblement, y a un marché pour ces métaux.

– T'as des noms ?

– Je pense que vous pouvez finir le boulot, répondit-il en leur faisant un clin d'œil.

– On s'y colle. T'as bien bossé. Et les tessons, les miroirs ?

– Rien. Ils pourraient provenir de n'importe où.

– Les fibres ?

– Du raphia. On étudie son origine.

– Des traces de salive ?

– Pour l'instant, non.

– Et en ce qui concerne le sang ?

Les membres de l'équipe tiquèrent : c'était quoi cette histoire du sang ? Erwan n'avait jamais évoqué devant eux un problème à ce sujet.

– On a effectué une quarantaine de prélèvements, un peu partout sur le corps. À cette heure, c'est toujours le groupe d'Anne Simoni qui est tombé.

– Continue. Tu me refais la totale sur le corps de Pernaud ?

– C'est en route.

Erwan songea à l'arrivage prévu au port de Fos. On pouvait imaginer que le tueur, par souci de mimétisme avec son modèle, ou pour une autre raison superstitieuse, tienne à utiliser des clous africains, mais de là à penser que les chargements d'aujourd'hui en contiennent et que le tueur vienne précisément se fournir ce soir…

Pourtant, même infime, l'opportunité d'un flag ne pouvait être négligée.

– Kripo, tu me prends un billet pour Marseille ?

– C'est toi qui y vas ?

– Je pars cet après-midi. Je rentrerai cette nuit ou demain matin.

Coups d'œil au sein de la troupe : depuis le début de l'enquête, Erwan n'avait pratiquement pas mis les pieds au 36.

– Et rue de la Voûte ? demanda-t-il à Levantin.

– Aucune empreinte à part celles de Pernaud. Pas d'échantillons organiques. L'assassin a pris ses précautions.

– L'analyse des cheveux retrouvés à l'intérieur du corps ?

– C'est une femme, une Caucasienne, blonde, mais elle n'est pas fichée au FNAEG. Les généticiens continuent leur analyse. L'ADN pourrait nous révéler quelque chose de spécifique : maladie, particularité chromosomique... Mais c'est peu probable.

Erwan se tourna vers Audrey :

– Le porte-à-porte, on en est où ?

– Personne a vu ni entendu quoi que ce soit. La plupart des voisins de Pernaud n'ont même pas reconnu son portrait. C'était l'homme le plus discret de la Terre.

– Vous aviez une photo ?

– Une reconstitution numérique d'après son cadavre.

– Les sommiers ?

– Un numéro de Sécu et basta. À croire que depuis son passage chez les paras, son dossier a été effacé.

– T'as contacté la DCRI ?

– Toujours francs comme des ânes qui reculent. À l'évidence, ils le connaissent mais ils n'ont rien voulu dire.

Pourquoi parler aux saints quand on peut s'adresser à Dieu en personne... Il se jura de tirer les vers du nez à son père.

– Vous attaquez la perquise ?

– De ce pas. Un détail : Anne Simoni habitait rue d'Avron, Pernaud rue de la Voûte. Y a moins d'une borne entre les deux adresses. Tu crois que ça signifie quelque chose ?

– Du genre « le tueur du 12e arrondissement » ? Non. Le mobile, s'il en a un hormis sa folie, est ailleurs. Rien à voir avec le quartier. (Il revint vers Kripo.) Les fadettes d'Anne ?

– On a encore un ou deux gars à interroger. Mais personne n'a l'air bien méchant. En tout cas pas à ce point-là. Idem pour son ordi : les mails et les réseaux sociaux n'offrent rien d'intéressant. Reste le dossier verrouillé, les nerds s'en occupent.

Erwan espérait qu'il n'allait pas encore tomber sur des échanges obscurs à la Wissa-di Greco.

– Tonfa vous a dit quand l'autopsie se terminerait ?

– A priori en milieu de journée.

– Vérifie qu'il a bien lancé les analyses toxico.

Kripo acquiesça d'un signe de tête et tendit une enveloppe kraft à Erwan.

– C'est quoi ?

– Les sculptures d'Ivo Lartigues.

Le Scribe faisait une fixette sur cet artiste. Il ouvrit l'enveloppe et comprit en un coup d'œil pourquoi son adjoint insistait : Lartigues sculptait dans le bronze et le fer, à une échelle géante, de purs *minkondi*.

Le premier tirage représentait un homme colossal – deux mètres de haut –, bras le long du corps, couvert d'un manteau de fibres. Sur ses épaules, des éruptions de clous faisaient mal à voir. Son visage forgé refusait toute expression – grands yeux, narines béantes, lèvres épaisses.

Il feuilleta les autres tirages : chaque sculpture était une réplique, dans une version stylisée et moderne, d'une statue du Bas-Congo. Femme-bouclier au corps auréolé de clous. Homme aux pieds en fer à repasser. Figure en forme de porc-épic, aux dents innombrables. Erwan repéra même un homme-fleur jaillissant d'un foyer de pétales tordus au chalumeau qui évoquait étrangement le cadavre de Pernaud dans son studio.

– On va l'interroger ? demanda l'Alsacien.

– Gratte d'abord sur sa communauté, les no limit et tout ça. On ira le voir quand on aura plus de biscuits.

– Je peux m'en charger…

– Non. Je veux me le faire. Creuse le filon. On ira demain première heure, à mon retour.

Kripo grimaça pour exprimer son désaccord mais finit par ranger les photos dans son enveloppe. Erwan sentit son téléphone tinter dans sa poche. Un SMS de Loïc : « 34, boulevard de Courcelles. 75017. »

Après son père, il avait appelé son cadet : il lui accordait une heure pour l'accompagner chez le trader, à lui de trouver l'adresse.

Il lui donna rendez-vous à 10 heures et glissa son portable dans sa veste.

– Tout le monde sur le pont, fit-il en se levant. Je reviens dans une heure et demie maxi.

– Dans une heure et demie ? s'étonna Kripo.

– Un truc urgent à faire.

– Un truc urgent ?

– Au lieu de répéter tout ce que je dis, prends-moi un billet pour Marseille, départ Orly. Je peux choper un vol à partir de 14 heures.

Il n'attendit ni réponse ni commentaire. Il sortit de la salle et se dirigea vers l'escalier. Il vérifia à nouveau son portable et réalisa qu'il espérait un message de Sofia.

Vraiment pas la tête au boulot.

91

GRÉGOIRE MORVAN eut de la chance : malgré le vent, son avion atterrit à Florence et non, comme cela arrivait souvent, à Pise. Pour le reste, il avait effectué un voyage exécrable. Le colosse était formaté pour les business-class et premières des longs-courriers, pas pour ces vols étriqués et bringue-balants.

Sac à l'épaule, il traversa le petit aéroport et trouva un taxi. Lumière saupoudrée d'or, douceur de l'air, clémence de la température. *Profite de ce pur paradis et oublie le reste.*

Il n'était pas encore 10 heures. Il avait rendez-vous à midi dans un restaurant de la Via degli Strozzi. Ça lui laissait le temps de renouer avec les merveilles du passé.

Deux heures à tuer à Florence, c'étaient deux heures à vivre.

Il se fit déposer près de la Piazza della Signoria mais ne s'attarda pas près des sculptures monumentales qui se dressaient au coude à coude. Il ne s'arrêta pas non plus à la galerie des Offices, sur la droite, et s'engagea dans les rues étroites de la cité. Au chaud et à l'abri, au plus près de la part divine de l'homme. La Renaissance florentine, c'était la pure manifestation de cette étincelle – et aussi celle du diable. L'homme s'était surpassé dans tous les domaines de l'art alors même que ses mains baignaient dans le sang. Morvan adorait la fameuse citation de Harry Lime dans *Le*

Troisième Homme qui disait en substance : « Durant trente ans, en Italie, ils ont eu les Borgia, la guerre civile et la terreur. Cela a produit Michel-Ange, Léonard de Vinci et la Renaissance. En Suisse, ils ont eu cinq siècles de paix et de fraternité et qu'est-ce que ça a donné ? La pendule à coucou ! »

Il atteignit la Piazza della Santissima Annunziata, qui s'ouvrait sur la merveilleuse loggia de l'orphelinat des Innocents. L'architecte Brunelleschi avait conçu au XVe siècle cette galerie parfaite, creusée de voûtes délicates, surmontée de médaillons de terre cuite représentant des bébés emmaillotés. Depuis 1987, Morvan apportait une contribution financière au Spedale degli Innocenti, toujours en activité, en partenariat avec l'UNICEF. Personne ne savait pourquoi le donateur français était passionné par ce site. On pensait que son intérêt était lié au fait qu'il avait perdu lui-même ses parents très jeune (c'est ce qu'il racontait). On attribuait aussi sa générosité à la splendeur du bâtiment : un sommet du Quattrocento.

La vraie raison était la *ruota*.

Sur la gauche, au bout de la façade, était préservée une porte à tambour couchée à l'horizontale, tout juste assez large pour y glisser un nouveau-né. Durant des siècles, les filles mères avaient ouvert ce guichet, y avaient placé leur enfant avant d'actionner la cloche pour prévenir les sœurs. La porte tournait alors et on récupérait le bébé de l'autre côté, sans jamais voir le visage de la mère indigne.

Alors que le soleil de la matinée cuisait déjà la place et que la pierre semblait se nourrir de cette lumière, Morvan imaginait les nourrissons qui, par le simple jeu de deux battants, passaient du chaos à la paix religieuse. Il était fasciné par ce mécanisme qui symbolisait à ses yeux la roulette de la vie – et sa propre malédiction. Si celle qui l'avait enfanté l'avait déposé dans un de ces « tours d'abandon », comme on disait au Moyen Âge, son existence aurait été totalement différente...

– *Va bene, signore* ?

Morvan releva la tête et réalisa qu'il s'était mis à genoux devant le comptoir de bois, comme s'il se trouvait face à l'autel d'une église. Ses mains étaient crispées sur la grille. Une religieuse était penchée sur lui, sa robe noire claquant dans les courants d'air qui filaient à travers la galerie. Il se redressa, les yeux pleins de larmes. Bon dieu, son cuir se ramollissait avec l'âge. Il ne pouvait même plus supporter l'évocation de son enfance. Il acheta des mouchoirs en papier au kiosque le plus proche et se moucha. Puis il accéléra le pas et fut bientôt rattrapé par l'essoufflement.

Il ne courait plus assez vite pour fuir ses souvenirs. Il arracha un nouveau mouchoir et essuya son visage en sueur, sentant son cœur s'affoler sous sa chemise.

— C'est mon sang qui fout le camp..., murmura-t-il.

92

– LOÏC ? Je comprends pas très bien, là...
Serano se tenait debout sur son palier, vêtu d'un sur-vêtement, veste et pantalon, de grande marque. Derrière lui, des pièces immenses, des parquets rutilants, des toiles colorées. Après l'appartement de Sofia, celui de Loïc et maintenant celui-là, Erwan avait l'impression d'être à la marge avec son modeste deux-pièces du 9ᵉ arrondissement.

– Faut qu'on parle, je suis venu avec un ami.

Le dénommé Serano ne cessait de regarder ses visiteurs, comme si la connexion entre ces deux visages allait enfin se produire. Large d'épaules et court sur pattes, il ressemblait à Popeye, dans une version autobronzée et déplaisante.

– Ça peut pas attendre ?

– Laisse-nous entrer, asséna Loïc.

Il s'était pris une ligne juste avant de monter, de quoi avoir le jus nécessaire pour s'imposer. Erwan, qui espérait se cantonner dans le rôle du méchant en retrait, se demandait combien de temps cette mascarade allait durer.

Sans se départir de sa méfiance, Serano s'effaça pour les laisser passer. Son torse en barrique donnait l'impression que ses bras étaient trop longs.

Loïc entra, suivi d'Erwan qui referma la porte avec son dos.

– T'es seul ?

– Mais qu'est-ce que c'est que ce ton ? s'insurgea l'opérateur. Tu te prends pour qui ?

Erwan s'interposa entre les deux hommes et plaqua Serano contre le mur. Autant accélérer le mouvement. Le financier hurla. Loïc avait l'air de jubiler.

– Je sais que tous les ordres pour Coltano sont passés par toi, reprit-il d'une voix de caïd.

– Et alors ?

– Je veux les noms des acheteurs.

– Impossible, je…

Erwan l'attira à lui et le repoussa plus violemment. Au fond, le rôle du mec silencieux le reposait.

– Les noms ! hurla Loïc.

À cet instant, une jeune femme superbe – le modèle ukrainien – déboula dans la pièce, vêtue d'une veste de jogging elle aussi, qui cachait tout juste sa culotte. Erwan lui sourit, sans lâcher Serano. Ce qui est agréable avec les corporations, c'est que leurs clichés se vérifient toujours. La mannequin ne pouvait manquer à la panoplie du financier en vogue.

– *What's going on, here ?*

Cette violence matinale ne paraissait pas la choquer outre mesure. Elle devait en avoir vu d'autres au pays. Serano ne répondit pas : il reprenait son souffle. Loïc roulait des épaules en poussant des ricanements nerveux.

– *Don't worry*, dit enfin Erwan. *If this guy is behaving well, we will be gone in ten minutes.*

Elle haussa les épaules et repartit, sans doute pour prendre un bain et soigner, d'une manière ou d'une autre, la jeunesse de ses traits ou la douceur de sa peau.

Erwan admira la silhouette durant quelques secondes. Comme son père, il aimait surprendre l'humanité en flagrant délit de médiocrité : pourquoi les femmes les plus belles s'alliaient-elles toujours aux hommes les plus riches ? Pourquoi ce qu'il tenait en plus haute estime – la beauté de la nature – s'unissait-il avec ce qu'il méprisait le plus – la banale course au pognon ? Il songea à Sofia : il n'avait aucune chance.

– Alors, Serano, t'as pas envie de retrouver ta bombasse ? reprit Loïc.

– Je peux rien dire...

Erwan leva le poing. Le trader poussa un cri et croisa les mains devant son visage.

Dans la vie normale, la violence n'intervient jamais, ou presque. Erwan aurait été partisan d'imposer à l'école des cours de préparation à la souffrance physique – afin d'éviter ce genre de scènes pathétiques.

– Le premier, c'était Richard Masson, couina le financier, le gestionnaire de la banque espagnole Diaz. Il m'a mandaté...

– Pour sa banque ?

– Non. Pour lui-même.

– Je vois qui c'est. Il y connaît rien en minerais. Qu'est-ce qu'il t'a demandé ?

– Du Coltano. Il voulait que ça. Le maximum que je pouvais rafler.

– Il t'a dit pourquoi ?

– Non. Mais c'était évident qu'il avait une info... sérieuse.

Loïc et Erwan échangèrent un regard.

– C'était quand ?

– Mi-août.

– Combien t'en as acheté ?

– C'que j'ai trouvé. Plusieurs milliers d'actions. C'était pas difficile : ta valeur, c'est de la merde.

Faible tentative de Serano, toujours ratatiné contre le mur, pour retrouver un peu d'ascendant.

– Ok. Ensuite ?

– Sergueï Borguisnov. Il s'occupe d'un fonds de gestion russe. Il a fait fortune avec ses propres ressources minières. Tout d'un coup, on sait pas pourquoi, il a voulu de l'africain. Du Coltano. Il disait que ça allait être chaud.

– Il t'en a pas dit plus ?

– Non, mais c'était déjà trop. Borguisnov est une grande gueule.

– Il t'a parlé d'un rapport d'experts ?

– Non.

– Il t'a expliqué d'où venait le tuyau ?

– NON ! Il a juste fait une blague : il a dit qu'il se fournissait « à la source ».

Nouveau regard entre les frangins : la fuite africaine se précisait.

– Combien t'en as acheté ?

– J'me souviens plus. J'ai gratté le flottant. J'achetais plus cher mais j'en ai dégoté encore plusieurs milliers.

– Quand ?

– Début septembre.

Erwan n'y connaissait rien mais il pouvait imaginer que le cours de l'action monte en flèche après de telles tractations. Il n'avait pas suivi l'affaire et s'en moquait. Pourtant, il soupçonnait un problème à plusieurs niveaux : d'abord ces achats mettaient Morvan dans une situation délicate (les Africains devaient le soupçonner d'en être le commanditaire), ensuite ces changements de position s'appuyaient sur des renseignements qu'il avait tenté de cacher. Encore une de ses combines.

– T'as entendu parler de la mort de Jean-Pierre Clau ? hurlait Loïc qui se prenait de plus en plus pour Tony Montana.

– Je sais pas qui c'est !

– Y a eu d'autres acheteurs ?

– Un autre, lundi dernier.

– Qui ?

– Un Chinois que je connais depuis des années. Johnny Leung.

Un nom à jouer dans les films de kung-fu de Hong Kong. Il planait sur toute cette affaire un parfum d'irréalité.

– Connais pas, claqua Loïc, péremptoire.

– Il bosse à la Hong Kong Securities, section des acquisitions.

– Combien il en a acheté ?

– Près de vingt mille.

– Il t'a rien dit sur son informateur ?

— C'est pas le genre à dire quoi que ce soit. Mais j'ai compris qu'il voulait bluffer ses propres clients. Leur montrer de quoi il était capable.

— Tu t'es pas demandé pourquoi ces types se jetaient tout à coup sur Coltano ?

— J'en ai tellement vu...

— T'as pas été tenté d'en acheter toi aussi ?

— Parce que trois couillons avaient décidé de plonger ?

— T'es sûr qu'ils se connaissent pas ?

— Non, et d'ailleurs, jamais ils se seraient refilé un tuyau.

— Mais ils sont tous basés à Paris.

— Même pas. Masson fait la navette entre Paris et Madrid. Borguisnov vient de temps en temps. Leung a des bureaux à Paris mais il est jamais là.

Erwan essayait d'imaginer un scénario, en vain. Exit les géologues dont lui avait parlé Loïc : il ne les voyait pas débarquer dans les salons parisiens avec leur rapport sous le bras. De son point de vue, la source africaine ne tenait pas non plus : même si un Belge, un Français ou un Congolais avait eu vent de nouvelles mines sur le terrain, pourquoi aurait-il contacté justement ces trois banquiers toujours entre deux avions ?

— C'est bon. On se casse, dit-il en frappant l'épaule de Loïc.

Serano ouvrit des yeux ronds : il venait de comprendre que le chef était en réalité celui qu'il avait pris pour le gorille de service.

Dehors, Loïc s'agitait encore, esquissant des petits pas de boxeur.

— Y a pas de quoi se réjouir, prévint Erwan, on a toujours pas la source.

— Mais on a les noms des acheteurs ! Il suffit de les localiser et puis on...

Erwan l'empoigna pour l'obliger à s'immobiliser :

— Tu fais ce que tu veux, moi, je retourne au boulot.

— Papa a dit que...

— Ta gueule.

Il fut surpris par la maigreur du cou de Loïc. Il avait gardé le souvenir d'un frérot remis de ses excès, pesant ses soixante-quinze kilos dans ses costards à plusieurs milliers d'euros. Mais il flottait dans sa chemise. La drogue était de nouveau en train de le grignoter jusqu'à l'os.

— Qui possédait ce rapport sur les gisements ?

— Y a que deux exemplaires : un chez moi, un chez papa.

— T'as pas été cambriolé ?

Loïc hésita mais conserva le silence.

— On a pénétré chez toi ou non ?

— Non. Et j'ai vérifié : le rapport est toujours au coffre.

— Et au Katanga ? fit Erwan en le lâchant.

— Personne n'est au courant. Il n'existe même pas de carte des sites. Papa m'a raconté que l'hélico déposait les géologues à plusieurs kilomètres des zones. Après, c'étaient des jours de marche avec des porteurs qui ne savaient même pas ce qu'ils cherchaient.

— Papa n'a pas commencé l'exploitation ?

— J'en sais rien mais dans ce cas, il a dû prendre des locaux qui n'ont aucun contact à Paris.

— Alors, tu te démerdes. Je lui ai promis de t'aider à obtenir des noms, t'en as au moins trois. Tu m'excuses mais j'ai une enquête criminelle à diriger.

Il abandonna son frère pantois près de la station de métro Courcelles et monta dans sa voiture. Midi. Il avait juste le temps de foncer à Orly pour son vol de 14 heures destination Marseille.

93

LA RUELLE qu'il cherchait était hachée par la lumière de midi. D'un geste, Morvan lissa son costume et rajusta son col de chemise – il ne portait pas de cravate. Le restaurant lui tendait les bras : devanture écaillée, voilages grisâtres, carte discrète. Non loin de là, deux gardes du corps faisaient les cent pas : Montefiori s'était toujours considéré comme un parrain, ou au contraire un juge antimafia – il n'avait jamais compris.

Il tourna la poignée, sentant la même résistance que d'habitude, pas moyen ici qu'on huile les gonds ou qu'on rabote le seuil. Il contempla avec une secrète satisfaction la salle au plafond bas, le sol aux carreaux blancs et noirs, les nappes beiges sur les tables. Murmures, cliquetis de couverts, peu de clients. Un parfum de vieilles boiseries et de farine de blé planait.

Il avança dans le demi-jour – les rayons du soleil étaient atténués par les rideaux. Tout semblait fané ici et il en résultait une impression de sagesse ancestrale. Morvan remarqua les petits pains dans les corbeilles qui, mystérieusement, avaient le goût de cette atmosphère surannée, comme les hosties ont le goût des églises.

Montefiori était assis au fond de la salle. Impossible de le surprendre sur le terrain de la ponctualité. Si vous décidiez d'arriver en avance, il le devinait et était là plus tôt encore. Résultat, à peine assis, vous deviez vous excuser, faire amende honorable.

Morvan se contenta d'un sourire et s'installa en tenant des deux mains l'assise de sa chaise.

– T'en fais pas, fit l'Italien dans un français parfait, c'est du solide.

Le ferrailleur était quasiment analphabète mais il parlait plusieurs langues à la perfection. « J'ai l'oreille musicale », disait-il. Il avait surtout le tympan commercial : il n'avait jamais assimilé que des langues utiles pour ses affaires.

– Je sais, fit Morvan, en retirant sa veste (manger en bras de chemise faisait partie du rituel). Merci de m'accorder ce déjeuner.

– Le plaisir est pour moi.

– J'ai vu ta fille y a quelques jours.

– T'as de la chance.

– Elle a réussi à faire signer la conciliation à Loïc. « C'est plié », comme elle dit.

Montefiori sourit. Il avait un profil abrupt, à la grecque, des traits harmonieux, toujours bronzés, surlignés par des rides profondes où perçaient ses yeux bleus, comme deux lagons rafraîchissants au fond d'une grotte. Le Condottiere était parti de rien mais avait toujours eu ce visage de prince.

– Face à Sofia, j'ai un avantage sur toi, fit-il en piochant un gressin.

Morvan chaussa ses lunettes et détailla le menu. Il se faisait une fête de déjeuner ici. Son cœur retrouvait son rythme. Son corps s'apaisait. La *ruota* lui semblait loin.

– Ça fait trente-six ans que je la connais. Je l'ai vue grandir, mûrir, se refroidir comme du métal. Elle est taillée dans un alliage qui ne bougera plus.

– Tu parles comme un ferrailleur.

– *Sono ferrovecchio !* clama-t-il en se levant légèrement et en saluant un public imaginaire.

Morvan le revit au milieu des années 90, dans un campement de brousse, lui démontrant que la voie d'avenir n'était ni le cobalt ni le manganèse, ni même l'or ou les diamants. L'avenir était le coltan. Morvan ignorait ce que c'était. Le Condottiere lui avait expliqué que ce minerai contient du tantale, un élément chimique qui fusionne à plus de trois mille degrés, couramment utilisé dans les superalliages des industries électroniques. Morvan ne comprenait toujours pas. Sous ses yeux, l'autre avait alors brisé d'un coup de talon son propre téléphone portable (un gros machin comme on en fabriquait en ce temps-là) et extirpé une plaque sur laquelle étaient collés des circuits et des puces : sur chacune de ces pièces était coulée une petite goutte d'argent. Montefiori avait gratté l'une d'elles, révélant un autre métal de couleur noire : « Dans quelques années, toutes les industries électroniques et aérospatiales s'arracheront ce métal. Or les plus grandes réserves sont ici, au Congo. » Morvan n'était fort ni en minerais ni en finance, mais il connaissait les hommes : le coltan allait devenir l'or de la fin du siècle. Le Français avait soutiré la convention au vieux Mobutu et l'Italien avait apporté des fonds conséquents – Coltano était en marche.

– Je vais prendre des pâtes aux sardines, dit-il en revenant au présent.

– Va pour les sardines, confirma son hôte. Sofia me manque.

– Elle est en pleine forme. Les enfants aussi.

– Mais ces deux cons divorcent.

– Aucun doute là-dessus.

– Nos plans tombent donc à l'eau.

– De ce côté-là, oui.

Le garçon arriva. Montefiori commanda. Ni l'un ni l'autre ne prit du vin : une eau italienne *frizzante*, ça irait très bien.

– Je suis pas sûr que notre idée ait été si bonne, avoua Morvan.

– Ils ont eu quelques années de bonheur. Milla et Lorenzo sont magnifiques. Que demande le pape ?

– Le peuple.

– Tu vois ce que je veux dire. Ce sont des enfants gâtés : ils n'ont pas les mêmes priorités que nous…

Depuis quarante ans, ils étaient alliés et leur point fort était le seul qui vaille : le secret. Secret de leur rencontre au Zaïre, en 1970. Secret de leur pacte sur les mines de manganèse puis celles de coltan. Secret de leur volonté de fusionner leur sang à travers Sofia et Loïc...

Morvan et Montefiori étaient des rois : ils avaient associé leurs royaumes en unissant leurs enfants comme les souverains de jadis. Leur projet était imparable, sauf que les gosses ne s'étaient pas suffisamment aimés – ou entendus.

Les pâtes arrivèrent : des *bucatini*, spaghettis larges et creux. Morvan en connaissait la recette par cœur. Fenouil, oignons, anchois, raisins secs et pignons. Et bien sûr les sardines fraîches, qui cuisent à mesure que le vin blanc s'évapore...

Comme Montefiori, il glissa sa serviette dans son col – plus paysan que nature. Pendant un moment, ils ne parlèrent plus, savourant ce qui s'apparentait à un chef-d'œuvre. *Le fenouil*, se dit Morvan, *le secret est dans le fenouil*. Il fallait d'abord le cuire à part dans de l'eau salée puis garder cette eau pour les *bucatini*. Tout se jouait à cet instant : la première cuisson venait en renfort de la seconde. À Paris, Morvan ne parvenait jamais à obtenir ce parfum.

– Il y a eu une fuite, asséna-t-il enfin.

– J'ai vu le cours grimper.

– Des salopards achètent à tour de bras.

– J'espère que tu ne me soupçonnes pas.

Morvan ne répondit pas, jaugeant son adversaire. Il prétendait que seuls son fils et lui étaient au courant des nouveaux filons. Faux : Montefiori était aussi dans la confidence. Le silence s'étira. Peu d'hommes bénéficiaient du respect de Morvan mais l'Italien appartenait au club.

– Bien sûr que non.

– Comment les arrêter ?

– J'ai mon idée. C'est pas le vrai problème. Cette hausse a éveillé la méfiance de Kabongo qui commence à m'emmerder. J'ai dû lâcher du lest.

Le Condottiere cessa de manger.

– J'ai fait un deal, le rassura Morvan. On exploite les mines en douce et on lui file sa commission. D'une certaine façon, ça sera plus sûr. Il protégera nos arrières.

L'Italien reprit une bouchée en hochant la tête, l'air résigné.

– Tu me suis ou non ?

– Je te suis. Comment ça se passe là-bas ?

– Aucune nouvelle. Normalement, l'exploitation a commencé mais je dois d'abord régler le problème des actions et retrouver les acquéreurs.

– Et la source ?

– Je saurai bientôt qui c'est.

– Qu'est-ce que tu feras ?

– Je le forcerai à faire machine arrière. Les acheteurs l'écouteront et revendront leurs parts. Ils l'ont cru une fois, ils le croiront à nouveau.

– Qui rachètera les actions sur le marché ?

– Kabongo et les autres veulent tout rafler mais on ira plus vite.

– Ils ne nous laisseront pas dépasser un certain chiffre.

– On les revendra ensuite. Notre meilleur atout, c'est la dissémination. Éparpiller pour mieux régner.

Montefiori avait fini son plat. Il planta ses coudes sur la table – le géant donnait aux meubles, aux objets une existence dérisoire.

– On n'a pas passé l'âge pour ces conneries ?

– Appelons ça notre baroud d'honneur. On peut encore se faire quelques millions sur l'opération. Et à notre mort, les enfants seront plus forts en Afrique. Tu en es ou non ?

L'Italien sauçait son assiette avec du pain blanc.

– J'en suis. C'est tout ?

Deuxième point réglé. Restait à annoncer la dernière nouvelle. *Le pire pour la fin…*

– Non. L'Homme-Clou est de retour.

Pour la première fois, les rides du ferrailleur se contractèrent :

– Qu'est-ce que tu veux dire ?

– Lis les journaux français : depuis une semaine, quelqu'un tue de la même façon.

– Où ?

– En Bretagne. À Paris.

Montefiori attrapa son verre – sa main tavelée était couturée de cicatrices. Ce n'était pas une main mais une fresque. On y lisait les colères, les combats, les victoires d'un pionnier.

– Pharabot est toujours vivant ? demanda-t-il après avoir bu une longue gorgée.

– Non, mais un tueur l'imite. On en est à trois victimes. Bientôt une quatrième.

– T'as ton idée ?

– J'oscille entre la vengeance de Dieu et un cinglé de la belle époque.

– Il doit y avoir une troisième voie, plus... rationnelle.

Morvan se rapprocha et poursuivit à voix basse :

– Il essaie de m'impliquer. Il laisse des traces qui m'accusent, choisit des victimes que je connais. Il venge son maître. Tu as remarqué quelque chose de suspect autour de toi ?

– Non.

Il avait posé la question pour la forme. Le ferrailleur n'avait rien à voir avec cette histoire. Son regard voulait dire : *Arrangiati come cazzo vuoi* (Démerde-toi).

– Qui enquête sur cette affaire ? demanda-t-il pourtant.

– Mon fils. Il est sur le coup et il trouvera.

Montefiori leva son verre :

– Prie pour qu'il ne trouve pas plus que ce qu'il cherche.

Morvan sentit une boule d'angoisse lui remonter dans la gorge. La pire vengeance serait que ses enfants apprennent la vérité à son sujet.

– Un dessert ?

– Non. J'ai mon vol à 16 heures.

– Le vent est clément : l'avion décollera de Florence. Tiens-moi au courant. J'aimerais venir à Paris embrasser mes petits-enfants mais je suis pas sûr d'avoir le temps.

Morvan se leva et revit Montefiori, quarante ans auparavant, enfoncer la main d'un ouvrier dans une broyeuse sous prétexte qu'il lui avait volé un kilo de fer.

Une dernière nouvelle à lui annoncer :

– Di Greco est mort.

– On y passera tous.

– Il s'est suicidé.

– Il a toujours été cinglé.

– Je pense qu'il est lié à cette affaire.

– De quelle façon ?

– Je ne sais pas encore.

Il remit sa veste et ne proposa pas de partager l'addition : il était l'invité du Florentin.

– T'as eu le temps de te promener ? demanda Montefiori en se levant à son tour.

– Par-ci, par-là.

– La *ruota*, hein ?

Ils se serrèrent la main.

– C'est triste à dire, sourit Morvan, mais c'est toi qui me connais le mieux.

94

LE BATEAU EN QUESTION est l'*Apnea Gaillard*. (L'homme de la zone maritime et fluviale de régulation tenait une tablette tactile entre ses mains.) Un porte-conteneurs d'une capacité de dix mille unités qui fait la navette entre l'Afrique et Fos-sur-Mer. Il vient d'arriver, tribord à quai. Le déchargement va commencer.

Ils se trouvaient dans le terminal des bassins ouest du port autonome de Marseille-Fos. L'agent portait un pull camionneur bleu marine. Il aurait pu sortir de Kaerverec ou du porte-avions *Charles-de-Gaulle*.

À son arrivée à Marseille, deux OPJ du commissariat central de Noailles avaient conduit Erwan directement au port. Il avait dormi tout le vol et avait l'impression que son crâne était rempli d'eau lourde. À peine se rappelait-il pourquoi il faisait ce voyage. Une demi-heure plus tard, ils rejoignaient un site démesuré formé de deux murailles de caisses colorées. D'un côté les cargos encore chargés de conteneurs. De l'autre, sur le quai, les mêmes blocs alignés comme des dominos. Des portiques sur des rails faisaient la jonction entre les deux fronts, déchargeant les boîtes à une vitesse impressionnante. Des cavaliers, Fenwick géants en forme de parallélépipède, les réceptionnaient et les entreposaient aussi proprement qu'ils l'étaient sur le porte-conteneurs.

– En général, reprit Erwan, qu'est-ce qu'il transporte ?

Avec son costume noir impeccable, la distance qui le séparait de l'officier marin, nourri au grand vent et aux calmars, et des deux flics, purs kakous pressés de retourner à leur match de foot, se comptait en nautiques.

– Du vrac solide. Du bois. Du cuir. Des épices. Dans tous les cas, du dry, c'est-à-dire des marchandises qui ne présentent aucun danger.

– Rien d'autre ?

– En général, on n'importe pas beaucoup de haute technologie d'Afrique.

Erwan ne releva pas la vanne :

– Vous avez pu retrouver la trace des conteneurs Heemecht ?

L'officier saisit son stylo électronique et en tapota son lecteur numérique :

– Numéro 89AHD34 et numéro 89AHD35.

– D'après mes renseignements, bluffa-t-il, l'un d'eux contient de la ferraille à récupérer.

– J'ai pas eu le temps d'étudier le manifeste – le document qui décrit par le menu ce que renferme chaque boîte. Un annuaire de plusieurs milliers de pages.

– Les boîtes, elles sont déjà à quai ?

– Faut voir ça avec la logistique.

Un cavalier roulait dans leur direction, portant entre ses barres verticales un conteneur de six mètres de long, l'équivalent d'une petite maison, pesant sans doute de vingt à trente tonnes. Le conducteur se trouvait dans une cabine suspendue à dix mètres de hauteur. Ils durent s'écarter et se plaquèrent contre des wagons qui attendaient leur chargement. Tout se passait ici à une échelle hors norme, qui réduisait l'homme à l'état de parasite.

Son propre plan lui parut soudain absurde. En tout cas fondé sur des suppositions gratuites. La première : le prédateur avait besoin de renouveler son stock de clous. La deuxième : il venait se fournir sur ce quai, au cul du camion. La troisième : les caisses contenaient justement cette ferraille et tout allait se passer ce soir.

– Des conteneurs sont ouverts ici ?

– Y a tous les cas de figure. Certains repartent tels quels en train. D'autres en camion. D'autres encore sont dépiautés au dépôt et finissent en pièces détachées.

Des aboiements retentirent. Des douaniers accompagnés de leurs chiens longeaient les boîtes, en quête de chargements suspects. Des gars criaient plus fort encore : les radiodeckmen, cramponnés à leur VHF, guidant les pilotes des portiques et des cavaliers.

– Vous pourrez me prévenir quand les caisses seront à quai ?

– Bien sûr, mais pas question d'y toucher.

Erwan se tourna vers ses collègues marseillais :

– On aura la paperasse nécessaire.

L'officier alluma une cigarette. La flamme du briquet parut dédoubler son visage couperosé.

– C'est pas si simple. Au large, on est chez le préfet maritime. À terre, chez le préfet terrestre. Mais ici, c'est les douanes...

Erwan n'écoutait pas – du verbiage administratif. En revanche, une image se précisait : le voleur de clous venant se servir ici, cette nuit...

– Ces conteneurs, ils sont faciles à ouvrir ?

– Vaut mieux apporter son chalumeau. D'ailleurs, on a jamais eu de vol. Quand on attaque ces parois, c'est plutôt de l'intérieur.

– Comprends pas.

– En Afrique, des gars se font enfermer dedans avec une scie à métaux. Quand ils sont suffisamment loin des rives, ils taillent dans la tôle. Parfois, ils attendent d'être arrivés. Dans ces cas-là, on les retrouve dans un drôle d'état...

Erwan fixait le flanc aveugle du porte-conteneurs : on aurait dit une falaise de métal ondulé composée de plusieurs étages de boîtes bariolées chauffées par le soleil de la Méditerranée et salées par les vents marins.

– Vous savez combien de temps l'*Apnea* va rester à quai ?

– Douze heures environ. Demain matin, il sera plus là. Un porte-conteneurs qui navigue pas, c'est un rafiot qui perd de l'argent.

– Une nuit pour vider plusieurs milliers de conteneurs ?

– Chaque portique décharge soixante boîtes par heure, faites vos comptes. En même temps, ils rechargent, font le plein de fuel, et en voiture Simone !

Erwan regarda ses deux collègues : ils avaient la nuit pour régler la procédure, convaincre les autorités douanières et le parquet de Marseille que l'*Apnea* avait *peut-être* un lien avec une enquête criminelle parisienne. Autrement dit mission impossible. Sans compter que le bateau naviguait sous pavillon d'Antigua.

– Je peux rencontrer les gens de Heemecht ?

– Bien sûr, fit l'officier, mais c'est une société luxembourgeoise : ils seront pas obligés de vous répondre. Je vais vous arranger un rencard pour demain matin. Faut que j'y retourne. (Il se tourna vers les flics marseillais.) Vous avez quelques heures pour réviser votre copie, les gars.

Erwan recula pour englober du regard l'*Apnea Gaillard* : sous les flèches de levage, l'empilement multicolore lui rappelait la fameuse toile de Gerhard Richter, *1 024 couleurs*, composée uniquement de petits rectangles.

Les clous du tueur étaient-ils à l'intérieur de ce nuancier ?

Il se chercha un plan B et n'en trouva qu'un : jouer les sentinelles auprès des conteneurs toute la nuit.

– Vous avez mon portable, fit-il. Appelez-moi dès que les caisses seront à terre.

95

22 HEURES. L'*Apnea Gaillard* en plein déchargement.

« Son » conteneur – le numéro 89AHD34 – avait été débarqué aux environs de 19 h 30 et l'officier de la ZMFR l'avait aussitôt prévenu. Après vérification, cet EVP – on appelait ainsi les caissons : « équivalent vingt pieds » – contenait, parmi beaucoup d'autres choses, un stock de « pièces de fer usé ». Première confirmation. Erwan n'avait pas appelé ses collègues marseillais, il pouvait assurer sa veille tout seul. Il avait pris son arme de service, sa carte de flic, et quitté son hôtel, situé près du terminal. Une fois franchi le check-point, il s'était installé à proximité de la cahute des vigiles, le long du dépôt. De là, il pouvait surveiller à la fois sa boîte et, au-delà des rangs serrés des caisses, les manœuvres qui continuaient.

Tout se passait sous les rayons de projecteurs surpuissants. Le spectacle hurlait, mugissait, tournoyait, ponctué de claquements de ferraille, de grincements de câbles, de voix déformées par les crachotis radio. Aucune présence humaine n'était visible : seulement des machines qui s'activaient dans l'éclat des lumières. Les boîtes passaient du pont aux quais, des quais aux parkings. Les cavaliers allaient et venaient comme des serveurs géants portant des plateaux immenses. Les palonniers enserraient les EVP telles des pinces à sucre gigantesques. On aurait dit une ville de Lego en pleine déconstruction.

Au début, Erwan avait suivi ces opérations avec intérêt. Maintenant, assourdi par le vacarme, fatigué par les faisceaux lumineux, il laissait filer ses pensées. L'Homme-Clou, son rituel démoniaque, ses victimes. Une fois encore, il revenait à sa double hypothèse : d'une part le tueur se vengeait de Morvan, d'autre part il tentait d'exorciser ses propres démons – dont l'homosexualité et la nécrophilie.

En y réfléchissant, il avait ajouté un trait au tableau : l'impuissance. Après tout, l'assassin violait ses victimes avec une masse d'armes ou un engin de ce genre – le fer se substituait à la chair. Peut-être parce qu'il ne pouvait pas faire autrement. Mais pourquoi imiter l'Homme-Clou ? D'où connaissait-il cette histoire ? Visait-il Morvan parce qu'il avait arrêté son modèle ? Ou parce qu'il avait joué un rôle funeste dans son propre destin ?

Un projecteur pivota dans sa direction et l'éblouit. Par réflexe, il se tourna et vit sa propre ombre s'allonger contre une rangée de conteneurs. Son portable sonna. *Sofia*, pensa-t-il (il attendait toujours un signe de sa part et n'avait pas voulu se manifester, par orgueil). C'était Kripo.

– T'es là ? J'entends rien !

Erwan se réfugia entre deux conteneurs.

– Je suis là, dit-il en haussant la voix.

– J'ai découvert un truc important.

– Quoi ?

– Anne Simoni avait des contacts avec une communauté... particulière.

– Genre ?

– SM. Fetish.

– Les no limit ?

– Trop tôt pour le dire mais d'après mes sources, elle participait à des soirées très spéciales où chacun était déguisé d'une manière pas possible, avec séances de torture et tout.

Ce goût morbide la reliait, même de loin, à l'amiral di Greco. Culture de la souffrance, jouissance dans la douleur : l'officier et la punkette avaient peut-être eu, chacun de leur côté, un contact avec le nouvel Homme-Clou...

– Comment t'es tombé là-dessus ?

– Les fadettes. Un numéro appelé y a plus d'un mois. Celui d'une boutique fetish des Halles. J'ai téléphoné. Ils vendent des combinaisons de latex, des costumes d'infirmière, des uniformes nazis.

– On se la rappelait ?

– Non. Mais il m'est revenu un détail. Quand Audrey et la Sardine ont tapé la perqúise chez elle, ils ont trouvé des trucs étranges : des masques médicaux, des blouses de chirurgien, des sangles, des combinaisons orange...

– Audrey m'en a parlé.

– D'après le type de la boutique, c'est une tendance à part entière du monde fetish. L'obsession de l'univers médical, fondée sur la teinte orange.

– Pourquoi orange ?

– C'est la couleur de la Bétadine. Et aussi des garrots, des sangles. Ce fétichisme peut aller du goût pour les injections à celui des examens invasifs, doigts dans le cul, coloscopie et j'en passe. D'ailleurs, on a aussi trouvé chez elle des instruments bizarres comme des étuis de contention, des spéculums, des sondes, des canules, des curettes...

Erwan réfléchit. Une jeune femme qui se déguise en garrot, s'empêche d'uriner ou pratique des avortements imaginaires : ça constituait un profil en soi – et renvoyait à un monde bien particulier.

– Ces faits collent avec une autre trouvaille, continua le Luthiste. Les gars de l'informatique ont enfin ouvert le mystérieux dossier de son ordi. Ils sont tombés sur des milliers de films, disons, techniques : irrigation du côlon, dilatation de l'urètre, sonde anale... Je t'épargne les détails.

Les disques durs, boîtes noires de la psyché...

– Demain, dès mon retour, on se fait Lartigues. Y a forcément une connexion avec lui.

– Heureux de te l'entendre dire.

– En attendant, cherchez dans cette direction. Ceux qui ont déjà eu des ennuis avec la maison.

– Tu me prends pour un stagiaire ou quoi ?

– Je te rappelle, conclut brutalement Erwan avant de raccrocher.

Il venait d'apercevoir une ombre au bout des rangées. Il bondit dans cette direction et atteignit les plateformes des wagons : personne. Un vigile ? Non, le gars aurait eu une torche électrique, ou un chien, ou les deux.

Un rôdeur était là. Peut-être pas l'assassin, mais un type qui cherchait à passer inaperçu. Le flic prit à gauche et longea les EVP. Il avait déjà dégainé. Première allée perpendiculaire : personne. Seconde : idem. Troisième... Il commençait à se demander s'il n'avait pas rêvé.

Il allait renoncer quand il vit, au fond de la quatrième, une silhouette. Il piqua un sprint. Tourna, courut, tourna encore. Il n'entendait plus rien, à l'exception de la fanfare de métal au loin. À l'instinct, il bifurqua à gauche puis emprunta un nouveau couloir à droite.

Perdu dans ce labyrinthe de couleurs, il ne savait plus où il était. Au-dessus de lui, les projecteurs du chantier passaient et repassaient, les flèches de levage tournaient. Son champ de vision latérale se limitait aux parois ondulées. L'anecdote du gars de la ZMFR lui revint : les clandestins africains qui s'enfermaient, armés d'une scie. Un fugitif de ce genre ? Plus il avançait, plus il s'égarait. Il se sentait comme un prisonnier qui, en s'agitant, resserre ses liens. Appeler au secours ? Les robots de la nuit avaient plus de voix que lui.

De rage, il frappa un battant et se prit à imaginer ce que ces boîtes pouvaient contenir. Meubles africains. Épices. Babioles de cuir. Fruits... Un flic séquestré par des bananes et des céréales, c'était à mourir de rire.

Soudain, il se retrouva à terre. Le temps de tourner la tête, il vit le fuyard partir sur la droite. Il avait jailli de sa planque, l'avait bousculé et filait. Erwan était à genoux, paumes contre terre : son arme lui avait giclé des mains. Il démarra comme un athlète, poussant sur ses arrières, et ramassa son calibre au passage.

Nouveau croisement. Sa proie, à cent mètres sur sa gauche, fouettait les murs de son ombre. Erwan y croyait à nouveau. Le dédale reprenait sens. Cinquante mètres. Le bruit du chantier plus fort. Trente mètres. La silhouette entièrement sombre, sa tête aussi – un Noir ? Un Blanc en cagoule commando ?

Sans savoir comment, Erwan accéda au quai de déchargement. L'homme réapparut entre deux empileuses. Chaque seconde confirmait ce qu'Erwan avait déjà remarqué : le fuyard courait trop vite. Un sportif entraîné. Erwan l'était aussi : il accéléra. L'autre contourna le chantier, passant de l'autre côté du train, replongeant dans l'ombre des wagons. Personne ne semblait le remarquer. Ni les pilotes dans leur nacelle, ni les conducteurs des diables élévateurs, ni le radiodeckman, préoccupé par les boîtes qui planaient comme des mobiles dans la lumière blanche.

Erwan s'arrêta pour essayer de repérer sa cible et voir comment lui-même pouvait couper à travers les manœuvres. Tout à coup, il l'aperçut. À quelque trois cents mètres, au-delà de la flaque de lumière, entre les jambes des grues qui déposaient les EVP. Il galopait vers le bassin proprement dit.

Sans réfléchir, Erwan se lança sous les flèches et les conteneurs qui voyageaient à plusieurs dizaines de mètres de hauteur. Coups de sifflet, hurlements de freins, insultes… Le radiodeckman ordonnait aux pilotes de stopper, les dockers beuglaient, les alarmes s'emballaient. Le flic s'en moquait : l'autre grimpait maintenant le long de la coupée de l'*Apnea Gaillard*, la passerelle oblique qui permet d'accéder au pont du bateau.

Erwan zigzagua encore, évitant les cavaliers et leurs pneus géants, rejoignit le porte-conteneurs. Le fuyard parvenait en haut de la coupée. Il le distinguait mieux : un peu plus d'un mètre quatre-vingts, carrure large, une combinaison de couleur grise. Mais pas moyen de voir s'il était noir ou simplement masqué.

Erwan bouscula plusieurs ouvriers, gagna quelques secondes. Quand il attrapa la rampe, l'autre était déjà à bord. *Tu es pris au piège.*

Mais le piège mesurait trois cents mètres de long.

96

SUR LE PONT, les conteneurs empilés s'alignaient jusqu'au bout du bastingage. Tout juste si une coursive creusée sous les boîtes ménageait un passage. Erwan ne courait plus : il plaçait un pied devant l'autre, à la manière d'un funambule. À bout de souffle, ses douleurs se réveillaient.

Il découvrit un gouffre : d'immenses cales déjà vides, d'une profondeur de six ou sept étages. Aucune trace du fugitif. Il emprunta une échelle de métal, lançant des coups d'œil par-dessus son épaule et apercevant, à l'autre extrémité du navire, les EVP qui s'envolaient toujours à une cadence infernale.

Nouvelle coursive. Succession de palettes. Il se cramponnait à la rampe quand il le repéra, plusieurs étages plus bas, traversant en diagonale une cale vide. Erwan trouva une autre échelle, s'accrocha aux barreaux et les descendit l'un après l'autre – pas moyen d'être plus rapide.

Une fois en bas, personne. À droite, une porte battait. Il se précipita. À l'intérieur, une nouvelle cale, bourrée de caisses qui n'attendaient que l'ouverture du plafond pour décoller et rejoindre la terre.

Claquement : on venait d'ouvrir puis de fermer une autre porte. Si le nord était devant lui, alors le bruit provenait du nord-ouest. Il emprunta une autre allée, à gauche, puis une autre encore, à droite. Elles étaient aussi étroites que les passerelles du pont, encadrées de boîtes solidement arrimées par des cadres de fer, eux-mêmes fixés par des boucles de métal.

Il trouva la porte, l'ouvrit et découvrit une énième passerelle qui surplombait une soute à demi remplie. Il joua encore une fois à l'équilibriste le long de la paroi, jusqu'à atteindre un sas. Descendre encore. Cette fois, il se retrouva dans une cellule rivetée et close baignée de lumière rouge. Des extincteurs. Une hache de secours. Des alarmes.

Sensation intime : il était là, seul avec son ennemi, dans des sous-sols qui puaient le fer, la graisse et la mer – selon les options, il allait y rester, découvrir un clandestin sous-alimenté, ou le tueur.

Sous ses pieds, une trappe. Il la déverrouilla avec un sinistre pressentiment. Se glissant dans une nouvelle écoutille, il songea, sans raison, à di Greco, à son crâne fracassé, au mot qu'il avait laissé : « Lontano »... Il atterrit dans une flaque de suie noire. Le couloir n'offrait qu'une possibilité : droit devant. Avancer dans ces cales gigantesques, c'était comme cracher dans le désert. Vain et dérisoire.

Le rôdeur connaissait le navire. Il l'emmenait sur son terrain – dans un piège qui allait se refermer sur lui. Plus un bruit de pas. Erwan se trouvait au cinquième ou sixième sous-sol, sans le moindre repère.

Nouvelle porte. Nouvelle salle immense et vide, éclairée par des veilleuses rouges. Un coffre-fort aux dimensions d'une piscine olympique. Il s'immobilisa et retint sa respiration, tendant l'oreille. En réalité, il ne pouvait plus bouger. Le moindre pas en avant et il était à découvert.

L'autre n'était pas loin, il le sentait. Les angles de l'espace baignaient dans l'ombre. Calibre en main, il avança sur la gauche en rasant le mur. Cet endroit n'était pas une cale : impossible de la décharger avant les autres, celles des étages supérieurs. Pourquoi était-elle vide ? L'idée que l'*Apnea Gaillard* n'était pas rempli à cent pour cent ne tenait pas debout. Quoi d'autre ?

Il n'avait pas fait cinquante mètres qu'il entendit claquer la porte qu'il avait franchie quelques secondes auparavant. Il se précipita pour découvrir le volant tournant à toute vitesse. Le système se bloqua dans un « klong » lugubre.

Il faillit éclater de rire : vingt ans de police pour se faire niquer comme un bleu. Il rengaina, attrapa le volant et essaya de l'actionner, en vain. Il observa les gonds, le châssis. Parfaitement étanches. Il se mit à courir le long de la paroi, espérant dénicher une autre issue.

Soudain, un bruit de cataracte explosa. Il leva les yeux et resta stupéfait. Dix mètres plus haut, des vannes lâchaient des colonnes d'eau dignes des chutes d'Iguaçu. Il était dans un ballast. Un de ces réservoirs qu'on remplit pour rééquilibrer l'assiette du navire ou le maintenir au niveau du quai à mesure qu'on décharge.

Refusant de paniquer, Erwan s'accrocha à son idée de départ : une porte qu'il pourrait encore ouvrir. Il reprit sa marche, en pataugeant. Les déversoirs, qui s'ouvraient l'un après l'autre, libéraient des milliers de mètres cubes dans un fracas assourdissant.

Mais ce n'était pas que de l'eau. Plutôt un magma puissant et sombre, tendance mazout, ou encore, au sortir des bouches, une masse jaunâtre rappelant les mousses vomies par quelque usine chimique.

Une autre porte, comme soudée au chalumeau. Erwan se retourna. Les trombes déferlaient sur lui. De l'eau déjà jusqu'à la taille. Froide ? Il ne savait pas tant son corps brûlait encore de la poursuite. Il se cramponnait au volant pour résister au courant qui l'entraînait. Un monstrueux lavabo dont on aurait ouvert la bonde. En fait, c'était le contraire : le niveau ne cessait de monter. La ligne sombre lui coupait maintenant la poitrine. Les blocs liquides s'abattaient comme des éboulis, provoquant des craquements sourds d'avalanche.

À bout de forces, il finit par lâcher prise et fut aussitôt emporté vers le centre du réservoir – l'œil de la tourmente. Goût de sel sur les lèvres, goût de mort dans la gorge. Il se mit maladroitement sur le dos – il n'avait jamais su faire la planche – et renonça à toute pensée, fixant seulement le plafond qui se rapprochait. Étrange sensation : il dansait une valse funèbre, tournant sur lui-même, s'élevant vers sa propre fin.

Tout à coup, il se dit qu'il y avait forcément ici un moyen de déclencher une alarme. Il chercha des caméras de surveillance. Aucune en vue. Des capteurs d'incendie ? Aucune utilité dans ces bassins. Les vagues le catapultaient maintenant contre le plafond alors qu'il s'efforçait de rester à la surface. Il ferma les yeux, vaincu. Il retournait aux eaux primordiales, il...

Les jauges. Le bassin en possédait forcément, non seulement pour surveiller le niveau de l'eau mais aussi pour en analyser la composition. Il avait lu ça quelque part : les vidanges des ballasts posent un problème de pollution. En relâchant en pleine mer des milliers de mètres cubes d'eaux souillées des ports, les grands navires perturbent les écosystèmes océaniques. La loi les oblige à analyser cette masse avant de la libérer.

Erwan plongea dans les remous. Les lampes rouges étaient toujours allumées, fantomatiques dans l'ombre liquide. S'il avait de la chance, les capteurs seraient installés près de ces veilleuses. En nageant plus bas, il échappa au vortex et atteignit une première lampe. À tâtons, il chercha une sonde ou un engin de ce type.

Il trouva – il ne savait pas à quoi servait ce truc mais des curseurs à quartz et des câbles laissaient supposer une connexion avec le monde extérieur. Il avait toujours son arme à la main. Il poussa sur ses jambes pour prendre un peu de recul, fit monter une balle dans la chambre et tira.

Il nagea encore, résistant à l'envie réflexe d'ouvrir la bouche. Ses poumons étaient saturés de gaz carbonique. À une trentaine de mètres, une autre lanterne brillait dans la tourbe. Encore une fois, il s'éloigna du mur et fit feu. Il espérait déclencher une alarme quelque part. Ou un système automatique qui ferait refluer les flots.

Il nagea de nouveau vers la droite. Le temps ne passait pas, il l'étouffait. Une barre noire lui descendait devant les yeux. Il savait qu'il ne pouvait plus remonter à la surface – il n'y avait plus de surface. Il savait qu'il ne devait pas respirer. Il savait...

Il voulut appuyer sur la détente mais il ouvrit la bouche.

97

QUAND ERWAN reprit conscience, il crut qu'il était en enfer.

Il n'était qu'aux urgences de la Timone, au cœur de la nuit.

Allongé sur un brancard, isolé dans un box (on l'avait déshabillé et affublé d'une blouse en papier), il voyait, par les rideaux entrouverts, les patients évoluer dans le service, variant tous les flirts possibles avec la maladie et la mort. Accidents domestiques et bronchiolites pour les enfants. Bastons, bitures et crashs routiers pour les jeunes. Arrêts cardiaques, chutes et AVC pour les vieux. Parmi ces échantillons macabres, une autre population, sang-froid et blouse blanche, s'agitait, alternant questions – numéro de Sécu, composition du dernier repas, circonstances de l'accident... – et gestes qui sauvent.

Erwan contemplait ce spectacle dans un état second. Il avait passé son premier quart d'heure de réveil à vomir, le deuxième à cracher, le troisième à se rincer la bouche à l'eau douce tout en sentant la morsure du sel dans sa gorge, ses poumons, son cœur. Son impression était qu'il était brûlé... de l'intérieur. Symbole de son naufrage, son costume et sa chemise étaient pendus à une patère, raides et maculés de taches blanchâtres. Sous sa blouse, sa peau en séchant se craquelait comme le vernis d'un vieux tableau.

Les urgentistes avaient ordonné des radios (il s'était pris plusieurs coups sur la nuque et les hanches, dans la violence des flots) et avaient tiqué sur les blessures de Kaerverec. Pourtant, rien de cassé. Simplement d'autres bleus, d'autres croûtes pour sa collection.

Il ferma les yeux. Ses paupières se scellèrent sur une fournaise. Jouissance étrange de flotter ainsi dans ce service où cris, diagnostics et cavalcades se confondaient en un brouhaha inintelligible. Après la fureur du ballast, Erwan avait l'impression de voguer sur un lac où roucoulaient des oiseaux embrumés.

Pour le moment, il avait mis de côté celui qui l'avait attiré dans ce traquenard et les circonstances de l'agression – l'ennemi connaissait le système du ballastage. Il ruminait le fait que cette fois, il avait vraiment failli y passer et éprouvait une reconnaissance viscérale pour les pompiers qui l'avaient sauvé.

Son rideau s'ouvrit. Devant lui se tenaient les deux flics de Noailles, accompagnés de l'officier de la ZMFR. Tous les trois tiraient la gueule. Premièrement, Erwan n'avait prévenu personne de sa promenade nocturne. Deuxièmement, aucun d'eux n'était de permanence cette nuit, ce qui signifiait que son escapade les avait arrachés, un vendredi soir, à leur famille ou à quelque soirée arrosée.

Erwan se redressa sur sa civière : il attendait les reproches. Pénétration dans la zone de fret sans autorisation. Traversée d'un chantier interdit au public. Intrusion dans un porte-conteneurs naviguant sous pavillon d'Antigua. Il était devenu une prodigieuse source d'emmerdements pour le commandant et l'équipage du porte-conteneurs, la compagnie maritime qui avait affrété le bâtiment, les dirigeants du bassin ouest de Fos et les trois gaillards devant lui.

Pourtant, à le voir ainsi, roulé dans sa blouse verte comme un maki dans sa feuille d'algue, ils parurent se radoucir.

– On a fouillé tous les bassins, annonça un des flics. Aucune trace de votre gars.

– Les ouvriers du chantier ?

– On les interroge. Pour l'instant, personne a rien vu.

– C'est mon agresseur qui a ouvert les vannes ?

– Non, fit l'officier de marine. Le ballastage est automatique. Vous avez joué de malchance, à moins que l'autre ait été au courant de la manœuvre. À mesure du déchargement, on remplit ses ballasts pour maintenir la ligne de flottaison.

Erwan conserva le silence quelques secondes. Son cerveau lui paraissait cuire au bain-marie dans une cuve d'eau salée.

– Les gars de l'*Apnea* ?

– C'est en cours aussi, reprit un des OPJ. Mais faut pas s'attendre à grand-chose. La moitié de l'équipage était à terre, l'autre roupillait déjà.

– Combien sont-ils ?

– Seize.

– Pour un navire de trois cents mètres de long ?

– Aujourd'hui, intervint l'officier du port, tout se gère électroniquement.

– Les gars vous paraissent clairs ?

– Standard. Philippins, Nigérians, Croates... Le cargo repart demain matin.

– Même après l'histoire de cette nuit ?

– Le commandant va pas faire traîner l'affaire. Il est plutôt victime de vos conneries et il va pas s'amuser à porter plainte pour rester à quai trois jours de plus.

– Et si je le fais, moi ?

– Je vous le déconseille.

– Les douanes vont le laisser repartir ?

– Si vous n'aggravez pas le bordel, aucune raison de le retenir.

– Et les conteneurs Heemecht ?

– On va les ouvrir. Selon vous, que cherchait votre gars ?

– De la vieille ferraille, je vous l'ai dit.

L'officier secoua la tête pour exprimer son incrédulité :

– Personne n'exporte du métal usagé. Et surtout pas d'Afrique.

– Pourquoi ?

– Parce que là-bas, même des clous tordus et sans tête, ça peut encore servir.

Erwan était d'accord, mais il n'avait pas la force de s'expliquer.

– Vous avez parlé au commandant de l'*Apnea* ? Aux douanes ? À la capitainerie ?

– J'ai parlé à tout le monde et je me suis fait engueuler chaque fois. Si jamais votre histoire provoque le moindre retard, ça va être l'émeute. Sans parler du service d'inspection maritime qui va débouler demain matin pour vérifier que les consignes de sécurité ont été respectées. Votre escapade risque de coûter des centaines de milliers d'euros.

Il allait devoir rédiger lui aussi un PV détaillé – et Kripo n'était pas là pour jouer au scribe. Autant s'y coller tout de suite. Il voulut mettre pied à terre mais une douleur à la hanche le força à se tourner pour trouver son équilibre. Sa blouse s'ouvrit dans son dos et il se retrouva le cul à l'air. Tout le monde rigola – à commencer par lui-même. C'était vraiment la grande déconfiture de la Brigade criminelle.

– Vous n'auriez pas des fringues sèches ?

Un des flics lui lança un sac plastique, sourire aux lèvres :

– Vous avez rien contre l'OM ?

Erwan découvrit un tee-shirt noir portant les deux lettres imbriquées façon enluminure, un sweat à capuche aux couleurs du club marseillais et un pantalon de jogging gris. Pour rejoindre son hôtel, près du Vieux-Port, c'était parfait. Il ferait nettoyer son costume là-bas.

Ses compagnons passèrent de l'autre côté du rideau pour le laisser se changer. En s'habillant, il dressa mentalement un portrait de son assaillant : un mètre quatre-vingt-cinq, athlétique, entraîné à la course. Sur la couleur de sa peau, aucune certitude. Pour le reste, un homme connaissant le monde du fret maritime – ce qui était largement compatible avec le profil d'un pilote de Zodiac. L'Homme-Clou ?

Il enfila sa veste à capuche et attrapa l'enveloppe dans laquelle les infirmières avaient réuni ses clés, son portable et ses papiers

– trempés. Il essaya d'allumer son mobile : rien. Sans doute foutu. Il plaça l'ensemble dans le sac plastique puis vérifia une nouvelle fois les poches de son costume.

Dans sa veste, il restait une feuille de papier pliée en quatre. Elle était collée par l'eau de mer et Erwan l'ouvrit avec soin. Dès qu'il vit les noms imprimés, il se souvint : les « clients » de Gaëlle identifiés par les agents de son père. À chaque fois, l'adresse et l'heure du dernier rendez-vous étaient précisées. Il allait balancer la feuille quand un nom retint son attention. Richard Masson. Il l'avait déjà vu ou entendu quelque part. Il prit le temps de lire la liste. Un autre provoqua un déclic : Sergueï Borguisnov. Sa mémoire s'agitait. Il continua. Troisième réminiscence : Johnny Leung.

Cette fois, il y était : les trois initiés qui avaient fait main basse sur les actions de Coltano.

Erwan reçut le coup en plein visage. Sonné, il se cramponna à la civière.

Ces hommes avaient été les michetons de Gaëlle. Sa sœur était la source des banquiers.

D'une manière ou d'une autre, elle avait eu accès à l'information – soit qu'elle ait entendu une conversation téléphonique, soit – c'était plus probable – qu'elle connaisse la combinaison du coffre-fort de Loïc. La suite tombait sous le sens : elle avait livré le tuyau à ses trois banquiers de clients. Un détail suffisait à confirmer les soupçons d'Erwan : d'après Serano, l'achat d'actions le plus récent datait du lundi 10 septembre et avait été ordonné par Leung lui-même, or, selon les filatures de la DCRI, le dernier rendez-vous de Gaëlle avec Leung avait eu lieu la veille.

Erwan connaissait trop bien sa sœur pour imaginer qu'elle leur avait vendu le renseignement. C'était bien pire : elle le leur avait sciemment *donné* afin de nuire à son père et à son jeune frère. Sans doute ignorait-elle précisément l'importance de ces informations mais elle avait deviné leur pouvoir de nuisance. Et elle les avait livrées comme un pyromane fout le feu à sa propre maison avec sa famille à l'intérieur.

Borguisnov s'était vanté de se fournir « à la source ». Il ne parlait pas des terres africaines mais du clan Morvan.

– Vous venez ?

Erwan fourra la feuille dans sa poche et sortit du box :

– J'ai besoin de téléphoner.

98

OÙ ELLE EST ? Je vais la tuer !
Morvan pénétra dans l'appartement en rugissant. Il écarta Loïc qui ne comprenait rien à cette visite – Erwan ne l'avait pas prévenu, le Vieux le lui avait interdit. Il parcourut le couloir au pas de charge. Son champ de vision lui paraissait compressé par sa propre colère. L'appel de son fils l'avait cueilli au lit alors qu'il ressassait encore ses angoisses. Ce qu'il lui avait raconté avait mis le feu à son insomnie.

Au fond, il n'était pas étonné – c'était la confirmation de ce qu'il avait expérimenté à de nombreuses reprises : le pire est toujours en dessous de la vérité. Gaëlle, son enfant chérie, son ange devenu pute, avait tout manigancé pour le ruiner – et elle allait peut-être réussir.

Dans le salon, il la découvrit pelotonnée sous une couverture de feutre signée Paola Lenti, celle qu'il avait offerte à Loïc et Sofia pour leur mariage. Elle était en train de regarder la télé, tout simplement, aux côtés de son imbécile de frère. Telle était l'existence de Gaëlle : elle veillait sur les enfants de Loïc, couchait avec n'importe qui et, accessoirement, poignardait son père dans le dos.

Elle se leva d'un bond, déjà prête à encaisser les coups.

– Qu'est-ce que t'as trafiqué avec ces banquiers ?

Pas de réponse.

– Tu veux nous ruiner, c'est ça ?

Pas de réponse.

Morvan s'approcha, les poings serrés. Le cercle de peur qu'il créait autour de lui s'élargissait à la manière d'ondes magnétiques. Gaëlle recula. Loïc se pétrifia. C'était la seule vraie émotion qu'il ait jamais réussi à provoquer chez ses enfants : la terreur.

– Combien tu leur as vendu ces infos ?

Gaëlle se tenait près du canapé, toujours muette. Elle faisait front avec son corps mais une lueur paniquée dans ses yeux démentait sa posture.

– Putain de conne, tu les leur as même pas vendues, c'est ça ? C'était pour le simple plaisir de me faire tomber ?

Il s'élança. À cette seconde, elle l'esquiva, courut vers la porte-fenêtre, l'ouvrit et sauta. Dans le vide.

Le grognement de Morvan se mua en un cri de gorge :

– NON !

Il se précipita sur le balcon et ne vit rien, hormis des frondaisons arrachées, des branches brisées, des percées de bitume et de voitures, trois étages plus bas. Des coups de freins et des cris retentissaient sur l'avenue. Il fit un saut en arrière comme si la balustrade l'avait brûlé et se rua vers la porte d'entrée. À la périphérie de son esprit, il remarqua Loïc, aussi figé qu'un animal empaillé.

Morvan dévala l'escalier sans respirer. Il entendait ses pas tonner sur le tapis rouge des marches. Il sentait la rampe de fer forgé sous sa main. Il voyait la cage de l'ascenseur à l'ancienne, grillage et boiseries vernies, scander chaque palier. Il ne respirait toujours pas, comme si cette apnée avait le pouvoir d'arrêter le temps. De bloquer la scène qui venait de le crucifier.

Il faillit briser la première porte vitrée, traversa le hall, empoigna la seconde et jaillit dehors. Il ne s'attendait à rien mais il savait qu'il y aurait du sang, de l'immobilité, de la mort. Or, Gaëlle titubait entre deux voitures stationnées, pieds nus, sans le voir, ni lui ni personne, les cheveux fous, trébuchant pour rejoindre le trottoir.

Un miracle – mais pas si exceptionnel : en quarante ans de flicailleries, Morvan avait entendu parler d'une bonne vingtaine de défenestrations ratées. Sa chute avait sans doute été amortie par les branches et les feuilles comme par un filet, puis par le toit d'une voiture. Elle avait roulé sur un capot jusqu'à s'encastrer entre deux pare-chocs dont elle s'extrayait maintenant, l'air plus morte que vive.

Morvan se précipita mais stoppa à deux mètres. C'était maintenant elle qui irradiait des ondes – choc, haine, folie. Il s'écarta pour la laisser venir. En quelques secondes, il conclut qu'elle n'avait ni blessure ni fracture grave – sa démarche, même incertaine, l'attestait.

Autour d'elle, un cercle de badauds s'était formé, qui reculait à mesure qu'elle avançait. Il respira enfin, murmurant des « merci » à répétition sans savoir à qui il s'adressait au juste. Tous les emmerdements qu'il encaissait ces derniers jours étaient effacés. Il se sentait même prêt à en affronter de nouveaux : faillite, meurtres, taule, n'importe quoi pourvu que Gaëlle s'en sorte.

À cet instant, elle chancela pour de bon et tomba. Avant qu'elle n'effleure le bitume, Morvan l'avait cueillie dans ses bras :

– Ma petite fille... Ma petite...

Loïc apparut près de lui. Son expression résumait sa place exacte dans l'univers : décalée, hors du temps et des autres. Morvan baissa de nouveau les yeux : Gaëlle semblait au bord de s'évanouir mais elle luttait pour rester consciente. Sur son visage exsangue, un bleu apparaissait le long de la tempe droite, s'ouvrant comme une fleur aquatique à la surface d'un étang.

Il voulut poser un baiser sur son front mais elle trouva la force de le repousser.

– C'est toi que j'aurais dû tuer, souffla-t-elle à son oreille.

99

VERS SIX HEURES DU MATIN, un orage éclata au-
dessus du port de Fos. Erwan, assis devant la fenêtre de
sa chambre d'hôtel, regardait les rayures grises cingler les
réverbères, mitrailler la rade pleine de remous et vernir les milliers
de conteneurs qui attendaient d'être emportés.

Il n'avait pas dormi – ou seulement de brefs instants, comme
on tombe dans la boue pour se relever aussitôt. La boue, c'était
sa famille, son passé, toutes les raisons pour lesquelles une jeune
femme pouvait consacrer ses forces à détruire les siens. Jusqu'à
deux heures du matin, il avait ressassé la violence de son père,
la résignation de sa mère, la terreur de son frère et de sa sœur,
ce dégoût sans fin qui avait constitué sa « vie de famille ».

Peut-être aurait-il pu vraiment s'endormir là-dessus, par pure
lassitude et désespoir, mais Morvan l'avait alors rappelé pour lui
annoncer que Gaëlle avait tenté de se suicider.

– Encore ? avait-il répondu, regrettant aussitôt ce trait d'humour cynique.

Son père lui avait raconté, la voix blanche, ce qui s'était passé.
On était loin des tentatives de jeunesse, overdoses de médicaments, lavages d'estomac et autres. Cette fois, Gaëlle avait réellement voulu tirer sa révérence. Par un miracle qui allait
réconcilier tous les Morvan avec Dieu, elle en était sortie indemne.

– Où elle est maintenant ?

– À l'Hôpital américain : ils font des examens.

À Paris, enfin, à Neuilly-sur-Seine, la maladie a son carré VIP. Si vous voulez mourir sans faire la queue, ou simplement vous faire soigner au prix fort, cet étrange établissement à l'accent américain et aux photos d'infirmières des années 40 placardées aux murs est pour vous.

– Comment elle va ?

Morvan avait répondu à sa manière :

– Après ça, je l'emmène à Sainte-Anne.

Une spécialité du Vieux, qui y avait déjà fait interner plusieurs fois son épouse, et avait été lui-même soigné là-bas. Erwan n'avait pas insisté. Il devait rentrer à Paris au plus vite. Pour embrasser sa petite sœur qui lui cracherait au visage. Calmer son père qui l'écouterait le doigt sur la détente. Jouer les arbitres dans cette famille de cinglés toujours au bord de l'implosion.

Il avait passé les dernières heures de la nuit à contempler le port de Fos à travers la vitre et à ruminer ses remords. Quand il avait compris la combine de Gaëlle, il avait d'abord cherché à la joindre : elle n'avait pas répondu. Il avait renoncé à appeler Loïc qui, selon le taux de cocaïne dans son sang, aurait réagi de manière plus ou moins appropriée. Restait le Padre : Erwan lui avait communiqué ses soupçons en essayant de minimiser l'affaire. Peine perdue. Il aurait dû attendre d'être sur place – l'accompagner pour la confrontation.

Au bout du compte, le clan avait une fois encore raflé la vedette aux autres événements. Erwan avait beau sortir d'une course-poursuite, avoir frôlé la mort, avoir (peut-être) approché le tueur, son esprit était accaparé par les affaires familiales.

Par la fenêtre, il vit ses collègues arriver. Le tableau possédait le charme d'un vieux film policier : le terminal et ses blocs brillant sous la pluie, les flaques sur le quai zébrées de rouge et de jaune, la Saab épuisée des flics. Cette image lui plut et il se dit que la matinée réserverait peut-être quelques bonnes surprises.

Dans la voiture, les Marseillais firent le point. Ils n'avaient pas dormi non plus. En dépit des apparences, ils étaient efficaces : en quelques heures, ils avaient rédigé les PV, les réquises et les demandes nécessaires pour valider l'ouverture du conteneur numéro 89AHD34. Ils avaient contacté le parquet, les préfets et quelques autorités douanières bien ciblées. Tout était en ordre. On allait voir si la boîte recelait les fameux clous rouillés.

En revanche, côté indices et témoins : nada. Les membres de l'équipage avaient tous été interrogés, ainsi que la plupart des dockers présents autour de l'*Apnea* : personne n'avait rien vu. Une équipe scientifique avait foncé à bord afin de relever des empreintes et chercher d'éventuelles traces organiques : en pure perte. Il aurait fallu plusieurs jours pour palucher le porte-conteneurs – et pour trouver quoi ? Du reste, ils s'étaient fait virer au bout d'une heure. Le flic assis à la place du passager soupira :

– Le bateau repart ce matin et il n'est déjà plus accessible. Tout ce qu'il nous reste, c'est le conteneur.

– On a ouvert son chargement ?

– C'est en cours.

Erwan se tut, observant les quais qui défilaient, totalement déserts. Quand ils parvinrent sur celui des bassins ouest, il dut se frotter les yeux pour y croire : non seulement le pont de l'*Apnea Gaillard* était chargé de nouveaux conteneurs mais tout le dépôt était vide. Le train interminable avait embarqué son lot de boîtes. Les autres avaient sans doute filé en camion ou étaient stockées dans les entrepôts de la zone logistique.

Seul demeurait le conteneur Heemecht, gueule béante, répandant sur le béton son chargement comme une poubelle renversée. Des douaniers fouillaient à l'intérieur. Ils en extrayaient d'autres boîtes plus petites, qui elles-mêmes en abritaient de plus réduites. Une version poupées russes du fret.

Ils s'approchèrent. L'averse ne désemparait pas. Les gouttes sur les capes de pluie des douaniers produisaient une gamme de notes graves qui rappelaient une marche funèbre.

– C'est à vous que je dois ce bordel ?

Erwan se retourna. Un homme coiffé d'une chapka et emmitouflé dans une doudoune de ski se tenait debout, solide sur ses jambes écartées.

– Je suis désolé.

– Mon cul. Vous faites votre boulot, c'est tout. Alors dépêchons-nous, que je puisse faire le mien.

Présentations. Serrements de pinces. Le responsable de Heemecht s'appelait Xavier Schneider. Il était si costaud qu'il semblait porter un gilet pare-balles sous son anorak.

Erwan attaqua par une question générale :

– C'est vous qui achetez la ferraille au Congo ?

Schneider éclata de rire :

– Vous connaissez rien au fret. Y a les vendeurs, qui expédient leurs produits africains, et les acheteurs, qui les réceptionnent. Entre ces deux points, y a l'armateur qui équipe le navire, le propriétaire du bateau, qui n'est pas toujours l'armateur, le personnel du PC, embauché encore par une autre boîte, l'agent maritime qui représente au port l'armateur... Tout ce bordel est supervisé par un coordinateur, qu'on appelle l'« affréteur »...

– Vous ?

– Non. Heemecht a seulement la responsabilité de ses propres conteneurs et se charge ensuite d'acheminer chaque lot jusqu'à son acheteur. Point barre.

– Il vous arrive d'en restituer certains ici, au terminal ?

– Jamais.

Inutile de tourner plus longtemps autour du pot :

– Vous avez la caisse de ferraille ?

Schneider fit un pas de côté et balança un coup de pied dans une boîte en bois de deux mètres de long environ. Erwan songea à un cercueil. Le couvercle en était entrouvert. Du talon, il l'écarta : la caisse était remplie à ras bord de clous rouillés. Différents modèles. Différentes tailles. Il en prit une poignée : la plupart portaient le poinçon de la CBAO.

Enfin une ligne qui mordait.

– Vous connaissez l'adresse de livraison ?

– Confidentiel.

D'un regard, Erwan appela au secours les OPJ marseillais mais Schneider se ravisa, sortant une tablette tactile de sa doudoune :

– Je plaisante. La caisse doit être expédiée au 19, villa du Bel-Air, Paris, 75012. Le destinataire est Ivo Lartigues.

Deuxième ligne qui mordait. Erwan observa l'homme d'Heemecht. Derrière lui, on apercevait les docks harcelés par la pluie et les flaques qui avaient la chair de poule. Il aurait voulu l'embrasser. Qui pouvait acheter des vieux clous sinon un sculpteur qui en criblait ses œuvres ?

Il savait déjà que Lartigues n'était pas son agresseur : pourquoi venir voler ici ce qui lui serait livré à domicile ? Mais il se rapprochait du tueur.

– Vous avez déjà eu affaire à lui ?

– Le nom m'est familier. Ça doit être un client régulier.

– Vous savez ce que contiennent les lots, en général ?

– Non. Faudrait vérifier dans nos archives.

Un des flics marseillais s'approcha, incrédule :

– Vous croyez vraiment que le gars de cette nuit en avait après ces clous ?

– Aucun doute.

– Qu'est-ce qu'ils ont de si particulier ?

Erwan observa la ferraille dans sa main. Sa paume était rouge de rouille.

– Ils sont ensorcelés.

100

DURANT LE VOL DE RETOUR, Erwan lut – enfin – la doc de Kripo à propos d'Ivo Lartigues. Chaque ligne lui confirmait qu'il devait des excuses à l'Alsacien : depuis le départ, c'était lui et lui seul qui travaillait sur la piste la plus intéressante.

Lartigues était un nom d'artiste : l'homme était né Franciolini en 1952, près de Bolzano, à la frontière de l'Italie et de l'Allemagne. Fils d'ouvrier métallurgiste, il avait passé son enfance à subir les coups de son père alcoolique et les prières de sa mère dévote. Du chaud, du froid, de quoi vous forger le caractère. À dix-sept ans, il s'était inscrit aux Beaux-Arts à Paris. Marqué par le Nouveau Réalisme français (Yves Klein et ses peintures de feu) et le mouvement Fluxus (caractérisé par l'utilisation de matériaux industriels), il avait creusé sa propre voie dans les années 80 en assemblant des débris métalliques avec des clous, vis, crochets... Plus tard, il avait découvert les arts traditionnels africains – notamment celui du Mayombé – et s'était mis à créer ces géants de tôle transpercés de pointes, de verre, de fibres. Il sculptait aussi des verges hérissées de lames, des fragments de corps torturés par une armée de tessons. Il baptisait ses œuvres de simples numéros ou parfois déclinait ses séries à partir de la référence du clou qu'il utilisait – *Congo n° 6, op.13.*

Côté vie privée, pas de femme ni d'enfant, aucune liaison officielle. Sur son activité de gourou SM, Kripo n'avait rien trouvé non plus, à part de simples rumeurs. Il allait falloir mettre les mains dans le cambouis.

Erwan retenait toutefois plusieurs faits. D'abord, Lartigues était riche – certaines de ses œuvres avaient été achetées plus d'un million d'euros, notamment par des collectionneurs américains. Ensuite, il travaillait avec des clous africains, provenant spécifiquement du Bas-Congo. Autre détail, à la marge : ses sculptures de verges cloutées ou surmontées de lames évoquaient irrésistiblement l'instrument qui avait provoqué les blessures anales des récentes victimes.

Il existait assurément un lien entre Lartigues et les meurtres mais Erwan avait déjà compris que ce rapport serait complexe à établir – et qu'il n'avait certainement pas encore identifié l'assassin.

Dès l'atterrissage, à 11 heures, il essaya de rallumer son portable. Miracle : l'écran montra des signes de vie. Fébrilement, il consulta ses messages. Sous une pluie de SMS pros, il trouva la perle qu'il espérait : un texto de Sofia qui lui fit l'effet d'une explosion de coke dans les sinus.

L'Italienne avait simplement écrit : « Tu boudes ? »

Enfantillages liés au premier temps de l'amour, qui bêtifie, dissout et régénère à la fois. Erwan se sentit d'attaque pour une grande journée d'enquête. Lorsqu'il aperçut son père qui l'attendait à la porte des arrivées d'Orly, dépassant tous les autres d'une tête, son enthousiasme retomba aussitôt.

Pourtant, le rendez-vous avait été fixé. Avant toute chose, Erwan devait effectuer un crochet à Sainte-Anne. Il demanda des nouvelles de Gaëlle mais le visage de Morvan se passait de commentaire. Il semblait avoir perdu dix kilos dans la nuit, ce qui accentuait sa ressemblance avec Erwan. Son visage était secoué de tics et sa peau, rouge et sèche, semblait s'effriter dans l'air.

Leur conversation bifurqua rapidement vers les aspects techniques de l'affaire boursière afin d'éviter le plus pénible : les motivations de la gamine.

– Il suffit qu'une femme sortie de nulle part souffle un tuyau à des banquiers pour qu'ils y croient ?

– Ta sœur n'est pas n'importe qui. Elle est ma fille et la sœur de Loïc. Une enfant de Coltano. Elle a dû leur balancer l'info en jouant à la conne. Les gars se sont renseignés et ont compris que c'était du solide.

– Qu'est-ce que tu comptais faire avec ces nouveaux gisements ?

– N'en parle pas au passé : je vais les exploiter en douce, et en vitesse.

– Dans le dos des Africains ?

– Cela n'aurait pas posé de problème si le cours n'avait pas monté.

– Et maintenant ?

– Je vais me débrouiller.

Morvan conduisait calmement. Un samedi midi, quelque part dans la banlieue parisienne. Un paysage où le béton avait définitivement gagné son combat sur la vie. Les deux sosies, en costume sombre dans la Mercedes noire, cadraient bien dans le décor : des croque-morts en route pour le cimetière.

– À ton âge, je sais pas après quoi tu cours. Toujours plus de fric ?

– C'est facile de mépriser le pognon quand on en a pas. Et d'ailleurs, ce n'est même pas vrai. Au fond de toi-même, tu sais bien que le fric t'attend, avec les fleurs sur ma tombe.

– S'il y a des fleurs.

Lâchant d'une main le volant, le Vieux lui donna une tape amicale sur la nuque :

– La chaleur familiale !

Erwan ne répondit pas.

– Il faut que tu parles à Gaëlle, reprit Morvan. Tu dois lui faire comprendre qu'on est tous là et qu'on l'aime.

– Le problème n'est pas de savoir si on l'aime ou non. Le problème c'est qu'elle nous déteste.

– Elle grandira. Elle finira par comprendre.

– Et toi ? Quand comprendras-tu ?

Silence. Porte d'Orléans. Erwan sentit sa colère monter...

– Comment tu peux frapper ta femme ? explosa-t-il.

– C'est des histoires entre nous.

– Comment tu peux frapper *une* femme ?

– Maggie n'est pas une femme. Pas au sens où tu l'entends. Elle est plus forte que moi.

– J'ai jamais remarqué qu'elle ait eu le dessus.

– Sa force est ailleurs.

Erwan cogna violemment sa portière :

– Tu te rends compte de ce qu'a été notre vie ? (Il braqua son index sur sa tempe.) Chaque coup porté est là, au fond de ma mémoire.

– Arrête ton numéro : j'ai l'impression de me voir.

– Je serai jamais toi. Tu nous as détruits. Loïc avec sa drogue. Gaëlle avec sa haine. Et moi qui me noie dans les crimes des autres pour oublier les seuls qui comptent : les tiens.

Morvan braqua brutalement et pila sur la bande d'arrêt d'urgence. Erwan se prit le tableau de bord en ronce de noyer en pleine face et crut que les airbags allaient se déclencher.

– Ça va pas, non ?

Le Padre coupa le contact.

– Je vais t'expliquer la situation.

– Alléluia, ricana Erwan (il saignait du nez). Quarante-deux ans que j'attends ça !

– Avec ta mère, il s'est passé certaines choses quand on s'est rencontrés. Notre relation a été nourrie par... la violence et la terreur. Il y a eu...

Il parut hésiter. Erwan ne l'avait jamais vu à ce point troublé.

– Je peux pas t'en dire plus, se ravisa Morvan.

– C'est lié à l'Homme-Clou ?

– Laisse tomber, conclut-il en tendant des kleenex à son fils.

Erwan s'était déjà heurté à ce mur : autant ne pas perdre de temps. *Retour aux affaires.*

– Comment l'as-tu arrêté ?

– Je te l'ai déjà dit.

– Non, tu m'as raconté comment tu l'avais identifié.

Morvan redémarra et se glissa dans la circulation, en douceur. Il paraissait rongé par ses propres aveux – ceux qu'il n'avait pas faits. Pour lui, être sincère, c'était devenir une balance.

– Quand mes soupçons se sont portés sur Pharabot, je l'ai interrogé. En pure perte. Juste un gamin sympathique et rêveur. Comme disent aujourd'hui les spécialistes, « ses pulsions meurtrières constituaient la part cachée de sa vie psychique ». Son emploi du temps posait aussi problème : pour chaque meurtre, il avait un alibi.

– Comment c'était possible ?

– Le travail en forêt. Il racontait n'importe quoi, ses ouvriers confirmaient. J'ai commencé à le harceler, à essayer de le déstabiliser. Pas moyen. J'ai finalement décidé de le tuer. Je t'ai déjà raconté ça. Il s'est enfui. Je l'ai traqué en forêt.

– Comment l'as-tu retrouvé ? Pourquoi l'as-tu épargné ?

– Désolé, fiston, c'est un chapitre tabou.

– Pour qui ?

– Pour moi. Il y a certaines peurs qu'il ne faut pas rallumer... Je n'en ai jamais autant chié que lors de cette chasse. Il connaissait la forêt comme un Noir et je n'étais qu'un petit Blanc à sa poursuite. Il avait tous les esprits avec lui et j'étais nu...

– Les esprits, le coupa Erwan, tu y crois ?

– T'en as déjà douté ?

Il aurait au moins décroché ce scoop : le deuxième monde n'était pas, pour son père, une illusion ni une superstition. Dans de telles enquêtes, c'était un atout. Peut-être Erwan ne pourrait-il jamais approcher le nouveau prédateur parce qu'à la différence du Padre, cette dimension n'existait pas pour lui.

Morvan sortit du boulevard périphérique après l'église du Sacré-Cœur de Gentilly. Il plongea dans les petites rues qui bordent la porte d'Orléans.

Encore une fois, Erwan n'allait pas avoir le temps de tout évoquer. Il passa au plus urgent :

– On a maintenant la certitude que Pernaud était une barbouze.

– Et alors ?

– Que faisait-il pour toi ?

– Je te répète qu'il bossait pas pour moi.

– Que sais-tu sur lui ?

– C'était un spécialiste du film étirable.

– Qu'est-ce que c'est ?

– Le film fraîcheur qu'on utilise pour la cuisine. Il asphyxiait ses clients avec ce genre de pellicule adhésive. Après usage, il l'ôtait : ni vu ni connu.

Le mur aveugle de l'hôpital Sainte-Anne, véritable ville fortifiée, apparut. Erwan était sûr de pouvoir coincer son père à propos de Pernaud – il fallait attendre d'avoir un indice, l'un des deux avait bien fait une erreur...

Un détail lui revint – autant vider tous les abcès d'un coup :

– D'après les fadettes d'Anne Simoni, elle t'a appelé plusieurs fois le jour de sa mort.

– Exact.

– Pourquoi ?

– Je sais pas : j'ai pas eu le temps de la rappeler. Peut-être se sentait-elle en danger, peut-être...

Il n'acheva pas la phrase et Erwan décida qu'il disait la vérité – les communications n'avaient duré à chaque fois que quelques secondes.

– Ivo Lartigues, ça te dit quelque chose ?

– Un artiste, non ?

– Allons, papa. Un gars qui sculpte des *minkondi* de deux mètres de haut, ça n'a pas pu t'échapper.

– Je vois qui c'est. Tu le soupçonnes ?

– Je l'interroge aujourd'hui.

– Où t'en es au juste ? C'était quoi, cette connerie à Marseille ?

Erwan sourit :

– J'avance pas à pas.

– Tu ferais bien de passer la seconde. Les journaux titrent sur le meurtre de Pernaud. Tout le monde m'appelle, tu…

– Laisse-moi encore la journée.

Ils parvinrent devant le porche de l'hôpital. Sur un signe de Morvan, la barrière se leva. Toujours ce pouvoir induit, mystérieux…

– Ta sœur est au pavillon Broca.

101

LA CURÉE, LA VRAIE.

Elle les regardait autour de son lit et elle voyait des chasseurs en livrée rouge, tout juste descendus de leur monture, cor à l'épaule, en train d'éviscérer une biche – elle-même. Ils arrachaient les entrailles de son ventre béant et les lançaient aux chiens hurlants, enivrés par l'odeur du sang.

Elle n'avait pas fait long feu à l'Hôpital américain : aucune fracture, pas la moindre blessure, un miracle. Mais un miracle avec l'aide du diable. On l'avait traînée à Sainte-Anne. HDT – hospitalisation à la demande d'un tiers. Elle n'avait même pas eu la force de se révolter. Elle était déjà sous sédatifs... prête à l'emploi.

– Ça va, ma chérie ?

Maggie se penchait sur elle. Rousseur incertaine des cheveux, rides à profusion. Des yeux exorbités lui donnaient un air de rapace nocturne.

Le tueur en série de sa mère, c'était la vie.

Gaëlle remarqua qu'elle tenait dans sa main des graines de pavot de Californie (elle en cultivait elle-même sur son balcon, pour leurs vertus anxiolytiques). Tout en parlant, elle les grignotait avec avidité et ressemblait à un de ces animaux pelés qu'on peut observer au Jardin des Plantes. C'étaient ces petites manies qui l'ulcéraient au-delà de tout.

– Ça va, Maggie, murmura-t-elle. Je... je veux me reposer.

– Bien sûr.

Elle donna un baiser mouillé. La Grande Bourgeoisie Bohème accordait son absolution, marmonnant des regrets à propos du prochain déjeuner dominical. Quelle blague !

Sa mère s'écarta et Gaëlle put détailler les autres : Erwan et le Vieux, raides comme des matraques, l'observaient d'un œil aussi noir que leur costard ; en retrait, Loïc, hagard, lorgnait avec convoitise le lit inoccupé de la chambre. Sans doute aurait-il aimé s'installer ici, à ses côtés, et lui piquer ses somnifères...

Elle ferma les yeux pour chasser cette vision.

Les Blues Brothers conspiraient à voix basse :

– J'leur fais pas confiance. Prends un mec à toi pour la surveiller.

– J'ai un nouveau dans mon équipe...

– Très bien.

– Ça sera juste pour cette nuit.

– Bien sûr. Demain, on avisera.

Elle sourit, les paupières toujours closes. On voulait la surveiller, tant mieux. On lui avait parlé d'une cure de sommeil, tant mieux aussi. Tous les dépressifs connaissent ça : le sommeil comme seul refuge.

Peu importait l'échec de son plan. Et comment elle avait été démasquée. Ce qui comptait, c'était qu'elle s'était trompée encore une fois. Durant des semaines, des mois, ce projet l'avait maintenue debout. Mais la haine est une impasse, un mirage. Réussite ou échec, le goût est toujours le même : l'amertume...

Elle rouvrit les yeux et eut une bonne surprise. Elle avait dû s'endormir : ils étaient tous partis. Elle savoura le silence chargé d'odeurs chimiques et de fatigue – un silence d'asile de fous, confiné, murmurant, presque réconfortant.

À l'aube, à son arrivée, après l'examen clinique et l'électroencéphalogramme, le psychiatre de garde, un Roumain, lui avait fait visiter son étage. Les chambres, la salle des repas, le distributeur de boissons… Rien à signaler, sauf qu'il était impossible d'en sortir. La première chose qu'elle avait entendue, c'était le bruit d'un verrou. La dernière aussi.

La scène du balcon lui revenait, atténuée par les médocs. Elle avait senti le vide s'ouvrir, l'aspirer et s'était vue mourir. Ce n'était pas le pire. Le pire, c'était le mobile. Elle n'avait pas voulu en finir. Elle avait simplement eu peur de son père – une peur si enfouie en elle qu'elle avait littéralement explosé dans son cœur. À vingt-neuf ans, elle en était toujours là. Comme les crustacés, elle s'était forgé un solide exosquelette mais la chair à l'intérieur était toujours aussi tendre.

Ce n'était pas un psychiatre qu'il lui fallait mais un exorciste.

Elle eut un geste réflexe vers sa montre et se souvint qu'on la lui avait prise, comme le reste. Vêtements, bijoux, portable étaient sous scellés, dans l'armoire en fer de sa chambre. Ce dénuement contribuait à la perte des repères. Il devait être midi et elle avait l'impression qu'il était minuit. Ou six heures du matin. Plus aucune notion du temps, ni même de douleur. Merci la chimie.

Un voile noir s'abattit sur sa conscience. Le sommeil encore : quand on aime, on ne compte pas…

102

I L AVAIT PASSÉ UN COUP DE FIL à Sergent pour qu'il joue les sentinelles devant la porte de Gaëlle. Le flic n'avait rien compris : il fallait protéger la sœur du patron contre... elle-même. Erwan n'avait pas eu le temps d'attendre l'OPJ à Sainte-Anne. Il imaginait l'accueil que lui réserverait Gaëlle quand elle se réveillerait...

La place de la Nation apparut dans toute sa tristesse. Trop vaste, trop vide, elle ouvrait les bras vers des lieux qui n'incitaient pas eux-mêmes à la liesse : cimetière du Père-Lachaise, quartier crasseux de la Bastille, faux pittoresque du viaduc des Arts de l'avenue Daumesnil...

Kripo opta pour le cours de Vincennes et les confins de Paris – il était venu chercher Erwan à Sainte-Anne. L'atelier de Lartigues se trouvait le long de la petite ceinture, voie ferrée abandonnée de tous, même de ses riverains.

Erwan gardait le silence. Plus de soixante-douze heures après la découverte du corps d'Anne Simoni, quarante-huit heures après celle de Ludovic Pernaud, il ne disposait toujours d'aucune piste sérieuse. Un pseudo-voleur de clous sur les docks de Marseille, les cheveux d'une inconnue, un sculpteur qui achetait de la ferraille rouillée au Congo, et c'était tout.

L'une après l'autre, les voies d'investigation avaient tourné court alors qu'un vent de panique soufflait sur Paris. Les médias parlaient déjà du Tueur aux clous, témoignages absurdes et aveux spontanés se multipliaient, la pression de la hiérarchie montait. Depuis ce matin, Fitoussi avait appelé cinq fois – et pour cause : personne ne comprenait les méthodes d'Erwan. Il ne cessait de disparaître, n'avait pas arrêté le moindre suspect ni auditionné de témoins depuis quatre jours. Qu'est-ce qu'il foutait, nom de dieu ?

Il avait dû promettre d'étoffer son groupe dès lundi – et d'appeler à l'aide les gendarmes du fort de Rosny, profileuses incluses. Il fallait au moins faire du bruit, s'agiter, brasser de l'air. Trouver un truc à dire aux journalistes !

Quand il sortit de ses pensées, Kripo était en train de faire demi-tour, au croisement du boulevard Soult et de l'avenue Courteline. Encore une fois, ils se retrouvaient dans le 12ᵉ arrondissement, à quelques mètres de la rue de la Voûte et de la rue d'Avron. Toujours un hasard ?

L'Alsacien s'engagea sur la droite dans une rue perpendiculaire.

– Tu roules en sens interdit, remarqua Erwan.

– À la guerre comme à la guerre.

Nouveau coup de volant : la villa du Bel-Air se déployait au pied de la voie ferrée surélevée et s'achevait en impasse. La chaussée était pavée comme dans un dessin animé de Walt Disney. Un front de petits immeubles avec jardinets à l'anglaise s'égrenaient en contrebas des rails. Pas un passant à l'horizon.

Erwan sortit de la voiture et observa le décor : les rails sous les arbres et les mauvaises herbes offraient une trouée verte fascinante, comme si on avait arraché le couvercle d'un des secrets de Paris. Un mélange d'abandon et de mélancolie, qui rappelait à la fois les romans d'Henri-Pierre Roché et les sous-bois japonais. De l'autre côté des voies, des immeubles leur tournaient le dos, couverts de graffitis.

L'atelier de Lartigues était au fond. Le calme qui régnait ici lui fit du bien : il ravala son impatience et décida de mener cette visite en douceur. Le 19 était une ancienne gare – un haut bloc sans étage, qui devait abriter jadis les voyageurs attendant leur train.

Il aperçut des conteneurs de plastique et rappela Kripo à leurs devoirs :

– Poubelles.

Ils renversèrent les bacs et se livrèrent au tri habituel. Lartigues ne mangeait que des yaourts et du quinoa. Il abusait aussi de produits d'utilité sexuelle : poppers, Viagra, Cialis, pilules de ginseng et alcaloïdes vasodilatateurs.

– C'est la fête à la maison, ricana Kripo.

Dans un autre bac, ils trouvèrent des fragments de métal qui sentaient encore le feu comme les corps sentent le sexe après l'amour, des résidus de produits chimiques (sans doute des colles), des lambeaux d'élastomère (pour les moulages)...

– Vous cherchez quelque chose ?

Ils se retournèrent.

– Ivo Lartigues, énonça l'homme qui se tenait sur l'étroit trottoir. Je suppose que c'est moi que vous venez voir ?

Erwan savait qu'il ne correspondrait pas au signalement de son voleur de clous mais le sculpteur échappait à tout soupçon : il était en chaise roulante.

Le flic masqua sa surprise en tendant son porte-carte – ce qui lui laissa un bref répit pour retrouver son sang-froid. L'infirme observa le badge tricolore puis le lui rendit avec un long regard scrutateur.

– Sclérose en plaques, commandant. Je lis dans vos yeux que vos renseignements à mon sujet étaient incomplets. Suivez-moi. J'ai du café chaud.

103

SIX MÈTRES de hauteur de plafond, plusieurs centaines de superficie : l'atelier était surmonté d'une large mezzanine. Plus haut encore, des poutres d'acier soutenaient une verrière aux structures d'acier dont les lames diffusaient une lumière grise aussi glacée que celle de vitraux.

– C'est l'ancienne gare de Bel-Air, dit sobrement l'artiste, en disposant trois tasses sur un petit guéridon couvert de brûlures et de taches de peinture.

Erwan et Kripo arpentaient l'espace, frappés par ses habitants : des colosses de plusieurs mètres reproduisant la naïveté inquiétante des statues africaines. Bras à angle droit, torses d'un bloc, regards aussi ronds que des trous d'obus, le tout dans une couleur rouille qui était plus qu'une couleur : une poudre d'anxiété qui étouffait le cœur.

– Vous venez sans doute pour les meurtres de ces derniers jours ? ajouta Lartigues en leur désignant les tasses pleines.

– Qu'est-ce qui vous fait dire ça ? demanda Erwan.

– Je lis les journaux. Visiblement, le mode opératoire du tueur rappelle mes propres œuvres...

Leur hôte n'était pas un imbécile : on allait gagner du temps.

– Selon nos sources, l'une des victimes, Anne Simoni, s'intéressait à votre... groupe.

– De quoi parlez-vous ?

– Des no limit.

Lartigues acquiesça, comme pour lui-même.

– Je ne connais pas tout le monde. Et même, si je voulais vous provoquer, je dirais que je ne connais personne.

– Où vous réunissez-vous ?

– Ça dépend. Dans des friches industrielles, des parkings, ici aussi…

– Et vous ne connaissez pas ceux que vous recevez ?

– Ces soirées sont fondées sur l'anonymat.

– Et pour les invitations ?

Lartigues gloussa. Il avait un long corps, très étroit, qui, une fois déplié, aurait été élégant. Mais dans son fauteuil, il paraissait au contraire atrophié. Une épaule trop haute, les jambes cagneuses, les poignets tordus. L'idée qui venait était celle de crampes d'un genre particulier qui l'auraient foudroyé et figé à jamais.

– Pas d'invitations. Nous agissons comme les terroristes. Jamais de trace écrite. Et surtout rien sur Internet.

Erwan siffla son café en une gorgée – délicieux.

– Vous vous considérez comme un terroriste ?

– S'il s'agit de terroriser l'ordre bourgeois et l'intolérance de la masse, oui.

Laisse tomber pour l'instant. Il remarqua des photographies noir et blanc au mur. Des détails le frappaient : une tête gansée de cuir, des gros plans de bouches, d'orteils ou de papillons, un flingue posé parmi des ampoules de morphine…

– Jacques-André Boiffard, commenta Lartigues en s'approchant. Médecin et photographe, un génie méconnu du groupe surréaliste. Les spécialistes le préfèrent même à Man Ray…

Ces images distillaient un vrai malaise qui, bizarrement, faisait écho aux œuvres de Lartigues – et à son corps difforme.

– Cette nuit, reprit Erwan, j'étais à Marseille…

– Je suis au courant. Heemecht m'a téléphoné. Grâce à vous, ma livraison va être retardée d'au moins une semaine.

– Je peux prendre des photos de vos œuvres ? demanda Kripo, iPhone en main.

– Aucun problème si vous ne les diffusez pas sur Internet.

– Pourquoi achetez-vous ces clous, monsieur Lartigues ?

L'infirme effectua un demi-tour avec son fauteuil pour se placer face à son interlocuteur. Ses traits tourmentés, hiératiques, semblaient aussi aiguisés qu'une lame. Erwan songea à la ligne de trempe des sabres japonais, résultat d'un savant dosage de chauffage extrême et de refroidissement brutal. Le visage de Lartigues semblait résulter d'un tel traitement.

– Vous connaissez la réponse : je m'inspire de la magie yombé, il me paraît plus... authentique d'avoir recours à des clous fabriqués au Congo.

– Pensez-vous qu'ils aient été utilisés par des *nganga* ?

Le sculpteur sourit. Malgré son handicap, il avait une manière particulière de vous regarder de haut. Ses yeux gris clair étaient coupés comme au rasoir par la paupière supérieure trop basse. Au lieu de lui donner une expression endormie, ce trait lui conférait un air de prédateur à l'affût.

– Je vois que vous avez potassé avant de venir...

Erwan haussa le ton :

– Vos clous ont-ils eu un contact avec la magie du Bas-Congo ?

– Bien sûr que non. Ceux qui sont plantés par les guérisseurs dans leurs fétiches n'en ressortent jamais. De plus, les rites yombé ne sont presque plus pratiqués. Ceux que j'achète proviennent de vieux stocks d'une compagnie belge.

Un point pour lui.

– Ces derniers temps, vous en a-t-on volé ?

– Oui. Le mois dernier, une caisse entière.

– Vous avez porté plainte ?

– Ce n'est pas mon genre. Et je n'espérais pas vraiment qu'on se mette à la recherche d'une caisse de clous rouillés.

– Il y a eu effraction dans votre atelier ?

– Non. C'est le plus étrange.

Erwan n'était pas surpris : le tueur au Zodiac, véritable homme invisible, pouvait sans doute passer aussi sous les portes.

– Ce sont ces clous qu'utilise l'assassin ? demanda Lartigues.

Le flic fit mine de ne pas avoir entendu. Il reprit sa déambulation parmi les colosses – il était dans l'atelier d'Héphaïstos, le dieu du feu, des forges et des volcans, qui sculptait lui-même des titans de bronze.

– À travers vos œuvres, vous rendez hommage aux cultes animistes du Congo. Vous y croyez vous-même ?

– Disons que mon art circule entre expression païenne et incantation mystique. Vous comprenez ce genre de langage, commandant ?

– Assez pour savoir quand je n'obtiens pas une réponse. Prêtez-vous des vertus magiques à vos sculptures, oui ou non ?

– Non. Je suis un artiste, pas un sorcier.

Lartigues opéra avec son siège une sorte de 8 sur le sol de béton ciré. Le contraste d'échelle, entre cet infirme replié dans son fauteuil et ces statues géantes, était frappant.

– Comment faites-vous pour sculpter de telles pièces ?

– Vous voulez dire compte tenu de mon handicap ?

– Entre autres.

– C'est simple : j'ai des assistants. Je trace les plans, je choisis les matériaux, je dirige les opérations de soudure. Mon équipe s'occupe du gros œuvre. Je me charge des finitions, perché sur une espèce de Fenwick.

Erwan se dit que ces comparses mériteraient une audition :

– Vous me laisserez leurs coordonnées ?

– Aucun problème.

– Et les clous, vous les plantez vous-même ?

– Toujours. C'est une étape de grande précision où la main de l'artiste ne peut être remplacée. Vous avez entendu parler d'Aleijadinho ?

– Non.

– Un sculpteur du XVIIIᵉ siècle. Le maître du baroque brésilien. En réalité, il s'appelait Antonio Francisco Lisboa mais il était atteint d'une grave maladie, sans doute la lèpre. On l'a affublé du surnom Aleijadinho qui signifie « petit infirme ». Difforme, défiguré, il ne travaillait que la nuit, pour échapper au regard des autres. Ses assistants le transportaient à bord d'un palanquin couvert. On liait ses outils à ses moignons et il montait à genoux sur une échelle. Il a ainsi sculpté les fabuleux prophètes du sanctuaire de Congonhas. Vous voyez pourquoi je pense à lui ?

Erwan hocha la tête : Lartigues était l'Aleijadinho du 12ᵉ arrondissement.

– Soyons plus directs, répliqua-t-il. L'Homme-Clou, ça vous dit quelque chose ?

– Impossible de s'intéresser à la culture yombé sans croiser ce nom.

– Que savez-vous sur lui ?

– C'est un tueur en série qui a sévi à Lontano, une ville nouvelle du Katanga, au début des années 70.

– Vous connaissez son mode opératoire ?

– Il torturait et mutilait des jeunes femmes, avec des centaines de clous et de tessons. Il reproduisait, à sa façon, les rituels des Yombé.

– Comme vous.

– Comme moi, oui. Sauf que je travaille sur des métaux et qu'aucune vie humaine, que je sache, n'a jamais été sacrifiée au nom de mon art.

– Parmi vos admirateurs, en connaissez-vous un qui s'intéresse à l'Homme-Clou ?

– Non. Mais j'ai peu de contacts avec mes acheteurs.

– Je pensais aux participants des no limit.

– Au risque de me répéter, nos réunions respectent la plus grande discrétion.

Erwan rejoignit Kripo qui photographiait un géant dont un bras était levé et l'autre caché par une cape de toile de jute rapiécée. Ses orbites scintillaient sous la verrière : le sculpteur y avait encastré des éclats de miroir. Son épaule nue était couverte de clous et de lames, comme une vérole de pointes rougeâtres.

Il était temps de passer à la vitesse supérieure :

– Où étiez-vous le week-end dernier ?

– À Martigny, en Suisse. Une fondation organise une rétrospective de certaines de mes œuvres. Vous pouvez vérifier.

– Et le mardi 11 septembre à 18 heures ?

– Ici, dans mon atelier.

– Seul ?

– Seul, oui. Je peaufinais la sculpture que vous venez d'observer.

– Et dans la nuit de mercredi à jeudi ?

– Je suis allé à un vernissage, au palais de Tokyo. Et ensuite dîner avec des amis. Vous êtes sérieux ? Vous me soupçonnez ?

– Vous êtes rentré seul ?

– Non. Je ne sais pas si vous avez remarqué mais je ne suis pas d'une grande autonomie : un jeune Philippin, Reuben, m'aide chaque soir. Il pourra témoigner si vous voulez.

– Vous vivez ici ?

Lartigues fit un geste en direction du fond de l'atelier :

– J'ai aménagé un appartement de l'autre côté.

– Et cette nuit, où vous étiez ?

– Ici, avec des amis.

L'infirme parut soudain épuisé. Erwan n'aurait pas cru que quelques questions pouvaient le fatiguer ainsi. Peut-être n'était-ce que de la lassitude face à un flic borné. Aux yeux du sculpteur, Erwan devait incarner le parfait spécimen du petit fonctionnaire, bourgeois et étriqué.

– On vérifiera tout ça, dit-il comme pour bien jouer son rôle. Revenons aux no limit : en quoi ça consiste ?

– Ce sont des soirées très libres, où chacun agit selon sa sensibilité.

– J'ai assisté à l'une d'entre elles à Bièvres, jeudi soir.

– Jamais entendu parler.

– Peut-être une imitation ?

– La rançon du succès...

– Sans plaisanter, combien de membres compte votre groupe ?

– Je vous répète que je ne les connais pas tous et le terme de « membre » n'est...

– Si vous deviez donner un nombre, même approximatif ?

– Plusieurs centaines.

– Quel est son mode d'existence ?

– Le groupe n'existe pas, justement. Sauf quand nous décidons de nous réunir. D'un coup, nous allions nos désirs et l'énergie qui se dégage est... magnifique.

– Que faites-vous, précisément, pendant ces soirées ?

– Nous redevenons nous-mêmes. Nous nous habillons, nous nous comportons selon notre nature profonde.

– Pratiquez-vous des activités SM ?

– Nous n'utilisons jamais ce genre de mots. Mais ces soirs-là, c'est vrai, douleur et jouissance ne sont plus opposées.

– Ces pratiques peuvent-elles aller plus loin ?

– Que voulez-vous dire ?

– Le sang coule-t-il parfois ?

Lartigues retrouva son regard hautain et rusé :

– Comme dit le Nouveau Testament, « heureux l'homme qui supporte l'épreuve ».

– Quelle épreuve par exemple ?

– Vous n'avez qu'à venir ce soir : j'organise, ici même, un no limit.

Au loin, les flashs de Kripo trouaient la pénombre de l'atelier. Il n'était que 16 heures et le temps couvert jouait déjà les crépuscules.

– Il y a un dress-code ?

– Le dress-code est la raison d'être de la soirée. Venez comme vous êtes : vous serez parfait.

– Ne vous foutez pas de moi.

– Je ne plaisante pas : un des courants forts de notre communauté est l'uniforme.

Erwan eut une vision : Lartigues régnant, depuis son siège roulant, sur une communauté d'officiers nazis et d'athlètes en combinaison de latex. Il songea à di Greco et ses soldats. Deux gourous, deux communautés. Il sentait qu'il brûlait mais il ne parvenait pas à déterminer, exactement, la source de chaleur.

Coup de sonde, à l'aveugle :

– Connaissez-vous le nom de Ludovic Pernaud ?

– C'est la deuxième victime, non ?

– Exactement.

– Avant de lire le journal, je n'avais jamais vu ce nom.

Kripo tournait autour d'une femme-oursin comme s'il réfléchissait à la meilleure façon de l'aborder.

– Voyez-vous des membres de votre communauté qui pourraient passer à l'acte ?

– Je ne comprends pas la question.

– Quelqu'un qui irait plus loin que vos simples… jeux. Qui pourrait tuer, mutiler, enivré par sa propre violence.

– Nos pratiques aspirent à l'inverse : la paix par l'assouvissement du désir.

– Et s'il s'agit du désir de tuer ?

– Venez ce soir, vous vous ferez une idée par vous-même.

Erwan fit signe à Kripo, qui rempocha son appareil – et releva au passage les noms et les numéros des assistants du maître. *Au cas où*.

– À ce soir, dit-il à Lartigues.

– Je ne vous raccompagne pas.

Dehors, ils retombèrent sur les détritus qu'ils avaient abandonnés à même le pavé.

– Viens m'aider, ordonna Erwan à son adjoint.

Enfilant des gants stériles, ils se mirent de nouveau à fureter comme des rongeurs affamés se risquant aux abords de la ville. Pas besoin d'explication : ils savaient ce qu'ils cherchaient. Aucune trace du moindre médicament. Comment soignait-on la sclérose en plaques ? Existait-il un traitement ? Ou bien la maladie de Lartigues était-elle imaginaire ?

Ils balancèrent leurs gants dans le conteneur puis s'acheminèrent vers la voiture.

– Tu te démerdes pour avoir son dossier médical le plus vite possible.

– Ok, chef.

– Ton avis, pédé ou pas pédé ?

Ils aimaient jouer à ce jeu débile après une audition – deviner les penchants sexuels du gars interrogé. Ils appelaient ça la « roulette rose ». Lamentable.

– Je pense qu'il a largement dépassé ce stade.

– Qu'est-ce que tu veux dire ?

– J'me comprends.

Erwan n'insista pas : il n'était même pas sûr de l'obédience de Kripo. Il ne lui avait jamais connu aucune fiancée, ni sur une rive ni sur l'autre.

– Tu m'accompagnes ce soir ? lui demanda-t-il.

– Quelle question ! Plutôt deux fois qu'une !

104

— J'AI QUELQUE CHOSE, fit Audrey d'une voix fébrile.
Elle l'attira dans son bureau et referma la porte. Avec sa
veste de treillis olivâtre, elle ressemblait plus que jamais à
une guérillera dans une version pâlichonne et asexuée. Elle sortit
d'une chemise de papier une illustration représentant une tête de
léopard surmontée d'une étoile :

– Tu sais ce que c'est ?

Erwan reconnut l'insigne d'une célèbre école de guerre brési-
lienne, spécialisée dans le combat en forêt. Deux bandeaux, rouge
et bleu, surmontaient le dessin, portant les initiales CIGS pour
Centro de Instruçao de Guerra na Selva.

– C'est le blason de l'école de Manaus, non ?

– Bien joué, général.

Elle lui soumit une nouvelle illustration. Le cliché d'un bras
blessé, sur lequel on distinguait la même gueule de félin.

– Pernaud le portait sur son avant-bras.

– On sait qu'il a été para en Guyane française. Rien d'étonnant
à ce qu'il ait suivi l'enseignement du CIGS.

– J'ai passé ce scan dans les tuyaux ce matin et j'ai obtenu un
retour inattendu. Ce dessin a été signalé dans une enquête qui
n'a rien à voir avec notre histoire : la mort d'un journaliste free-
lance, Jean-Philippe Marot. Un suicide.

Audrey lui tendit un dossier. Marot s'était jeté du neuvième étage, le dimanche précédent. Aucun témoin. Aucune raison de douter de son acte. Il n'avait plus un rond et pas le moindre boulot en vue.

– Comment la tête de léopard est-elle apparue ?

– Un groupe de Louis-Blanc a été saisi pour vérification. Relevés d'empreintes, enquête de voisinage, la routine. Plusieurs témoins ont noté qu'un homme surveillait Marot ces derniers jours. Ils ont mentionné ce tatouage sur son bras.

– Le signalement correspond à Pernaud ?

– Trait pour trait.

Erwan feuilleta encore les PV, en songeant à son père. Se pouvait-il que Pernaud, juste avant d'être assassiné, ait rempli un contrat ? Pour le Vieux ?

– J'ai parlé avec les collègues de Louis-Blanc, continua Audrey. Pour eux, pas de problème : le suicide est kasher. Mais à la DCRI, ils sont moins catégoriques. De leur point de vue, Marot pouvait bosser sur un bouquin qui allait foutre le feu quelque part.

– Qu'est-ce qui leur fait dire ça ?

– Sa chute de neuf étages.

– Sérieusement.

– C'était un journaliste reconnu. Un ancien de l'AFP et du *Nouvel Obs* qui avait écrit plusieurs bouquins sulfureux. Un spécialiste de la Françafrique. Pas le genre à rester les bras croisés ni à se balancer par la fenêtre.

– T'as contacté ses éditeurs ?

– Il préparait un truc mais personne n'en connaissait le sujet. Il n'avait même pas pris d'à-valoir.

– C'est tout ?

– Ça fait déjà beaucoup pour un suicidé. Sans compter ses mômes qu'il a eus avec deux femmes différentes et auxquels il était très attaché. Selon elles, cet acte est incompréhensible.

Erwan refusa d'envisager le pire : son père, encore une fois, au cœur du bourbier.

– Continue à gratter. On sait jamais.

Audrey remballa son dossier. Échange de regards, plus éloquent qu'un discours. Toute barbouzerie à Paris débouchait sur le nom de Morvan, a fortiori liée au continent noir.

– Fais-le, insista-t-il.

18 heures. Il sortit du bureau, s'apprêtant à visiter Favini, quand il tomba sur Levantin, Monsieur IJ en personne. Le technicien ne déboulait jamais au 36 les mains vides :

– C'est rapport aux cheveux de notre Caucasienne...

– Du nouveau ?

– Oui et non.

– Levantin, je t'en prie : on a pas le temps pour...

– J'ai pensé au fichier des désincriminés.

À chaque relevé d'empreintes et de traces ADN sur une scène de crime, on collecte aussi l'ADN des flics présents ou de tout autre innocent susceptible d'avoir laissé des fragments organiques afin de ne pas perdre de temps avec de fausses pistes. C'est ce qu'on appelle le travail de « désincrimination ». Or ces relevés biométriques – et les caryotypes qui y figurent – nourrissent un fichier confidentiel dont il est interdit d'utiliser les données. Le FNAEG concerne uniquement les criminels ou les suspects.

– J'ai trouvé une occurrence dans ce fichier.

– Il est pas verrouillé ?

– Non, mais tout est anonyme. Selon mon ordi, la prochaine victime possède un lien de parenté avec un désincriminé. J'ai eu accès aux échantillons mais pour avoir les noms qui y correspondent...

– Faut de la paperasse, c'est ça ?

– Exactement. Et encore : je suis pas sûr que le parquet...

– Viens avec moi, ordonna Erwan en le prenant par le bras.

Il pénétra dans l'antre de Kripo et lui expliqua de quoi il retournait. L'Alsacien allait régler le problème en quelques coups de fil et formulaires.

Au moment de sortir, Erwan remarqua un livre posé sur un coin de table : *Magie noire au Bas-Congo* de Sébastien Redlich.

Sans doute une doc que Kripo s'était procurée pour enrichir sa connaissance du sujet. Ce que lui-même aurait dû faire depuis longtemps. Il attrapa l'ouvrage et parcourut la quatrième de couverture. Redlich, ethnologue, professeur à Paris-Diderot, spécialiste de l'ethnie yombé, synthétisait dans ce livre dix ans de voyages et de recherches. Erwan avait négligé une piste importante : les personnes à Paris susceptibles de connaître non seulement l'histoire de l'Homme-Clou, mais aussi les rites de ce culte spécifique.

Intrigué, il feuilleta en vitesse le bouquin publié en 2002 et digéra sa surprise : on n'aurait pu rêver une somme plus complète sur les *nganga*, les *minkondi* et l'animisme du Mayombé. Bien plus : Redlich avait consacré un chapitre entier à l'Homme-Clou. Erwan en conclut que l'ethnologue était très bien informé : avait-il interviewé son père ? Était-il au Katanga quand l'affaire avait éclaté ? Sur la photo de quatrième, l'homme semblait avoir dépassé la soixantaine.

Erwan s'installa derrière le bureau face à celui de Kripo (l'adjoint et le technicien bataillaient pour obtenir leur autorisation auprès du parquet) et alluma l'ordinateur. Avant de se rendre à la soirée de Lartigues, il se voyait bien faire une virée chez ce spécialiste. En quelques clics, il trouva ses coordonnées personnelles. Sébastien Redlich vivait à Nogent-sur-Marne... sur une péniche. *Peut-être rien, peut-être quelque chose.* En tout cas, ce type de bateaux disposent souvent d'une autre embarcation, plus petite, qu'on appelle une « annexe ». Pourquoi pas un Zodiac ?

Erwan gagna le bureau voisin. Audrey.

– Dans ta liste des ETRACO, t'as un dénommé Sébastien Redlich ?

La fliquette, déjà sur son écran, pianota :

– Je l'ai mais on l'a pas encore appelé, on...

– Je m'en occupe.

Couloir. Un autre détail lui revenait : le marinier avait remarqué que le rôdeur était reparti en direction de Bercy, c'est-à-dire de la Marne.

Kripo venait de raccrocher, ayant visiblement obtenu gain de cause. Il ne lui restait qu'à rédiger la réquise pour Levantin.

– Pourquoi tu m'as pas parlé de ça ? demanda Erwan en désignant le livre.

L'Alsacien leva les yeux :

– Culture personnelle. J'l'ai trouvé hier à la librairie L'Har-
mattan mais je l'ai pas encore ouvert et...

– Le gars vit sur une péniche, à Nogent, et possède un
ETRACO.

– Et alors ?

– Et alors, on y va. Tout de suite.

105

IRONIE DE L'ENQUÊTE, ils reprirent exactement le même chemin que quelques heures auparavant. Les quais. L'IML. Bercy.

Ils auraient dû filer sur l'A4 mais Kripo bifurqua à nouveau vers la place de la Nation.

– Tu prends pas l'autoroute ?

– Non, le bois de Vincennes.

– Pourquoi ?

– Plus sympa.

Erwan n'insista pas. Depuis leur départ, il ruminait un autre problème, qui n'avait rien à voir avec l'affaire. Il n'avait toujours pas répondu à Sofia. Or, en deux jours, il avait recouvré sa lucidité : cette histoire était tout bonnement impossible. Fallait-il le lui dire par SMS ? Lui donner rendez-vous pour s'expliquer ? Était-il capable d'un tel renoncement ? Ou avait-il plutôt peur de la suite ?

Il se décida pour un texto mais la forme lui posait plus de problèmes encore : quel ton adopter ? Grave ? Tendre ? Humoristique ? Il opta pour la vérité toute nue, qui lui laissait encore un sursis : « Désolé pour le silence. Le boulot. Je pense à toi. » Il appuya sur la touche « envoi » et se rendit compte qu'il se tenait arc-bouté sur son siège, comme si la voiture allait entrer en collision avec un obstacle. Il se redressa et s'obligea à se détendre.

Kripo avait raison : cette traversée du bois au crépuscule avait son charme. Le soleil avait consenti une brève apparition, juste avant de disparaître pour de bon, tel un artiste après un rappel. La circulation était fluide. Les arbres semblaient se refermer sur leur voiture comme les pages d'un livre sur un secret. Erwan ouvrit sa fenêtre : des parfums verts et dorés emplirent l'habitacle. En une seconde, il était grisé. Il fut tenté de laisser son esprit dériver mais se secoua et se concentra sur le client à interroger.

Avant de partir, il avait imprimé sa page Wikipédia. Né en 1961, Sébastien Redlich avait fait ses études d'anthropologie à Paris, filant en Afrique centrale dès qu'il le pouvait. En 89, il avait soutenu une thèse consacrée aux guérisseurs du Bas-Congo puis était devenu chercheur. Dès lors, il avait multiplié les articles scientifiques, les ouvrages abscons, les conférences, avant d'obtenir, dans les années 2000, un poste de maître-assistant à Paris-VII. C'est à cette époque qu'il avait publié *Magie noire au Bas-Congo*, un livre de vulgarisation qui n'avait rencontré aucun succès. D'après l'article, l'homme n'avait pas remis les pieds en Afrique depuis 2003 mais il avait brûlé sa jeunesse dans la brousse, contractant à peu près toutes les maladies possibles en forêt équatoriale – de la malaria à la maladie du sommeil, en passant par les amibes. Un dur à cuire.

Nogent-sur-Marne. La ville, débordante d'arbres et de parterres fleuris, semblait s'alanguir sur les bords de la Marne.

– Prends le port de plaisance.

Ils atteignirent le fleuve alors que la nuit tombait. Pavillons enlierrés, saules pleureurs, bateaux oscillant au gré de la houle. On pénétrait ici dans le domaine réservé des guinguettes, du canotage, des pêcheurs tranquilles, avec ce côté factice de la banlieue quand elle veut renouer avec la campagne : les tonnelles sentaient le neuf, les berges avaient été renforcées par du béton, les vedettes et les barques ressemblaient aux maquettes d'un décor… La rivière, le long de la route, s'enfouissait sous les ifs et les cyprès puis disparaissait. D'après les numéros sur les panneaux, ils étaient arrivés. Les péniches étaient amarrées en contrebas.

– Gare-toi là. On va y aller à pied.

Ils descendirent le sentier qui menait à la Marne. Chaque ponton avait sa boîte aux lettres. La péniche de l'ethnologue ressemblait à un vaisseau de guerre. Entièrement peints en noir, sa coque et son pont s'absorbaient dans l'obscurité. Parvenus à la poupe du *Yombé* (c'était son nom), ils découvrirent l'ETRACO.

Kripo prit une photo. Un aboiement retentit. Les deux flics sursautèrent : un chien beige et rachitique, doté de grandes oreilles, grognait sur le pont.

– Messieurs ?

Plus haut, un grand type aux allures de loup de mer les tenait en joue avec un fusil à pompe. Erwan reconnut le modèle – le fameux Remington 11-87 utilisé par l'armée américaine – et l'homme de la photo.

– Sébastien Redlich ? demanda-t-il sans perdre son sang-froid. Brigade criminelle. Vous avez un port d'arme pour cet engin ?

– À votre avis ? rit l'ethnologue en baissant son arme. Je suis chez moi et je n'ai de comptes à rendre à personne. Si vous voulez monter à bord, va falloir changer de ton.

Le flic sourit en retour et montra son badge :

– Je suis le commandant Erwan Morvan. Voici mon adjoint, le lieutenant Kriesler. Nous sommes venus vous poser quelques questions.

Redlich tendit le bras au-dessus de l'eau pour attraper le badge tricolore qu'il observa avec attention. Il avait glissé son fusil dans le creux du coude et sorti une torche d'une des poches latérales de son pantalon de treillis. Il paraissait vivre à l'africaine, sans électricité ni le moindre confort.

Erwan en profita pour l'observer. Si Lartigues avait créé la surprise, Redlich était tel qu'il l'avait imaginé : crado, mal rasé, flottant dans une chemise à carreaux de trappeur ouverte sur un tee-shirt portant le logo d'une marque de bière africaine. Le point

fort de son visage décharné était d'énormes favoris qui lui donnaient un air de Wolverine ayant pris la pluie.

– Morvan, fit-il l'air soucieux, comme Grégoire Morvan ?

– C'est mon père.

– Montez, fit-il en rendant la carte. J'ai du café.

Exactement les mots prononcés par Lartigues quatre heures
auparavant. Erwan nota un autre détail qui les rapprochait : Redlich boitait. Il se tenait de guingois et traînait la patte comme
s'il avait une jambe de bois.

Encore un candidat éliminé pour le rôle du coureur de Fos.
En empruntant la coupée de la péniche, Erwan n'eut pas l'impression d'avancer mais de reculer.

106

ASSEYEZ-VOUS, ordonna Redlich tout en s'activant au fond de la cabine.

Ils trouvèrent des tabourets graisseux sous une table de bois sombre. Tout ici semblait avoir brûlé : murs, meubles, rideaux... Un décor absolument noir. Seuls surnageaient des objets africains alignés sur les étagères. Fétiches yombé bien sûr, mais aussi figurines ornées de coquillages, masques de cuir ou encore sagaies qui évoquaient une véritable esthétique de la mort. Partout ailleurs, des livres. Le long des parois, encastrés dans les angles, tassés sur le sol, comme s'ils colmataient des brèches.

– Je cherchais justement un lieu pour fêter Halloween, souffla Kripo.

Le pire était l'odeur : un mélange d'algues, de carton humide, d'excréments animaux.

– Du sucre avec le café ? demanda l'ethnologue.

– Sans pisse de chat pour moi, fit Kripo à voix basse.

– Ta gueule. (Erwan se tourna vers Redlich.) Ça ira pour nous, merci.

L'ethnologue revint avec une cafetière italienne et des mugs ébréchés qu'il posa sur la table. La pénombre, sa claudication, l'eau noire à travers les hublots : l'atmosphère tirait franchement vers L'Amiral Benbow, l'auberge de *L'Île au trésor*.

– Vous venez pour les meurtres dont parlent les journaux ?

Il servit le café. Une odeur de terre brûlée s'ajouta aux accords déjà dissonants du lieu.

– Qu'en pensez-vous ? demanda Erwan en notant la vivacité d'esprit de leur hôte.

– L'assassin a l'air d'imiter l'Homme-Clou mais visiblement, les journalistes ne connaissent pas ce fait divers.

– Selon nos renseignements, votre livre, *Magie noire dans le Bas-Congo*, est le seul qui évoque cette vieille histoire.

– Ça fait de moi un suspect ?

Pas la moindre trace d'inquiétude dans la voix. Plutôt l'agressivité typique des vieux râleurs anti-flics, anti-ordre, anti-tout.

– Un déséquilibré aurait pu vous lire et s'en inspirer.

– Dans ce cas, rit-il, ça vous fait peu de suspects. J'ai dû en vendre trois cents en dix ans.

– Parmi ces lecteurs, y en a-t-il qui vous ont contacté ?

– Non.

Toujours debout, il fouilla dans sa poche de poitrine et en tira une gitane maïs. Erwan pensait que ces clopes n'étaient plus en vente depuis longtemps.

– Jamais personne n'est venu vous interroger sur Thierry Pharabot ?

– Aucun souvenir de ça, fit l'autre en allumant sa cigarette.

– Pour votre chapitre consacré à l'Homme-Clou, qui avez-vous interviewé ?

– Dans les années 90, j'suis passé au Katanga. J'y ai rencontré des gars qu'avaient vécu l'histoire et même connu Pharabot. J'ai recueilli leurs témoignages.

– Vous avez gardé le contact avec certains d'entre eux ?

– Surtout des missionnaires, qui sont rentrés en Belgique.

Redlich contourna la table et marcha jusqu'à une commode. Il avait une manière particulière de boiter qui exprimait une sorte de rancœur traînarde. Il ouvrit un tiroir, farfouilla parmi des papiers, revint avec plusieurs cartes de visite et des noms inscrits au stylo sur des feuilles de carnet.

– Ces gens-là vivent aujourd'hui en région flamande.

Erwan passa les cartes à Kripo, qui les photographia.

– Et mon père, vous l'avez contacté ?

– Bien sûr, mais il a refusé de répondre.

– Pourquoi à votre avis ?

– Vous avez qu'à lui demander.

Redlich s'assit enfin au bout de la table, en glissant avec difficulté sa jambe raide. Plus que jamais Long John Silver.

– Et Pharabot lui-même, vous l'avez rencontré ?

– À la fin des années 80. Il était interné dans un asile psychiatrique près de Courtrai, en Flandre-Occidentale.

– On vous a laissé l'interroger ?

– Aucun problème. Il était très calme mais incohérent. De toute façon, il a refusé d'évoquer les assassinats ou son arrestation. Il m'a plutôt parlé de sa jeunesse.

– Je n'ai rien lu là-dessus dans votre livre.

– Mon livre porte sur la sorcellerie yombé, c'est pas la biographie d'un assassin.

Erwan ne résista pas à sa curiosité :

– Durant ses premières années, s'est-il passé des événements, des traumatismes qui pouvaient expliquer sa folie meurtrière ?

– Plutôt, ouais. Pharabot est né dans une famille de colons belges ruinés, dans la haute vallée de la Lukaya. Le père buvait, la mère sautait tout ce qui bougeait, Noirs compris. Très tôt, il a été livré à lui-même et a vécu parmi les ouvriers agricoles de la région, des Yombé pour la plupart. À douze ans, il a subi une initiation *khimba* qui a duré plusieurs mois.

– En quoi ça consiste ?

– C'est dans mon livre. Il faut lire le chapitre de…

– On est là : faites-nous un résumé.

Redlich se racla la gorge – une brosse métallique sur une grille rouillée.

– La première étape est la circoncision à vif. La douleur fait partie de l'épreuve. Après, on fait boire au gamin un poison qui l'endort. Il meurt symboliquement. Quand il se réveille, on lui

rase la tête et on l'enduit d'argile blanche. Alors seulement, l'enseignement commence. On lui apprend à parler aux esprits, à
chasser, à encaisser. *Khimba*, ça veut dire « persévérer », « faire
face »... L'enfant est fouetté, plongé dans un trou rempli de
serpents, abandonné des nuits entières en forêt...

Erwan pouvait imaginer les effets d'une telle initiation sur un
gamin occidental seul et sans repères.

– À l'époque, sa disparition n'a pas été signalée ?

– Je sais pas. Mais je vous le répète : ses parents étaient à la
dérive et le petit avait l'habitude de vivre avec les Noirs sur les
chantiers et les plantations.

– Selon vous, ce sont ces épreuves qui l'ont rendu fou ?

– Non, mais ça a pas arrangé les choses. Plus tard, il a été
repris en main par des jésuites, au Katanga.

– À Lontano ?

– D'abord à Lubumbashi. Il a passé son bac puis a été envoyé
à Lontano, où il a poursuivi ses études d'ingénieur. C'est à ce
moment qu'il est apparu aux yeux de tous comme un *nganga*.

– Vous voulez dire : les autres Blancs ?

– Certainement pas. Même à la fac, Pharabot recherchait la
compagnie des Noirs, ce qui à l'époque était plutôt original. Il
passait pour un guérisseur très efficace. D'abord parce qu'il venait
du Congo central – c'est comme ça qu'on appelait le Bas-Congo
autrefois. Ensuite parce qu'il était blanc. Il était réputé pour s'être
rallié les esprits les plus terribles : Mbola Mvungu, le bossu qui
punit les voleurs avec la lèpre, Nzazi, le chiot tremblant qui descend du ciel comme un éclair et qui peut tuer les hommes en
pissant dessus...

Erwan et Kripo se regardèrent : ces informations paraissaient
loin de leur dossier.

– Faut bien comprendre un truc, continua Redlich qui s'échauf-
fait, le *nganga* est le maître des secrets, l'ennemi des sorciers et
des injustices. C'est un flic de l'au-delà, un garant de l'ordre.
Des familles « mangées » venaient le voir, des malades le consul-

taient, des chefs de tribu imploraient son aide... Pharabot ne craignait pas le deuxième monde : c'était son terrain d'action.

– S'il était si célèbre, on a dû le soupçonner des meurtres, non ?

– Chez les Noirs, c'est sûr. Mais pas question d'en parler aux Belges. Faire couler le sang des Blancs pour appeler les esprits, c'était un geste très fort.

Erwan remarqua que la péniche oscillait. Un mouvement de balancier léger, mais suffisant pour vous déstabiliser l'oreille interne. Les odeurs aidant, il commençait à avoir la gerbe.

– À votre avis, quel a été le déclic du premier meurtre ?

– Aucune idée. Son statut de *nganga* lui valait des jalousies, des rivalités. Il a dû se persuader que des sorciers l'attaquaient, que des démons lui dévoraient l'esprit. Il lui fallait fabriquer des *minkondi* très puissants. (Redlich, l'œil fixe, observait le fond de son mug. Avec ses favoris et ses cheveux en broussaille, il avait vraiment la gueule de l'emploi.) À la fin, Pharabot s'enfonçait des aiguilles dans sa propre chair. Il était lui-même devenu un *nkondi* ! Café ?

Erwan refusa – il était au bord de vomir. Kripo, dans l'ombre, ne répondit pas. Soit il s'était endormi, soit il prenait discrètement des notes.

– À votre avis, reprit le commandant, comment le tueur actuel a-t-il pu entendre parler de l'Homme-Clou ?

– Y a mon livre. Y a le Katanga. Là-bas, l'affaire est célèbre.

– Quand vous avez lu la presse, vous avez été surpris ?

– Oui et non. L'histoire de Pharabot est peu connue mais elle a de quoi fasciner. Ce jeune gars, timide et rêveur, qui était en réalité un sorcier surpuissant. Un vrai superhéros.

– Plutôt un superméchant.

– Vous voyez ce que je veux dire.

Il se sentait de plus en plus mal : les odeurs de pisse, de bois mouillé, de gasoil et la brûlure du café dans sa gorge...

– Anne Simoni : vous aviez déjà entendu ce nom ?

– Jamais. J'l'ai lu dans le journal, comme tout le monde.

– Ludovic Pernaud ?

– Idem.

– Wissa Sawiris ?

– Vous en avez combien comme ça ?

Erwan posait ces questions pour la forme. Ni l'expertise de Redlich en matière de magie yombé ni la possession d'un Zodiac ne faisait de lui un suspect. Quant à sa patte folle, c'était une sorte d'alibi définitif.

– Je peux ouvrir la fenêtre ? demanda-t-il en se levant.

– Non. On est en dessous du niveau de l'eau. Venez dehors.

Erwan retrouva l'air frais avec soulagement. Kripo suivit, tenant discrètement son téléphone. Il ne prenait pas de notes : il enregistrait le témoignage à la manière d'un reporter.

– L'ETRACO amarré à l'arrière, vous l'avez depuis longtemps ?

L'ethnologue rit sans se gêner et balança sa gitane éteinte par-dessus bord.

– C'est donc ça : vous me soupçonnez.

– Pourquoi faites-vous le lien entre votre Zodiac et les meurtres ?

– Tous les articles ont mentionné le bateau du tueur. Un modèle Hurricane.

Erwan n'avait pas souvenir d'avoir livré l'info aux journalistes mais le 36 était le meilleur amplificateur de rumeurs qu'on puisse imaginer.

– Vous l'utilisez souvent ?

– Jamais. Il est mort. Si vous réussissez à le démarrer, j'vous paye un coup.

– Où étiez-vous le week-end du 8 septembre ?

– Ici, sur ma péniche. J'ai des voisins : vous pouvez leur demander. Y a eu un meurtre à cette date-là ?

– Et le mardi 11 septembre, à 18 heures ?

– Je donnais mon cours à Paris-Diderot. Trois cents témoins. (Il rit dans la nuit.) Ça, c'est un alibi !

À l'écart, Kripo faisait maintenant ami-ami avec l'horrible chien à tête de fennec.

– Dans la nuit du 12 au 13 ?

– Je dormais ici. Seul, malheureusement…

– Et hier soir ?

– Même régime.

Erwan regarda sa montre : 20 heures passées. Encore une visite pour rien. Il respira une grande goulée d'air humide, chargé des parfums des arbres sur la berge.

– Vous connaissez Ivo Lartigues ? demanda-t-il pour conclure.

– Bien sûr. Un des rares à avoir vraiment lu mon bouquin. Il s'intéresse à la magie yombé et à l'Homme-Clou. Il est venu me voir plusieurs fois à la fac. C'est devenu un ami.

– Comment le caractériseriez-vous ?

– Spécial. Dans sa tête d'artiste, ces sacrifices de bonnes femmes, ces sculptures taillées dans de la chair humaine ont beaucoup plus de valeur que ses propres trucs rouillés.

Erwan était d'accord.

Il appela Kripo et attrapa le garde-fou pour retourner vers la coupée :

– Je vous remercie, monsieur Redlich.

– Vous avez oublié de me poser une question.

– Laquelle ?

L'autre frappa le pont avec son talon :

– L'histoire de ma jambe !

– Ça a un lien avec l'Homme-Clou ?

– Aucun. J'ai eu un accident d'avion dans les années 90 du côté du Muanda, à l'embouchure du Congo. Infection galopante. C'est un *nganga* qui m'a soigné. (Il donna un nouveau coup de talon, avec une sorte de joie lugubre.) Comme quoi, la magie yombé est perfectible !

107

RETOUR USINE.
Quelques coups de fil en route. Tonfa prenait racine à l'IML. Favini courait après un fantôme – Pernaud. Audrey après un léopard – la Guerra na Selva – et un suicidé – Jean-Patrick Marot.

Levantin n'avait pas avancé non plus. Il attendait toujours les codes pour ouvrir le fichier des désincriminés permettant d'identifier le parent de la victime à venir, ou sans doute déjà exécutée. Quant aux prélèvements de sang sur les corps, aucun résultat. Il en était à sa quarantième analyse. Erwan lui avait ordonné de continuer : il était certain qu'un autre groupe sanguin allait sortir – celui de l'assassin.

Pour ne rien arranger, aucune nouvelle de Sofia.

– Ça te dérange pas si je te dépose ? demanda Kripo. Je veux repasser chez moi.

– Pas de problème.

Il aurait dû en faire autant : il puait la sueur et l'urine de chat. Mais l'idée de se retrouver seul entre ses quatre murs, à attendre le coup de fil de l'Italienne, l'effrayait. Il préférait macérer dans son jus au 36. Il franchit le portail, bifurqua vers l'escalier A, grimpa les marches dans l'obscurité.

– Y a quelqu'un pour toi, fit Audrey en le croisant au quatrième étage.

– Qui ça ?

– La grande bourgeoise qu'attend le flic viril. Un classique. J'l'ai foutue en salle de réunion.

Il n'avait jamais réussi à imposer le sens de la hiérarchie à Audrey. Il laissait courir : ses mauvaises manières étaient à la hauteur de ses résultats.

Il entra dans la salle, déserte à cette heure. Assise dans un coin, Sofia fumait, au mépris de toutes les règles. Tremblante, au bord des larmes, elle avait l'air sanglée sur une chaise électrique.

Erwan s'approcha. Son cœur produisait le cognement sourd d'un sac de boxe.

– Qu'est-ce qui se passe ?

– Ferme la porte, ordonna-t-elle en écrasant sa clope par terre.

Erwan s'exécuta. Elle sortit de son Balenciaga une enveloppe kraft, format A4. Préambule habituel d'une catastrophe.

– Mon avocate a engagé une agence d'intelligence économique.

– C'est quoi ?

– Un détective privé. Spécialisé dans les affaires de fric. Il a découvert que ton père détient 16 % du capital de Coltano.

– C'est pas un scoop.

– Une société luxembourgeoise en possède 18 %.

– Quel nom, la boîte ?

– Heemecht.

Nouvelle connexion : l'entreprise qui transportait les clous d'Afrique appartenait *aussi* aux actionnaires de Coltano.

Sofia alluma une nouvelle cigarette, faisant claquer ses lèvres sur le filtre. Il ne l'avait jamais vue aussi tendue.

– Ce sont des chiffres publics, non ? demanda-t-il pour calmer le jeu.

– Ce qui n'est pas public, c'est la personnalité qui est derrière Heemecht.

– Qui ?

– Mon père.

Erwan avait beau s'accrocher à son rôle de flic impassible, il perdait pied :

– Comment ça ?

– Depuis la fondation du groupe, mon père possède 18 % de Coltano. Et avant cela, il était aussi actionnaire de la boîte de ton père qui raffinait le manganèse.

– Tu veux dire que nos vieux sont rivaux au sein des mêmes sociétés ?

– Non. Je veux dire qu'ils sont associés en Afrique depuis toujours. Ils se sont partagé les parts que les Africains leur ont laissées au sein des compagnies d'exploitation minière et au passage, ils se sont foutus de notre gueule.

Erwan secoua la tête : ça ne tenait pas debout.

– Tu ne connais pas l'histoire, répliqua-t-il. Mon père avait des relations privilégiées avec Mobutu, le président de l'époque, grâce à une enquête criminelle qu'il avait résolue. Le Zaïre, ça fait loin de Florence et...

– Mon père a toujours eu des affaires là-bas. Il prétendait qu'il travaillait dans les anciennes colonies italiennes, comme l'Éthiopie, mais il mentait : son fief était le Congo.

– Ils nous auraient joué la comédie ? Pourquoi ?

– Pour nous manipuler, Loïc et moi. Pour provoquer notre rencontre et nous marier.

Ce n'était plus de la parano : Sofia était en roue libre.

– Dans quel intérêt ?

– Réunir leurs parts en Afrique à leur mort.

Cigarette au bec, elle ouvrit l'enveloppe kraft et lui tendit une liasse de feuillets imprimés. La colère la rajeunissait et renforçait sa beauté.

– Tout est là. Selon l'enquêteur, ni ton père ni le mien n'ont jamais pu acquérir plus d'actions au sein de Coltano. C'est un contrat tacite avec les généraux africains. Pas question qu'ils aient l'un ou l'autre plus de 33 %.

– Pourquoi ?

– Parce que c'est la minorité de blocage et qu'ils deviendraient, de ce fait, les véritables patrons. Quand on peut dire non, on décide de tout par défaut.

– Je comprends toujours pas leur intérêt dans votre union.

– On s'est mariés sous le régime de la communauté réduite aux acquêts. Quand les vieux mourront, leurs parts tomberont dans la corbeille et on deviendra, Loïc et moi, propriétaires de plus de 33 % de Coltano. On aura donc, en cogestion, la minorité de blocage. Les Congolais ne pourront rien faire contre ça : Coltano est une boîte française.

– Puisqu'ils seront morts, rétorqua Erwan, de plus en plus troublé, où sera la victoire ?

– Ils auront uni leurs royaumes en mariant leurs enfants. À travers nous, ils prendront enfin le pouvoir.

– Vous ne serez pas les seuls à hériter des actions de Coltano. Y a tes sœurs. Y a moi, y a Gaëlle.

Avec une sorte de rage triomphale, elle sortit un autre document de l'enveloppe :

– Un extrait du testament de ton père. Je te l'ai déjà dit : il lègue toutes ses parts de Coltano à Loïc.

Par réflexe, il détourna le regard comme s'il s'agissait d'un tabou, d'un texte sacré dont la lecture lui était interdite. Il y avait quelque chose d'obscène à pouvoir lire les projets de son père au-delà de sa mort. En même temps, il se dit que le détective de Sofia assurait : dégoter un document pareil revenait à posséder les codes de l'arsenal nucléaire français.

– Je me suis aussi procuré celui de mon père. Même topo. Crois-moi : le coup était bien préparé.

Erwan se résigna à lire. C'était la preuve, noir sur blanc, de la machination. Il comprenait maintenant la rage inexplicable de Morvan à l'égard du divorce de Loïc. Cette séparation ruinait ses plans.

– À l'époque, rien ne garantissait que vous alliez vous marier, argumenta-t-il encore, pour la forme.

– Tu parles. Il suffisait de nous faire nous rencontrer. Loïc était un demi-dieu et je n'étais pas mal non plus.

Prends ça dans la gueule.

– Vous auriez pu faire un contrat de mariage.

– Mon père, comme le tien, exigeait un contrat de séparation de biens. On s'est empressés de faire le contraire. Le problème des jeunes et de leur rébellion, c'est qu'il n'y a rien de plus prévisible.

Erwan lui rendit le document sans un mot.

– C'est une OPA par le sang, conclut Sofia. En voulant tout me donner, il m'a tout pris...

Sa coiffure, d'ordinaire si lisse, était désordonnée. Elle transpirait abondamment et, pour une fois, les pores de sa peau étaient dilatés.

– J'allais oublier : le meilleur pour la fin !

Erwan baissa les yeux sur la photo qu'elle lui tendait. Un homme d'une quarantaine d'années y souriait, visage de fauve, crinière de pierre ponce : son père, tel qu'il l'avait connu dans son enfance. Sur ses genoux se tenait une petite fille à l'air sage qui semblait incarner, à elle seule, tout un pan de l'histoire de l'aristocratie italienne. Pourtant, avec ses longs cheveux noirs et ses yeux légèrement bridés, elle aurait presque pu passer pour une Eurasienne ou une Amérindienne : Sofia.

– Où t'as trouvé ça ?

– Dans ma propre boîte à photos. Ce cliché a dû atterrir là par hasard. Je possédais chez moi la preuve de leurs mensonges ! Ton père m'a vue naître !

Finalement, Erwan n'était ni choqué ni surpris. À la différence de Sofia, il connaissait depuis longtemps l'animal qui l'avait engendré.

– T'en as parlé à Loïc ?

– Pas encore. De toute façon, depuis le... enfin, depuis la connerie de ta sœur, il est à l'ouest. Il répète des mantras, il médite, et il doit se cocker à mort.

– Que comptes-tu faire ?

– Ce qui était prévu : divorcer. Plus que jamais !

Sans réfléchir, il lui prit la main, qu'elle lui abandonna. Pas vraiment le moment pour la jouer romantique et d'ailleurs, ses doigts étaient glacés.

– Ta sœur a raison, murmura-t-elle. Il faut les abattre. Il faut les détruire.

– Méfie-toi de mon père...

– Tu me prends pour qui ? Une petite conne qui sort d'une pension de jeunes filles ?

Il faillit répondre oui mais elle ajouta :

– J'ai grandi auprès du Condottiere, qui n'a rien à envier à ton vieux.

Erwan n'écoutait plus. Il songeait à la nuit précédente. Non : il la vivait à nouveau. C'était une force obscure et chaude qui coulait en lui, disséminant des particules de bonheur tellement acérés qu'elles en étaient presque douloureuses... Les mots, les pensées lui manquaient pour exprimer, ou même concevoir, ce qu'il avait ressenti entre les bras – les jambes – de Sofia. C'était un flux, un don merveilleux dont il ne cessait de mesurer la profondeur. Il n'aurait jamais osé l'avouer mais il s'étonnait toujours – en vérité, il en demeurait stupéfait – qu'une femme l'accepte à l'intérieur d'elle-même. C'était comme d'entrer dans un temple, un lieu sacré interdit aux mortels.

On frappa à la porte.

Le temps qu'il réponde, le visiteur était là, vêtu à la mode du XVIIIe siècle, visage poudré, longs cheveux gris noués en queue-de-cheval, redingote de velours pourpre, manches à dentelles, hauts-de-chausses, bas blancs et chaussures à boucle.

Erwan mit quelques secondes à reconnaître Kripo qui se tenait cambré, une main appuyée sur une canne, l'autre sur la hanche.

– Qu'est-ce que tu fous ?

– C'est pour notre soirée...

– Quoi, notre soirée ?

– Je suis en marquis de Sade. Le retour aux sources, camarade !

108

IL AURAIT DÛ se préoccuper du sort de Coltano, s'angoisser des soupçons qui pesaient autour de Pernaud ou s'interroger, encore et toujours, sur l'identité de ce revenant surgi du passé, capable de buter ses propres tueurs.

Rien à foutre.

Il planait, allongé sur son lit, comme s'il avait fumé un joint, ou doublé la dose de ses médocs. Gaëlle était vivante : cela seul comptait. Le reste, c'était le tout-venant. La merde habituelle, aucun intérêt.

On était samedi soir, 21 h 30, et il percevait la radio en fond sonore, les yeux au plafond. Son ivresse était vaste, profonde et légère à la fois. Il lui semblait osciller sur son lit et il se revoyait, écoutant son petit transistor, quarante plus tôt, à bord d'un chaland sur le fleuve Lualaba, alors qu'il épiait Thierry Pharabot.

Dans les grandes lignes, rien n'avait vraiment changé. Le roulis des eaux l'habitait toujours. L'excitation de sa première enquête aussi. Et le goût de l'Afrique bien sûr... Quand on a connu cette terre rouge, ces paysages qui vous fracassent le cœur et vous brûlent la rétine, ces hommes et ces femmes hilares, brutaux et naïfs, qui peuvent déployer des trésors de finesse, de sensibilité artistique, de superstitions hallucinantes, on ne s'en remet jamais vraiment. L'Afrique, c'est comme ce paludisme chronique dont on se croit guéri parce que les parasites ont apparemment disparu mais qui reste enfoui, au fond du foie, ne demandant qu'à ressurgir.

On frappa à la porte.

Il se redressa en un mouvement, la main sur le calibre planqué dans son meuble de chevet. Il se ravisa. Ce signal signifiait trois choses : le visiteur connaissait le code d'en bas, il possédait un passe pour franchir la deuxième porte, celle de l'interphone, et il savait qu'un samedi soir, il fallait monter par l'escalier de service et frapper ici pour le trouver.

Erwan.

Il alla ouvrir.

– T'as cinq minutes ? demanda son fils d'un air mauvais.

Morvan ouvrit les bras pour désigner sa tenue : veste et pantalon de survêtement, chaussons doublés de fourrure. Il le fit entrer et lui proposa quelque chose à boire. Erwan refusa d'un brutal signe de tête. Morvan fut attendri par ce geste : à plus de quarante ans, c'était toujours la même tête de mule, ce même non buté que traduisait cette manière particulière d'avancer, toujours le pied sur le frein.

Il éteignit la radio et essaya la connivence :

– Ça fait longtemps qu'on a pas passé un samedi soir ensemble. Tu te souviens de nos soirées télé ? De...

– Je suis venu t'apporter un souvenir.

Erwan posa une photo sur le lit. Morvan l'attrapa et sa vision se troubla aussitôt. Libreville, 1978. Montefiori l'avait invité à passer quelques jours dans sa villa – il signait un prodigieux contrat avec Omar Bongo concernant les rails d'une nouvelle voie ferrée.

Ce qui lui crevait le cœur sur cette image, ce n'était pas Sofia – petite fille capricieuse qu'il n'avait jamais supportée – ni leur jeunesse perdue, à lui et au ferrailleur, c'était ce rêve de rédemption qui planait sur le cliché. À l'époque, les deux négriers pensaient qu'ils seraient sauvés par leurs propres enfants dont le destin rachèterait leurs péchés – ou du moins les excuserait. Il n'en fut rien : ils avaient continué leurs saloperies et leurs gamins avaient grandi dans la richesse et la méfiance, pressentant les crimes qui les nourrissaient. L'innocence leur avait échappé à tous, à la manière d'un nuage éthéré qui finit par se condenser en larmes.

– Qui t'a donné ça ?

– Sofia. Elle a mené son enquête et a découvert de drôles de choses.

– Tu connais ma réponse, me la fais pas répéter à chaque fois. Tout ce que j'ai fait…

– C'était pour notre bien, j'ai compris. Mais je m'en fous. Vos mensonges, vos combines, ça vous regarde.

– Loïc est au courant ?

– Pas encore.

– Sofia a parlé à son père ?

– Je ne sais pas. Elle veut vous faire la peau.

– Et toi ?

– Simplement éclaircir quelques trucs.

Le Vieux ne parvenait pas à décoller les yeux de la photo. À cette époque, Gaëlle n'était pas encore née et lorsqu'il voyait la môme Montefiori, il priait secrètement pour avoir un jour une fille aussi jolie qu'elle. Le miracle était survenu mais cela avait été un cadeau du diable.

– Sofia pense que son mariage était un prétexte pour fusionner vos parts de Coltano.

– C'est vrai.

– Et que vous avez arrangé leur rencontre.

– Vrai aussi. Ça te choque ?

– Non. Mais il y a une chose qui m'échappe. Si j'ai bien compris, tu veux exploiter de nouvelles mines dans le dos de Coltano.

– Exact.

– Pourquoi cherches-tu à spolier un empire que tu comptes offrir à tes enfants ?

– Parce qu'il y a le court terme et le long terme. Aujourd'hui, la meilleure idée, c'est de rafler la mise, le plus rapidement possible. Après, on verra où ça nous mène et ce qu'il restera de l'« empire », comme tu dis, après la guerre et notre mort…

— Comment tu peux miser sur Loïc et Sofia pour diriger une telle boîte ? Ils y connaissent rien.

— Ils seront toujours meilleurs que les Négros.

— Un jour, il faudra que tu me dises si tu aimes l'Afrique ou si tu la détestes.

— La réponse est dans la question : mon cœur balance toujours. C'est tout ?

Son fils lui paraissait anormalement sûr de lui : il lui cachait quelque chose. Sur l'enquête ? Loïc ? Sofia ? Morvan conserva le silence. Sa méthode préférée : rester tapi dans l'ombre et surveiller sa proie.

— Je suis aussi venu te parler de Jean-Philippe Marot.

Il savait que le meurtre de Pernaud provoquerait une réaction en chaîne. Et le tueur le savait aussi.

— Le journaliste qui s'est suicidé ?

— J'ai eu peur que tu fasses semblant de ne pas être au courant.

— Je suis au courant de tout. Pourquoi tu me parles de lui ?

— Ludovic Pernaud a été repéré autour de son domicile quelques jours avant sa mort.

— Et alors ?

— Pernaud était une barbouze. Un mec qui a dû « suicider » pas mal de gars dans sa vie, le plus souvent sur tes ordres.

— Fais attention, un flic ne peut pas porter de telles accusations sans preuve.

— Marot : c'est toi ou non ?

— Pourquoi j'aurais ordonné son exécution ?

— C'était un fouineur de première. Il préparait peut-être un truc qu'il fallait étouffer.

Morvan se posta devant la fenêtre, dos à son fils. Il aimait se tenir ainsi, les mains dans les poches : le capitaine sur le pont du navire. Face à lui, l'avenue de Messine offrait son habituelle rectitude, hautaine et distanciée.

– Tu te trompes d'époque, fiston. On ne bute plus les gens comme ça. On vit à l'heure du consensus mou et du politiquement correct. Personne ne croit plus en rien sauf aux causes qui coûtent pas un rond : l'écologie, l'altermondialisme... C'est loin, c'est vague et pendant ce temps-là, on fait les soldes chez Colette.

– Arrête de tourner autour du pot. Réponds-moi.

Il soupira et se dirigea vers une table où étaient posées bouilloire et tasses en grès. La théière en fonte était déjà chaude. Il la saisit et y versa l'eau bouillante.

– T'es sûr que tu veux pas une infusion ayurvédique ? C'est celle que Loïc nous a rapportée du Tibet.

Erwan ne prit même pas la peine de répondre. Morvan se servit une tasse, humant le parfum épicé. Il buvait cette mixture chaque soir avant de se coucher.

– T'es saisi de l'enquête ? demanda-t-il.

– Y a pas d'enquête et tu le sais.

– Marot était un fouille-merde de la pire espèce, finit-il par admettre. La plupart de ses analyses étaient fausses et les scandales qu'il a levés des pétards mouillés.

– Tu l'as fait tuer, oui ou non ?

– Tu peux pas me mettre tous les morts sur le dos.

– Si Marot avait creusé dans une direction gênante, c'est toi qu'on aurait appelé.

– Il existe un jeu de dupes entre les journalistes et le pouvoir. On les laisse révéler de pseudo-scandales. En échange de quoi ils ne touchent pas aux vrais sujets qui fâchent.

– Sur quoi travaillait Marot ?

– Qui s'en soucie ? C'est déjà de l'histoire ancienne.

– Je ne peux pas croire que tu aies fait buter ce mec sans le moindre état d'âme.

Morvan vint s'asseoir dans un fauteuil, près du canapé où se tenait son fils :

– Tu sais ce que disait Lê Duc Tho, le général vietnamien ? « Il meurt un homme sur terre chaque seconde : il est bon, de temps en temps, qu'une de ces morts serve une cause. »

– Lê Duc Tho était un fanatique.

– Lauréat du prix Nobel de la paix, tout de même.

– Il l'a refusé !

Morvan leva sa tasse :

– Bien joué, mon fils.

– Quelle cause pourrait servir la mort de Marot ?

– La seule qui vaille : l'ordre du pays. L'unique question que tu devrais te poser, c'est : comment et pourquoi le nouvel Homme-Clou sait-il tout ça ?

– Je suis encore assez grand pour mener deux enquêtes à la fois. Si je trouve quoi que ce soit qui démontre ta culpabilité sur ce coup, tu tomberas. Tu payeras pour tes crimes, j'en fais le serment.

– Je paye chaque jour, crois-moi, à ma façon. L'Homme-Clou, où t'en es ?

– J'ai aucune raison de parler à un témoin. Je devrais dire : un suspect. À chaque nouveau pas dans cette affaire, ton implication devient plus flagrante.

Le fiston commençait à appuyer douloureusement sur la plaie. Son soulagement à propos de sa fille s'évaporait comme la fumée du thé.

– Alors, va bosser au lieu de m'emmerder ! fit-il avec irritation.

– C'est toi qui m'as dit de me concentrer sur les faits matériels, l'origine des clous et autres.

– Et alors ?

– Ces clous sont importés par une boîte luxembourgeoise : Heemecht. Tu connais ?

Morvan ignorait que Heemecht convoyait cette vieille ferraille. Le tueur cherchait-il à impliquer aussi le Rital ? Une certitude : son mobile se trouvait en Afrique centrale.

– Tu connais ma réponse. Ces clous, qui les achète ?

– Lartigues.

Il y avait donc encore des faits majeurs qui lui échappaient... Une leçon d'humilité pour l'homme omnipotent qu'il croyait être.

– Montefiori, reprit son fils, il était à Lontano ?

– Oui.

– Comme di Greco ?

– Où tu veux en venir ?

– Qu'avez-vous donc fait en Afrique pour susciter tant de haine ?

Morvan but une gorgée brûlante et répondit d'un ton vague :

– C'est si loin...

Erwan se dirigea vers la porte sans un mot.

– Méfie-toi, Erwan. Trop de pistes ne donnent pas une route mais un labyrinthe.

– C'est la phrase du jour ?

Il disparut dans l'escalier, laissant son père assis dans son fauteuil.

Péniblement, Morvan se leva et tourna le verrou. Le tiroir de sa table de chevet était encore ouvert. Avant de le fermer, il saisit son arme – un Beretta 92FS en inox, qui tirait quinze balles 9 mm Parabellum plus une dans la chambre.

– *Si vis pacem, para bellum*..., murmura-t-il.

« Si tu veux la paix, prépare la guerre. » C'était de cette devise latine qu'était né le nom du calibre. Il remit le pistolet en place.

Lui, toute sa vie il avait préparé la guerre, il n'avait jamais trouvé la paix.

109

LA STATION DE MÉTRO, c'est Jacques-*Bon*sergent !
Le jeune flic rougissait en répétant sa phrase : il en avait
sans doute marre des plaisanteries que cette homonymie
suscitait. Gaëlle le trouvait plutôt mignon. Sous l'effet des sédatifs, elle évoluait dans un demi-rêve et la présence de ce puceau
était comme une douce berceuse.

Elle avait beau être vêtue d'un ensemble-survêtement, caban
sur les épaules, cela n'altérait pas son charme, elle le sentait.
Elle lui avait proposé de faire quelques pas jusqu'au bout du
couloir. Près des distributeurs de boissons, on pouvait entrouvrir
une fenêtre basculante : Gaëlle avait envie d'une cigarette. Le
bleu aussi. Ils étaient là à fumer, guettant d'un œil l'arrivée
d'une infirmière et devisant tels des étudiants dans un recoin
de fac.

– C'est sexy d'être enfermés tous les deux ici, non ? l'asticota-
t-elle.

Il rougit encore sans répondre. Il tirait sur sa clope comme
un condamné à mort.

– On t'a dit ce que j'avais fait ? insista-t-elle encore.

– On m'a parlé de..., hésita-t-il, enfin... de l'avenue du
Président-Wilson.

– Le grand saut, mon Jacquot, tu peux le dire...

Elle lui parlait comme on parle aux enfants, d'une voix tendre
et familière – et légèrement moqueuse. Il devait avoir dans les
vingt-cinq ans mais se tenait déjà voûté, comme écrasé par son
costume bon marché.

Il jeta sa cigarette à l'extérieur puis la fixa par en dessous :

– Pourquoi êtes-vous allée... si loin ?

– Des projets qui ont mal tourné.

– Mais enfin... vous...

Il n'acheva pas sa phrase, ses yeux parlaient pour lui : comment
avait-elle pu en arriver là, elle qui avait tout pour être heureuse ?
On prête tout aux riches, sauf le désespoir.

– Tu sais ce que je fais au moins, comme job ?

– Vous êtes dans le cinéma ?

– Ça, c'est ma couverture. En réalité, je suis une pute.

– Ah ?

Sergent vira au cramoisi. Il ne savait ni quoi dire ni même sans
doute quoi penser. Gaëlle était la fille d'un des flics les plus
redoutables de France et la sœur de son boss.

– Au début, continua-t-elle d'un ton visqueux, je me disais
que ça m'aiderait dans ma carrière mais finalement, j'y ai pris
goût. À trois mille euros la nuit, ça se comprend, non ?

Ses tarifs n'excédaient jamais mille euros mais elle s'amusait à
retourner l'âme du jeune homme. Il rêvait sans doute d'épater
les filles avec ses anecdotes d'enquêteur criminel. Or Gaëlle était
née dans ce milieu, au plus haut niveau, et elle jouait maintenant
les Antéchrist.

– Je... En effet, oui, balbutia-t-il. C'est intéressant.

– Y a pas que la thune. Y a aussi le plaisir.

– Parce que... enfin, ça peut être... agréable ?

Sergent avait du mal à rester en selle : à chaque mot, il menaçait de mordre la poussière.

– Au pire, on s'en fout, continua-t-elle avec une perversité
insidieuse. Au mieux, on prend son pied. Mais c'est jamais dou-
loureux ni dégradant. Je...

Un bruit dans le couloir. Ils tournèrent la tête en même temps, s'attendant à voir apparaître une infirmière. Mais rien ne bougeait. Le silence se dilatait dans cet étage verrouillé, provoquant une sensation d'asphyxie, d'imminente catastrophe...

– Je vais faire une ronde, dit Sergent, trop heureux d'échapper à cette conversation.

– C'est moi que tu dois surveiller, pas les autres.

– Je vais tout de même jeter un œil. Bougez pas.

Le flic avait retrouvé son autorité ; il s'éclipsa. Gaëlle remonta le caban sur ses épaules. Elle avait froid. Elle avait chaud. Elle avait un goût de médocs dans la gorge. Dans une autre vie, un tel garçon lui aurait plu : douceur, gentillesse, un être à caresser, choyer à chaque heure du jour et de la nuit...

Les sédatifs lui permettaient de rêver sans honte. Le traitement d'antidépresseurs demandait au moins dix jours pour faire effet. En attendant, c'était tranquillisants à doses de cheval.

Des années qu'elle n'avait pas mis les pieds dans un HP. Bizarrement, elle n'était jamais passée par Sainte-Anne – en France, les malades mentaux sont orientés selon leur adresse postale, pas selon leurs symptômes. Elle éprouvait une fierté perverse à se retrouver enfin ici : La Mecque des fêlés.

Que foutait Sergent ? Elle n'entendait plus ses pas qui semblaient avoir été absorbés par la pénombre. Pour patienter, elle alluma une nouvelle cigarette.

Elle n'avait toujours pas rencontré son médecin référent mais avait croisé dans la journée ses codétenus de l'étage. Une paranoïaque qui soupçonnait son psy de lui envoyer des ondes détruisant ses ovaires, un vieil homme qui vivait dans l'obsession qu'une des allées de l'hôpital porte son nom, un autre qui exigeait un scanner pour pouvoir compter les plis de son cerveau... La routine.

Soudain, les plafonniers s'éteignirent. Par réflexe, elle jeta un coup d'œil à son poignet. Pas de montre. Sans doute l'heure du couvre-feu. Ses yeux s'habituèrent à l'obscurité. Aucun bruit, aucune présence.

Mais où était Sergent ?

Elle jeta sa clope et décida de partir à sa recherche.

110

ERWAN AVAIT ORDONNÉ à Kripo d'aller se changer. Vexé, celui-ci l'avait rembarré et lui avait conseillé de se rendre seul à la soirée de Lartigues. Comme il voudrait : l'Alsacien trouverait bien de quoi s'occuper jusqu'à l'aube, fadettes ou autres (Erwan l'avait chargé de se procurer le dossier médical de Redlich). Maintenant, en faisant la queue le long de la voie ferrée, villa du Bel-Air, il mesurait à quel point il avait sauvé son adjoint du ridicule : le dress-code de la soirée n'avait rien à voir avec ses bouffonneries de marquis.

Un homme nu était peint en noir jusqu'au visage, parachevé par un loup à la Zorro. Un autre portait une cape en latex et un énorme collier de chien clouté. Une créature, ni homme ni femme, montée sur des chaussures à plateforme, arborait un tutu rose sur un body pourpre. La parade continuait ainsi, se perdant sous les platanes de la petite ceinture. Toute cette faune semblait attendre un train pour un au-delà terrifiant.

Le plus impressionnant était le silence. Ces êtres de la nuit n'échangeaient pas un mot, pas un rire. Ils suivaient sans doute des consignes : pas question de déranger les voisins.

Son tour était arrivé.

– On t'a mal renseigné : tu peux pas rentrer dans cette tenue.

Muselière et coque grillagée sur l'œil gauche, le physionomiste était un obèse chauve et épilé, vêtu d'un simple corset renforcé au titane ou au carbone. Dans ce poitrail qui tenait à la fois de l'armure et du bustier Repetto, on avait inséré des tubes de perfusion.

– Je suis déguisé, rétorqua-t-il.

– En quoi ?

– En flic.

– Très drôle.

Erwan écarta le pan de sa veste sur son calibre, glissé dans son holster thermoformé :

– Tu veux voir mon badge ?

Hésitation. Erwan renchérit :

– Je suis un ami d'Ivo. Tu peux vérifier.

Le portier se foutait bien qu'il soit l'intime de Lartigues, flic ou yakuza. Seul son costume le préoccupait. Finalement, il estima qu'un costaud taciturne, coupé en brosse, pouvait faire l'affaire. Entrée gratuite : tout le plaisir était pour le maître des lieux.

L'atelier s'était métamorphosé. Les sculptures avaient disparu – ou étaient recouvertes de toile sombre. Elles étaient remplacées par une foule hallucinante, un peuple jailli d'un delirium tremens terminal qui se trémoussait au rythme des flashs stroboscopiques. Le battement sourd qu'on percevait dehors devenait ici une vocifération de feu et de fer, une musique indus' jouée par des machines-outils torturées.

Le latex était une tendance en soi. Certains se contentaient d'un accessoire, d'autres en étaient entièrement revêtus, tête comprise, moulés comme pour une épilation grandeur nature. Ils se déhanchaient en toute élégance, sans sexe ni identité, se coulant dans la musique comme des organes brûlants. Il y avait aussi des militaires : des nazis, des Fidel Castro, des Khmers rouges. Symboles de génocides, de tortures, de morts en série, ils dansaient au pas de l'oie, sous les enceintes qui crachaient des stridences et des basses à vous faire trembler la moelle au fond des os.

Erwan repéra aussi les adeptes du fétichisme médical dont Anne Simoni faisait partie. Les infirmières, peu nombreuses (trop vulgaires), cédaient la place aux handicapés sanglés de ferraille, aux Monsieur Bétadine, nus et vernis à l'ocre de la tête aux pieds, aux Mademoiselle Garrot ficelées comme des rosbifs avec des lanières de caoutchouc. En minorité, les SM mimaient des scènes de soumission et de domination : des messieurs sévères, costume de notaire et fume-cigarette, des dandys opiomanes du XIXe siècle, en robe de chambre, marchaient à quatre pattes, tenus en laisse et cravachés par des girls d'une revue animalière : chiennes ébouriffées, léopardes à longue queue, panthères soyeuses...

En se frayant un passage, Erwan découvrait de nouveaux styles, de nouveaux délires : momies bandées, camisoles, marins façon *Querelle de Brest*, religieuses de vinyle... Sans compter les seins, les langues, les visages percés, les épaules ou les cuisses scarifiées. Quant aux tatouages, le sous-texte de la soirée était inscrit sur les cous, les reins, les bras, les gorges...

Ce n'était pas du SM. Ce n'était pas une partouze. Ce n'était même pas une fête – l'alcool et la drogue étaient interdits, des panneaux le stipulaient partout, et les buffets étaient végétariens. C'était une réunion d'extraterrestres qui avait, Erwan devait l'admettre, une beauté étrange.

Dans une deuxième salle, toujours aussi peuplée, des crocs de boucher pendaient au plafond. À ces crocs étaient suspendus des corps. Des êtres humains bien vivants, à l'horizontale, planant en toute quiétude au-dessus du chaos général, les chairs distendues par les hameçons géants. Sur la piste, ça dansait, ça hurlait, ça se cognait dans un pogo endiablé. Les larsens de guitare se mêlaient aux sifflements des perceuses et aux martèlements des basses. Des cracheurs de feu se taillaient la part du lion en provoquant une ola à chaque geyser.

Erwan trouva un couloir obscur, éclairé seulement par des écrans vidéo exhibant des horreurs. Une jeune femme se faisait arracher les dents à la tenaille. Un adolescent aux allures d'éphèbe était écorché vif. Des opérations chirurgicales se déroulaient sous

une lumière crue. Impossible de dire si ces atrocités étaient simu-
lées ou réelles.

Nouvelle salle. Changement d'atmosphère. Plus de musique ni
de flashs : la pièce avait été aménagée selon les préceptes de
l'architecture japonaise – du bois, seulement du bois, sans clou
ni ciment. Erwan devina que Lartigues avait ouvert ses apparte-
ments privés à ses invités.

Il fendit les rangs pour découvrir le spectacle : une Japonaise,
nue et dodue, ligotée la tête en bas, se tordait en gémissant,
évoquant une chenille prisonnière d'un cocon de soie ; un maître
achevait de la ficeler avec d'infinies précautions. Quand Erwan
sentit une érection venir, il déguerpit. Il commençait à être hyp-
notisé par cette soirée hors norme. Transpirant, excité, il était
comme une arme chargée entre les mains d'un enfant. Un accident pouvait vite survenir.

Du point de vue de l'enquête, il perdait son temps ici.
Qu'espérait-il ? Trouver le nouvel Homme-Clou parmi ces tarés ?

Pièce suivante. Retour de la marée sonore. Funk des années 70.
Svastikas lumineux sur les murs. Dans un coin sombre, il repéra
un attroupement. Une femme immense – elle devait mesurer près
de deux mètres – était suspendue par les bras, les jambes largement écartées par des sangles de retenue. Son corps, hissé à un
mètre du sol, surplombait l'assistance. Elle était entièrement vêtue
de latex noir à l'exception de l'entrejambe, nu et épilé. Les lèvres
de sa vulve béaient comme les pétales d'une orchidée. Erwan,
gagné par la folie générale, pensait tout à la fois aux lignes d'un
coquillage et à la double hélice de l'ADN... Face à ses cuisses
ouvertes, un nain torse nu, bandé de lanières de cuir comme un
gladiateur, dansait en roulant des épaules, faisait des moulinets
disco avec ses bras courtauds et ne cessait de tourner la tête
comme si son cou abritait un prodigieux mécanisme. Le sexe de
la femme semblait prêt à l'avaler...

On lui avait déjà parlé du fist-fucking mais on était visiblement
passé ce soir à un autre stade. Il détourna les yeux et jouait des
coudes pour remonter la foule quand il tomba sur un gaillard en

combinaison carmin, appuyé sur un déambulateur. Le diable rouge arracha sa cagoule : c'était Redlich. Il portait autour du cou un grand Christ souriant sur sa croix, comme jouissant de ses blessures.

– Qu'est-ce que vous foutez là ? demanda le flic, ravalant sa surprise.

– Comme vous : je mate.

– Vous appartenez à la communauté ?

– Y a pas de communauté. On se réunit, elle est là. On se sépare, elle est plus là.

Redlich s'éloigna du groupe – Erwan le suivit, remarquant que son déambulateur était hérissé de lames de rasoir.

– Ça vous plaît ? s'enquit l'ethnologue.

– Pas mal comme bal costumé.

– Vous vous trompez. Ce soir, personne n'est déguisé. C'est quand chacun va au boulot, dans la semaine, avec sa cravate et son petit sac à l'épaule, qu'il est au carnaval. La société nous oblige à nous travestir, ici nous redevenons nous-mêmes.

Le lieu n'était pas idéal pour une conversation philosophique.

– Et le sang ? hurla Erwan. Les horreurs sur les écrans ?

– Le corps n'est qu'un passage.

– Et les gars pendus aux crochets, les filles attachées ?

– La souffrance nous élève. Regardez Jésus… Nous sommes tous des mutants.

– Cette mascarade, demanda-t-il de guerre lasse, ça a un lien avec la magie yombé ?

Délaissant son déambulateur meurtrier, Redlich lui agrippa le bras :

– Aidez-moi. On va à côté.

Erwan le soutint comme s'ils se trouvaient dans les jardins paisibles d'une maison de retraite. À mesure qu'ils avançaient, les sonorités funk reculaient et cédaient la place à de nouvelles trépidations électro. Redlich avait enroulé son bras autour du cou d'Erwan – le flic sentait la brûlure du latex dégoulinant sur sa nuque.

La nouvelle salle ressemblait aux précédentes : projecteurs tournoyants, sol bétonné, blitzkrieg sonore. La seule différence était que la foule était scindée en deux groupes. Corsets, harnais, muselières, prothèses se faisaient face, à cinq mètres de distance. On se jaugeait, on s'admirait, on semblait attendre le coup d'envoi d'une danse à l'ancienne, menuet ou quadrille.

Ce fut autre chose qui survint : parmi des flots de fumée, des hommes chauves, vêtus de longs manteaux de cuir, soutenaient sur leurs épaules un palanquin de bois drapé de noir. Une rumeur s'éleva dans la salle, couvrant d'un coup les pulsations de la musique. Les Fantômas, les danseuses à barbe, les militaires à moustache cirée s'approchèrent, essayant d'apercevoir la divinité qui se cachait derrière les voiles opaques. Erwan suivit le mouvement – il était au cœur d'une secte, le gourou arrivait enfin.

Lorsque les rideaux s'écartèrent, au milieu des hurlements des invités, il eut un recul. La chaise à porteurs abritait une femme nue qui se tenait dans la position d'Anne Simoni sur les quais : assise, genoux groupés sous le menton, bras noués autour des jambes. Son corps entier était hérissé de clous, de tessons et de lames.

Le palanquin oscillait parmi le public. La femme n'était qu'une sculpture de résine à taille humaine, un simple mannequin d'exposition. Les clous, les miroirs brisés et la ficelle provenaient sans doute d'une vulgaire quincaillerie. Tout ça était à la fois ridicule et répugnant, mais la vénération des disciples était bien réelle. Les bras se levaient, les murmures s'amplifiaient autour de la Vierge suppliciée.

Erwan pivota pour s'enfuir. Un choc contre sa jambe droite. Il baissa les yeux : Ivo Lartigues le toisait dans sa chaise roulante. Il était entièrement emmailloté de bandes Velpeau, façon momie. Seul son visage était nu, grimé de cendres grises qui lui donnaient l'air d'un spectre carbonisé.

– Vous cherchiez un suspect ? ricana-t-il. Je vous en offre trois cents !

111

ELLE AVAIT SILLONNÉ tout l'étage : pas de Sergent. Résignée, elle était retournée l'attendre dans sa chambre. Elle ne pouvait imaginer qu'il l'ait laissée tomber. D'abord, il n'aurait jamais désobéi aux ordres. Ensuite, le petit flic semblait apprécier sa compagnie. Du moins l'espérait-elle…

Nouvelle tournée. Elle remonta le couloir. Seul le halo des réverbères par les fenêtres lui permettait de s'orienter. Soudain, elle s'arrêta. Du bruit dans une chambre. Elle tendit l'oreille. On aurait dit les giclées d'un tuyau d'arrosage. La porte était entre-bâillée. De brusques éclats de lumière s'en échappaient.

Elle risqua un regard et mit plusieurs secondes à comprendre ce qu'elle voyait. On avait tiré un rideau autour d'un lit. Un homme y était allongé. Un jet de sang sortait de sa gorge selon une pulsation régulière. Une silhouette se tenait immobile à son chevet, moulée dans une combinaison noire. Avec effroi, Gaëlle réalisa que les lueurs sporadiques étaient les flashs du mobile que l'homme braquait sur le moribond.

Elle réussit à ordonner les éléments du tableau. La victime était sans doute Jacques Sergent. Le photographe, le tueur. Il était habillé comme un de ces clowns des soirées fetish. Au fond de son cerveau, Gaëlle se souvint même du nom de la combinaison d'origine japonaise qu'il portait : une « zentaï ».

À ce moment, l'assassin tourna la tête dans sa direction. Sans réfléchir, elle piqua un sprint dans le couloir.

Au bout de deux cents mètres, elle tomba sur la porte de l'étage : fermée, bien sûr. Elle regarda derrière elle, le cœur dans la gorge, s'attendant à voir le monstre sur ses pas : personne. Peut-être ne l'avait-il pas repérée ? Au même instant, elle aperçut une porte ouverte. Elle s'y engouffra et découvrit une chambre vide. Deux lits sans matelas. Des placards en fer. Une salle de bains.

Elle s'y glissa et se recroquevilla dans la cabine de douche derrière le rideau de plastique, regrettant aussitôt son idée : la première qu'aurait le tueur en pénétrant ici. Mais elle avait besoin d'un espace clos pour réfléchir. Appeler au secours ? Ce serait révéler sa position. Réveiller les autres malades ? Assommés de médocs, ils ne lui seraient d'aucune aide. Elle pouvait aussi frapper les tuyaux, les radiateurs – un principe dans les asiles d'aliénés : le contact du métal sur un autre métal déclenche l'alarme, les infirmiers n'ont qu'à toucher une canalisation avec leurs clés et c'est l'alerte générale. Mais elle ne portait aucun métal : on lui avait tout pris.

Elle était coincée dans sa propre souricière. Les secondes lui paraissaient se dilater dans les ténèbres. Elle ne tremblait pas, elle était saisie de véritables convulsions. Sinistre ironie : elle qui avait essayé de se tuer la veille ne voulait plus mourir.

Soudain, une nouvelle idée : Jacques Sergent avait sans doute un passe. Elle devait sortir de son trou. Retourner dans la chambre. Fouiller ses poches.

Au pire, elle trouverait son portable et appellerait Erwan.

Elle entrouvrit le rideau, redoutant de découvrir l'homme en zentaï devant elle, couteau à la main. Personne. Elle se coula hors de la salle de bains et risqua un œil dans le couloir. *Personne.*

Peut-être était-il parti ? Qui était-il ? Un fou qui s'était échappé d'une autre unité ? Non. Le costume, la facilité avec laquelle il s'était introduit dans cette unité verrouillée démontraient qu'il n'était pas un otage de l'hôpital. C'était l'hôpital qui était son otage – et elle en particulier. Elle était la cible. Il était tombé sur Sergent et l'avait éliminé, voilà tout.

Elle trottina vers la chambre du crime, longeant les murs comme si cela pouvait la rendre invisible. Le couloir avait l'immobilité d'un paysage minéral. Elle respirait avec difficulté. La pression de l'air lui paraissait augmentée, l'oxygène raréfié.

Dans son dos, des pas.

Elle retint un cri et s'assit sur ses talons, espérant se fondre dans la pénombre. Les pas se rapprochaient. Des semelles de crêpe sur le linoléum.

Tout à coup, elle le vit.

Un infirmier. Ou un simple veilleur de nuit, blouse blanche et torche électrique. La peur glissa sur elle comme une cire redevenue liquide. Elle bondit sur ses jambes et courut vers lui. Elle criait mais aucun son ne sortait de sa bouche. Les ténèbres ne lui avaient pas rendu toutes ses facultés.

Elle était à vingt mètres quand la créature surgit derrière l'homme.

Le temps qu'elle imprime cette image, une autre s'y superposait déjà : bras moulé de laque noire, main gantée, lame qui s'enfonce dans la gorge. L'image suivante fut un geyser de sang jaillissant de la carotide de l'infirmier.

Gaëlle se plaqua contre le mur. La victime s'écroula puis rebondit aussitôt sur le sol, prise de violents spasmes. Le tueur fixait Gaëlle. C'est du moins ce qu'il lui sembla – sa cagoule n'avait pas d'orifice apparent. Souvenir éclair : ce genre de masque altère la respiration. À la clé, un plaisir décuplé au moment de l'orgasme.

Elle voulut fuir. Au lieu de ça, elle resta tétanisée par terre, incapable du moindre mouvement. Ses tempes étaient prises dans un étau, ses membres bloqués, sa vue se brouillait...

Il la regardait toujours. Son visage absolument noir évoquait un moignon de cuir. Elle s'attendait à ce qu'il bondisse sur elle. Mais il se baissa et ôta, sans se presser, la blouse trempée de sang du cadavre. Il l'enfila avec volupté et Gaëlle comprit qu'il jouissait de cette nouvelle tenue. Fétichisme. Perversité. Convulsion tordue d'une âme déshumanisée.

À quoi bon bouger ? Aucune issue nulle part. Quelqu'un avait dit : « Quand tous les possibles sont éliminés, que reste-t-il ? L'impossible. » Elle songea aux clés dans les poches de l'infirmier gisant aux pieds du tueur.

Sans réfléchir, elle bondit vers l'homme cagoulé. Le temps qu'il réagisse, elle était déjà sur le cadavre et palpait les poches du pantalon. Pas de clé. L'autre leva le bras pour frapper. Gaëlle esquiva le coup, se jetant sur le côté, revint à la charge. Cliquetis à la ceinture : le trousseau sous ses doigts, mais retenu par un dérouleur extensible.

Une main l'arracha du sol. Le couteau trempé de sang s'abattit sur elle. Elle eut un sursaut en arrière, qui déséquilibra son agresseur. Elle se retrouva sur les fesses ; les clés lui avaient échappé mais l'autre l'avait lâchée. Elle détendit sa jambe, le touchant au genou – sans résultat apparent.

La main gantée la saisit par les cheveux. Elle se débattit encore et balança un nouveau coup de pied, qui l'atteignit à l'aine – elle avait visé les couilles. Cette fois, le colosse recula. Ce fut suffisant pour qu'elle se relève et s'enfuie.

Le piège demeurait et elle n'avait pas réussi à s'emparer des clés. Elle dépassa la salle des repas. Une simple chambre où des tables avaient remplacé les lits. Elle se rua sur la fenêtre, toujours pas de poignée.

Elle était acculée mais malgré sa panique, elle vit autre chose : un passe-plat à porte guillotine, sur sa gauche. Le dispositif qui avait fait le bonheur de tant de films de poursuites était bien là, fidèle au poste. Elle l'ouvrit d'un geste et réalisa qu'elle pourrait se blottir à l'intérieur.

Quand le tueur apparut sur le seuil – il avait pris le temps de se débarrasser de sa blouse –, elle s'était déjà glissée dans le compartiment et tendait le bras pour actionner le mécanisme.

La dernière chose qu'elle vit fut la main noire entre les deux vantaux qui se refermaient. Lorsque la plateforme plongea dans l'obscurité, une phrase lui traversa la tête comme une blague démente : *Le dîner est servi !*

112

LA MEZZANINE DE L'ATELIER était isolée par une paroi vitrée – sans doute le poste du chef de gare de l'époque. Elle faisait office de cabine où deux moines en robe de bure, casque sur les oreilles, mixaient en chœur. L'espace devait être insonorisé – les déchaînements sonores du bas étaient largement étouffés. Erwan avait l'impression d'être dans le cockpit d'un bombardier : il contemplait à l'abri les effets des missiles balancés par les soutes.

Après la parade de la femme-clou, Lartigues l'avait guidé jusqu'à un ascenseur pour rejoindre ce refuge.

– L'Homme-Clou est donc pour vous l'objet d'un culte ? demanda Erwan.

– Le mot est un peu fort, disons qu'il est devenu une sorte de légende.

– Le fait qu'il ait tué neuf femmes, ça ne vous gêne pas ? Je veux dire : neuf *vraies* femmes dans la *vraie* vie.

L'infirme fit rouler son fauteuil et se posta face à la baie qui s'ouvrait sur une mer de crânes blancs, de cagoules luisantes, de casquettes piquées d'or. Le palanquin avait été placé au bout de la pièce comme un autel sacré.

– J'ai l'impression que vous n'avez pas compris l'esprit des no limit.

– Je dois dire que j'ai décroché depuis un moment.

L'infirme tourna la tête et fixa Erwan. Cette nuit, le roi était un pharaon aux yeux cernés de noir.

– Approchez et regardez.

Le flic s'exécuta, à contrecœur.

– Toutes les tendances sont ici représentées : médicale, militaire, SM... À chaque fois, il s'agit d'une illustration du pouvoir. En réalité, ces hommes et ces femmes recherchent leur enfance.

– Je n'aurais pas deviné.

– Je parle du traumatisme qui a marqué leurs jeunes années. La piqûre du docteur, l'autorité de la loi, incarnée par le costume militaire, la domination du père ou l'angoisse de la castration...

Erwan comprit qu'il allait avoir droit à un cours de psychanalyse.

– Le monde fétichiste veut régler ses comptes avec le passé. Revivre ses blessures originelles mais dans sa peau d'adulte, en contrôlant ses émotions, en dépassant sa peur. Derrière chaque costume, il y a une revanche. On devient le médecin, l'autorité, la menace. Et si on joue le patient, le prisonnier, la soubrette, c'est en plein accord avec soi-même. Ces soirées sont des catharsis.

Erwan se demanda quel costume il choisirait, lui, pour exorciser ses terreurs d'enfance. Il réalisa avec malaise qu'il le portait déjà : celui du flic, celui du père.

– Et le latex ?

– Le latex..., répéta Lartigues dans un soupir de volupté. C'est un amplificateur de sensations. Un courant d'air et vous grelottez. Quelques mouvements et vous brûlez. Ces danseurs pourront remplir plusieurs verres de sueur quand ils retireront leur combinaison.

– C'est répugnant.

– Non, c'est le mode de vie suprême. Vous êtes à la fois nu et caché. Vous devenez un pur organe gansé de peau.

– C'est bien ce que je dis : c'est répugnant.

Lartigues secoua la tête. Son corps emmailloté évoquait un arbre mort couvert de Sopalin. Erwan était tiraillé entre le rire et l'angoisse.

– Vous avez entendu parler de la vorarephilie ?

Rien que le mot promettait.

– Le fantasme d'être avalé vivant, continua l'artiste, sans morsure ni blessure. Soudain, on se retrouve dans l'estomac du serpent. Le latex, c'est ça : retourner dans l'obscurité utérine. Sans compter la jouissance de la pression.

– J'allais l'oublier.

– Ne soyez pas sarcastique. Le désir est toujours fondé sur un obstacle, une retenue. Vous avez remarqué ici le nombre de sangles, de lanières, de prothèses ? Le corps doit être contraint pour mieux jouir le moment venu.

Erwan regarda sa montre : près de minuit. Ces conneries avaient assez duré. À contempler ces tarés qui se trémoussaient moulés comme des saucisses ou décorés de médailles en plastique, il était encore une fois en train de gâcher de précieuses heures.

– Je ne vois toujours pas le rapport avec l'Homme-Clou et ses victimes.

– L'Homme-Clou, le vrai, était un fétichiste. Il essayait de se protéger en rejouant ses propres traumatismes.

– Il ne se déguisait pas en aubergine, il tuait des femmes.

– Face aux monstres qui le menaçaient, sa souffrance était intolérable.

– Vous lui trouvez des excuses ?

– Je ne le juge pas. Si vous voulez coincer aujourd'hui votre tueur, vous avez intérêt à entrer en empathie avec sa psyché et à oublier votre rationalité méprisante.

– Merci du conseil. (Avant de partir, il revint à des considérations plus concrètes.) D'après nos renseignements, Anne Simoni avait des pratiques… très particulières. Elle appréciait des techniques invasives de type médical. Connaissez-vous des gens qui partagent ce penchant ?

– Je vous l'ai dit : je ne connais personne.

– Existe-t-il un forum, un lieu où ces adeptes se contactent ?

– Non. Encore une fois, nous n'utilisons jamais de techniques traçables. Pas de noms, pas d'attaches.

Un bref instant, Erwan fut tenté d'appeler une escouade de flics et d'embarquer tout le monde. Il renonça aussitôt : inutile. D'ailleurs, il n'en avait pas le droit : pas l'ombre d'un délit ici, sinon le tapage nocturne.

Il se souvint qu'Anne Simoni se fournissait dans une boutique spécialisée. Il fallait plutôt envoyer quelqu'un, dès demain, rafler le fichier clients – à supposer qu'il existe.

– Que pensez-vous de Sébastien Redlich ? demanda-t-il pour finir.

– Redlich est un ami. Grâce à lui, j'ai mieux compris les rouages de la magie yombé et j'ai pu fonder mon œuvre sur ces énergies occultes.

– Est-ce que le nom de Jean-Patrick di Greco vous dit quelque chose ?

– Di Greco... Le pauvre... En voilà un qui a réglé tous ses problèmes.

Erwan avait posé la question au flan.

– Vous le connaissiez ?

– Bien sûr. Il était des nôtres, depuis des années.

– Des vôtres ? Je croyais que la communauté n'avait pas de membres.

– Je veux simplement parler d'un cercle d'amis intéressés par l'Homme-Clou et la magie yombé.

– Redlich fait lui aussi partie du fan-club ?

– Oui.

– Qui d'autre ?

– C'est tout, je dirais.

Encore un mensonge mais il n'avait peut-être pas perdu son temps. Il retenait pour l'instant l'image d'un sacré trio forcément lié à la série de meurtres. Il prit congé de la momie et gagna la sortie.

Il remontait la villa Bel-Air quand son portable vibra. À l'écran, Levantin.

– J'ai enfin eu accès à la liste des incriminés, fit le technicien sans préambule.

– Qui est le parent de la prochaine victime ?

– Toi.

– Qu'est-ce que tu racontes ?

Levantin, qui affichait en toutes circonstances un calme olympien, avait cette fois la voix qui chevrotait :

– Y a aucun doute. Ton ADN a été plusieurs fois archivé pour te désincriminer sur des sites d'enquête. Les cheveux de la femme présentent une grande proximité chromosomique. T'as une sœur, non ?

– Je te rappelle.

Erwan raccrocha et contacta aussitôt Kripo :

– Envoie les flics les plus proches à l'hôpital Sainte-Anne. Tu y files aussi avec les autres, je suis déjà en route.

– Qu'est-ce qui se passe ?

– Pavillon Broca. C'est là qu'est hospitalisée Gaëlle. Tu envoies la cavalerie !

113

KRIPO ARRIVA LE PREMIER sur les lieux. Audrey et Tonfa dix minutes plus tard. Quand Erwan y parvint à son tour, les trois OPJ dirigeaient les opérations alors que des flics en uniforme sécurisaient le périmètre – toute l'allée Maupassant. Les agents de l'IJ, masque et combinaison blancs, pénétraient dans le pavillon comme s'il s'agissait d'une zone contaminée placée en quarantaine.

Bien qu'à Paris les médecins légistes soient interdits de séjour sur les scènes de crime, Kripo avait appelé Riboise. On avait évacué patients et personnel dans d'autres blocs, en attendant de les interroger.

Ne restaient plus que les cadavres.

Deux, selon les premières constatations : Jacques Sergent et un infirmier du nom de Philippe Battesti.

Ni l'un ni l'autre n'avaient dépassé la trentaine. Égorgés à l'aide d'une lame crantée, modèle couteau de chasse ou arme de combat. Le tueur avait frappé chaque fois d'un geste très sûr, crevant l'artère carotide externe ; la pression du cœur avait suffi à vider le corps en quelques secondes. Les victimes avaient été pétrifiées par le coup – ce qui est rarissime : d'ordinaire, même en cas de plaie cardiaque, le mourant se déplace toujours sur plusieurs mètres.

Des exécutions. Techniquement sans bavure.

Erwan écoutait Riboise dans la cour avec, en guise de ponctuations, les éclairs blancs et bleus des véhicules.

– T'auras le rapport d'autopsie de Pernaud sur ton bureau demain matin.

– Merci. Tu t'occupes de ces deux-là ?

– Non. Je vais me coucher. J'ai pas dormi depuis soixante-douze heures, avec tes conneries de clous. J'ai l'impression d'avoir passé trois jours à épiler des cactus. Quand vas-tu mettre fin à ce merdier ?

Proche de la retraite, Riboise lui parlait comme à un gamin. Alors qu'il s'éloignait, cartable à la main, Erwan se tourna vers Kripo :

– Où est Gaëlle ?

– On l'a installée dans le pavillon Pinel, à cent mètres d'ici.

– Où on l'a trouvée ?

– Dans des buissons, près de ce pavillon justement.

– Comment elle est ?

– Compte tenu de ce qu'elle a vécu, pas trop mal.

– On l'a interrogée ?

– Non. On t'attendait.

– Comment elle a réussi à s'en sortir ?

– Par le passe-plat, comme dans les films.

Aucune inflexion ironique dans sa voix : Kripo n'aurait pas osé. Erwan lançait des coups d'œil de droite à gauche. Il cherchait son père, redoutant de le voir apparaître entre les éclats des rampes des fourgons.

– Je veux la gamme complète. Tu t'organises avec les autres ?

– C'est fait.

– Le quartier est bouclé ?

– Tous les flics de la rive gauche sont sur le coup.

– Qui a fait les premières constates ?

– Un OPJ du poste du coin, boulevard de l'Hôpital. Rémy Amarson.

– Il est là ?

– Il nous a passé le relais : il rédige son PV au poste.

– Le substitut ?

– C'est une femme qu'est de permanence. Elle arrive.

Erwan ne demanda même pas son nom – rien à foutre. Il fit un signe explicite : le Scribe gérerait une fois encore le versant paperasse.

– Je vais voir Gaëlle.

Il se dirigea vers le pavillon sans un mot de plus. Dans la lueur intermittente des gyrophares, le campus ressemblait à un village de campagne terrifié. On distinguait un clocher, un édifice en pierres de taille qui aurait pu être la mairie, des maisons coiffées de tuiles rouges. On repérait aussi des visages hallucinés aux fenêtres : des malades, tous réveillés. Il songea à des enfants. On était venu les agresser chez eux. Contrairement aux idées reçues, les déments sont pour la plupart très vulnérables. En tête de liste des personnes agressées dans la rue.

Cette nuit, un fou bien plus redoutable avait profané leur territoire. Un loup-garou venu pour tuer sa sœur – aucun doute là-dessus – avait éliminé tous les obstacles sur sa route.

Sur le seuil du pavillon, les bleus indiquèrent le chemin à Erwan. Gaëlle était installée au troisième étage. Escalier. Tout le bâtiment bruissait d'une rumeur étouffée. Les fous chuchotaient. Les infirmiers montaient la garde. Sur leur visage, on lisait la peur et la consternation. Un de leurs collègues était mort, frappé par une folie étrangère au site. Un comble. Sainte-Anne se souviendrait longtemps de cette nuit blanche.

Au troisième, nouveau check-point. On l'accompagna. Les plafonniers étaient allumés et les murs blafards brillaient comme des miroirs. Une tristesse agressive, obscène, régnait partout. Erwan n'avait pas encore pensé à Jacques Sergent. Il allait devoir aussi assumer ça : il avait placé un jeune flic devant la porte de sa sœur sans la moindre légitimité. Il pourrait toujours prétendre que Gaëlle avait besoin d'être protégée, après les analyses des cheveux et des ongles trouvés dans le corps de Pernaud, en falsifiant les horaires des résultats. Dans tous les cas, il était responsable de la mort d'un homme de vingt-sept ans. Il songea aux funérailles, aux parents, à la décoration posthume...

Il frappa à la 322, n'obtint aucune réponse, ouvrit pour découvrir sa petite sœur qui fumait, assise sur un lit sans drap ni couverture. Il remarqua qu'elle portait des ballerines qui lui parurent accentuer sa fragilité. Il eut envie de la serrer contre lui mais chez les Morvan, ça ne se faisait pas. Si après un suicide et une agression meurtrière il n'était pas capable d'exprimer sa tendresse à sa frangine adorée, quel événement déclencherait des effusions dans ce clan maudit ?

Il s'approcha, toujours aussi raide, et se contenta d'un « Ça va ? » du même ton qu'il aurait ordonné : « Vos papiers ! »

Gaëlle leva les yeux : elle pleurait à chaudes larmes.

– Prends-moi dans tes bras, murmura-t-elle.

Erwan s'agenouilla et l'étreignit avec douceur – porcelaine si fissurée qu'elle semblait près de se briser à la moindre pression. Il n'aurait su dire combien de secondes passèrent ainsi. Sa seule conviction était que leur peau, pour une fois, n'était plus une armure.

Au bout d'un long moment, il se remit debout et se posta face à la fenêtre, de nouveau sec comme une trique. Le retour du flic inflexible. C'était ça ou pleurer jusqu'à l'aube.

– Comment ça s'est passé ?

– Je sais pas..., fit-elle en allumant une cigarette avec la précédente.

Elle balança le mégot et l'écrasa du talon. Le lino en était déjà jonché. Enfin, elle raconta son histoire : une sorte de cauchemar éveillé où un tueur en combinaison de latex s'était livré à un véritable carnage. Il ne pouvait croire à une telle synchronie, lui qui au même instant assistait au bal des vampires villa du Bel-Air.

D'une voix atone, Gaëlle apporta une précision surréaliste :

– La combi, on appelle ça une « zentaï ». La cagoule n'a aucun orifice visible. La maille permet de voir et de respirer, mais d'une façon altérée.

Il revit les hommes-organes chez Lartigues. *La vorarephilie*. Il se souvint aussi des photos sur les murs de l'atelier, quelques heures plus tôt. L'une d'elles représentait un visage entièrement moulé de cuir. *Tout est lié.*

— T'as déjà porté ce genre de trucs ?

— Arrête. Il suffit de sortir un peu pour savoir ça.

Elle acheva son résumé sur sa fuite ubuesque par le passe-plat. Erwan avait du mal à se concentrer. La scène lui semblait se dérouler à l'envers. Sa sœur n'expectorait pas la fumée mais l'avalait. Ses paroles ne sortaient pas de sa bouche mais s'enroulaient au fond de sa gorge.

Il se passa la main sur les paupières et chassa l'hallucination. Pour conclure, Gaëlle ricana entre deux bouffées. On se serait cru dans un fumoir de gare. Erwan n'était pas sûre qu'elle réalise à quel point elle avait eu de la chance. Un pur miracle. Le deuxième en vingt-quatre heures.

— Ce type, c'est qui ? demanda-t-elle, soudain sérieuse.

— Il est trop tôt pour...

— C'est après moi qu'il en avait ?

Il hésita à lui révéler la vérité :

— Je pense qu'il s'agit du tueur dont tous les médias parlent.

— Le Tueur aux clous ?

— C'est ça.

— Ça a un rapport avec celui que papa a arrêté en Afrique ?

— C'est le même.

— Il est pas mort ?

— Il est mort mais celui qui frappe aujourd'hui le fait exactement de la même façon. Comme une espèce de... réincarnation. Je suis chargé de l'enquête.

— T'as des pistes ?

— De la merde. L'affaire me file entre les pattes.

— Pourquoi s'en prendre à moi ?

— Il cherche à se venger de papa.

— À cause du premier tueur ?

— Un truc comme ça, oui.

– Et papa, qu'est-ce qu'il en dit ?

– Il pense que le gars n'est qu'un élément d'une vengeance plus large. Un fléau de Dieu... Tu le connais.

Elle sourit en observant l'extrémité incandescente de sa cigarette :

– Il va donc enfin payer pour ses péchés ?

Il l'embrassa sur la joue – elle était brûlante.

– Qu'il paye ou non, j'en ai rien à foutre. Mais je veux pas qu'une innocente comme toi en fasse les frais.

– J'ai jamais été innocente.

Il l'embrassa de nouveau, comme s'il venait de redécouvrir un plaisir oublié, dont il ne pouvait désormais plus se passer.

– Je reviens demain matin.

– Je veux me casser d'ici.

– On va voir ce qu'on peut faire. Pour l'instant, essaie de dormir.

Dans le couloir, son mobile vibra.

– Je viens de parler avec Amarson, l'OPJ du boulevard de l'Hôpital, expliquait Kripo. Ils ont arrêté un mec chelou qui pourrait bien être notre client. Un hasard incroyable : ils revenaient de Sainte-Anne quand ils sont tombés dessus, boulevard Auguste-Blanqui.

– Pourquoi pensent-ils que c'est notre gars ?

– Il porte une combinaison de latex, il est percé de partout et...

– Je suis en bas dans dix secondes. On prend ta bagnole.

114

LAISSEZ-MOI VOUS PRÉSENTER le docteur Hervé Balaga, commença le capitaine Amarson.

Avant la confrontation avec le suspect, Amarson, banal flic en flight-jacket, avait voulu les recevoir dans son bureau, en compagnie d'une sorte de punk dégingandé d'une cinquantaine d'années, qui portait des lunettes carrées et un perfecto élimé.

– Compte tenu de... certaines particularités de l'homme interpellé, j'ai fait venir en urgence ce spécialiste du body-art.

Erwan et Kripo se regardèrent : la nuit promettait encore de belles surprises.

– J'ai déjà travaillé avec lui sur une affaire et j'ai pu apprécier ses connaissances dans le domaine, poursuivit l'OPJ. Il a rencontré le suspect et...

– Avant nous ?

– Il ne lui a pas parlé. C'était un simple... examen médical. (Il se tourna vers le punk.) À vous, docteur.

Balaga tenait une feuille griffonnée à la main. Il ajusta ses lunettes et attaqua d'une voix traînarde de rock-critic sur le retour :

– L'homme mesure un mètre quatre-vingt-sept. Il pèse près de cent kilos. Pour moi, c'est un cas d'école.

– Quelle école ?

Balaga s'arrêta et fustigea Erwan du regard : pas d'interruption.

– Body-art. Body-hacking. Transhumanisme. Fetish-SM-art. Ici, la volonté est à la fois de décorer son corps et de le modifier. J'ai compté sur lui trente-sept piercings de toutes tailles, de toutes formes, dont une série de clous plantés en ligne verticale au milieu du front et une crête métallique dans le dos.

– Attendez, coupa encore Erwan. Vous l'avez vu à poil ?

– On l'a placé en garde à vue, répondit Amarson. Ces constatations ont été faites durant la fouille.

Tout ça était parfaitement illégal. Le flic avait attendu son « expert » pour procéder à la fouille au corps. Pourquoi ?

– L'homme porte aussi des implants subdermiques formant des reliefs inhabituels sous les tempes, poursuivit Balaga. J'ai également dénombré une quarantaine de scarifications et des dessins imprimés au fer rouge, selon la technique du « branding ». Il porte des lentilles blanc et rouge et des dents en alliage taillées en pointe. Les lobes de ses oreilles sont déformés par des cylindres de titane : des plugs. Le plus étrange est sa langue fourchue. On appelle ça le « tongue splitting ». Un ornement prisé chez les body-mods. Je ne serais pas étonné qu'il ait aussi une fente le long de la verge, mais le suspect a refusé de se déshabiller complètement.

Le gardé à vue semblait tout droit sorti de la soirée de Lartigues. L'intrus de Sainte-Anne, vraiment ? Gaëlle n'avait vu qu'un athlète moulé dans une combinaison zentaï.

– Des tatouages ?

– Non. Pour une raison évidente.

– Laquelle ?

– Il est noir. Très noir.

Erwan lança un regard de reproche à Amarson – on ne lui avait pas précisé ce fait majeur.

– Quelle nationalité ? demanda-t-il au capitaine.

– Nigériane.

– Vous lui avez fait un alcootest ? Une prise de sang ?

– Juste un alcootest. Nickel. On a rien pu faire d'autre : il a invoqué l'habeas corpus.

– Il est en garde à vue ou non ?

– C'est plus compliqué que ça.

Le flic plaqua sur la table un passeport de couleur rouge portant, gravée en lettres d'or, la mention : « Diplomatic Passport ».

– C'est l'attaché culturel de l'ambassade du Nigeria à Paris. Joseph Irisuanga, quarante-huit ans, domicilié avenue Raymond-Poincaré, dans le 16ᵉ arrondissement. Célibataire, en tout cas en France. On a tout vérifié. Rien à lui reprocher. En fait, c'est nous qui sommes hors la loi. Son avocat sera là d'une minute à l'autre : il le fera libérer sur-le-champ.

– Et la levée de l'immunité ?

– Pour quel motif ?

– On a un faisceau d'indices concordants et…

– On a rien du tout et vous le savez. Tout ce qu'on peut faire, c'est l'interroger encore une fois avant que le bavard se radine. Vous vous y collez : après tout, c'est de votre sœur qu'il s'agit. Je vous souhaite bonne chance : il a pas desserré les dents depuis son arrivée.

Erwan se leva :

– J'ai pas assez d'infos : pourquoi vous l'avez arrêté ?

– Il avait l'air complètement stone. Il titubait sur le boulevard, dans sa combinaison en skaï.

– On m'a parlé de latex.

– C'est ce que je voulais dire.

– Vous avez essayé d'en savoir plus ?

– Pas facile à cette heure-ci mais on a réveillé l'agent de liaison du Nigeria à Paris. Il paraissait terrifié : Irisuanga est quelqu'un d'important là-bas.

– Il bosse vraiment à l'ambassade ?

– Il est surtout propriétaire d'une galerie d'art, rue de Seine.

Nouvelle convergence. Avec un peu de chance, Irisuanga vendait des *minkondi* du Bas-Congo à Lartigues et Redlich.

– L'autre fait marquant, continua Amarson, décidément plus avisé qu'il n'en avait l'air, c'est qu'il est une vedette dans son pays. Un ancien athlète olympique.

– Quelle discipline ?

– Course à pied. J'ai pas compris quelle épreuve. Il a rapporté de l'or ou de l'argent des JO de Los Angeles, en 1984. Il avait vingt ans.

L'athlète qui courait si vite sur la coupée du porte-conteneurs à Marseille. Une galerie qui vendait *peut-être* des statues mayombé. Le profil fetish et la combinaison zentaï. Sa proximité de l'hôpital Sainte-Anne quelques minutes après l'agression de Gaëlle...

Erwan s'adressa au médecin punk :

– Vous vous y connaissez en soirées fetish ?

– Ça fait partie de mon domaine de compétence.

– Vous avez entendu parler des no limit ?

– Dans ce milieu, c'est le top. Les plus cinglés se réunissent sous ce nom pour...

– Vous saviez qu'il y en avait un cette nuit ?

Le médecin et le capitaine de police échangèrent un coup d'œil.

– Elle se déroulait chez leur gourou : Ivo Lartigues, près de la porte de Vincennes.

– Dans ce cas, Irisuanga y allait plutôt, répondit Amarson. Quand on l'a interpellé, il marchait vers la place d'Italie.

Erwan ne quittait pas des yeux Balaga :

– Lartigues : vous connaissez ce nom ?

– Oui. Un sculpteur. Et aussi un « gourou », comme vous dites. Il est très connu dans le milieu des modifications corporelles.

– Sébastien Redlich ?

– Jamais entendu parler.

– Faut y aller, souffla Amarson. Quand son avocat sera là, on...

– Je l'interroge seul, prévint Erwan. Personne n'entre dans cette putain de pièce avant que je n'en aie fini.

115

JOSEPH IRISUANGA ne ressemblait à rien de connu sur la planète Terre. Deux cornes sous-cutanées se dressaient au niveau des tempes et une ligne de rivets lui descendait du sommet du front jusqu'à la base du nez. Pas de sourcils. Des yeux aux iris rouges. Des oreilles aux lobes dilatés par des cylindres. Tout cela aurait pu donner un résultat artificiel, répugnant ou comique. Irisuanga semblait au contraire révéler ici sa vraie nature – mutant entre chair et fer.

Erwan s'assit face à lui et s'efforça d'avoir l'air naturel.

– C'est une zentaï ? demanda-t-il pour la jouer cool.

Pas de réponse.

– Ça ne vous gêne pas pour respirer ?

Pas de réponse.

Erwan se demanda s'il comprenait le français. En réalité, le suspect n'avait aucun intérêt à parler. Il lui suffisait d'attendre son avocat et de repartir les mains dans les poches, si sa combinaison en avait.

Irisuanga saisit son gobelet de café – une attention du comité d'accueil – et le leva comme pour trinquer avec Erwan. Sous le latex, on devinait ses ongles taillés en pointe. Dans le rôle du prédateur de Sainte-Anne, le Nigérian faisait un candidat exceptionnel.

– Je sais qui vous êtes, dit-il enfin.

Sans doute une invitation au dialogue.

– On se connaît ?

– Moi, je vous connais. Vous étiez à la soirée tout à l'heure.

– Vous y étiez aussi ?

– J'ai l'air de revenir de l'Opéra ?

Avec une tête pareille, Erwan ne s'attendait pas à cette décontraction, cet humour. Joseph Irisuanga avait une voix suave et profonde. Il parlait un français parfait, presque sans accent : ses syllabes paraissaient doublées de velours.

Erwan sentait l'alibi se profiler :

– Il y avait beaucoup de costumes cette nuit.

– Vous savez qu'ils correspondent à des univers différents ?

– On m'a expliqué ça, oui. Des amis à moi : Lartigues et Redlich.

– Les maîtres de cérémonie…

– Vous les connaissez ?

– Des frères de sang.

– C'est une façon de parler ?

– Non.

Erwan choisit d'en revenir au bon vieux ton de flic :

– Lartigues et Redlich pourraient témoigner de votre présence villa du Bel-Air entre 22 heures et une heure ?

– Ils ne sont pas les seuls : une trentaine de personnes confirmeront.

– Au moment de votre interpellation, vous marchiez dans la direction opposée. Où alliez-vous ?

Le Nigérian sourit – Erwan s'habituait au mutant.

– Je ne sais pas de quoi vous m'accusez au juste mais si votre seul indice est le sens de ma marche, vous êtes mal parti.

– Répondez.

– J'ai quitté la soirée à une heure, souffla-t-il avec lassitude. J'ai pris un taxi boulevard Soult. Il m'a déposé au coin de la rue de la Glacière.

– Ça ne me dit toujours pas où vous alliez : d'après vos papiers, vous habitez dans le 16ᵉ arrondissement.

– Vous devrez vous contenter de cette réponse. Je n'impliquerai personne dans cette histoire.

– Quelle compagnie, le taxi ?

– Aucune idée. Faites des recherches : un client comme moi, en général, on s'en souvient.

– Où étiez-vous dans la nuit du vendredi 7 au samedi 8 septembre ?

– À Lagos, au Nigeria.

– Quand êtes-vous arrivé à Paris ?

– Samedi, à 19 heures.

– Des témoins peuvent certifier ces faits ?

– Ma famille. Plusieurs ministres. Appelez la compagnie aérienne. Je crois qu'on perd notre temps, vous et moi.

Erwan fit comme s'il n'avait pas entendu :

– Vous êtes propriétaire d'une galerie d'art.

– Actionnaire et gérant, plutôt.

– Vous êtes spécialisé dans l'art africain ?

L'autre rit encore, dévoilant ses canines meurtrières. Ses iris rouges avait la précision d'une visée laser.

– Un Négro ne peut rapporter que des statuettes du pays, c'est ça ?

– Je pensais...

– La galerie Onyx expose quelques-uns des peintres et des photographes les plus cotés en ce moment. Et ils ne sont pas africains.

Le body-mod lui échappait comme une savonnette. Malgré son allure, malgré ses liens avec Redlich et Lartigues, malgré sa proximité avec la scène de crime, on ne pourrait rien faire pour l'inculper ni le retenir.

– Vous pratiquez quelle religion ?

– J'appartiens à une église pentecôtiste de Lagos.

– Vous n'êtes pas animiste ?

– Encore un cliché. Vous cherchez un sorcier ou quoi ?

– S'il vous plaît.

Irisuanga perdait patience :

– En Afrique, on est tous animistes. Changez de culte, la brousse est toujours là. Et les esprits avec.

– Le culte yombé, ça vous dit quelque chose ?

– Ça vient du Congo, non ?

Il prit soudain un accent africain sur le mode goguenard :

– Patron, ça fait vrrrrraiment loin de chez moi.

Irisuanga était intouchable et il le savait.

– Qu'est-ce que vous avez fait comme études ?

– Un cursus à Oxford.

– Quelle discipline ?

– Littérature anglaise et histoire de l'art.

– Pas de médecine ?

– Non.

– T'as jamais pratiqué la chirurgie ? T'as jamais charcuté tes petits copains fetish ?

Erwan s'était levé, l'air méchant. Son baroud d'honneur. C'était sans doute la dernière fois qu'il l'interrogeait. Irisuanga le regardait par en dessous, avec calme. Il avait posé ses mains à plat sur la table : deux anneaux sous-cutanés formaient des reliefs inquiétants à leur surface, comme si des veines circulaires y couraient.

– J'en ai marre de vos conneries, fit-il d'une voix lasse. Si vous voulez me mettre les meurtres de l'Homme-Clou sur le dos, va falloir trouver autre chose.

– Je n'ai parlé ni de meurtres ni de l'Homme-Clou.

Le Nigérian éclata d'un rire franc, glacé comme du cristal :

– Je me suis donc trahi ? Après les articles dans la presse ? Après la séance chez Lartigues ? Vous croyez quoi ? Qu'un Africain n'a aucune jugeote ?

Erwan marcha vers la porte et l'ouvrit en grand :

– Vous êtes libre, monsieur Irisuanga.

– J'ai toujours été libre.

Dans le couloir, Amarson l'attendait, l'air préoccupé.

– Le bavard est là, fit-il à voix basse.

Irisuanga les rejoignit sur le seuil : il toisa les deux flics avec mépris. Machinalement, Erwan plongea la main dans sa poche et en sortit son portable. Il l'alluma et vérifia ses messages. Levantin. Rappel.

– Ok, fit l'expert de but en blanc. Au soixante-douzième échantillon prélevé sur Anne Simoni, on a trouvé un autre sang que le sien.

– Où exactement ?

– Derrière l'oreille gauche, comme on fait avec le champagne. (Il eut un ricanement amer.) Sans doute pour se porter bonheur.

– Quel groupe ?

– O–. On a du bol : O+ et on l'avait dans l'os. C'est celui d'Anne Simoni et de Ludovic Pernaud.

– Quelque chose de particulier sur ce groupe ?

– Il est assez rare mais ça fait quand même des millions de suspects.

– Est-il spécifique aux ethnies africaines ?

– Je crois pas, non. Je vais vérifier.

Au bout du couloir, Irisuanga s'entretenait avec son avocat, également d'origine africaine. Le nouveau venu n'avait rien à voir avec les bavards habituels qui arrivent débraillés au commissariat pour tirer leur client de la mouise. Celui-là avait l'air de sortir tout droit de *Vogue hommes* – à trois heures du matin.

– Avec cet échantillon, tu peux tirer un caryotype ?

– C'est en route.

– Continue les analyses sur Ludovic Pernaud.

– Sans blague ?

À cet instant, l'homme aux iris rouges tourna la tête et lui balança un regard amusé. Des gars en uniforme passèrent. Erwan n'en était pas certain mais il lui semblait que le mutant lui avait fait un clin d'œil.

– Dernière chose, fit Levantin. Ça veut peut-être rien dire mais on a déjà un O– dans la boucle.

– Qui ?

– Thierry Pharabot lui-même. J'ai vérifié dans son dossier de Charcot.

Erwan ne voulait pas céder aux grandes frayeurs irrationnelles : l'Homme-Clou de retour d'entre les morts...

– Pharabot a été incinéré en 2009 et il nous reste encore plusieurs millions de candidats pour le rôle. Rappelle-moi quand tu auras du nouveau.

Il sortit à la recherche de Kripo. Le joueur de luth devisait avec les plantons sur le trottoir, tout en se roulant une cigarette.

– Alors ? fit-il distraitement.

La fatigue aggravait sa nonchalance naturelle.

– Me demande pas, ça vaudra mieux. Où t'en es des dossiers médicaux de Lartigues et de Redlich ?

– Je pense qu'on les aura demain matin.

– Il me faut aussi celui d'un dénommé Joseph Irisuanga. Ils te donneront ses coordonnées ici. Je te préviens, ça va être chaud : il est nigérian et protégé par son immunité diplomatique.

Kripo ne parut pas effrayé par cette nouvelle difficulté. Il fourra sa clope entre ses lèvres et sortit son carnet :

– Tu veux savoir s'il est vacciné ?

– Je veux connaître son groupe sanguin, ainsi que celui des deux autres. Je veux l'intégralité des soins qu'ils ont reçus depuis qu'ils sont nés.

Il ne pouvait plus se sortir cette idée de la tête : le sang de Pharabot signait le corps d'Anne Simoni. Impossible de croire à une simple coïncidence. En même temps, le prodige était inexplicable.

– Irisuanga : tu penses que c'était lui à Sainte-Anne ? demanda son adjoint.

– Je pense qu'on doit lâcher la proie pour l'ombre.

– C'est-à-dire ?

– Pharabot est derrière toute l'affaire, et pas seulement comme modèle.

– Je comprends rien à ce que tu racontes.

Erwan éclata de rire :

– Moi non plus, j'avoue...

116

GAËLLE FONCTIONNAIT en autonomie complète, comme les ordinateurs en cas d'orage ou de court-circuit. Elle ne tirait plus aucune énergie ni sensation du monde extérieur. Pourtant, dans son demi-sommeil, elle perçut le bruit de la porte de sa chambre qui s'ouvrait lentement. Elle ne reconnut pas tout de suite la silhouette sur le seuil.

Elle dut allumer pour l'identifier : le dernier visage qu'elle s'attendait à voir ici. Sofia Montefiori en personne.

– Je peux entrer ?

Il était quatre heures du matin (on lui avait rendu sa montre) et Sofia resplendissait. Elle avait une fraîcheur incorruptible, une vitalité invariable de neige éternelle – pas de saison, pas de trêve, la beauté toujours.

– Bien sûr, fit Gaëlle d'un ton rauque, se recoiffant en un geste réflexe.

L'Italienne attrapa une chaise et s'installa près du lit.

– T'es venue avec Loïc ?

– Faut que tu t'habitues à me voir sans lui.

– Bien sûr..., répéta-t-elle faiblement. Les flics t'ont laissée entrer... à cette heure ?

– Tu oublies que je m'appelle aussi Morvan.

Gaëlle sourit. Elle aurait voulu se retrancher derrière son habituelle agressivité mais le cœur n'y était plus.

– T'es au courant ? demanda-t-elle en faisant un effort pour se redresser.

– Loïc m'a téléphoné.

– Je veux dire… de tout ?

Sofia acquiesça en sortant un paquet de cigarettes :

– On peut fumer ici, non ?

L'odeur de la chambre était une réponse en soi. Gaëlle observa sa belle-sœur qui allumait une Marlboro. Elle avait toujours été jalouse de son teint mais aujourd'hui, c'était différent : à y regarder de plus près, l'Italienne avait des cernes et sa peau luisait comme de la mauvaise graisse. Elle remarqua aussi, avec surprise, des rides au coin de ses yeux : on appelait ça des pattes-d'oie mais c'étaient plutôt des serres d'aigle. Son divorce ?

– T'en veux une ?

– Non, merci. J'ai déjà trop fumé. C'est gentil de venir me voir.

– Je voulais te parler de quelque chose.

Chaque fois que ses paupières tombaient, le tueur cagoulé revenait. Gaëlle ouvrait les yeux et c'était pire : elle voyait sur les murs beiges les corps convulsés de Jacques Sergent et de l'infirmier.

Sofia attaqua une histoire à dormir debout selon laquelle leurs deux pères se connaissaient depuis des lustres et avaient secrètement organisé le mariage de leurs fils et fille respectifs dans le but de réunir leurs parts de Coltano. Elle paraissait si obsédée par ses découvertes qu'elle ne soupçonnait pas à quel point tout cela était dérisoire comparé à la violence de cette nuit.

Gaëlle avait envie de rire. Les plans des vieux ne l'étonnaient pas mais l'idée qu'elle aurait pu aussi détruire l'héritage du couple parfait était jouissive.

– Qu'est-ce que t'en penses ?

Elle sursauta : elle avait décroché depuis un moment. La fatigue. Les sédatifs.

– C'est-à-dire ? marmonna-t-elle au hasard.

– Que penses-tu de mon projet d'association ?

– D'association ?

– Il faut les mettre à genoux. On doit trouver un moyen de...

– Laisse tomber. J'en suis plus là.

– Comment ça ? Pourquoi ?

– Peut-être mon plongeon de trois étages. Ou la tentative de meurtre. J'hésite, fit-elle rêveusement.

Sofia lui prit la main.

– Je te comprends, fit-elle d'un ton réprobateur qui disait le contraire. Mais on doit pas se laisser faire. Ces enfoirés nous manipulent depuis notre naissance et...

– Qu'est-ce que tu veux ? Les ruiner ? T'en as pas les moyens et tu te ruineras toi-même. Les dénoncer ? Qu'est-ce que tu peux prouver au juste ? Qu'ils ont arrangé ton mariage ? Ce n'est même pas un délit aux yeux de la loi française.

La comtesse se recula sur sa chaise, l'air déçu :

– Je te reconnais pas.

– Moi non plus, et ça me déplaît pas.

Sofia se leva sans prendre la peine de défroisser sa jupe. Un modèle Chloé que Gaëlle avait repéré avenue Montaigne. *Pour la Ritale*, s'était-elle dit, *pas pour moi*.

Sofia allait sortir quand elle se ravisa et revint sur ses pas. Son visage avait changé d'expression : toute colère ou déception s'était envolée.

– J'avais autre chose à te dire...

Enfin... Gaëlle sentait depuis le départ qu'elle n'était pas venue seulement pour prendre de ses nouvelles ni pour échafauder une conspiration contre leurs pères.

– J'ai couché avec ton frère.

– Vous êtes encore mariés, non ?

– Pas avec Loïc, avec Erwan.

Gaëlle éclata franchement de rire. Elle n'était pas étonnée : l'Italienne et le Facho s'étaient toujours plu – et sans doute reconnus – sans le savoir.

– Méfie-toi, plaisanta-t-elle, il cache bien son jeu mais il est encore plus cinglé que Loïc.

117

– C'EST LA SEULE SOLUTION.
– Sûr ?
– On ne peut pas les convaincre autrement.
– Alors, fonce.

Sept heures du matin. Morvan faisait les cent pas dans le bureau en demi-lune de Loïc. Dès qu'il avait appris l'agression de Gaëlle, il avait filé à Sainte-Anne. Il n'avait vu personne : la petite s'était rendormie, Erwan était parti. Depuis, il n'avait aucune nouvelle : ni de l'une ni de l'autre.

Dans un chaos de pensées contradictoires, il avait été réveiller Loïc pour régler au moins le bordel de Coltano. Il avait renoncé à son premier plan : renvoyer Gaëlle dans les draps des trois banquiers et les persuader que l'information avait fait long feu. Plus question de l'impliquer, elle avait son compte.

Il devait donc s'en remettre aux spécialistes. Selon Loïc, l'unique moyen de parvenir à leurs fins était de faire baisser le prix de l'action. Dans un premier temps, les trois acheteurs penseraient à une fluctuation avant la grande hausse puis se convaincraient que leur tuyau était bidon : il n'y avait pas de nouveaux gisements. Alors ils se dépêcheraient de vendre. L'inconvénient de cette stratégie était que Morvan devait fourguer ses actions au rabais pour provoquer artificiellement la chute. En d'autres termes, se ruiner lui-même pour sauver sa peau.

– Comment les Blacks seront-ils au courant ? s'inquiéta Grégoire.

– Comme d'habitude : par leurs conseillers financiers.

– Ils vont paniquer.

– On rachètera nos propres actions plus tard, et plus cher. Le cours se stabilisera.

Morvan sourit : un seppuku financier.

– Kabongo va m'arracher les couilles.

– Préviens-le, mets-le dans la combine. Quand les autres ne se méfieront plus, vous exploiterez pour de bon les nouvelles mines.

Le Vieux acquiesça : il préféra ne pas avouer que le processus était déjà lancé. Il marchait toujours, mains dans les poches. D'instinct, il se méfiait de ce genre de projections. Depuis qu'il avait démarré le business, il n'avait jamais vu une prévision se réaliser, dans aucun domaine. La vie a toujours plus d'imagination que l'homme.

En réalité, l'important était ailleurs : ils prétendaient discuter comme de solides hommes d'affaires mais ils étaient toujours en état de choc. En moins de vingt-quatre heures, Gaëlle avait voulu se suicider et avait échappé à une tentative de meurtre. Un tueur était dans la nature et il s'attaquait désormais directement au clan. Leurs calculs d'épicier ne pesaient pas lourd.

– Et les Luxembourgeois ? demanda Loïc. Ils vont suivre ?

– J'en fais mon affaire.

Il avait déjà appelé Montefiori : il marchait, aucun problème. Au passage, il l'avait interrogé sur les fameux clous convoyés par Heemecht. Pas au courant, avait prétendu l'Italien. Pourquoi pas ? Après tout, sa compagnie gérait des milliers de conteneurs par an. Mais un flic ne devait jamais exclure le hasard, c'était une difficulté supplémentaire.

– Qui sont ces types ? insista Loïc.

– C'est mes oignons, je te dis.

Loïc eut un geste vague de résignation. Morvan l'observait du coin de l'œil : son fils lui paraissait plus frais que d'habitude. Après la tentative de suicide de sa sœur, il avait sombré dans une apathie étrange. Le Vieux avait même redouté une nouvelle rechute – héroïne ou alcool. Mais la coke semblait avoir suffi à le remettre sur pied. À moins que Sofia lui ait déjà parlé et que la colère à propos de leur mariage arrangé ne demande qu'à exploser...

Dans tous les cas, on règle le problème Coltano et je m'occupe de toi, mon canard. Il avait déjà décidé d'expédier encore une fois Loïc dans une clinique spécialisée pour un sevrage en règle.

En parlant de clinique, il avait aussi réservé une place pour Gaëlle dans un institut à Chatou, les Feuillantines, qui prenait en charge de riches patients en dépression. Il connaissait l'endroit : il y avait lui-même fait plusieurs séjours. Pour la protéger, il y placerait ses propres hommes. Pas des flics ni des fonctionnaires : des gars à lui qui avaient plutôt l'habitude de gérer des coups d'État et des attentats terroristes.

Restait Erwan. Il n'avait pas encore eu l'occasion de l'engueuler mais il ne perdait rien pour attendre : le tueur ne cessait de se rapprocher de leur famille et il paraissait impuissant à l'arrêter ou à l'identifier.

– Donc je peux compter sur toi ? reprit-il en se plantant devant le bureau.

– Attention, fit Loïc en levant les mains, c'est pas du cent pour cent gagnant ! On va y laisser des plumes et j'arriverai peut-être pas à récupérer toutes nos actions. En plus, il faudra y aller mollo pour les rachats, afin de ne pas trop faire remonter le cours. Si mes prévisions sont justes, au moment de notre rapport annuel, l'action aura retrouvé son cours normal. Pas vu, pas pris...

Morvan se pencha au-dessus de la table :

– Le seul vrai risque, c'est que les Blacks découvrent les nouveaux gisements. Détourne leur attention, qu'ils croient à des magouilles boursières et oublient le terrain. Et surtout, qu'ils ne pensent pas qu'on a voulu les entuber. Si on perd notre chemise dans l'affaire, c'est pas grave : on se rattrapera sur le brut.

Tout en parlant, il précisait sa propre pensée. En réalité, il naviguait à vue, entre les conseils de son trouillard de fils, les menaces du clan Kabila et les agressions du Tueur aux clous.

Loïc planta son regard dans les pupilles de son père. Il avait les yeux si bleus qu'il était impossible de les contempler trop longtemps, comme le ciel, sous peine d'être pris de vertige. Morvan décida : Sofia ne lui avait pas encore parlé.

– Tu regretteras pas ?

– Appelle-moi quand t'auras tout soldé.

Loïc décrocha son téléphone :

– On est dimanche mais je vais passer quelques coups de fil.

118

À 8 H 30, Erwan déboula au 36 et convoqua son groupe. Il n'avait dormi que deux heures, pris une douche façon kärcher et s'était changé. À l'aube, il avait reçu les premières données médicales des suspects. Aucun d'entre eux n'appartenait au groupe sanguin O –. Encore une piste qui tombait à l'eau. On attendait leurs dossiers médicaux détaillés dans la matinée.

Il avait demandé à Amarson de ne pas se presser pour rédiger le PV concernant Irisuanga – de toute façon, la merde remonterait de l'autre côté, via l'avocat du diplomate nigérian. Concernant les deux meurtres de cette nuit, il prévoyait un avis de tempête comme il en avait rarement essuyé. Fitoussi l'avait déjà appelé six fois, le parquet était dans tous ses états, les médias allaient ouvrir la journée avec ce scoop, sans faire le lien, espérait-il, avec les meurtres précédents.

Mais Erwan avait évité le pire : son père. Il l'avait esquivé à l'hôpital puis avait coupé son téléphone. Le face-à-face promettait d'être rude. En toute mauvaise foi, le Vieux lui reprocherait de ne pas avoir fait le nécessaire pour protéger sa petite sœur – et d'échouer lamentablement dans son enquête.

Assis dans son bureau, Erwan parcourait le rapport d'autopsie de Ludovic Pernaud en attendant son équipe. L'Homme-Clou avait usé des mêmes techniques, pratiqué les mêmes mutilations, manifesté les mêmes obsessions. La seule originalité était le soin apporté au dépiautage de la victime. Selon Riboise, les connaissances chirurgicales se confirmaient : le pauvre Pernaud avait été écorché dans les règles de l'art.

Il songea encore une fois au problème du viol anal : homosexualité en forme d'instinct de mort ? Impuissance ? Lien avec le mobile de la vengeance ? Erwan ne croyait pas à la piste d'un viol ancien ou quelque chose de ce genre – et surtout pas à une agression sexuelle dans laquelle son père serait impliqué… Il rangea le rapport dans la bannette des PV et se dirigea vers la salle de réunion. D'une manière étrange, il avait les idées claires et ressentait dans son corps une énergie fébrile – de vraies décharges électriques.

Ils étaient déjà là, en deuil. La Sardine, vêtu d'un sobre costume noir, Audrey, bandana sombre sur cheveux filasse, Tonfa, plus que jamais bourreau de Londres, et Kripo, veste de velours vert bouteille sur gilet de cuir foncé. Ces looks valaient tous les discours : ils partageaient la responsabilité de la mort du petit Sergent. Personne n'aurait pu prévoir l'agression de cette nuit – le bleu était seulement censé veiller sur Gaëlle et ses pulsions suicidaires, mais en tant que maillon faible, ils auraient dû mieux l'encadrer, le mettre en garde.

Un détail alourdissait encore l'atmosphère : les œuvres de Pharabot, revenues du laboratoire de l'Identité judiciaire, s'entassaient dans un coin de la salle, chacune dans un sac à scellés, avec leur expression menaçante et leur corps grossier en papier mâché.

Erwan décida de ne faire aucun commentaire sur la disparition de Sergent. La meilleure façon de rendre hommage à leur collègue était de retrouver l'assassin. Un échange de regards avec Kripo fit office d'épitaphe. Il lui en devait une : c'était l'Alsacien qui s'était chargé d'avertir les parents.

Essayant d'être concis, Erwan résuma ses soupçons. Les noms de Lartigues, Redlich et Irisuanga tombèrent en priorité. Sans pouvoir expliquer quel rôle jouaient ces trois pervers dans le tableau, il exigea une gamme approfondie sur chacun d'eux pour le milieu de journée.

Une idée le taraudait depuis son réveil mais il ne pouvait pas encore en parler – trop fumeux : un club de tueurs. Des hommes qui seraient passés à l'acte chacun à son tour, selon le même mode opératoire, inspirés par le même maître, l'Homme-Clou. La méthode était classique : chaque meurtrier innocentait ses compagnons en frappant quand les autres étaient insoupçonnables. Pour étayer son scénario, il n'avait rien, excepté un fait : il manquait un alibi à chaque suspect. Lartigues aurait pu tuer Anne Simoni, Redlich Ludovic Pernaud et Irisuanga aurait pu opérer à Sainte-Anne. À quoi pouvait s'ajouter, tant qu'on y était, di Greco en assassin de Wissa – Erwan n'excluait pas que son club ait été au départ un quatuor.

Historiquement, on ne connaissait aucun cas où le tueur en série s'était avéré être une série de tueurs et la référence d'Erwan était plus que vaseuse : un vieux film d'Henri-Georges Clouzot, *L'assassin habite au 21*, où un trio de meurtriers s'innocentent les uns les autres. Par ailleurs les objections étaient nombreuses : les connaissances de chirurgien du tueur, son expérience de marin. Ni Lartigues, ni Redlich, ni di Greco, ni Irisuanga n'avait le profil. Sans compter le handicap physique des deux premiers et la maladie du troisième…

Il préféra donc se taire et laisser la parole à ses hommes. Ce fut pour entendre, encore une fois, la même rengaine. Aucun résultat à l'hôpital Sainte-Anne : ni trace ni témoin. Aucun signe d'effraction au pavillon Broca. Aucune image vidéo de l'intrus. Ça tenait du sortilège.

En revanche, la Sardine et Kripo avaient dégoté un fait intéressant : l'un avait planché sur Pernaud, l'autre sur Redlich. En comparant leurs résultats, ils avaient noté une connexion inattendue entre les deux suspects.

– Pernaud est référencé comme propriétaire de plusieurs armes à feu, expliqua Favini. Il était inscrit au club de Galaney, dans les Yvelines, où Redlich venait aussi s'entraîner tous les week-ends.

Erwan se souvenait que le vieux revêche les avait accueillis avec un fusil.

– Redlich est un adepte du tir sportif de vitesse, confirma Kripo, il posséderait au moins cinq armes. D'après ses collègues du CNRS, il a très mauvaise réputation. Dans sa jeunesse, en Afrique, il passait pour une gâchette facile. Il est même interdit de séjour dans les deux Congos.

– On a comparé leurs jours et leurs horaires de visite au club, continua Favini. Tout est consigné sur ordinateur. Ces deux oiseaux se sont croisés durant des années. À mon avis, ils faisaient des cartons ensemble.

Redlich avait donc pu approcher Pernaud sans susciter sa méfiance (et c'était pour cette raison, peut-être, qu'il aurait fouillé chez lui, afin d'effacer toute trace de leur relation). Par ailleurs, il était certain que Lartigues connaissait Anne Simoni – il devait même avoir une influence de mentor sur elle. Assez forte pour la persuader de le rejoindre sur son Zodiac mardi soir ? Restaient Irisuanga, surpris à proximité de Sainte-Anne, et la virée de di Greco sur la lande…

Les faits se précisaient mais butaient toujours sur une difficulté majeure : trois des suspects n'avaient pas les moyens physiques de ces actes.

Kripo revenait justement sur le sujet :

– J'ai reçu les dossiers médicaux du sculpteur et de l'ethnologue – leur compte à la Sécu. Aucun traitement pour une sclérose en plaques pour Lartigues, pas l'ombre d'une infection pour Redlich. J'ai imprimé la liste des soins qu'ils ont déclarés ces vingt dernières années : Lartigues n'a quasiment jamais été malade, Redlich soignait ses vieilles fièvres africaines et c'est tout. Soit leur handicap est bidon, soit ils se font soigner en douce et n'ont jamais été remboursés, ni par la Sécu ni par leur mutuelle, ce qui ne tient pas debout.

Erwan était d'accord : en France, aucun malade n'oublierait de passer à la caisse. À moins que l'artiste et l'ethnologue ne se fassent traiter par un *nganga*… Ou qu'ils aient inventé leur infirmité. Pour se disculper ? Il n'y croyait pas : les deux hommes étaient plus malins que ça.

– Continue à creuser là-dessus, dit-il à Kripo. Démerde-toi pour savoir s'ils sont vraiment malades et ce qu'ils prennent comme médocs.

– On tape une perquise ?

– Non. On la joue fine.

L'Alsacien grimaça : ça signifiait retourner faire les poubelles du sculpteur et de l'ethnologue, voire fouiller chez eux en douce.

– T'es sûr qu'on a le temps pour ça ?

– J'ai pas l'impression qu'on ait beaucoup d'autres choses à faire.

– On pourrait les mettre sur écoute ? proposa Favini.

– Trop compliqué. Et s'ils ont quelque chose à se reprocher, ils ne le diront pas au téléphone.

– On les surveille ? On pirate leurs ordinateurs ?

– Ni planque ni hacking. On leur met juste un gars aux basques, le plus discrètement possible. Ces types sont sur leurs gardes et d'une intelligence supérieure. Qui s'est occupé d'Irisuanga ?

Tonfa ouvrit son dossier : pages sorties tout droit d'Internet, présentation des récentes expositions du Nigérian, images de ce que l'art contemporain peut produire de plus obscur ou grotesque.

– Tout est clair du côté d'Onyx. D'après ces articles, c'est une galerie en vogue. J'attends vérification de son alibi mais la compagnie aérienne a validé les jours et les heures de vol à Lagos.

La Sardine leva la main :

– Autre chose : tu m'avais demandé de trouver les minutes du procès de Thierry Pharabot, il y a bien un dossier mais il a disparu.

– Comment ça ?

– Pas d'explication. Les gars des archives prétendent qu'il est fréquent de perdre des classeurs entiers.

Il songea à son père. Jadis, on l'appelait le Nettoyeur. Avait-il fait le ménage pour son propre compte ?

– Et au Congo ?

– J'ai contacté le tribunal de grande instance de Lubumbashi. Ils m'ont assuré qu'ils avaient tous les actes et qu'ils allaient nous les envoyer « dans les meilleurs délais ».

– Tu y crois ?

– Pas une seconde.

– Et la Belgique ?

– Notre officier de liaison m'a promis de chercher.

– Il t'a paru fiable ?

– Un poil plus que les Congolais.

Neuf heures du matin et tout ce qu'Erwan avait devant lui, c'étaient des engueulades à encaisser, des justifications à donner, des trous impossibles à combler. Il ne possédait que des hypothèses, des fantasmes et un grand vide dans la case « indices directs et concordants ».

– Et les corps de Sainte-Anne ?

– Les autopsies sont en route mais…

– Levantin ?

– Pas de nouvelles.

– On continue, conclut-il en se levant. Le point à midi.

Les flics se regardèrent : continuer quoi au juste ? Il les salua d'un bref signe de tête et regagna son bureau.

Il se sentait mal. Nausée, faim, étourdissements… En même temps, il n'aurait rien pu avaler. Il ouvrit son petit frigo, attrapa un Coca Zéro et se plongea dans les dossiers médicaux de Lartigues et Redlich. C'était à peu près aussi passionnant que de lire le *Vidal*.

On frappa à la porte. Levantin apparut, avec ses airs de gai laboureur, auréolé d'une lumière digne de *L'Angélus* de Millet.

– Tu sais qu'on peut se parler aussi au téléphone ? fit Erwan avec irritation. T'es pas obligé de te déplacer à chaque fois.

Le coordinateur balança un dossier d'analyses sur le bureau :

– L'ADN du sang étranger sur le corps d'Anne Simoni, c'est celui de Thierry Pharabot.

119

DE DEUX CHOSES L'UNE : soit Pharabot était encore vivant, soit – c'était plus probable – on avait prélevé son sang avant sa mort et on l'avait conservé jusqu'à aujourd'hui. Erwan n'était pas spécialiste de la question mais il devait être possible de congeler de l'hémoglobine sans en altérer la composition.

Cette idée le ramenait à l'hypothèse d'un fanatique qui aurait approché Pharabot à Charcot. Un médecin ? Un infirmier ? Lassay, le patron de l'institut, avait balayé cette possibilité mais qu'en savait-il ? Ou avait-il justement cherché à dissimuler un fait d'importance ?

Autre scénario : un ou plusieurs adorateurs de l'Homme-Clou avaient soudoyé un gardien de l'UMD ou un type des pompes funèbres pour prélever du sang de l'assassin avant sa crémation. Pourquoi pas Lartigues ou un autre des suspects ? Son club de tueurs aurait parfaitement pu vouloir conserver un *souvenir* de leur mentor. Plus largement, les adorateurs de la villa du Bel-Air auraient pu pousser leur culte jusque-là. « Prenez, et buvez-en tous : car ceci est la coupe de mon sang… »

Face à cette hypothèse, Levantin s'était montré réservé. Selon lui, on ne congèle jamais du sang tel quel : on le fractionne d'abord en globules, plasma, d'autres éléments stables… Ce n'était pas le cas avec l'échantillon découvert. Par ailleurs, toujours selon l'analyste, les globules, pour être conservés, sont mélangés à un cryoprotecteur dont on aurait retrouvé la trace. À moins que le sang n'en ait été ensuite débarrassé, mais ces manipulations impliquaient un véritable laboratoire. Pour Levantin donc, Pharabot était toujours vivant. Erwan n'y croyait pas et l'idée d'un tueur capable de se livrer à des opérations complexes ne lui paraissait pas impossible. Après tout, on savait déjà que le meurtrier avait des connaissances médicales.

Dans tous les cas, il devait enquêter au plus vite à la source du problème.

– Kripo ? fit-il au téléphone. Bonne nouvelle : on retourne en Bretagne.

– Quoi ? Mais...

– J'ai besoin de mon Scribe préféré. Je compte bien arracher des aveux circonstanciés.

– À qui ?

– Je t'expliquerai. Trouve-nous le premier vol pour Brest.

– Erwan...

– Pas de discussion !

– Je discute pas : je voulais te dire que Michel Clemente, le légiste de la Cavale blanche, vient justement de m'appeler.

– Pourquoi il ne m'a pas contacté ?

– Il prétend que tu réponds jamais.

– Qu'est-ce qu'il voulait ?

– Il a pas voulu s'expliquer.

Erwan avait conservé son numéro. D'une pression, il le composa.

– Docteur ? Commandant Morvan, de la BC.

L'autre le salua avec amabilité. Au ton de sa voix, Erwan devina qu'il avait retrouvé son rythme quotidien et sa dignité de légiste de campagne. Le temps des cadavres en pièces détachées était loin.

Peut-être pas si loin que ça :

– Je voulais vous signaler un détail vraiment… étonnant.

– Je vous écoute.

– Je suis en train de regrouper tous les documents afférents au dossier Kaerverec. On doit vous faire parvenir tous les éléments, si j'ai bien compris.

– Eh bien ?

– Parmi eux, j'ai retrouvé une synthèse du dossier médical de Jean-Patrick di Greco. On me l'a envoyé au moment de l'autopsie et…

– Il ne souffrait pas du syndrome de Marfan ?

– Bien sûr que si. Pourquoi cette question ?

– Pour rien. Continuez.

– Il y a une différence importante entre ce dossier et mes constatations lors de son autopsie. Son groupe sanguin n'était plus le même. Sur les documents que j'ai reçus, il était A +. Selon mes analyses, il était O –.

– On peut changer de groupe sanguin ?

– Dans un seul cas seulement.

– Lequel ?

– C'est assez difficile à expliquer par téléphone, je…

– Vous allez m'expliquer ça de vive voix : je serai à la Cavale blanche aux environs de 14 heures. Attendez-moi à l'institut médico-légal.

– Vous allez revenir pour ça ? Ce n'est peut-être pas si important, je peux…

– À tout à l'heure.

Il raccrocha et s'aperçut qu'il suait à grosses gouttes. Il était coutumier de ce genre d'accélérations dans une enquête. Après plusieurs jours au point mort, les faits proliféraient d'un coup comme des cellules cancéreuses.

Il regarda sa montre : déjà 10 heures. Pas le temps de repasser chez lui. Il vérifia ce qu'il avait dans son armoire de bureau en matière d'effets personnels. Trousse de toilette, chemise de rechange, chargeurs. Le kit du petit flic en vadrouille.

Des coups à la porte.

– Entrez.

Audrey se glissa dans le bureau, le front toujours ceint de son bandana noir.

– Qu'est-ce qu'il y a ?

– Je voulais te parler d'un truc à propos de Pernaud. On a identifié un numéro.

Erwan abandonna son sac de voyage et s'approcha d'elle. Qui disait Pernaud disait barbouzerie. Qui disait barbouzerie...

– Il utilisait un portable spécifique pour appeler toujours le même numéro.

Il carra ses mains dans ses poches, il avait déjà compris :

– Celui de mon père ?

Audrey hésita. Il ne l'avait encore jamais vue perdre son aplomb.

– Non, celui de ta mère.

120

LE PARIS-BREST décollait à 13 h 40 : il avait juste le temps de passer voir Maggie. Impossible de répondre à la convocation de Fitoussi. Il s'était contenté de lui balancer un SMS d'excuse : « Une urgence. »

Durant le trajet (son adjoint conduisait), sa cervelle chamboulée multipliait les suppositions absurdes. Parmi les plus délirantes : Ludovic Pernaud était l'amant de Maggie. Ou encore, pas mal non plus : elle était complice de son mari dans l'organisation des contrats et autres manœuvres occultes exécutées au service de l'État. Il y avait de quoi rire mais il aurait fallu un démonte-pneu pour lui desceller les mâchoires.

Pas facile d'établir un portrait objectif de sa mère. Il pensait toujours à elle avec une sorte d'exaspération contenue. Il l'aimait bien sûr, mais d'une façon réflexe. Dès qu'il pensait *vraiment* à elle, il sentait monter en lui un mélange irritant de compassion et de rancœur.

Pourquoi était-elle restée avec ce fou sadique ?

Elle vivait sa condition avec un orgueil mystique. C'était son martyre, sa croisade, subie au nom de ses enfants et aussi de l'ordre bourgeois. Elle qui avait été une hippie joyeuse et délurée, elle qui avait craché sur toutes ces valeurs durant sa jeunesse, elle les respectait aujourd'hui avec des scrupules de bénédictine.

Plusieurs fois, elle avait quitté son mari. Elle avait demandé le divorce. Elle avait juré de ne plus l'approcher. Quelques promesses avaient suffi pour la ramener au bercail. Leur destin ressemblait aux tragédies grecques où les héros, quoi qu'ils fassent, n'échappent jamais aux prévisions de l'Oracle.

Avenue de Messine, dimanche, 11 h 10. Quiétude des beaux quartiers. Soleil frémissant entre les cimes. Le calme du parc Monceau descendait ici comme une rivière et ruisselait jusqu'aux porches.

– Attends-moi là, fit-il à Kripo, j'en ai pas pour longtemps.

Il renonça à prendre l'ascenseur. Au fil des marches, un souvenir : sa mère à l'hôpital, après un mystérieux accident ; lui, neuf ans, assis dans la salle d'attente, lisant une revue d'arts martiaux que son père lui avait achetée. Il l'entendait expliquer au médecin comment sa femme était tombée dans les escaliers. Il percevait les réponses du toubib : malgré les multiples fractures, le bras serait sauvé.

Erwan se concentrait sur sa lecture, étonné que personne n'évoque une autre version – celle qui collerait avec les coups et les cris qu'il avait entendus puis les hurlements de sa mère quand le salopard l'avait balancée dans la cage d'escalier. Il voyait les lignes danser devant ses yeux. Ses mains étaient crispées sur les pages – ironiquement, un numéro spécial sur les stars du cinéma de kung-fu : Bruce Lee, Jackie Chan, Jet Li... Il avait envie de s'enfuir. Ou de tuer tout le monde. Mais il ne bougeait pas. Confusément, il s'était dit alors que si rien ne se passait ce jour-là – si son père n'allait pas en taule, si sa mère revenait à la maison –, alors le combat était perdu à jamais.

Une semaine plus tard, Maggie était de retour, le bras dans le plâtre.

Il sonna puis s'essuya les mains sur sa veste : trempées de sueur. Sa mère lui ouvrit au bout d'une minute, dans son tablier en toile recyclée – elle s'était toujours refusé à employer quelqu'un à son service. Encore une grande idée qui s'était soldée, pour elle, par une vie de bonniche.

– Erwan ? fit-elle avec étonnement. Qu'est-ce qui se passe ?

– Tout va bien. Je peux entrer ? Je serai pas long.

Elle recula pour le laisser passer. Sa beauté planait toujours sur son visage comme un fantôme usé. La radio murmurait quelque part. Le salon était un champ de manœuvres : tapis pliés, coussins retournés, chaises empilées... En deux jours, sa fille s'était jetée par la fenêtre et avait échappé à une tentative de meurtre mais visiblement, rien ne pouvait altérer le mandala des tâches ménagères.

– Ça me change les idées, plaida-t-elle. Et comme il n'y a pas notre déjeuner, j'en profite pour faire un grand ménage. Tu veux boire quelque chose ?

– Je te remercie. Je reste que quelques minutes. J'ai un avion à prendre.

Il n'avait pas de temps pour les formules ni les périphrases :

– Dans le cadre de mon enquête, je suis tombé sur ton numéro de téléphone.

– Comment ça ?

– Une des victimes t'a appelée trois fois la veille de sa mort.

Elle ouvrit ses yeux protubérants. Il lui semblait discerner chaque veinule de sang dans leur blanc vitreux.

– Qui ?

– Ludovic Pernaud.

– Jamais entendu parler.

– Comment tu expliques ça ?

– Il travaillait avec ton père ?

– À toi de me le dire.

Il retourna une des chaises et s'installa au cœur du salon mis à nu. Maggie poussa du pied l'aspirateur et s'assit sur une méridienne en velours.

– Il utilise parfois mon portable...

– Pour quoi faire ?

– Les gens de son travail l'appellent sur mon numéro. Juste pour lui signaler qu'il doit les rappeler, lui.

Cet aveu corroborait ce qu'il avait lu sur les fadettes : chaque appel de Pernaud n'avait pas dépassé quelques secondes. Pourtant, il sentait que sa mère mentait.

– Tu sais ce que fait papa place Beauvau ?

– Il y a longtemps que je ne veux plus le savoir.

– À quel moment tu as... décroché ?

Elle agita son bras, semblant dire : « Oublié. » Il l'observait et ne retrouvait ce matin aucune des deux Maggie : ni l'évaporée grignotant ses graines du Mexique en rêvant d'un monde meilleur, ni la créature paniquée qui rasait les murs dès que son mari tournait la clé dans la serrure. Il se demanda soudain s'il n'existait pas une troisième Maggie. Un être glacé qui dissimulait puissance et secrets derrière son apparence fragile.

– Qu'est-ce qui s'est passé entre vous à Lontano ?

– Tu vas pas remettre ça avec tes vieilles histoires.

– Réponds-moi.

– On s'est rencontrés pendant son enquête.

– En 1970 ? Je suis né en 1971.

– En 69. Ça a été un vrai coup de foudre.

– Un coup de foudre ? Entre papa et toi ?

– On en a déjà parlé. Nos... rapports actuels n'effacent rien.

– Il m'a dit que votre liaison avait été marquée par la violence...

– Pas la nôtre : celle de l'Homme-Clou. Les victimes se multipliaient. Ça le rendait... malade.

Morvan lui avait servi les mêmes bobards : « témoignages concertés », en langage PJ.

– À part son enquête, il trempait dans des magouilles ?

– Ton père cherchait le tueur et s'occupait de faire régner l'ordre à Lontano. Il ne s'est jamais mêlé d'autre chose.

– Jusqu'à ce qu'il hérite des mines de manganèse.

– C'était bien après, quand l'affaire était réglée.

– Sur ses investigations, qu'est-ce que tu savais ?

– Rien. Il n'en parlait jamais. Il se méfiait de tout le monde.

– Même de toi ?

– *Surtout* de moi. Il était convaincu que les Blancs protégeaient le tueur parce qu'il était un des leurs, un colonialiste exploiteur. C'était absurde mais à l'époque, il avait de vraies convictions de gauche. Il voulait libérer l'Afrique.

– Au cours de l'enquête, il n'a rien commis d'illégal ?

– En Afrique, rien n'est illégal et il avait tous les droits. Une seule chose comptait : trouver l'assassin.

Erwan essaya de la provoquer :

– L'homme qui t'a appelée, la victime de mon meurtrier, était lui aussi un tueur.

Aucune réaction. Il se dit avec ironie que Maggie avait un point commun avec Ludovic Pernaud : la passion pour le film fraîcheur.

– Il a sans doute rempli un contrat quelques jours avant sa mort, continua-t-il. Je pense qu'il a agi sur ordre de papa.

Elle n'eut pas l'air étonnée. Elle n'avait pas besoin de ce genre de soupçons pour savoir que son mari était un assassin. Elle-même n'était qu'une survivante.

– Le contrat visait un type qui préparait un livre sur la Françafrique, insista-t-il.

– Et ton père aurait ordonné son... élimination, simplement pour ça ?

– Il pouvait découvrir un secret sur lui.

– Tu es devenu fou.

Elle avait dit cela avec un vrai accent de sincérité mais tout était simulé. Elle était au courant des activités occultes de son mari. Aujourd'hui, Erwan pensait même qu'elle n'y était peut-être pas étrangère.

11 h 30. Il devait y aller. Il se leva et se dirigea vers l'entrée.

– Je comprends pas pourquoi tu me poses ces questions, reprit-elle en le suivant.

Il se retourna brutalement :

– Depuis dix jours, un homme se prend pour l'Homme-Clou. On en est à trois victimes, cinq si on compte celles de Sainte-Anne. La plupart ont un lien avec papa. Le tueur venge Thierry

Pharabot, tu piges ? (Il lui saisit les bras.) T'es sûre que t'as rien à me dire ? Quelque chose qui me permettrait de l'identifier, d'éviter d'autres meurtres ?

– Non, je te jure...

Elle se tut tout à coup, les yeux fixes, la nuque tendue. En une seconde, elle eut son masque de victime consentante, prête à encaisser. Il la lâcha avec répugnance : il venait d'agir comme son propre père.

En descendant l'escalier, il rappela Audrey et lui ordonna de trouver, coûte que coûte, quelque chose qui confonde son père dans l'affaire Marot.

– En plus du reste ? demanda-t-elle, faisant référence à l'enquête en cours sur l'Homme-Clou.

– En plus du reste. Putain de dieu, fais-le tomber !

Franchissant le seuil de l'immeuble, il se repassa l'interview de sa mère et se dit qu'il fallait absolument qu'il se procure le dossier du procès de Pharabot. *Le seul moyen d'en savoir plus sur l'affaire.*

Une minute plus tard, il était dans la voiture.

– Ça s'est bien passé ? lui demanda Kripo.

– Fonce. J'en ai plein le cul de perdre mon temps.

121

DANS SA COURSE contre la montre, il n'était pas sûr d'avoir fait le bon choix.

Avec l'attente à l'aéroport, les consignes de sécurité, le vol lui-même, il avait encore grillé deux heures. Pour couronner le tout, il s'était endormi dans l'avion. Un sommeil d'épileptique. Terreurs, convulsions, réveils en sursaut, puis de nouveau inconscience jusqu'à la crise suivante. Il n'avait pas lu une ligne.

Le contact avec le tarmac le réveilla pour de bon. Il pleuvait des lignes de verre sur la piste. Au bout, ses partenaires favoris, dans leur immuable ciré noir : Archambault, Verny et Le Guen.

Erwan ne leur avait pas dit pourquoi son adjoint et lui revenaient aussi vite. Ils traversèrent à nouveau la ville, entassés dans un véhicule de gendarmerie. En quelques mots, Erwan résuma la situation. Les nouveaux meurtres. Ses soupçons fétichistes. L'ADN de Pharabot sur le corps de Simoni.

Le silence dans l'habitacle en disait long. Soit ils ne comprenaient pas, soit ils comprenaient, et c'était pire.

La Cavale blanche. Ses bâtiments carrés posés sur des pylônes. Ses pelouses en forme de plaines. Ses familles en visite. Au deuxième sous-sol, ils retrouvèrent les fresques lugubres des murs de ciment.

Clemente les reçut dans la salle d'attente, où les poissons rouges et la machine à café n'avaient pas bougé. Pour une raison inconnue, le plafonnier ne fonctionnait plus et seule la lumière mouvante et bleutée de l'aquarium les éclairait.

— Café ? demanda le légiste près du distributeur.

Débarrassé de sa blouse, il avait retrouvé son allure de séducteur quinquagénaire : chevelure argentée et casual chic.

— C'est quoi cette histoire de changement de groupe sanguin ? demanda Erwan sans même répondre à la proposition.

Clemente leur désigna les fauteuils et le petit canapé. La brutalité du flic ne dispensait pas des bonnes manières. Tous s'assirent, en gardant leur ciré.

— Il n'y a qu'une explication : une greffe de moelle osseuse.

— Pour soigner son syndrome ?

— Non. On effectue surtout ce type de greffes pour traiter les leucémies.

— Di Greco avait un cancer du sang ?

— Son dossier médical ne le mentionne pas. Pas plus qu'il ne mentionne la greffe d'ailleurs. Ce qui est vraiment bizarre...

— Il aurait subi une opération clandestine ?

— Pas nécessairement : il a peut-être été soigné à l'étranger.

— Pour quoi ?

— Aucune idée.

Clemente ne cessait de regarder la machine à café. Finalement, n'y tenant plus, il se leva et en prit un.

— Il y a autre chose, reprit-il. Ce genre de greffes, même lorsque la moelle est bien tolérée, impose un traitement draconien, notamment la prise d'immunodépresseurs. J'ai fait de nouvelles analyses et j'ai retrouvé des traces notables de ces produits dans son sang. Di Greco a bien subi une greffe, je dirais ces trois dernières années.

— Vous avez repéré une cicatrice ?

— De telles opérations n'en laissent pas. On procède par injections. (Il se rassit et but quelques gorgées de café.) Un autre détail étrange : selon le rapport d'enquête, aucune boîte de ciclosporine, l'immunodépresseur, n'a été découverte dans sa cabine. Pour une mystérieuse raison, il tenait à garder secret son traitement.

Erwan lança un regard à Verny, qui confirma.

– Pourquoi ce type d'intervention modifie-t-il le groupe sanguin ?

– C'est la moelle osseuse qui produit les globules blancs, les globules rouges et les plaquettes. Autrement dit, quand on change de moelle, on change la machine à fabriquer le sang.

– L'ADN du sujet aussi dans ce cas ?

– Absolument. La moelle osseuse conditionne la production de toutes les cellules. C'est le système dans son ensemble qui est remplacé. Mais attention, il faut que la greffe prenne.

Erwan songea au sang retrouvé derrière l'oreille d'Anne Simoni. Ce n'était peut-être pas l'ADN de Pharabot lui-même mais de quelqu'un qui avait reçu la moelle de l'assassin.

Pas trop vite...

– Une greffe de moelle osseuse, comment ça marche ?

– Je vous l'ai dit : on la pratique surtout pour soigner une leucémie. La moelle du malade produit un sang anémié. On la détruit donc par chimiothérapie ou radiothérapie, puis on en greffe une autre, en général celle d'un parent, qui fabriquera un sang équilibré, générateur de globules rouges.

– Ces implantations s'effectuent toujours au sein d'une même famille ?

– Pas systématiquement. Il peut exister des compatibilités entre des personnes qui n'ont aucun lien de parenté. Dans tous les cas, pour que la greffe prenne, il faut un traitement à la ciclosporine. Le patient doit donc être suivi de près car sa carence d'anticorps l'expose fortement aux autres maladies.

Erwan s'enfonçait dans une forêt obscure mais une lumière brillait, très loin, parmi les feuillages entrelacés.

– C'est une opération compliquée ?

– La technique a beaucoup évolué. Jadis, les transplantations médullaires étaient mécaniques. On prélevait la moelle du donneur avec une grosse seringue puis on l'implantait directement dans le sang du greffé.

– Et maintenant ?

– La culture des cellules a fait des progrès incroyables. On prend désormais des cellules souches sur le donneur puis on les cultive, en temps voulu, afin de les transformer en moelle osseuse.

– Cette opération demande du matériel sophistiqué ?

– Des outils spécialisés, qu'on trouve dans les hôpitaux.

– Concrètement, comment ça se passe ?

– On extrait des cellules souches dans certaines parties du corps, dans le derme par exemple, puis on les congèle à moins cent quatre-vingts degrés jusqu'à ce qu'on en ait besoin. C'est très à la mode actuellement. De fantastiques promesses thérapeutiques se profilent. Aujourd'hui, on envisage sérieusement de conserver le cordon ombilical de chaque enfant.

– Pourquoi le cordon ?

– Il est plein de cellules souches. L'idée est de les placer dans de l'azote liquide et de les cultiver en cas de problème de santé. Une sorte d'assurance pour la vie. L'atout essentiel de ces cellules est qu'elles sont éternelles. Si on les préserve dans le froid, elles ne meurent jamais. On les appelle les « lignées immortelles ».

En entendant ce nom, Erwan sut qu'il avait trouvé la clé de voûte de l'enquête.

Scénario. Quatre hommes vouent un culte malsain à un tueur en série vieillissant. À sa mort, ils se débrouillent pour se procurer ses cellules souches. Ils trouvent un spécialiste qui accepte de les mettre en culture afin d'obtenir de la moelle osseuse qu'ils se font ensuite greffer. Pourquoi ? Tout simplement pour devenir, au sens génétique du terme, l'Homme-Clou.

S'il avait raison, les quatre en question étaient Jean-Patrick di Greco, Ivo Lartigues, Sébastien Redlich, Joseph Irisuanga... Depuis la veille, le mot de « réincarnation » planait sur l'enquête. Il sonnait de plus en plus juste.

Mais Pharabot était un *nganga* doté de superpouvoirs. Les cellules médullaires ne suffisaient pas. Il fallait aussi sacrifier des fétiches humains pour hériter de sa puissance. Chacun à leur tour, ils avaient donc tué selon son modus operandi.

Telle était la nature du pacte.

Le choix des victimes dans l'entourage de Grégoire Morvan, afin de le faire accuser ou de l'atteindre psychologiquement, relevait de la même logique. Après tout, c'était Pharabot lui-même qui se vengeait à travers eux.

Un fait ne collait pas : si on admettait que di Greco avait tué Wissa Sawiris pour ouvrir le bal, pourquoi avoir contacté Morvan ? Par provocation ? Cet appel était sans doute une déclaration de guerre. Mais pourquoi s'être suicidé ensuite ? Peut-être avait-il soudain éprouvé un remords ou compris qu'Erwan ne le lâcherait pas ? Ou bien la greffe provoquait-elle chez lui des douleurs ou des effets secondaires intolérables ? Dans tous les cas, le mot « Lontano » était un avertissement destiné à son père : Pharabot était de retour.

Erwan remisa tout ça dans un coin de sa tête et revint aux questions pratiques :

– Le prélèvement des cellules est possible sur un cadavre ?

– À condition de l'effectuer au plus tard quelques heures seulement après la mort.

Il regarda ses compagnons, tassés sur leur siège. Ils avaient l'air abasourdis.

– Vous avez parlé de greffes entre parents. Lorsque ce n'est pas le cas, elle est plus risquée, non ?

– Le plus souvent, elle est même vouée à l'échec.

– En cas de rejet, quels sont les signes visibles ?

– Je ne suis pas spécialiste, mais souvent des maladies de peau, je crois.

– Pas de problèmes d'articulations ?

– Non. Jamais entendu parler.

– Mais sous ciclosporine, on pourrait attraper une maladie des os ?

Clemente eut un geste vague. L'éclairage bleu de l'aquarium lui donnait des airs d'acteur de théâtre dans une mise en scène moderniste et crépusculaire.

– Il faudrait que je vérifie. Vous pensez à une pathologie en particulier ?

– Quelque chose qui pourrait clouer le receveur dans une chaise roulante ou le faire boiter.

– Je m'en occupe.

Les visiteurs se levèrent dans un bruissement de plastique.

– J'espère vous avoir aidé, ajouta le légiste.

– Vous ne m'avez pas aidé : vous avez résolu mon enquête. Vous m'avez offert à la fois le mobile, la logique de la série et l'identité des tueurs.

Les gendarmes se regardèrent : le train était passé sans eux.

– Ils sont plusieurs ? se risqua à demander Verny.

– Ils essaient de ne faire qu'un.

122

LE TEMPS n'était plus à la diplomatie. Erwan opta pour un assaut en règle de l'institut Charcot, avec deux fourgons blindés contenant chacun deux escouades de gendarmes. Au bas mot quarante hommes, réunis en un temps record pour un dimanche. À 16 heures, le bataillon était à pied d'œuvre.

Il laissa Le Guen et Archambault gérer les manœuvres : contenir pensionnaires, personnel soignant, gardiens et familles à l'intérieur de l'enceinte en attendant leur audition et bloquer toutes les issues. L'avantage à l'UMD, c'était que tout le monde était *déjà* bouclé.

Quant à lui, il s'était réservé, avec Kripo, le suspect numéro un : Jean-Louis Lassay, psychiatre en chef, directeur de l'institut. Ils se firent escorter par Verny, garant de l'ordre et de la légitimité sur les terres bretonnes. En réalité, personne n'avait autorité pour une telle intervention mais le déploiement des uniformes faisait office de passe-droit.

Lassay, toujours vêtu comme un collégien anglais, vint à leur rencontre d'un pas martial alors que les forces de police investissaient le campus.

— Qu'est-ce que c'est que cette intrusion ? protesta-t-il le menton levé.

Une minute plus tard, ils étaient dans la salle de réunion comme trois jours auparavant. D'une poussée, Erwan fit tomber Lassay sur un siège et dégaina d'un même geste. Il n'était pas sûr de la tonalité qu'il avait adoptée mais il continua de plus belle, resserrant la vis d'un tour :

– On doit parler, toi et moi.

– Vous me tutoyez maintenant ? Mais qu'est-ce que...

– Ta gueule. Parle-moi de la mort de Pharabot.

– Mais je vous ai déjà tout dit, je...

– Je veux la date, l'heure, les circonstances exactes.

Lassay était toujours le beau gaillard argenté qui les avait reçus mais il semblait avoir été irradié. Sa peau était rouge rôti, ses traits gonflés. Il se passa la main sur le visage puis balbutia :

– Je comprends pas... Cette intervention va vous coûter cher, vous...

– Réponds-moi, fit Erwan en rengainant.

Il se sentait con avec son calibre à la main.

– Thierry Pharabot est mort dans la nuit du 23 novembre 2009, commença le psy.

– Où est le certificat de décès ?

– Dans nos archives. Il a été rédigé la nuit même par un médecin de la Cavale blanche.

– Pourquoi pas par toi ?

– C'est la loi. La mort doit être constatée par un médecin extérieur à l'établissement. Le lendemain, un commissaire de Brest est venu confirmer les circonstances de la disparition. On garde tout ici. Je peux vous faire une photocopie.

Erwan interrogea Verny du regard : il ignorait qu'il y avait un commissariat à Brest. Le gendarme l'attesta d'un bref signe de tête.

– On va vérifier de notre côté, fit le lieutenant-colonel.

Pharabot était donc bien mort : aucun risque de duperie de ce côté-là. Les prélèvements avaient-ils été faits avant le décès ? Ou juste après ?

Erwan observait Monsieur Preppy : il l'aurait bien vu pratiquer des expériences psychiatriques inédites mais ces histoires de greffe médullaire relèvent d'un autre registre. De plus, il sentait chez lui un effarement sincère : le médecin ne comprenait rien à ce qui arrivait.

— Ensuite, qu'avez-vous fait du corps ?

— Thierry Pharabot n'avait pas de famille, on… on l'a incinéré.

— Où ?

— Au crématorium de Brest, dans la zone d'activités du Vern. Ses cendres ont été répandues au cimetière de Kaerverec. Encore une fois, tout est dans le dossier.

Nouveau coup d'œil à Verny, nouvel acquiescement. Derrière lui, Kripo ajouta un signe discret. Ça lui revenait maintenant : l'Alsacien s'était déjà rancardé.

Mais une faille était possible entre le décès avéré du tueur et son incinération. Les cellules pouvaient avoir été prélevées avant la crémation.

— Sois précis, reprit-il. Entre la constatation par le médecin puis celle par le commissaire, le corps est donc resté à l'UMD ?

— Oui. Mais pourquoi vos questions ?

— Où a-t-il été conservé ?

— Dans la morgue de notre hôpital.

— Rien de spécial de ce côté ?

— Comme quoi ?

Erwan eut un geste qui balayait toute réponse :

— Qui a ensuite assuré le transport du cadavre ? Vous ou les pompes funèbres ?

— Nous. En ambulance.

— Avez-vous les noms des infirmiers qui s'en sont chargés ?

— On peut vérifier. Mais pourquoi tous ces détails ?

— Tu sais ce qu'est une greffe de moelle osseuse ?

— Je suis médecin.

— Disposez-vous ici du matériel requis pour effectuer une telle opération ?

— Nous sommes un institut psychiatrique !

– Lors de ma première visite, tu as parlé de votre centre de recherche.

– Pour le cerveau ! Rien à voir avec le prélèvement de cellules.

– Certains instruments pourraient être détournés de leur fonction d'origine, non ?

– Je suppose mais… (Lassay fronça les sourcils.) Qu'est-ce que vous insinuez ?

– Une transplantation médullaire peut modifier le groupe sanguin du greffé, et même son ADN. Le corps de l'Homme-Clou, pour certains fanatiques, était une sacrée opportunité.

– Une opportunité de quoi ? Pharabot a passé les deux tiers de sa vie en asile. Qui voudrait de ses cellules ? Vous êtes en plein délire.

Erwan faisait les cent pas – le flic méchant –, Verny gardait la porte, Kripo prenait des notes.

– Les lignées immortelles, ça te dit quelque chose ?

– Un truc à la mode. Congeler des cellules souches pour en développer la culture en cas de besoin.

– Vous avez un endroit réfrigéré ici qui permettrait d'en conserver ?

Lassay ne semblait plus éprouver ni peur ni colère, il était simplement consterné par les propos d'Erwan.

– En quelle langue je dois vous le dire ? Nous sommes une unité pour malades difficiles. Qu'est-ce que vous croyez ? Qu'on pratique ici des expériences à la Frankenstein ? On a déjà assez de mal à les tenir tranquilles. (Il se leva et toisa Erwan d'un air méprisant.) J'en ai assez maintenant. (Il lança un regard vers la fenêtre.) Cette intrusion, ces types armés, c'est ridicule. Vous gaspillez votre temps et le mien.

– C'est tout ce que t'as à me dire ?

– Allez vous faire foutre.

Erwan lui balança une gifle à toute force. Lassay dut s'accrocher à la table pour rester debout. Il serra les poings et avança. Il était plus grand qu'Erwan de quelques centimètres et tout aussi costaud.

Il existe deux catégories d'hommes : ceux qui craignent la violence physique et les autres. Psychiatre ou pas, Lassay était prêt à lui casser la gueule.

Verny s'interposa en dégainant :

– Arrêtez ça tout de suite. (En tendant le bras, il maintint Erwan à distance tout en s'adressant au médecin.) Veuillez excuser le commandant Morvan pour ce geste... inqualifiable.

Cette simple phrase désamorça la tension : le psychiatre parut revenir à la réalité – le monde policé et ses règles de civilité. Erwan recula en bougonnant.

La porte s'ouvrit d'un coup : Le Guen.

– Un infirmier a disparu, prévint-il. Il paraît qu'il s'est tiré à notre arrivée.

– Comment s'appelle-t-il ? demanda Lassay.

– José Fernandez.

– Plug ? fit Lassay en écho. C'est un de nos plus anciens infirmiers.

Les surnoms : toujours révélateurs. Celui-là rappelait à Erwan sa rencontre avec le médecin punk le matin même.

– Pourquoi l'appelez-vous comme ça ?

– À cause des cylindres en silicone qu'il porte dans les lobes d'oreilles.

– C'est un adepte du body-art ?

Le psychiatre laissa échapper un petit rire, tout en se frottant la joue :

– Il est couvert de tatouages et de piercings.

Erwan passa devant Le Guen et sortit dans le couloir. Verny et Kripo coururent à sa suite. Le gendarme avait toujours son arme à la main.

– Rengainez ça, ordonna Erwan, vous allez vous tirer une balle dans le pied.

– Il est pas chargé, fit l'autre, livide.

– On retrouve l'infirmier. Priorité absolue.

123

PLUG N'ALLA PAS LOIN.
Il fut arrêté aux environs de Porspoder, à moins de cent kilomètres de Charcot, vers 17 heures. Sans doute avait-il le projet de s'enfuir par bateau ou une connerie de ce genre. Une heure plus tard, il était dans les murs d'une caserne centrale de gendarmerie dont Erwan n'avait pas compris le nom.

Ils avaient suivi le mouvement. Ils déboulèrent dans un nouveau bureau nu et froid, doté de plafonniers en sous-régime (toujours le syndrome breton : en plein après-midi, la nuit était déjà là).

José Fernandez ressemblait à Joseph Irisuanga, en mode mineur. Entièrement tondu, à l'exception d'une crête noire qui lui sciait le crâne comme un coup de hache, il présentait quelques ornements bien placés : piercings, rivets et boucles en tous genres. Le gaillard, taillé comme un deuxième ligne de rugby, soufflait à la manière d'un buffle, menotté à la tuyauterie. Lui-même ressemblait à un radiateur saturé de pression brûlante.

Erwan évacua les autres : il voulait rester seul avec l'infirmier – et Verny, qui lui paraissait être un bon second pour un coup de force. Il congédia même Kripo – *privé de dessert*.

Arpentant la pièce, il attaqua direct, sans lever sa garde :

– C'est toi qui t'es occupé du transfert du corps de Pharabot ?

– Quoi ?

Erwan n'avait pas le temps de vérifier ses suppositions – tout au bluff :

– C'est toi qui es allé au crématorium du Vern ?

– Et alors ?

– Qu'est-ce qui s'est passé en route ?

– Mais... rien. Je vois pas ce que...

Erwan saisit le cylindre de silicone de son lobe gauche et l'arracha. L'infirmier hurla en se tenant l'oreille. Le flic balança le déchet par terre.

– Quand as-tu prélevé les cellules ?

– Mais vous êtes dingue !

L'homme à la crête gémissait mais Erwan pressentait un fond de jouissance dans sa plainte. Sans doute le genre à se faire pendre par des crochets à la manière d'une carcasse de bœuf.

– Comment ça s'est passé avec le corps ? hurla-t-il en lui attrapant le deuxième lobe. Qui t'a ordonné de faire les prélèvements ? Où les as-tu livrés ?

Il improvisait mais au regard de Plug, il comprit qu'il déroulait le bon fil. Il tordit un peu plus l'oreille. Fernandez se pencha en couinant. Au-dessus du voile rouge qui lui obscurcissait la vue, Erwan apercevait Verny prêt à intervenir à nouveau.

– Réponds, putain de dieu, ou je t'arrache celle-là aussi !

Fernandez se mit à sourire et le flic sut que la souffrance n'était pas la bonne voie. Il fit signe à Verny de lui filer son arme – le gendarme s'exécuta en tremblant. Erwan empoigna le calibre et écrasa le canon près de l'oreille valide de Plug :

– Tu connais la roulette afghane ? C'est comme la roulette russe, mais avec un calibre automatique.

– Qu'est-ce que vous faites ? Vous êtes dingue ? Je... j'ai aucune chance !

– Sauf si j'ai pas armé la chambre.

D'un geste, il tira sur la culasse pour faire monter une balle imaginaire dans le canon et appuya sur la détente. Un jet d'urine inonda l'entrejambe de l'infirmier.

Erwan rendit le calibre au gendarme pétrifié. L'infirmier se protégea le visage de ses mains menottées et se mit à sangloter.

– La nuit du 23 novembre 2009, répéta le flic, j'écoute.

– C'était le lendemain… Je… j'ai transporté le corps avec un collègue jusqu'à la zone du Vern.

– Son nom ?

– Michel Leroy. Il travaille plus ici. Il a pris sa retraite.

– Il était dans le coup ?

– Non. Il a simplement accepté qu'on parte en avance ce matin-là.

– Pourquoi ?

– Parce que je voulais opérer dans la salle d'incinération, avant l'arrivée des techniciens.

– Ensuite ?

– On était au crématorium à l'aube. On a installé le corps puis j'ai demandé à Michel de m'attendre dans la voiture.

– Sous quel prétexte ?

– Aucun. Leroy s'est pas fait prier : il est allé finir sa nuit. J'ai pris les instruments que j'avais apportés et j'ai prélevé les échantillons.

– Sur quelle partie du corps ?

– Les cuisses. La meilleure zone pour recueillir des fibroblastes.

– Des quoi ?

– Des cellules situées dans le derme qui sont faciles ensuite à dédifférencier.

– Parle français.

– Des cellules qu'on peut rendre embryonnaires. On les transforme en cellules souches puis on les met en culture pour obtenir celles dont on a besoin.

Les lignées immortelles. Erwan imaginait, dans les fumées de l'azote liquide, la sève éternelle du Mal.

– Tu savais donc ce que tu étais en train de faire ?

– Je savais qu'il s'agissait de cellules. Et pas n'importe lesquelles. Celles de l'Homme-Clou !

Erwan se demanda si le quatuor n'avait pas promis à ce sous-fifre une injection aux frais de la princesse.

– Continue.

– J'ai placé les fibroblastes dans un conteneur isotherme et je suis reparti.

– Les gars des pompes funèbres n'ont pas tiqué sur les blessures ?

– J'avais préparé Pharabot. Je lui avais mis son plus beau costume. Ils ont rien trouvé à redire. À huit cent cinquante degrés, un corps grille de la même façon, à poil ou en costard.

Erwan vit passer les flammes devant ses yeux. Après le gel des cellules, le plus violent chaud et froid de toute sa vie. Le corps avait dû se consumer en près de deux heures – le temps réglementaire – mais le tueur n'était pas mort : ses cellules avaient survécu.

– Après ?

– C'est tout.

Erwan lui balança un coup à toute force sur la nuque. Fernandez tomba à genoux.

– Où t'as livré les cellules ?

– En Suisse. J'avais pris ma journée. J'avais des consignes précises. Franchir la frontière par Vallorcine puis rejoindre une clinique aux environs de Verbier.

– *Qui t'a donné ces instructions ?*

– Faites-moi sauter le crâne, je ne donnerai aucun nom.

Erwan les connaissait déjà.

– Dis-moi où est la clinique.

– Je m'en souviens plus.

D'un seul mouvement, il déchira le deuxième lobe.

– Quelle clinique ? hurla-t-il pour couvrir les gémissements du body-mod. Sinon, je te jure que je t'arrache un à un tous tes piercings. Je la trouverai de toute façon. Parle. Je gagnerai du temps et tu sauveras ta sale gueule de bouffon.

L'infirmier sanglotait à travers les cliquetis de ses menottes. Verny n'en menait pas large.

Erwan attrapa Fernandez par l'épaule et le remonta sur sa chaise :

— LE NOM, PUTAIN DE DIEU !

— La clinique de la Vallée… Un centre pour cancéreux…

Erwan sortit de la pièce empuantie d'urine et d'hémoglobine. Sur ses pas, Verny voulait parler mais sa voix chevrotait si fort qu'elle ne produisait qu'un caquètement de poule.

— Vous le coffrez pour de bon, ordonna Erwan en bifurquant dans les toilettes.

Il fit couler de l'eau glacée, arracha des serviettes en papier et tenta de nettoyer le sang sur sa cravate.

— Vos… vos méthodes sont plutôt…, bredouilla le gendarme.

— Oubliez tout ça, conclut Erwan en fermant le robinet. Vous prenez sa déposition et vous prévenez le parquet de Rennes. Vous envoyez le tout à Paris. Demain, la Bretagne redeviendra un havre de paix.

— Et vous ?

— Je pars en Suisse.

124

DANS SA CHAMBRE, Morvan vérifiait sur l'écran les opérations effectuées en ligne par Loïc. Potentiellement, près de la moitié de ses parts avaient déjà trouvé acquéreur. Il préférait ne pas regarder les prix et d'ailleurs, il n'avait jamais su combien ses actions valaient exactement. Une chose était sûre : son argent coulait comme du sang sur un champ de bataille. Coltano. Ses terres. Son minerai...

Il voyait surtout, en surimpression, les épisodes de l'existence chaotique de sa fille. Ses coucheries répugnantes. Sa manœuvre maladroite pour le détruire. Sa chute libre à travers les cimes d'automne. Son agression à Sainte-Anne...

Comment en était-on arrivé là ?

Il était capable de liquider le reste de sa fortune pour rattraper cette faute – une seule chose comptait dans le naufrage de sa vie criminelle : sa responsabilité de père. Personne ne l'avait jamais compris et il en éprouvait une sorte d'orgueil. Sa mission devait demeurer secrète, invisible, omnipotente...

Il ne connaissait qu'un autre homme de ce type, une brute qui n'avait jamais cessé de remettre en jeu sa propre existence, encore et toujours pour une unique raison, le bonheur de ses filles : le Condottiere. Le Français l'avait appelé pour lui expliquer la situation : aucune hésitation. Montefiori aussi devait être en train de bazarder ses actions, via Heemecht. Deux vieilles crapules se sabordant au crépuscule de leur vie.

La porte s'ouvrit d'un coup : Maggie, tout en os et pupilles.

– Faut qu'on parle.

Tout le monde pensait que Maggie vivait dans la terreur. L'un et l'autre savaient que ce n'était pas la vérité. La peur des coups, oui. Mais les vraies menaces n'étaient pas du côté qu'on croyait.

– J'ai peut-être pas assez d'emmerdes ? grogna Morvan.

– Justement. Tout ça a assez duré.

Elle referma la porte en douceur. Elle arborait une de ses tenues ridicules : tunique mauve, jean informe, breloques en tous genres.

– Erwan arrête pas de me questionner sur Lontano. Il va finir par trouver.

– C'est ce que veut le tueur.

– Il m'a aussi interrogée sur Pernaud.

– À cause des appels ?

– Qu'est-ce que tu crois ? Je t'ai dit que t'étais allé trop loin sur ce coup.

– C'était ça ou notre passé en pleine page dans les hebdos.

Maggie soupira. Elle n'éprouvait aucune compassion pour les morts, aucune crainte face au tueur qui menaçait leur famille ou aux généraux africains qui voulaient les embrocher. Elle tremblait seulement qu'on découvre leur vérité à tous les deux.

– Qui est l'assassin ? demanda-t-elle.

– Aucune idée.

– Pourquoi imite-t-il l'Homme-Clou ?

– Par vénération, et aussi parce qu'il veut le venger.

– Le venger de qui ?

– De moi. De toi.

Elle fit quelques pas dans la chambre, déclenchant un bruit de verroterie incongru.

– Erwan va trouver le meurtrier avant que le bordel n'éclate, continua-t-il.

– Où est-il ?

– J'en sais rien. Il m'a filé entre les pattes.

Elle eut un sourire dur. Ses lèvres fines ressemblaient à un lacet étrangleur.

– T'as bien changé.

Comme pour faire diversion, il désigna l'écran allumé devant lui :

– Notre patrimoine en prend un sacré coup. Tu peux remercier ta fille.

– Je me moque de l'argent.

– Parce que t'en as toujours eu.

– On a signé un pacte avec le diable, murmura-t-elle. Il s'agit de notre âme, et non de notre pognon.

Ce fut son tour de sourire :

– C'est la même chose. Notre âme, ce sont nos enfants, et je veux leur laisser de quoi voir venir.

– T'as tout prévu, non ?

– Tu comprends le français ou pas ? Je te répète que notre fric…

– Tu t'en sortiras. Comme toujours. Il y a les nouvelles mines. (D'une voix douce, elle cita Baudelaire.) « J'ai pétri de la boue et j'en ai fait de l'or… »

Elle lui paraissait de plus en plus fêlée.

– Y a aussi le problème de Sofia, reprit-il pour la recadrer. Elle a découvert l'arrangement du mariage. Elle veut nous faire la peau, à Giovanni et moi.

– Elle se calmera. C'est une femme raisonnable.

Pour une raison obscure, Maggie donnait toujours raison à l'Italienne.

– En attendant, je la crois assez maligne pour…

– Règle le problème Erwan en priorité. (Elle marcha vers la porte et revint à la charge.) Sinon, c'est moi qui lui parlerai.

– Tu m'avais juré…

La main sur la poignée, elle lui lança un regard méprisant :

– Des promesses entre nous, mon chéri ?

Il voulut répondre quand le télex de l'état-major se mit à vibrer. Machinalement, il jeta un coup d'œil au PV, mémorisant l'heure de l'émission : 19 h 10. D'un geste, il détacha la feuille et la lut avec plus d'attention.

– Qu'est-ce que c'est ? demanda Maggie en revenant vers lui.

– Peut-être la solution à nos problèmes.

125

EN FIN DE JOURNÉE, les deux flics étaient rentrés à Paris. Pas de pensées durant le vol. Pas de sommeil non plus. Erwan était resté les yeux fixés sur le hublot, comme si l'intensité de son regard allait lui permettre de gagner plus vite la Suisse.

Aux environs de 20 heures, il avait réussi à attraper un avion pour Genève alors que Kripo filait au 36. Sa mission : foutre en garde à vue les trois suspects, leur faire une prise de sang et des prélèvements génétiques. À 22 heures, Erwan atterrit à Genève. Il appela aussitôt l'Alsacien pour s'assurer que les trois oiseaux étaient bien en cage. Ils s'étaient volatilisés.

Sans doute Fernandez avait-il eu le temps de les prévenir avant d'être arrêté. Les disciples de Pharabot avaient compris que leur secret était découvert. Ils avaient paniqué et pris la fuite.

Lentement, la voix de Kripo revint à son oreille :

– D'après les témoignages de proximité qu'Audrey a recueillis, les handicaps de Lartigues et Redlich ne datent pas de plus d'un an. Auparavant, ils gambadaient comme des lapins.

Chronologie. En novembre 2009, Thierry Pharabot meurt. José Fernandez prélève les cellules et les porte à la clinique de la Vallée. Le traitement débute pour les quatre fanatiques. Destruction de leur moelle osseuse. Dédifférenciation des cellules de

Pharabot, mise en culture, puis transformation. Tout ça avait dû prendre une année. Les injections avaient donc commencé en 2011. Les quatre hommes n'avaient pas tous bien supporté le traitement. La ciclosporine les avait fragilisés. Lartigues et Redlich avaient contracté des virus affectant les articulations ou quelque chose de ce genre. Pour di Greco, ça ne pouvait pas être pire. Seul Irisuanga était demeuré en parfaite condition physique.

Alors le temps des meurtres avait sonné.

Di Greco avait tué Wissa Sawiris dans des conditions qui restaient à éclaircir. Lartigues avait torturé et mutilé Anne Simoni sur fond de fétichisme. Redlich s'était chargé de Pernaud – qu'il connaissait des clubs de tir. Irisuanga s'était attaqué à Gaëlle... Des meurtres qui procédaient par cercles concentriques, se rapprochant toujours plus de la vraie cible : Grégoire Morvan, l'homme qui avait arrêté leur maître et l'avait fait emprisonner à vie.

– À l'heure qu'il est, fit Kripo, ils doivent être en route pour le Brésil ou ailleurs.

– Non. Ils sont quelque part en France ou en Suisse. L'un d'entre eux doit posséder une baraque. Localise-la.

– Pas très malin comme système de défense.

– Leur système de défense, c'est l'arsenal de Redlich.

Bref silence. Kripo réalisait ce qu'Erwan avait en tête. Un camp retranché façon secte : suicide collectif ou affrontement armé. Le 18 novembre 1978, au Guyana, le pasteur Jim Jones, acculé, avait ordonné le suicide au cyanure de sa communauté – près de mille personnes. En 1993, David Koresh et ses fidèles avaient résisté durant près de deux mois aux assauts des forces armées américaines – bilan : près de cent morts. Entre 1994 et 1997, l'Ordre du Temple solaire avait tué ou organisé le suicide de plus de soixante-dix victimes alors que la secte était menacée.

Erwan devinait que ces hommes ne se laisseraient pas arrêter. L'esprit du Maître n'était pas de capituler. En outre, maintenant qu'ils avaient intégré les pouvoirs de Pharabot et s'étaient encore fortifiés en sacrifiant des victimes, ils devaient se croire invulnérables.

– Trouve-les et rappelle-moi.

Il fonça dans une agence de location de voitures. Il faisait nuit. Il faisait froid. Il s'abrita dans une berline suréquipée dont le tableau de bord scintillait comme celui d'un vaisseau spatial. Contact. Lumières. GPS.

Aucun problème pour dégoter les coordonnées de la clinique de la Vallée, située non loin de la station de ski de Verbier. Kripo avait déjà creusé le sujet et envoyé un SMS : « Rien de suspect. » L'établissement était à la fois un centre renommé pour les greffes de moelle osseuse et un lieu de fin de vie, offrant des soins palliatifs de luxe. L'adresse qu'on se repasse dans les hautes sphères. Le refuge secret qui fait des miracles, à quelques cellules de l'éternité.

La route alternait des cols étroits et sinueux, cernés de pins, puis des plaines noires et rectilignes. De temps à autre, au fond d'une vallée, un village se déployait, absolument plat, dont les vitrines étaient éclairées comme pour Noël. Les réverbères, eux, ressemblaient à des globes de cire froide, diffusant un halo blanc et figé.

Quelle issue pour son périple ? Il allait arriver vers minuit dans une clinique endormie. Il n'avait ni légitimité ni la moindre preuve étayant ses soupçons. Il s'était refusé à contacter la police suisse et n'avait pas la patience d'attendre le lendemain pour effectuer une visite en plein jour, avec médecins dans les bureaux et patients dans la salle d'attente.

Le GPS le rappela à la réalité : il ne savait pas où il se trouvait mais il n'avait plus que quelques kilomètres à parcourir. La clinique de la Vallée, comme son nom l'indiquait, se trouvait dans une dépression tapissée de sapinières. Si son GPS tombait en panne à cet instant, il serait obligé d'attendre la lueur du jour pour se repérer.

Les bâtiments apparurent dans un halo de lumière : lignes basses, toits-terrasses, murs de bois qui évoquaient des planches entreposées. Pour une raison inconnue, de nombreuses salles étaient éclairées, frémissant dans la béance noire de la vallée. Se garant sur le parking, Erwan songea à un bal déserté suite à une alerte : pas une présence humaine malgré les illuminations. S'approchant de la double porte vitrée, il dégaina et arma la chambre de son calibre. Absurde.

Le hall était vide. Murs, sol, plafond, tout était blanc. Les plafonniers se reflétaient sur le lino. Des plantes vertes délimitaient différents espaces. Une standardiste – ou une infirmière – somnolait derrière un comptoir. Il s'approcha. La femme se redressa.

– C'est pour une urgence ? demanda-t-elle, vaguement inquiète.

Erwan planqua son arme et sortit son badge à trois bandes :

– Je veux voir votre patron.

– Vous êtes français ?

– Brigade criminelle.

– Vous parlez du professeur Schlimé ?

– C'est ça.

Il avait lu ce nom sur les sites qu'il avait consultés. Jean-Louis Schlimé. Références internationales. Publications prestigieuses dans des revues scientifiques. Propriétaire de la clinique depuis 1993, aux côtés d'investisseurs helvétiques.

– Que venez-vous faire ici ?

Erwan se retourna vers la voix et comprit, en un seul coup d'œil, qu'il se trouvait devant l'intéressé. *Trop beau pour être un simple hasard...*

La cinquantaine, l'homme était trapu, roux et souriant, le genre qui inspire confiance, même et surtout quand il n'y a plus d'espoir. Il portait une laine polaire et un pantalon de ski.

– Je suis le docteur Schlimé. Que voulez-vous à une heure pareille ?

Erwan refit le coup du porte-carte :

– Simplement vous parler.

Le médecin n'était pas seul. À ses côtés, un géant en doudoune demeurait impassible – plus protection rapprochée qu'infirmier.

– On a dû mal vous renseigner, plaisanta-t-il, votre insigne ne marche pas ici.

– C'est une visite amicale.

– À minuit ?

– À minuit, justement. Même en France, en tant que flic, je n'aurais pas le droit d'être là. Voyez les choses d'un autre point de vue : on se parle ici, maintenant, et dans une demi-heure, tout est bouclé. Foutez-moi dehors et je reviens demain ou après-demain avec la cavalerie, un juge et tout le bordel que ça implique.

– Vous bluffez, sourit-il. Jamais la Suisse ne vous soutiendra avant des semaines de procédure. Mes avocats étoufferont tout ça dans l'œuf. D'ailleurs, de quoi s'agit-il ? Je n'ai rien à me reprocher.

Erwan avait retrouvé sa confiance et ses repères : jouer au dur, avancer au flan, compter sur sa présence plutôt que sur son dossier.

– Novembre 2009. Jean-Patrick di Greco. Ivo Lartigues. Sébastien Redlich. Joseph Irisuanga. Je vous fais un prix pour les quatre.

Schlimé lui fit signe de sa petite main potelée et rose :

– Suivez-moi. D'une certaine manière, je vous attends depuis le premier jour.

126

– LES LIGNÉES IMMORTELLES !
La salle évoquait une bibliothèque qui aurait muté en laboratoire polaire. Armoires réfrigérées, numérotées, en inox. Carrelage blanc du sol au plafond. Les néons à froid étaient parfaits pour éclairer ces tiroirs d'azote liquide maintenus à moins cent quatre-vingts degrés.

– Nous collectons depuis des années des cellules.

– Des cellules souches ?

– Elles ne le sont pas toujours au départ mais on a appris à les dédifférencier, c'est-à-dire à les rendre neutres, puis à les reprogrammer génétiquement.

Ils étaient vêtus en cosmonautes de papier : combinaison, charlotte plissée sur le crâne, surchaussures aux pieds. Ils se déplaçaient dans de grands froissements de feuilles et portaient, pour couronner le tout, un masque chirurgical et des lunettes pour se protéger d'éventuelles éclaboussures – l'azote est si froid qu'il brûle comme une flamme.

– À qui appartiennent ces cellules ?

– À des patients prévoyants auxquels nous pourrons, le moment venu, sauver la vie.

Ils avancèrent le long des armoires brillantes. Bizarrement, ce lieu de vie éternelle ressemblait à une morgue.

– Un jour, on conservera systématiquement un fragment de cordon ombilical à titre thérapeutique. (Le médecin posa sa main gantée sur une porte chromée.) Chaque être humain disposera d'un stock de cellules souches qui permettra de renouveler son sang, sa moelle osseuse, toute la machinerie humaine.

Erwan songeait au mercredi des Cendres, jour de jeûne et d'abstinence où le prêtre trace une croix sur le front du croyant, en prononçant ces mots de la Genèse : « Souviens-toi que tu es poussière et que tu retourneras à la poussière. » Ces temps étaient révolus : l'homme n'était plus poussière mais cellules immortelles.

– Parlez-moi de di Greco, Lartigues, Redlich, Irisuanga.

Schlimé ne se fit pas prier :

– Ils sont venus me proposer un projet délirant, que j'ai aussitôt accepté.

– Pourquoi ?

– Pour l'argent d'abord. Pour l'expérience ensuite. Leur idée était fascinante : devenir quelqu'un d'autre grâce à une greffe médullaire.

– Vous saviez d'où proviendraient les cellules ? Quel modèle ils s'étaient choisi ?

– Non. Et ça ne m'importait pas.

L'homme avait reproduit un tueur en quatre exemplaires et il en parlait comme d'un banal programme de recherche.

– Vous avez conscience que je pourrais vous inculper pour exercice illégale de la médecine ?

Le chirurgien baissa son masque et rit de bon cœur. Un panache de vapeur s'échappa de ses lèvres.

– Vous êtes impayable. Vous ne pouvez pas m'inculper de quoi que ce soit et vous le savez. Et certainement pas ici, où vous n'êtes rien.

– Je passerai le relais à mes collègues suisses.

– Qui prouvera ces accusations ? Vous ? Je pourrais présenter n'importe quel document démontrant que ces hommes souffraient d'une leucémie. Les rayons ont totalement détruit leurs cellules anciennes et la greffe a régénéré leur organisme. (Il leva ses petites mains gantées.) Pas vu, pas pris !

Erwan commençait à claquer des dents dans ce « cellularium ».

– Je ne peux pas croire que vous ayez souscrit à ce projet.

– Ils menaçaient de s'injecter une maladie du sang pour me forcer à les traiter.

– Vous avez cru à leur chantage ?

– Non, mais cela prouvait leur détermination. Autant empocher l'argent et tenter l'expérience.

– Vous saviez que les cellules provenaient d'un homme mort ?

– Je n'ai pas demandé de détails.

– J'ai la conviction que vos « volontaires » ont tué au moins cinq personnes, se prenant pour le meurtrier dont vous leur avez injecté le capital génétique.

Schlimé haussa les sourcils puis retrouva aussitôt son expression de rouquin réjoui. Comme épitaphe des cinq victimes, c'était mince. Pas la peine de discuter avec lui morale et responsabilité : il avait l'air aussi froid que ses armoires, aussi cinglé que ses réincarnés.

– Donnez-moi les dates, les noms, les circonstances.

– Pourquoi je vous répondrais ?

Erwan baissa lui aussi son masque :

– Quoi que vous en pensiez, je peux vous envoyer une escouade de flics suisses dès demain. Ne sous-estimez pas mon pouvoir de nuisance.

Schlimé produisait toujours, en respirant, de brefs nuages de buée, qui paraissaient rosir autour de lui.

– Venez avec moi, fit-il enfin, on se gèle ici.

Ils larguèrent leur costume de papier dans un sas et empruntèrent de nouveaux couloirs. Le colosse avait disparu. Ils se retrouvèrent dans un petit bureau bourré de livres et de dossiers, qui rappelait celui de Lassay à Charcot.

– Vous avez donc rencontré ces criminels avant l'arrivée des échantillons ?

Schlimé se servit du thé vert – visiblement, il en conservait un thermos plein dans son bureau.

– Appelons-les « patients » si ça ne vous fait rien. Tout était organisé à l'avance, bien sûr. Ce ne sont pas des thérapies qu'on improvise.

– Les cellules devaient vous parvenir à une date précise ?

– On a toujours parlé de la fin 2009. Dès leur réception, on les a congelées et on a commencé parallèlement le traitement par irradiation de mes... volontaires. Ensuite, les étapes de dédifférenciation et de mise en culture ont été lancées.

Ainsi, la mort de Pharabot était programmée. José Fernandez n'avait pas seulement opéré sur son cadavre, il l'avait d'abord étouffé dans la nuit, laissant croire à un AVC ou une crise cardiaque. Les fanatiques avaient ordonné la mort de leur modèle pour mieux se réincarner dans sa peau.

– Quand a eu lieu la greffe ? reprit Erwan.

– En octobre 2010.

– Les séances de rayons ont duré aussi longtemps ?

– C'est un protocole très lourd. Il s'agit de détruire complètement la moelle osseuse.

– Tous les quatre l'ont subi en même temps ?

Schlimé acquiesça. Il tenait sa tasse de terre cuite à deux mains – les manières affectées de ce Docteur Maboule lui fichaient les nerfs en pelote.

– À la fin, ils ont dû être hospitalisés, non ?

– La dernière phase est délicate, oui : le patient est très faible, en état de survie précaire. On lui injecte alors les nouvelles cellules. Peu à peu, le corps se régénère.

Erwan imaginait ces hommes cernés par les sapinières helvétiques en train de se transformer en Homme-Clou. Qui avait payé pour ça ? Sans doute Lartigues et Irisuanga, les nantis du clan.

– D'après mes renseignements, di Greco a changé de groupe sanguin.

– Les autres aussi. La moelle osseuse produit globules et plaquettes.

– Ils ont également changé d'ADN ?

– Cela va de pair. Ils ont désormais celui du donneur.

– Ces hommes étaient compatibles avec les cellules greffées ?

– Non. C'est tout le problème. Je les avais prévenus : on ne
choisit pas son donneur. J'ai dû leur prescrire de fortes doses de
ciclosporine qui les ont fragilisés. C'est ainsi que Lartigues et
Redlich ont développé une arthrite infectieuse.

Erwan avait donc vu juste. Schlimé, lui, admettait cela d'un
air contrarié : les transplantés constituaient ses chefs-d'œuvre, or
ils commençaient à montrer des défaillances.

– Quelle est leur espérance de vie ?

– Je ne suis pas optimiste. Ils survivent pour l'instant entre
deux menaces : d'un côté le rejet de la greffe, de l'autre les
maladies qu'ils sont susceptibles de contracter.

Erwan se remémora la fouille des poubelles de Lartigues :

– On n'a trouvé chez eux ni ordonnance ni médicament.

– Je m'occupe de tout. Le service après-vente, pour ainsi dire.

– Ils viennent jusqu'ici ?

– On se débrouille.

– Quand les avez-vous vus pour la dernière fois ?

– Il y a un mois : ils ne sont venus qu'à trois. Di Greco n'était
pas là.

Grand Corps Malade, coincé sur son porte-avions, rongé par
sa maladie et ses jeux cruels.

– Dans quel état étaient-ils ?

– Très agités. Lartigues et Redlich prenaient les signes de rejet
comme un... désaveu de leur idole. Ils répétaient qu'ils allaient
passer au stade supérieur, que tout allait rentrer dans l'ordre, que
la fusion allait survenir... Je n'ai rien compris.

Tu m'étonnes. Dans leur folie, ils devaient penser qu'il fallait
sacrifier des victimes – des fétiches – pour que la grande symbiose
s'opère. Ou bien alors, à l'inverse, malgré l'échec de la transplan-

tation, ils se sentaient désormais investis par l'esprit du tueur, les cellules distillant aussi une part de son âme maléfique.

Erwan se leva et considéra le petit bonhomme dans sa laine polaire. Il n'arrivait pas à définir ses propres sentiments à propos de cet apprenti sorcier. Devait-il lui casser les dents, le faire embarquer ou simplement le remercier pour sa franchise ?

Finalement, il opta pour le mode civilisé :

– Merci, docteur.

– Donc pas d'arrestation ? Pas d'interrogatoire au poste ?

– Les flics de votre pays en décideront.

– Comment vous dites en France, « chacun sa merde » ?

– C'est ça.

Il traversa le hall sans rencontrer âme qui vive – même plus l'infirmière. Dehors, avançant de biais dans les rafales glacées, il avait l'impression de fendre la nuit à la nage indienne.

Avant de démarrer, il vérifia ses messages. Kripo, dix minutes auparavant. Il rappela aussitôt.

– Il s'est passé quelque chose, fit l'Alsacien le souffle court. Deux gendarmes ont été abattus aux environs de 18 heures sur la N165, à quelques kilomètres de Brest.

– Quoi ?

– Un contrôle de routine. Deux types à bord d'un monospace. Le conducteur a fait feu six fois et ils ont pris la fuite. On a l'immat' : le véhicule appartient à Ivo Lartigues. Selon les signalements des témoins, Redlich était au volant : c'est lui qui a tiré. Lartigues était le passager.

– Et on apprend ça que maintenant ?

– Le cafouillage habituel. Les gendarmes ont d'abord déclenché un quadrillage local et...

– On les a retrouvés ?

– Ouais. L'immat' a permis de remonter à une adresse dans le Finistère : une baraque qui appartient à Lartigues, près de Locquirec.

Le bled n'était qu'à quelques kilomètres de Kaerverec et plus près encore de Charcot. Comment étaient-ils passés à côté de ça ? À tous les coups, c'était là que Wissa Sawiris avait été tué. Lartigues avait d'ailleurs probablement acquis cette maison pour sa proximité avec l'UMD. Le sculpteur voulait être au plus près de son mentor.

– Les gendarmes y sont allés, continuait Kripo, et se sont faits recevoir à coups de fusil d'assaut. Ça se profile comme un bon vieux Fort Chabrol. On y a repéré aussi une voiture à plaques diplomatiques – elle appartient à l'ambassade du Nigeria. Irisuanga est sans aucun doute avec eux.

Deux handicapés et un colosse à cornes. Trois greffés possédés par l'esprit d'un tueur en série. Trois désespérés coincés comme des rats.

– Verny est là-bas ?

– Avec toute sa clique. Ils attendent le GIGN.

Erwan ne pouvait croire que l'affaire s'achève ainsi. Un bouquet final où les points se compteraient en morts et blessés.

– Qui les a appelés ?

– Ordre supérieur. Ça vient de Paris.

– Qui dirige l'intervention ?

Kripo toussa.

– Ton père.

Encore une fois, le Vieux aux commandes. Mais comment pouvait-il déjà être au courant ?

Kripo devina ses pensées :

– Un simple télex de l'état-major. Il a aussitôt pris les choses en main. J'ai pas les détails mais il semblerait que Valls lui-même lui ait filé les clés du camion.

Voilà pourquoi, depuis la fin d'après-midi, son père ne l'avait plus appelé. Il préférait gérer l'affaire seul, sans l'aide ni la complicité de son propre fils.

– Il vous a contactés ? demanda-t-il sur un coup d'intuition.

– Ouais, moi. Tout à l'heure.

– Qu'est-ce qu'il t'a dit ?

– Qu'il ne voulait pas voir nos gueules sur le terrain.

– C'est tout ?

Kripo hésita encore :

– Il m'a demandé un point détaillé de l'enquête.

– Tu lui as donné ?

– Mais… oui. Je lui ai tout expliqué. L'histoire de la greffe, José Fernandez, la clinique de la Vallée. Enfin tout, quoi…

Erwan hocha la tête. Ce finale obéissait à une logique profonde : l'Homme-Clou s'était réincarné dans la peau de trois déments et c'était une fois encore, quarante ans après le premier combat, Morvan qui allait s'y coller.

– Je peux être à Chamonix dans une heure. Envoie-moi un hélicoptère au poste de gendarmerie.

127

L'AUBE SE LEVAIT et Morvan, fusil à pompe Ithaca en main, gilet pare-balles compressant sa bedaine, se répétait qu'il n'avait plus l'âge pour ce genre de conneries. En même temps, il ne pouvait pas se contenter de diriger les opérations à distance, depuis une berline officielle.

Il avait passé les dernières heures de la nuit planqué dans un trou, aux côtés des gendarmes les plus téméraires, à ressasser les informations qu'il avait glanées et dont il admirait secrètement la démence et la témérité : quatre hommes – dont le pauvre di Greco –, fanatisés par Thierry Pharabot, avaient décidé de s'incarner dans cet esprit du Mal ; joignant les actes à la folie, ils avaient détruit leur propre moelle osseuse puis s'étaient fait greffer ses cellules médullaires. *Qui dit mieux ?*

Les trois survivants étaient maintenant enfermés dans une maison de corsaire aux volets bleus qui ressemblait, trait pour trait, à celle qu'il avait lui-même achetée à Bréhat, à la fin des années 80. L'ironie était partout.

Le vrai coup de chance – si on peut dire – était qu'il avait été prévenu de l'assassinat des deux gendarmes en fin d'après-midi par un télex de l'état-major. Ça signifiait qu'Erwan ne serait pas au courant avant plusieurs heures et qu'il pourrait lui-même contrôler le dispositif. D'ailleurs, quand le fait divers avait définitivement basculé dans la catastrophe – maison assiégée avec échanges de coups de feu, médias sur le coup –, le ministre lui avait officiellement confié la direction des opérations. Il avait décollé à minuit du Bourget et s'était farci plus de deux heures et demie en Eurocopter Dauphin, tout en communiquant par radio avec le procureur de la République de Rennes et le préfet de Quimper. Le GIGN volait dans son sillage vers le Finistère.

Les gendarmes du cru n'avaient pas attendu son arrivée pour agir. Les maisons voisines (la zone était fortement touristique) avaient été évacuées, le site sécurisé sur un kilomètre à la ronde, les routes barrées. Les Cruchot s'étaient assurés que le terrain autour de la maison n'était pas piégé – personne ne mesurait le degré exact de dangerosité des tueurs – et avaient creusé des tranchées pour y planquer hommes et matériel – le champ sans clôture qui entourait la maison ne comportait aucun relief, ni arbre ni rocher pour se mettre à couvert. Maintenant, à sept heures du matin, ils étaient à peu près tous enterrés. Deux escouades de la gendarmerie départementale et une brigade mobile formaient deux arcs de cercle afin de fermer la zone et empêcher toute fuite.

Morvan avait de la lecture. Parmi les documents qu'on lui avait procurés, la liste des armes que possédait Redlich. L'ethnologue et le sculpteur devaient transporter cet arsenal quand les gendarmes les avaient arrêtés. Le boiteux avait paniqué et tiré dans le tas. Aucun doute sur leur profil psychologique : fanatiques de la mort, terroristes de la terreur.

Le jour pointait, bleu craie. La matinée allait être belle. Morvan sortit la tête et observa, à deux cents mètres, la maison muette. Rien n'y bougeait, volets fermés, portes closes. Autour de lui, il voyait dépasser les têtes des gendarmes qui portaient pour la plupart le bonnet réglementaire au front brodé d'une grenade qui s'enflamme. Il devinait la colère de ces poilus d'occasion. Personne n'avait envie de se prendre une prune pour des meurtres qui avaient été commis à Paris, signés par des tueurs bons pour l'asile. Chacun attendait l'arrivée du GIGN – des gars qui au moins avaient l'habitude de ce genre d'affrontements et bandaient pour l'adrénaline.

Morvan se rassit et considéra ses compagnons de tranchée. Il avait accepté d'emmener avec lui un flic de l'OCRVP (Office central pour la répression de la violence faite aux personnes) spécialisé dans le problème des sectes. Une concession au ministre, qui avait insisté pour qu'un expert soit présent. *Passons.*

Il y avait aussi trois combattants qui n'étaient pas des inconnus pour Morvan. Le lieutenant-colonel Verny avait dirigé l'investigation sur Kaerverec aux côtés d'Erwan. Les deux autres, qui n'avaient rien à foutre là, étaient des militaires : Simon Le Guen, capitaine instructeur à l'état-major de Kaerverec 76, Luc Archambault, lieutenant de la gendarmerie de l'air, chargé de la sécurité militaire de la base. Eux aussi avaient collaboré aux investigations d'Erwan – et ce dernier baroud était la conclusion de leur enquête. C'étaient les seuls qui n'avaient pas la tremblote et qui scrutaient la cible d'un regard déterminé. Ils étaient sortis frustrés de l'affaire di Greco et ils tenaient leur revanche.

7 h 20. Que foutait le GIGN ? Il avait suivi par radio la progression des gars depuis Paris. Ils avaient fait un stop à Brest pour étudier leur plan d'attaque. Carte d'état-major de la région, plan de la baraque trouvé au cadastre, profil psychologique des suspects, logiciel regroupant toutes les données, etc. Morvan avait fait la même chose, mais dans son trou. Il n'était pas sûr d'être parvenu aux mêmes conclusions. Le GIGN privilégierait la négociation. *Du temps perdu.* Depuis qu'ils étaient barricadés dans la maison, les trois cinglés n'avaient contacté personne. Ils n'avaient pas d'otages et ils voulaient, à coup sûr, mourir les armes à la main.

Le Fort Chabrol était aussi un suicide by cops.

Morvan était de bonne humeur. Il avait perdu une fortune, – Loïc le lui avait confirmé dans la nuit –, il allait peut-être se prendre une bastos tirée par les réincarnations de son pire ennemi, mais il se sentait léger, vigoureux, fusil en main et 9 mm glissé au creux des reins. Les conspirateurs étaient identifiés : aucune trace de vengeance divine. Une affaire entre hommes, qu'il avait secrètement prévu de descendre, dans la confusion du combat. Alors, il pourrait repartir du bon pied pour les quelques années qui lui restaient.

Il se rendit compte qu'il chantonnait à voix basse :

– Qui voit Ouessant voit son sang, qui voit Molène voit sa peine, qui voit Sein voit sa fin...

– Ils sont là.

Verny était concentré sur son oreillette. Morvan leva la tête et aperçut au loin, le long de la plaine brillante de rosée, les combattants arc-boutés qui avançaient en un ensemble parfait, agiles comme des danseurs. Gilet pare-balles en kevlar, casque à visière blindée, Glock à la ceinture et fusil d'assaut entre les mains – d'où il était, il n'était pas sûr du modèle : Famas, Sig Sauer ou Heckler & Koch.

– Qui dirige les opérations ?

– On l'appelle le « numéro un ». Ils ne donnent jamais leur nom en intervention.

Les conneries commençaient.

– Dites-lui de venir ici.

128

MALGRÉ SA CAGOULE, il reconnut tout de suite Philippe Gallois. Il l'avait rencontré lors d'une démonstration de la force d'intervention à Versailles et se souvenait d'un cul-terreux champion de tir et fanatique de Sarkozy. Engoncé dans son gilet pare-balles, oreillette au tympan et calibre au poing, le colonel possédait un atout majeur : le calme.

Présentations. Un curieux mélange de respect et de mépris réciproques.

– Comment vous voyez les choses ? demanda Morvan par courtoisie.

– Pas terrible. J'ai aucun point surélevé où poster mes tireurs. Aucun moyen d'avancer à couvert.

– Je parlais pas du décor : comment comptez-vous opérer ?

– On doit d'abord négocier.

– Je suis d'accord, mentit Morvan.

– Nos experts psychologiques...

– Laissez tomber vos experts. Je connais ces salopards. En tout cas, je connais le tueur dont ils s'inspirent. Ils se croient protégés par des forces magiques. Il faut leur parler le langage qu'ils...

– Notre négociateur va arriver.

– Le négociateur, c'est moi.

– Vous rigolez ou quoi ? Vous êtes ici en tant qu'émissaire du ministre de l'Intérieur. Vous n'avez rien à faire sur le terrain.

– Je connais le dossier. Je connais leur psychologie. Je...

Gallois regarda sa montre :

– On attend notre homme.

Sa cagoule lui donnait l'air encore plus borné. Morvan avait l'impression d'être en conférence avec Fantômas dans une tranchée à Verdun. *Super.*

– D'après mon rapport, reprit l'autre, on n'a perçu aucun bruit, aucun mouvement depuis plusieurs heures. Ils se sont peut-être fait sauter le caisson.

– Ils n'ont pas fait tout ça pour en finir maintenant.

– Qu'est-ce qu'ils veulent alors ?

– Laissez-moi entrer en contact avec eux.

– Pas question. On ne nous paye pas pour laisser des civils se faire canarder.

– J'y vais, dit Verny. C'est moi qui dirige le groupe de recherche sur cette enquête. Je serai le plus crédible. Vous restez en back-up.

Gallois l'observa un instant, Morvan l'évalua de son côté : un courtaud à l'air déterminé, qui ne parlait pas à la légère. Les cinglés allaient le tirer comme un lapin. L'assaut serait ordonné. Lui pourrait faire alors ce qu'il avait à faire.

Mais la vie du gendarme, c'était trop cher payé.

– S'il s'approche, seul et sans arme, demanda-t-il au colonel, comment pouvez-vous le couvrir ?

– Le dos de la baraque est à l'aplomb de la falaise. Impossible de les prendre à revers. On peut juste les cerner par les côtés. Après ça, on utilisera les fumigènes, les lacrymos, les multibangs pour les neutraliser.

Le nouveau truc à la mode : le son. Les grenades, en plus de projeter des éclats et des gaz, produisaient maintenant des détonations de plus de cent quatre-vingts décibels – de quoi paralyser l'adversaire.

Gallois jeta un coup d'œil vers la maison. Le jour qui se levait ne cessait de révéler la difficulté de la cible, plantée sur un terrain découvert.

– Y a le problème du muret.

Le bâtiment était cerné par une enceinte d'un mètre de hauteur environ. Une fois passé ce mur, Verny disparaîtrait de leur champ de vision. Impossible de le protéger.

– Vous êtes bien décidé ? insista le chef du groupe.

Le lieutenant-colonel détacha son arme et se plaça sur les genoux, prêt à sortir de l'excavation.

– Je garde mon gilet sous ma veste.

– J'avertis mes gars. Je vous donne le top par radio.

Sans attendre de réponse, Gallois se hissa à la surface et galopa jusqu'au trou suivant.

– On peut trouver une autre solution, essaya encore Morvan alors que Verny fermait son anorak.

– Non, vous le savez comme moi.

Morvan se tourna vers Le Guen et Archambault. Visages tendus, muscles et os jouant sous la peau. Derrière eux, les combattants se multipliaient au ras de la plaine, déferlant sur la terre comme une pluie noire.

Verny fit un geste qui se voulait rassurant :

– Au moindre signe hostile, je me replie.

Il se pencha pour mieux écouter son oreillette : l'opération commençait. Il se leva pour de bon et sortit. Au même instant, deux ombres jaillirent d'une autre trouée et se glissèrent parmi les herbes. Morvan se décida à fixer son oreillette et entendit les directives du numéro un – désormais, tout ce qui avançait vers la maison aux volets bleus était sous ses ordres.

Verny était parvenu à cent mètres de la bâtisse quand le premier tir le fit tomber. Le deuxième coup de feu siffla dans l'air comme une flèche de cristal. Aussitôt après, une rafale. Les salopards possédaient des fusils-mitrailleurs.

Morvan voulut sortir de la tranchée pour récupérer l'officier mais déjà les gars du GIGN s'étaient précipités. Nouvelles détonations. Il priait pour que les forcenés n'utilisent pas des cartouches en carbure de tungstène, capables de percer le kevlar.

Tête baissée, les gendarmes traînaient Verny par les bretelles de son gilet. De son poste, Morvan voyait qu'il était encore conscient. Aucune trace de sang. Ils avaient visé la poitrine protégée. Un signe de bonne volonté ?

L'équipe de secours dégringola dans la tranchée. Verny suffoquait. On lui arracha les sangles velcro. Il avait mal vu : le gendarme était touché, sa gorge pissait le sang. Il observa la plaie. A priori, la balle avait seulement effleuré la chair du cou côté gauche. À quelques millimètres, c'était la carotide : Verny serait déjà mort. La guerre était déclarée.

En guise de confirmation, l'ordre de Gallois dans l'oreillette :

– On passe à l'assaut.

Sa voix soufflait dans l'écouteur comme une turbine.

– Envoyez-moi plutôt un toubib ! grogna Morvan tandis que Le Guen prodiguait les premiers soins à Verny.

Les gendarmes allaient tomber comme des mouches. Des morts, des sanctions, des semaines de critiques dans les médias. La merde en version maximale.

Il se redressa et vit Gallois – du moins, il pensait que c'était lui – qui faisait tournoyer son bras en l'air. Les ombres se mirent en mouvement aux quatre coins du champ. Au moins une vingtaine d'hommes, avançant en binômes, le premier braquant un bouclier balistique, le second tenant son fusil d'assaut.

Morvan n'entendait plus rien. On était passé au langage des signes. Jadis, il avait appris ces codes mais il avait tout oublié. Il était condamné à suivre l'opération comme un vulgaire spectateur.

Nouveaux coups de feu. Bref arrêt sur image. Tout se remet en marche, avec tirs en retour des gendarmes. Les rafales claquent. Des matériaux s'écorchent, éclatent : mottes de terre côté commando, granit, bois et ardoise côté maison.

Morvan risqua encore un regard : on évacuait Verny. Ça défouraillait dans tous les sens. Archambault et Le Guen tiraient avec la sûreté de militaires entraînés. Le spécialiste des sectes était tétanisé au fond de la cavité, mains serrées sur son 9 mm. Morvan lui-même était dépassé. Sa dernière intervention datait des années 80. Que foutait-il ici, nom de dieu ?

Non. Le cadavre bouge encore, mon général. Il se redressa, arracha son oreillette, fit monter une balle dans son fusil à pompe et commença à tirer. En une seconde, il se sentit intégré au combat. Il tuerait ou serait tué mais la cohésion de l'instant ne serait plus remise en cause.

La fusillade ne cessait pas. Le ciel semblait rayé par les stridences. L'odeur de poudre saturait les narines. Il rechargea. Se préparait à envoyer une nouvelle salve quand il aperçut des attaquants parvenus au mur d'enclos. Deux binômes de part et d'autre du portail, un genou au sol, fusil en joue. Le plus dur restait à faire : atteindre la maison.

Par l'entrebâillement des volets, des flammes jaillissaient, sporadiquement, sans qu'on puisse apercevoir les tireurs. Difficile de croire qu'ils avaient affaire à un homme en chaise roulante, un boiteux et un mutant à crête de métal.

Les commandos se coulèrent dans le jardin, deux par deux, les premiers filant à droite, les seconds à gauche. Une seconde plus tard, des nuages de fumée s'échappèrent du jardin derrière le mur. Les grenades lacrymogènes allaient éloigner les forcenés, permettant aux artificiers de plastiquer chambranle et châssis.

Soudain, une détonation occulta tout. Une gigantesque flamme s'éleva. Le mur d'enclos devint une gerbe de gravats et de poussière. Morvan crut d'abord à une maladresse des gars : le plastic leur avait explosé entre les mains. Mais l'explosion était trop forte. Les débris de pierre noire, les fragments de verre retombaient dans l'air, mêlés de chair humaine et de fragments de kevlar.

– Nom de dieu ! hurla Archambault en se levant d'un bond.

L'instant d'après, il avait le visage emporté par une balle. Il s'écroula au fond de la tranchée. Ses mâchoires n'étaient plus qu'un gargouillis noirâtre. Morvan lâcha son fusil et plaqua ses deux mains sur la plaie. Ses doigts virèrent au rouge. Les yeux du gendarme au blanc. C'était fini.

Il dressa ses paumes maculées de sang, de débris de dents et de muqueuses, et les observa. Lentement, il revint aux autres : Le Guen s'était jeté sur le corps en bredouillant des prières. Le flic de Paris vomissait.

Mais surtout, Erwan, son propre fils, se dessinait à travers la brume et les débris d'herbe brûlée. Debout au bord de leur tranchée, il tenait son calibre à deux mains, prêt à plonger dans la fosse, quand le spectacle d'Archambault défiguré l'avait stoppé. Il restait immobile, aussi visible que l'obélisque de la Concorde.

– BAISSE-TOI ! hurlan Morvan en l'agrippant par le pan de sa veste.

Erwan chuta dans la cavité sans quitter des yeux le cadavre d'Archambault. Il paraissait en état de choc. Morvan lui appuya sur la tête alors que les balles sifflaient toujours.

Il lança un coup d'œil vers la maison – le mur avait disparu, le potager avait pris feu, les flammes commençaient à dévorer le lierre et les hortensias. Un homme rampait dans la fumée en se tenant la cuisse qui s'achevait par un moignon. Il réalisa qu'Erwan n'était plus là.

Morvan saisit son fusil à pompe, ramassa des chargeurs et les fourra dans ses poches. L'instant d'après, il filait à la rescousse de son fils qui courait vers la maison.

129

L'ATMOSPHÈRE N'ÉTAIT PLUS qu'un agglomérat de poussière et de fumée. Les balles miaulaient de toutes parts, tissant un filet invisible au-dessus de leurs têtes. Erwan enjambait les gravats du mur quand Morvan l'attrapa par l'épaule.

– Qu'est-ce que tu fous ? cria son fils en se retournant.

Fourrant son fusil sous son bras gauche, Morvan dégaina son Beretta et lui tira une balle au ras de l'aine – de quoi le mettre hors jeu durant l'intervention. Erwan plaqua ses deux mains sur sa blessure avant de s'écrouler parmi les moellons.

Gaëlle.

Loïc.

Milla.

Lorenzo.

Pas question de les abandonner sans un homme à la maison.

Morvan glissa le calibre dans son dos et partit sans se retourner, tout en armant son Ithaca. La porte d'entrée, éventrée, ressemblait à une gueule hérissée de crocs. Il la franchit avec un seul credo : pas de quartier.

Il découvrit un décor rustique – tomettes, poutres, meubles de bois ciré – entièrement dévasté, couvert de plâtre. Il disposait de moins de deux minutes pour tuer tout le monde ou mourir. Son instinct lui fit tourner la tête à droite : un diable noir, un FIM-92 Stinger à l'épaule, se tenait dans le coin de la pièce.

Il fit feu en se jetant à terre. Son fusil permettait le slamfire – en maintenant le doigt sur la détente, on tirait en rafale...

Quand il toucha le sol, il avait vidé son magasin. À la même seconde, le missile tiré par le Black atteignit le mur derrière lui. Big-bang de lumière et de pierre. Il se releva d'un bond : les flammes lui cuisaient le dos. Il lâcha son fusil et dégaina son 9 mm. Aucune visibilité. Il agita son bras gauche pour balayer la fumée et avança. Le Nigérian n'avait plus de tête, son abdomen dégueulait de viscères, déjà asséchés par la poussière.

Il arma la chambre de son flingue.

– Où vous êtes, enculés ? hurla-t-il en repartant vers la pièce adjacente. Montrez-vous !

Il tira en l'air pour donner plus de poids à ses mots et manqua de se prendre un morceau de plafond qui s'effondrait en retour. Il n'entendait plus rien d'une oreille mais était bien décidé à continuer en mono.

– Où vous êtes, putain ?

Il titubait dans la tourmente, les deux poings serrés sur son flingue, quand un coup de feu retentit dans son dos. Il se retourna, bras tendus : personne. Il baissa les yeux. Le coup était parti de son Ithaca. Une cartouche coincée dans la chambre et les flammes, en mordant l'objet, avaient déclenché le tir. Tué par son propre fusil, voilà une belle mort.

À la même seconde, une nappe blanchâtre se déchira sur sa droite et révéla Redlich qui braquait un .45 dont la gueule paraissait aussi large que la bouche d'un lance-flammes. La posture et la sûreté du bras révélaient le tireur aguerri.

Morvan appuya sur sa détente sans même songer à plonger – ses réflexes se succédaient maintenant comme les balles dans un canon, l'un après l'autre s'il vous plaît. La force de recul du calibre lui fit traverser à nouveau le seuil mais il ne cessait de tirer, sans rien voir. Quand la fumée se dissipa, Redlich était allongé, loin, très loin, couvert de gravats et de sang.

Et de deux. Ces sorciers n'avaient donc pas tant de pouvoir.

Un cercle de feu se formait autour de lui. Il l'enjamba et partit inspecter la cuisine. Personne. Le troisième était en haut. Il s'élança dans l'escalier, palpa les poches de sa veste, trouva un nouveau chargeur. L'arme était chaude comme une brique sortant du four. Lui-même étouffait sous son gilet pare-balles.

Coursive au-dessus du salon. Le feu hurlait en bas mais pour l'instant, il était hors d'atteinte. *Vamos.*

Première pièce : rien.

Deuxième pièce : rien.

Troisième pièce : la salle de bains, d'une fraîcheur inattendue.

Il avait fait le tour de l'étage : où était Lartigues ? Il imaginait l'infirme, les mains crispées sur un fusil d'assaut ou quelque autre engin de guerre. Le tuer, même si le seul moyen était de plonger avec lui et son fauteuil dans le brasier.

Quarante ans auparavant, il avait épargné l'Homme-Clou : on voyait le résultat.

Il revint sur ses pas. Ses yeux ruisselaient de larmes. Son visage n'était plus qu'un masque de poussière brûlante. Il essuya ses paupières et s'arrêta net : Lartigues était devant lui, au bout du couloir, ratatiné dans son fauteuil. Ses mains, des griffes crochetées sur un fusil Remington. À vue de nez : une capacité de trois ou quatre coups, en réarmement manuel. À supposer qu'il sache s'en servir, il n'aurait le temps, en rechargeant, que de tirer une ou deux fois avant que Morvan soit sur lui.

Il avança. Soit le fusil contenait des cartouches à gerbe de plombs et Lartigues avait une chance de le toucher, mais avec quelques chevrotines seulement. Soit il était chargé de cartouches uniques, de celles qu'on utilise pour le sanglier, et les probabilités de faire mouche chutaient au plus bas – en revanche, s'il était atteint à la tête, Morvan serait décapité.

Lartigues fit feu et fut projeté en arrière. Le mur à gauche de Grégoire s'effrita en une dizaine de trouées. Des plombs. Il se rua vers l'infirme qui, calé contre l'angle, rechargea et tira à nouveau. Encore raté. Le sculpteur ricanait et pleurait à la fois, semblant rétrécir à vue d'œil. Il actionna la culasse et appuya encore sur la détente : le Vieux n'était plus qu'à trois mètres.

La giclée de métal l'atteignit à l'épaule gauche mais il ne tomba pas. Il allait faire feu quand il eut une autre inspiration. Il balança son flingue, se jeta sur Lartigues, attrapa les deux accoudoirs du fauteuil et les tira vers lui afin de placer le handicapé dans l'axe idoine. D'un coup de pied, il le propulsa dans l'escalier en flammes. Un remake de la scène célèbre de *Kiss of Death*, où Richard Widmark pousse une infirme dans l'escalier, version brasier. Lartigues hurla mais Morvan n'entendit que le cri du feu qui le dévorait.

Il voulut rire à son tour. Tout ce qu'il fit, ce fut de dégringoler avec le plancher qui venait de s'ouvrir sous ses pieds.

Il atterrit dans un espace déjà consumé, cendres plutôt que braises, et perçut un souffle frais à travers sa fièvre. Il était à genoux, à peu près indemne, capable de se relever face à un mur effondré qui lui offrait le grand sourire pur et bleu du matin. Sans savoir comment, il se retrouva à dévaler la pente de cailloux qui prolongeait l'arrière de la maison. Herbe grise, rochers verts, cailloux mauves...

Il s'arrêta in extremis, juste avant le gouffre.

Il pensait à son fils, de l'autre côté de la baraque, qu'on avait dû secourir. Il pensait à Gaëlle, à l'abri dans sa clinique de Chatou, surveillée par des flics en armes. À Loïc, qui devait dormir après avoir vendu à perte la fortune familiale. Il pensait à ses deux petits-enfants, Milla et Lorenzo, auprès de leur mère, la Vierge de glace, qui consumait pour eux toute la chaleur dont elle était capable.

Alors seulement il se rendit compte qu'il était en feu – plus précisément son gilet pare-balles, lui dévorant les flancs et les épaules. Il plongea sa main parmi les flammèches et parvint à arracher les bandes adhésives du corset. Il le balança dans le vide en se souvenant que la notice certifiait que le kevlar était ignifugé. *Mon cul.*

Il éclata de rire : on ne pouvait décidément compter que sur soi.

III
L'AUTRE

130

D'APRÈS CE QUE GAËLLE avait compris, durant la
fusillade dont tous les médias parlaient depuis le matin,
Erwan avait été blessé par balle sans qu'on sache qui
avait tiré. Il avait été transféré en hélicoptère jusqu'à Paris, à la
Salpêtrière. Tout ça pour constater que la blessure était bénigne.
Le projectile n'avait frôlé que l'aine gauche, au-dessus de l'os
iliaque.

Son père, le vrai héros de l'opération, s'en était lui aussi tiré
à bon compte. Il avait profité de l'hélico du SAMU pour filer à
l'anglaise, laissant le procureur de la République et le préfet de
région s'exprimer à propos de l'assaut dont le bilan était lourd
– Gaëlle ne se souvenait déjà plus du nombre de victimes, ni
dans un camp ni dans l'autre, mais les forcenés étaient tous morts.

Le plus jouissif, c'était de voir à présent le clan réuni dans une
chambre d'hôpital, exactement comme deux jours auparavant,
avec cette fois Erwan dans le rôle du patient à choyer. Elle avait
eu le droit – *merci, papa* – de quitter la clinique des Feuillantines
pour venir embrasser son frère et les découvrait là, fidèles à eux-
mêmes, dignes d'une chanson de Jacques Brel. Morvan, une
attelle autour du bras gauche, parlait au téléphone. Loïc lisait ses
textos, renfrogné dans son fauteuil. Sa mère, l'air plus allumée

que jamais, installée près du lit, faisait des messes basses au blessé qui trônait comme un calife dans son lit.

Gaëlle se pencha vers lui et l'embrassa sur la joue :

– Comment tu te sens ?

– Comme après un match.

– Dans les tribunes, tu veux dire ?

Elle avait lu qu'il avait été blessé avant l'assaut, mené par son père seul.

– Très drôle.

Elle avait beau avoir abandonné ses projets de parricide, de suicide et autres joyeusetés, elle ne pouvait devenir du jour au lendemain une petite sœur modèle. Elle lui serra le bras et s'excusa pour cette vanne gratuite.

– Mes gars sont pas avec toi ? lui demanda son père en guise de bonjour.

– Ils sont en bas. Ils fument une clope. Y a plus de danger de toute façon, non ?

Morvan lui envoya un regard noir et reprit sa conversation téléphonique.

– T'as raison, fit-il à l'adresse de son interlocuteur. C'est mort pour ma gueule.

Tendu, il semblait s'agiter dans un bourbier inextricable alors qu'elle aurait plutôt pensé qu'il croulerait sous les félicitations. La situation était sans doute plus compliquée qu'elle ne l'aurait cru. Quoi qu'il en soit, une fois encore, le grand Morvan avait prouvé qu'il était un héros capable du meilleur grâce aux pires méthodes.

Un père justicier, un frère blessé. L'honneur du clan était sauf.

S'asseyant au bord du lit, elle y alla de sa question débile :

– Alors c'est bon, tout est réglé ?

– Ils sont morts, si c'est ta question.

– Combien ils étaient ?

Erwan lui offrit une petite synthèse où il était question de quatre adorateurs de l'Homme-Clou (les médias n'en évoquaient que trois, on avait sorti du lot un dénommé di Greco), de greffes de cellules, de magie noire, de meurtres rituels, de vengeance… Un peu compliqué à suivre, mais son grand frère avait l'air en pleine forme, prêt à battre de nouveau le bitume. À vingt-neuf ans, elle commençait tout juste à se l'avouer : elle avait de plus en plus besoin de lui.

– Donc tout est fini ? insista-t-elle.

– Pas pour moi. Je dois me farcir les queues.

– Sois poli.

– Ça veut dire que je dois boucler tous les PV, toute la pape-rasse.

– C'était une blague.

Erwan sourit avec un temps de retard, comme d'habitude.

– Ne le fatigue pas.

Gaëlle tourna la tête vers sa mère et, en un déclic, sa bonne humeur s'envola. Elle embrassa Erwan et sortit sans saluer les autres. Dans le couloir, elle repensa à Sainte-Anne. La course dans l'étage verrouillé, sa fuite par le passe-plat... Elle ne savait plus s'il fallait en rire ou en pleurer.

Elle appuya sur le bouton de l'ascenseur – plutôt un monte-charge crasseux – et les portes s'ouvrirent. Un infirmier déplaça son brancard pour lui faire une place. Heureusement, il n'y avait personne dessus. Elle n'aurait pas supporté la vision d'un vieillard à demi anesthésié en route pour le bloc. Mais l'infirmier portait un masque chirurgical et ce détail suffit à l'angoisser.

Le temps de la descente, son malaise s'accentua. En quelques secondes, elle se sentit à court de souffle. *Qu'est-ce que j'ai, nom de dieu* ? Peut-être ne pourrait-elle plus jamais foutre les pieds dans un hôpital.

Au rez-de-chaussée, elle se jeta à l'extérieur et bifurqua vers les portes vitrées qui donnaient sur les jardins. Son garde du corps, un Black qui répondait au nom de Karl, fumait tranquillement dans l'air déjà chargé d'ombre.

– Tout va bien ? demanda-t-il tout sourire.

Elle acquiesça d'un signe de tête. Son muscle cardiaque lui semblait bloqué par une crampe. Sa gorge, un nœud de cordes.

– File-moi une clope, ordonna-t-elle, haletante.

131

DEUX HEURES avec sa famille avaient collé à Erwan une migraine épouvantable – comme lorsqu'il se farcissait, à ses débuts, des journées d'écoutes au casque dans un soum puant la pisse et le McDo. Sa mère et ses remèdes de chamane, son père et ses regards du style « Tu seras un homme, mon fils », son frère imposant à tout le monde un documentaire télé sur les problèmes de dopage dans le Tour de France...

Seule Gaëlle avait trouvé grâce à ses yeux. Malgré ses conneries, malgré tout, elle lui était apparue dans toute sa pureté – et sa complexité. À l'image de son parfum, mélange de Chanel et d'autre chose, plus boisé, presque cendré, qui donnait toujours l'impression qu'elle sortait à la fois d'une première et d'un enterrement. Boucle d'or au pays des ombres.

Puis les épreuves avaient repris : le commissaire Fitoussi était venu le féliciter, accompagné du préfet et de quelques politiques dont Erwan avait oublié instantanément les noms. Palabres, compliments, promesses d'avancement... Son cas était meilleur que celui de son père : blessé avant l'assaut, on ne pouvait rien lui reprocher.

Il était maintenant seul, assis dans son lit, toujours vêtu comme une cocotte en papier, ayant à peine touché à un dîner infâme.

La télévision, sans le son, déroulait en boucle des images de la maison de Locquirec et des portraits des morts.

Idéal pour ruminer le sinistre bilan de l'enquête. Encore une fois, c'était : « Opération réussie. Patient décédé. »

Il ne regretterait pas les greffés – quoique leur mort le prive d'une foule de réponses. Il pensait surtout à Archambault agonisant à ses côtés, le visage pulvérisé. Archambault, grande tige à lunettes avec son air affolé, ses talents de marin, sa manière bien à lui de contribuer à l'enquête. L'homme qui lui avait sauvé la vie dans les douches de la K76. Il aurait sans doute droit à une médaille posthume, des funérailles éplorées et l'oubli rapide de ses congénères – Kaerverec devait reprendre son quotidien.

Erwan songeait aussi à Verny, dont « le pronostic vital n'est pas engagé », dixit les news, et à Le Guen, pleurant sur la dépouille de son ami. Des souvenirs de guerre qu'il ne pouvait ressasser indéfiniment. Il était flic et il devait se réjouir que l'affaire soit sortie et les meurtriers neutralisés.

À 19 heures, il avait reçu un bilan par mail de l'opération Beg an Fry (du nom d'une pointe aux alentours), signé de Verny lui-même, décidément increvable. De nombreux documents étaient joints, comme les certificats de décès d'Ivo Lartigues, Sébastien Redlich, Joseph Irisuanga – autopsies en cours. À quoi s'ajoutait la liste des combattants disparus du GIGN : Arnaud Savec, trente-deux ans, Nicolas Granaudet, vingt-neuf ans, Philippe Astier, trente ans. On comptait aussi cinq blessés dans les rangs des gendarmes, dont deux graves. On n'avait jamais connu d'opération aussi dévastatrice.

Verny avait ajouté un topo de la situation. Les recherches continuaient parmi les débris calcinés de la maison. D'ores et déjà, un arsenal avait été découvert : Colt 45, 357 Magnum à six coups, fusils d'assaut… sans parler des explosifs, des détonateurs, des grenades… Du boulot pour les experts balistiques.

Côté procédure, plusieurs autorités se partageaient le boulot : un groupe de recherche de la gendarmerie de Brest, le SRPJ de Rennes, les flics de l'OCRVP spécialisés dans la lutte contre les sectes. Le procureur de la République de Quimper avait saisi un juge pour établir la vérité des faits sur place. Le parquet de Paris, de son côté, diligenterait un magistrat pour instruire la série des meurtres dont étaient soupçonnés les trois « forcenés de Locquirec » – c'était le titre de l'article du *Monde* du soir.

Erwan laissa retomber sa tête en arrière et ferma les yeux. Il avait vu dans cette enquête l'affaire de sa vie – l'équivalent de celle de l'Homme-Clou africain pour son père –, mais le dossier n'était pas si clair et son rôle beaucoup moins flamboyant. Il avait démasqué les coupables, découvert leur mutation – personne ne connaissait ce point pour l'instant –, mais tout ça avait été balayé par le fait d'armes de Grégoire Morvan qui, à soixante-sept ans, avait éliminé, seul et calibre au poing, les trois assassins.

La paperasse ne pouvait rien contre le feu. Il était un fonctionnaire, son père un héros.

Pas une fois il n'avait repensé au geste du vieux briscard le blessant pour lui sauver la vie. Nouvel abus de pouvoir paternel. Morvan ne savait pas procéder autrement.

On frappa à la porte.

Il rouvrit les yeux et alluma sa veilleuse. Audrey, la Sardine et Tonfa entrèrent en file indienne. Ils portaient chacun un gros classeur cartonné.

– C'est quoi ?

– Les actes du procès de Thierry Pharabot résumés par les avocats belges, expliqua Favini.

– Résumés ? s'étonna Erwan en considérant les dossiers.

– Le procès a duré plusieurs semaines. Tout était archivé à Namur, me demande pas pourquoi. Notre agent de liaison les a dégotés hier. Il s'est démerdé pour les récupérer, a tout foutu dans sa bagnole et les a livrés en personne au 36 cet après-midi. Bravo la police !

Chacun à leur tour, ils posèrent leur classeur sur la seule chaise de la chambre, construisant une tour de Pise dangereusement penchée.

– On s'est dit que ça te ferait de la lecture, sourit Audrey.

– Merci. Où est Kripo ?

– Il rédige les queues. Un juge va être saisi. On a intérêt à avoir fini nos devoirs.

Pari difficile : faire coïncider les noms, les dates, les lieux avec leurs soupçons sans jamais passer par la case preuves directes ou indirectes.

– Chacun d'entre nous s'est choisi un suspect, confirma Audrey, et essaie de lui coller le meurtre pour lequel il n'a pas d'alibi.

– Je m'occupe de di Greco, dit Tonfa.

– Je suis sur Lartigues, enchaîna Audrey, Nico sur Redlich, Kripo sur Irisuanga.

Le Nigérian convenait bien à l'Alsacien – du point de vue procédure, c'était le plus difficile à traiter, entre immunité diplomatique et relations tendues avec l'ambassade du Nigeria. Un challenge pour le Scribe.

Les flics ne savaient déjà plus quoi dire. La veilleuse, le lit défait, les restes refroidis de purée et de poisson pané : à 19 heures, la chambre d'Erwan annonçait déjà l'extinction des feux.

– Bon. On te laisse, trancha Audrey. Tu sors quand ?

– Demain, j'espère.

Tous se regardèrent : personne n'y croyait mais on n'allait pas contrarier le boss au lendemain de sa bataille avortée.

Une minute plus tard, il était de nouveau seul, paupières plombées, esprit obscurci. Il tendit le bras et attrapa un classeur. Le poids lui tira un cri de douleur. Il lâcha prise et le dossier s'écrasa par terre. Pas la force de le ramasser.

D'ailleurs, avait-il vraiment besoin de remuer le passé ? C'était le présent qui posait problème. Trop de points en suspens : comment s'étaient connus ces fanatiques ? Comment s'étaient-ils organisés ? Comment expliquer ces meurtres où jamais le suspect n'avait été vu ni reconnu ? Comment un homme en chaise roulante et un boiteux avaient-ils pu réussir de telles prouesses ? Comment di Greco, si affaibli, avait-il tué Wissa Sawiris ? Avaient-ils agi à plusieurs ? Où se trouvait la chambre des horreurs où

les victimes avaient été sacrifiées ? Que restait-il des organes prélevés ?

D'autres questions coinçaient : pourquoi ces viols qui impliquaient une obsession intime, personnelle ? Pourquoi di Greco
s'était-il suicidé alors que la vengeance ne faisait que commencer ?
Qui avait tenté de le tuer à Fos ? Que cherchaient au juste ces
détraqués ? À terme, avaient-ils prévu d'éliminer tout le clan Morvan ?

Le baby-blues du flic, sans doute. Il exécrait déjà les PV qu'il
allait rédiger où tout deviendrait un problème d'horaires, d'analyses ADN, de souvenirs de la voisine, sans compter le fait qu'il
n'y aurait jamais de procès, les suspects étant morts.

Une autre idée le traversa. Il attrapa son portable et envoya
un SMS à Audrey : « N'oublie pas Marot. » Son père lui avait
sauvé la vie et avait résolu, à sa façon, la nouvelle affaire de
l'Homme-Clou. Pourtant Erwan voulait encore le coincer – lui
faire rendre gorge. Après une hésitation, il appuya sur la touche
« envoi », avec un sale goût dans la bouche.

Il allait éteindre quand on frappa. Avant qu'il ait pu répondre,
elle était sur le seuil, calme et souveraine. Cernes, sueur, traits
tirés : une version amochée de Sofia mais toujours sculptée dans
du marbre de Carrare.

— J'y croyais plus, dit-il en souriant.
— Je voulais pas rencontrer les affreux.
— Qui ?
— Le reste de ta famille, mon ange.

Il sourit et releva pudiquement le drap sur sa blouse de papier.

132

23 HEURES, avenue Matignon. Loïc dormait mais c'était lui qui rêvait. D'un bon petit coup d'État au Congo.

Un événement qui effraierait tous les propriétaires d'actions Coltano et lui permettrait de racheter les siennes à bon prix. Traders et brokers avaient rappelé, Serano en tête, pour confirmer que les changements de position avaient bien eu lieu. L'action baissait et le portefeuille de Morvan se vidait. On attendait encore des nouvelles de Heemecht mais le Vieux n'était pas inquiet – Montefiori suivait.

Il se retrouvait donc à la tête d'un paquet de fric mais, comparativement au potentiel des mines ou au prix raisonnable du marché, cette vente massive s'apparentait à un suicide financier. Un solde de tout compte dans une affaire qui était l'œuvre de sa vie.

Il ne regrettait rien. Les généraux allaient remarquer cette chute et l'appelleraient pour obtenir des explications. Il jouerait les innocents, invoquant la versatilité du marché. Paradoxalement, il pourrait mieux se défendre face à cette situation inquiétante – on ne pouvait le soupçonner de se ruiner lui-même.

D'ici là, les trois banquiers qui avaient bousculé la donne fourgueraient leurs actions. Kabongo en rachèterait. Montefiori aussi. Lui-même récupérerait ce qu'il pourrait et le cours retrouverait son niveau de croisière. Sans plus. Les Congolais oublieraient cette affaire et Morvan pourrait poursuivre l'exploitation éclair des nouveaux gisements, doubler les milices et l'armée régulière sur leur propre terrain. Il se remplirait de nouveau les poches et les viderait sur son testament. À son âge, on ne bossait plus que pour l'au-delà.

Il se leva (il avait déjà retiré son attelle) et ébouriffa doucement les cheveux de Loïc qui ronflait dans le fauteuil de son bureau. Ils avaient bossé toute la journée à ces ventes à perte dans les locaux de Firefly Capital, comme des maraîchers fourguant leurs salades pourries, et, malgré la débâcle, il avait été heureux de partager ces heures avec son fils. Un semblant de complicité était revenu entre eux, comme au temps de la voile et des régates.

Morvan marcha jusqu'à la fenêtre et observa le trafic qui dessinait des fils de cuivre et des jeux de rubis dans la nuit. Il avait dû faire des pauses régulières pour répondre aux questions de sa hiérarchie sur les événements de Locquirec. Pour son accès d'héroïsme, il avait reçu autant de lauriers que de critiques. Comme d'habitude.

Il avait passé sa vie à légitimer ses actes, à expliquer ses décisions à une bande d'incapables assis sur le banc de touche. Il venait de tuer de sang-froid trois hommes – des assassins, mais aussi deux handicapés. Il y aurait toujours des journalistes, des politiques, des imposteurs pour expliquer qu'il aurait pu (et dû) faire autrement. Lorsqu'il était jeune, ces commentaires le blessaient. Plus tard, ils l'avaient galvanisé. Aujourd'hui, ils le laissaient complètement indifférent. C'était le prix à payer pour une vie d'action.

Non, comme toujours, le vrai choc était *à l'intérieur*.

Quand on s'extrait du genre humain – c'est-à-dire de la masse –, on devient un monstre, au sens littéral du terme. Comme disait Nietzsche : « Veux-tu avoir la vie facile ? Reste toujours près du troupeau et oublie-toi en lui. » Morvan avait une nouvelle fois plongé dans les fonds glacés dont il était familier. Il avait fait la preuve de sa différence. Il s'était tenu sur cette frontière périlleuse entre la vie et la mort.

Cette fois encore, ç'avait été eux. Ç'aurait pu être lui. Il suffisait de conserver cette idée bien ancrée dans le crâne pour ne plus avoir le vertige. Quand le vide est inscrit en vous, vous ne sentez plus son appel.

Restait un dernier problème : le silence de Loïc. Pas une fois, depuis la veille, il n'avait évoqué cette affaire de mariage arrangé. Morvan perçut un léger froissement derrière lui. Il balança un coup d'œil par-dessus son épaule.

Tout vient à point à qui sait attendre...

Assis dans son fauteuil, son fils braquait un calibre dans sa direction.

133

DEPUIS SON RETOUR de la Salpêtrière, son trouble ne l'avait pas lâchée. Depuis l'épisode de l'ascenseur, en fait. Cette cabine crasseuse et l'infirmier masqué debout dans son dos. Sur le moment, elle n'avait pas su identifier l'origine de son angoisse. Maintenant, elle savait : l'homme du monte-charge lui avait rappelé le tueur de Sainte-Anne. Même si elle n'avait vu le visage ni de l'un ni de l'autre. Leur odeur peut-être. Ou simplement leur présence…

Après l'hôpital, toujours chaperonnée par Karl, elle avait exigé de rentrer chez elle et non à la clinique de Chatou. Le Noir avait appelé Morvan : permission accordée. Parvenue sur son palier, elle lui avait demandé d'inspecter l'appartement puis elle avait verrouillé sa porte, les enfermant tous les deux dans la « zone sécurisée ». Sans doute Karl s'était-il fait des idées (la réputation de Gaëlle était forcément parvenue jusqu'à lui) mais il pouvait toujours rêver : elle avait changé de cap. Elle crevait simplement de trouille.

Son deuxième réflexe avait été de se brancher sur les chaînes d'information. Pendant plusieurs heures, elle avait regardé en boucle toutes les news et éditions spéciales sur la fusillade de Locquirec – certains l'appelaient le « massacre de la côte de Granit rose » – comme pour mieux se persuader que tout était bien fini. Elle avait vu les civières, les housses d'inhumation, les ruines carbonisées. Elle avait suivi la chronologie des événements. Chaque fois, on confirmait qu'Ivo Lartigues, Sébastien Redlich et Joseph Irisuanga avaient été tués durant l'affrontement – de la main d'un seul homme : son père.

Mais l'enquête avait-elle tout résolu ? Les tueurs étaient en réalité quatre (Erwan le lui avait dit), mais qui pouvait affirmer qu'ils n'étaient pas plus nombreux encore ? Elle avait cherché à joindre son frère : en vain. Son père aussi. *Salauds.* Pour la foutre à l'asile ou la clouer au pilori, ils étaient là, mais maintenant qu'elle avait besoin d'eux...

Elle alla chercher un nouveau Coca Zéro. Elle était injuste : Morvan père et fils répondaient toujours présent – même quand elle ne les appelait pas.

Pour gagner la cuisine, elle était obligée de traverser son mini-salon, encastré dans le vestibule – où Karl s'était installé, en mode sentinelle. Plié en quatre dans un fauteuil, absorbé dans une partie de *Candy Crush*, il semblait s'être fait une raison : pas question de rejouer cette nuit *Bodyguard*, le film avec Kevin Costner et Whitney Houston.

Elle attrapa sa canette et retourna dans sa chambre. Elle but une gorgée glacée, considérant du coin de l'œil le colosse. Même cette présence l'inquiétait : si tout était fini, pourquoi était-il encore là ?

Elle se posta devant la fenêtre et observa la rue déserte. Dans le halo d'un réverbère, elle crut discerner une ombre au pied de son propre immeuble. D'un geste, elle ouvrit la fenêtre et se pencha à mi-corps. Aussitôt, deux mains la tirèrent en arrière et la projetèrent sur le petit canapé de sa chambre.

– T'es con ou quoi ? gloussa-t-elle nerveusement.

Elle venait de se souvenir que Karl la protégeait avant tout d'elle-même. Il ferma la fenêtre posément, sans répondre.

– Y a un homme dehors, qu'a l'air de surveiller l'immeuble.

Il lui balança un regard méfiant.

– J'te jure ! cria-t-elle en se relevant. Je suis pas rassurée. Depuis l'hôpital, j'ai l'impression qu'on est suivis.

Il se tourna lentement vers elle : il avait une manière de bouger, de respirer proportionnelle à sa masse musculaire – ce qui n'était pas peu dire.

– Tu veux pas descendre voir ?

– Pas question. Je dois rester près de vous.

Les mots dans sa bouche produisaient le bruit de gros rochers qui roulent sur une pente.

– Et un mec en bas ? C'est pas ton boulot ?

Karl hocha la tête. Elle savait qu'il recevait ses ordres directement de son père. L'avantage : les décisions étaient prises dans l'instant. L'inconvénient : il y regardait à deux fois avant de déranger le « patron ».

Finalement, avec réticence, il glissa sa main sous sa veste et saisit son portable.

134

QUAND LE MOBILE SONNA, Morvan désigna sa poche de veste :

– Je peux ?

Son fils le tenait toujours en joue. Ils menaient depuis une dizaine de minutes une conversation sans queue ni tête avec, en guise de médiateur, un 9 mm sorti d'on ne sait où.

Confirmation du pire : Sofia avait déjà parlé à Loïc qui, par stratégie ou bizarrerie, avait caché jusqu'ici sa colère. Il avait bradé, côte à côte avec son père, son portefeuille d'actions et voilà que maintenant, dans les miasmes d'une vieille coke s'évaporant dans son cerveau, il menaçait de le tuer.

La sonnerie, toujours.

Il ne craignait rien de Loïc. Comme tous les enfants qui n'ont jamais manqué de rien, son fils n'aurait pas fait de mal à une mouche. Surtout maintenant qu'il était enlisé dans les préceptes du bouddhisme. Par ailleurs, tirer sur un homme impliquait d'avoir franchi une certaine ligne dont Loïc se tenait très loin – sans le savoir.

– Je peux répondre ou non ?

Enfin, Loïc opina du menton.

Karl. L'homme auquel il avait confié Gaëlle.

– Un problème ?

– Non. Enfin… votre fille croit avoir vu quelque chose.

– Quoi ?

– Un homme… qui surveillerait l'immeuble… (Il hésita.) C'est pas très clair…

– Où tu es, là ?

– Dans l'appartement. Avec elle.

Morvan imaginait la scène, presque amusé : Gaëlle, mi-effrayée, mi-rageuse, qui devait se tenir devant lui, les bras croisés, l'observant de ses yeux de glace, et lui, l'ancien légionnaire, écartelé entre la môme trop blonde et son patron intimidant.

– Pas de collègue en bas ?

– Je suis seul. C'est vous qui m'avez dit…

– Je sais. T'as vu quelque chose ?

– Par la fenêtre, rien, et je veux pas descendre et la laisser.

– Qui d'autre pourrait être disponible ?

– Ortiz.

– Dis-lui de se ramener. L'un de vous reste en haut, l'autre checke les alentours.

– Vous voulez parler à votre fille ?

– Non. Rappelle-moi quand le dispositif sera en place.

Il raccrocha et fixa Loïc qui n'avait pas bougé. Son visage tressautait de tics alors que ses paupières se baissaient imperceptiblement. Un curieux mélange de nervosité et de somnolence.

– Si tu voulais tirer, ça serait fait depuis longtemps, non ?

– Ta gueule. Je veux comprendre.

– Quoi ?

– Comment tu peux utiliser tes propres enfants dans tes combines.

Morvan s'approcha. Le doigt de Loïc se crispa sur la détente. Le Vieux s'arrêta : un accident était vite arrivé.

– Écoute, fit-il calmement. Tu étais alcoolique à l'âge où on fume sa première cigarette. Tu étais accro à l'héroïne à l'âge où on tire sur son premier joint. À ta majorité, tu étais déjà mort.

– Tu oublies mon voyage au Tibet.

– Ce vieux pédé ne t'a pas sauvé.

– Ne parle pas de lui comme ça !

Morvan fit un geste d'excuse :

– Je veux dire que tu es resté fragile. Ce mariage, c'était une façon d'assurer tes arrières, de te léguer mon patrimoine.

– En décidant de ma vie ?

– Te faire rencontrer Sofia était une bonne idée : la preuve, vous êtes tombés amoureux. C'était la fille… idéale.

– C'est toi qui dis ça ?

– Tu as été heureux avec elle.

– Toi et son père, vous vous prenez pour qui ? Des dieux ?

– Qu'est-ce que ça peut faire maintenant ? Vous divorcez, non ? Et je n'ai même plus d'actions de Coltano…

La main de Loïc était secouée de tremblements. L'hypothèse d'une balle perdue devenait de plus en plus plausible.

– Tu t'en sortiras pas comme ça. Pas cette fois !

Mine de rien, Morvan s'était encore rapproché. Du tranchant de la main, il balaya le bras qui tenait l'arme. Loïc hurla. Il avait visé le canal carpien et son nerf médian : le gamin aurait du mal à écrire pendant plusieurs jours. Le 9 mm partit valser à l'autre bout de la pièce. Il empoigna Loïc à la gorge et le mit debout :

– Écoute-moi bien, mon garçon. Depuis ta naissance, je te protège, surtout de toi-même. Quant à Sofia, elle a toujours regardé la vie à travers la vitre d'une Mercedes. Vous ne connaissez rien, vous n'avez jamais eu à lutter pour obtenir quoi que ce soit, alors il est un peu tard pour me donner des leçons ou jouer au dur.

Il le laissa retomber dans le fauteuil. Loïc s'y recroquevilla en se massant le poignet.

– Je pourrais aussi me suicider, tuer Sofia et les enfants.

– Apprends déjà à te servir d'une arme. (Il avait ramassé le calibre : le cran de sécurité était toujours mis et aucune balle n'était engagée dans la chambre.) Essayons d'oublier tout ça, reprit-il d'un ton conciliant. Dès demain, il faudra commencer à racheter. T'as qu'à te mettre sur les rangs et obtenir les…

– T'as pas compris ? cria Loïc. J'en ai rien à cirer de tes putains d'actions ! En une heure, je gagne plus que ce que rapportent en une journée toutes tes mines réunies. T'as une vision d'esclavagiste, complètement périmée ! On peut se faire du fric sans faire couler le sang ni épuiser des générations d'hommes sous la terre. Putain de fasciste colonial !

Morvan encaissa la diatribe. Peut-être que son fils avait raison. Peut-être appartenait-il à une autre époque. Mais Loïc n'était pas assez stupide pour ignorer que derrière la Bourse et les opérations financières, il y avait toujours de la sueur, du sang et des larmes.

– Calme-toi, fit-il comme il aurait ordonné à un môme de s'en tenir aux choses de son âge. Le chapitre Coltano est clos. Vos héritages ne fusionneront jamais puisque vous divorcez. Tout est mal qui finit mal.

Loïc se leva et s'étira – il semblait déjà avoir oublié sa colère, son calibre, ses menaces. Pauvre enfant qui battait tous les records d'inconséquence.

– Ça pourrait être ton épitaphe, persifla-t-il pourtant.

– Quand cesserez-vous, un jour seulement, de me juger ?

Loïc attrapa *Le Monde* du soir qui traînait sur le bureau et le balança au visage de son père. La une titrait sur la fusillade de Locquirec et l'héroïsme de Grégoire Morvan.

– Tu fais tout pour, non ?

Il était sur le point de le gifler une nouvelle fois mais il se vit tirer sur Erwan et se sentit pris d'une profonde nausée.

Il glissa l'arme dans le creux de son dos et enfila sa veste.

– Va dormir et vérifie nos comptes demain matin. Je t'appelle.

– Va te faire foutre.

Dehors, Morvan inspira une bouffée d'air parisien – gaz de combustion, odeurs d'asphalte humide, vapeurs d'essence. Sa version du grand air. Il composa le numéro de Karl pour savoir si tout était sécurisé du côté de Gaëlle.

Il ressentait une puissante envie de dormir et de ne plus se réveiller.

135

ERWAN n'avait qu'un point commun avec l'hôpital : les horaires. Petit déjeuner à six heures du matin, changement de pansements à 7 heures : aucun problème. Il avait attendu l'ouverture du service administratif pour signer le formulaire qui déchargeait le centre hospitalier de toute responsabilité après sa sortie.

La veille, un OPJ lui avait ramené sa voiture et, malgré le bandage qui lui serrait l'abdomen, il pouvait conduire sans difficulté. À 8 h 30, il descendait le boulevard de l'Hôpital, en direction de la gare d'Austerlitz.

Son rétablissement ne devait rien au repos mais tout à Sofia. Les moments qu'ils avaient partagés la veille avaient été, comme disent les diamantaires, *flawless* – « sans défaut ». Ils avaient fait l'amour dans son lit et chaque mouvement lui avait arraché un gémissement de douleur. Il en avait éprouvé une jouissance intense – peut-être celle qu'il attendait depuis toujours. Celle du janséniste qui ne peut éprouver de plaisir sans sa petite sœur, la souffrance du châtiment.

Après le départ de Sofia, aux environs de minuit, impossible de dormir. Il s'était plongé dans les actes du procès et les avait lus toute la nuit. Pour rien ou presque. Mais il se sentait maintenant purifié, abrasé par une sorte d'excitation fébrile.

Il remontait le quai de Montebello quand Kripo l'appela.

– Où vous en êtes ? demanda Erwan sans lui laisser le temps de parler.

– On trouve que dalle. Aucune connexion, aucun lien concret entre nos clients et les meurtres.

– Sois plus précis.

– Pour chaque homicide, un des suspects pourrait être le tueur : il n'a pas d'alibi. Mais ça s'arrête là. Di Greco aurait pu aller à terre pour dézinguer Wissa Sawiris dans la nuit du 7 septembre mais aussi partir à la pêche. Lartigues était seul dans la soirée du 11 septembre, ça ne veut pas dire qu'il était sous le pont d'Arcole. Redlich connaissait Pernaud mais personne ne l'a vu rue de la Voûte. Etc.

– Les indices matériels ?

– Les perquisitions dans l'atelier de Lartigues et la péniche de Redlich n'ont rien donné.

Quai des Grands-Augustins. Quai de Conti. Quai Malaquais. Il n'avait pas eu un regard pour le 36 – de l'autre côté de la Seine – d'où Kripo lui parlait.

– Et toi, avec Irisuanga ?

– La muraille de Chine. Son appartement, sa galerie sont protégés par l'immunité diplomatique. Il était sans doute à la soirée de Lartigues dimanche mais à quelle heure en est-il parti ? Mystère.

– C'est tout ?

Kripo monta d'un ton – ce qui ne lui ressemblait pas :

– « C'est tout » ? Je suis en train de t'expliquer qu'on s'est peut-être plantés, que ton père a buté trois cinglés dont aucun n'était l'Homme-Clou, que le vrai tueur court encore et tu me demandes si c'est tout ? Tu deviens difficile à satisfaire en matière d'emmerdements.

Erwan ne répondit pas : ce nouveau fait corroborait, mystérieusement, sa lecture des synthèses du procès. Il s'était farci les témoignages abrégés, les réponses hallucinées de Pharabot, les résumés des plaidoiries – tout ça pour ne rien apprendre d'important.

Dans ces minutes, ce n'étaient pas les lignes qui avaient parlé mais plutôt les zones d'ombre. *Quelque chose ne colle pas.* Un détail lui avait échappé et ce détail, même s'il concernait des crimes datant de quarante ans, pouvait l'aider à mieux comprendre l'affaire actuelle.

– Tu m'écoutes ? Qu'est-ce qu'on fait ?

– Grattez encore, fouillez leur passé, trouvez-leur un putain de mobile.

– Ça ne nous donnera pas de preuves directes.

– C'est cuit de ce côté-là. On boucle le dossier avec de l'indirect.

– Je ne te reconnais pas.

– Ça s'appelle le « principe de réalité ».

– Ok. Je transmets aux autres.

Kripo raccrocha et Erwan traversa le pont Royal, en direction de la rue des Pyramides. Quartier de l'Opéra, changement d'atmosphère. À l'école de police, on apprenait que les grandes artères d'Haussmann, larges et droites, avaient été conçues pour maîtriser les révoltes populaires, tirer au canon et laisser passer la cavalerie. « La preuve, confirmait son père, Mai 68 a explosé de l'autre côté de la Seine ! »

Il était temps de faire trembler le Vieux.

– T'es toujours à l'hosto ? demanda celui-ci d'une voix inquiète.

– Je rentre chez moi.

– On t'a laissé sortir ?

– Tu m'as à peine égratigné.

– Il faudra qu'on en parle. C'était…

– J'ai plus de force pour t'en vouloir de quoi que ce soit.

– Victoire par abandon ! rit Morvan. Faut que tu te reposes.

– Je pars en voyage.

– Je peux te donner les clés de Bréhat.

– Je pars en Belgique.

Brève pause.

– Pourquoi la Belgique ?

– Je me suis farci cette nuit les archives du procès de Lubumbashi. Trois classeurs de quatre kilos chacun.

Nouveau silence. Erwan contourna le palais Garnier, pompeux et doré, puis braqua à l'oblique, vers la rue Lafayette. Encore une artère taillée pour la brigade légère.

– Où tu t'es procuré tout ça ?

– À Namur : les transcriptions des avocats y étaient stockées.

– Qu'est-ce que tu cherches au juste ?

– Certains éléments m'ont paru insuffisants. Pour ne pas dire bizarres.

– Et alors ? Ton enquête est bouclée et tes coupables sont morts.

– Peut-être pas. Il reste encore beaucoup de questions sans réponse. Finalement, ce n'est pas parce que des cinglés se sont fait greffer la moelle osseuse d'un mort qu'ils étaient des assassins.

– Ils ont tué deux gendarmes.

– C'est vrai. Et ils ont pris les armes à Locquirec. Mais je veux être certain qu'ils sont bien les meurtriers de Wissa Sawiris et des autres.

– Ça répond toujours pas à ma première question : pourquoi la Belgique ?

– Je vais interroger des témoins de la première affaire.

– Lesquels ?

– Je sais pas encore.

Il préférait ne pas donner de noms.

– T'es en train de te perdre, mon garçon. Fais attention : j'ai failli devenir fou avec cette histoire.

Il décida de chatouiller un peu le Vieux :

– T'avais pourtant l'air d'avoir toute ta tête au procès.

– Qu'est-ce que tu veux dire ?

– En lisant ton témoignage, j'ai eu l'impression que t'avais emporté le morceau grâce à tes talents d'orateur.

– Tu doutes aussi de la culpabilité de Pharabot ?

– Non. Tu possédais de *vraies* preuves et des aveux. Mais y a
pas mal de trous du côté des faits et des circonstances.

– Qu'est-ce que tu me chies ? J'ai pas fait mon boulot ?

– Je me pose juste une question. L'Homme-Clou a frappé
neuf fois…

– Si je l'avais pas arrêté, toutes les étudiantes de Lontano y
seraient passées.

– Justement, comment, dans ce climat de parano, a-t-il pu les
approcher ? Quand un tueur rôde à Paris, une ville de plus de
deux millions d'habitants, plus aucune femme ne sort de chez
elle. Lontano ne comptait que quelques dizaines de milliers
d'âmes…

– T'as vu son portrait ?

– Non. Je n'ai trouvé aucun document anthropométrique.

– Pharabot avait peur des appareils photo. Une superstition
africaine. C'était un gamin blond, à la coupe en pétard et au
visage d'ange. Un mélange de douceur et d'effarement. Qui aurait
pu s'en méfier ?

Cette réponse ne rimait à rien. Erwan imaginait la panique des
étudiantes et des secrétaires à l'époque : même un vieillard uni-
jambiste les aurait effrayées.

Il montait la rue Cadet. La rue de Bellefond allait s'ouvrir à
droite. Mentalement, il préparait déjà sa valise.

– Je trouverai peut-être des réponses en Belgique. Si ça suffit
pas, j'irai en Afrique.

– Quelles réponses ? T'es malade ou quoi ?

– Blessé seulement. Pharabot et ses meurtres sont l'arbre qui
cache la forêt.

– Quelle forêt ? À quelle heure…

Erwan venait de pénétrer dans son parking. La tonalité retentit à son oreille.

Le béton avait du bon. Il fallait au moins ça pour couper la
chique au Vieux.

136

UNE HEURE ET DEMIE DE THALYS. Erwan avait photocopié les extraits les plus intéressants du procès pour les relire encore. Tout Lontano avait défilé à la barre – parents, enquêteurs, employeurs, missionnaires, ouvriers... Personne ne savait rien, ou bien les transcriptions du procès étaient incomplètes. La seule évidence était la peur : chaque corps avait été découvert dans une sorte d'effroi sacré. On devinait une communauté qui s'était quasiment arrêtée de vivre en attendant que la bête soit neutralisée.

A contrario, les patrons de Pharabot décrivaient un salarié sans histoire, bien noté, toujours partant pour la brousse. L'ingénieur était un pur psychopathe, un monstre glacé parfaitement dissimulé. Il avait trouvé une sorte d'équilibre entre ses peurs et ses crimes. Tueur organisé, méticuleux, consciencieux, son « œuvre » constituait une force de gravité et de refroidissement qui l'avait empêché de voler en éclats sous l'effet de ses terreurs intimes.

Quelques-unes de ses réponses : « Pourquoi avez-vous tué ces femmes ?

– Une attaque supérieure exige une réponse supérieure. »

Ou : « Avez-vous déposé le corps de la victime sur la piste d'Ankoro ?

– Les seuls sentiers que je sillonne sont ceux de l'esprit. J'évolue dans le deuxième monde. »

Ou encore : « Les femmes que vous avez tuées étaient-elles des fétiches ?

– À l'intérieur de la chair, le *bilongo* a chaud. Le *bilongo* est plus puissant. » Renseignements pris, le *bilongo* est l'esprit qu'on active au sein de la statuette en y plantant un clou, en crachant dessus ou en l'humectant de son sang.

Des psychiatres belges et français – aujourd'hui morts – avaient fait le voyage. Leurs avis contradictoires n'avaient pas permis de décider si l'ingénieur était responsable de ses actes. Ni même s'il était malade au sens psychiatrique du terme – à moins de considérer un saint Jean-Baptiste ou un Kobo-Daishi comme de purs aliénés. À les écouter, la lisière entre foi et folie était très mince.

Voilà ce qui intéressait Erwan : la partie sorcellerie du procès. Le meilleur spécialiste s'était avéré être un père blanc, Félix Krauss, également psychiatre, qui avait vécu au Bas-Congo et qui, par chance, était installé à Lubumbashi depuis 1969. Le jeune missionnaire avait expliqué que le *nganga* était un justicier, un redresseur de torts en lutte contre les sorciers qui jetaient des sorts, répandaient les maladies, exacerbaient les passions jusqu'à la mort. Son portrait de Pharabot en « *nganga* blanc » au service des familles noires avait choqué mais Krauss disait vrai : l'ingénieur était respecté dans la communauté ouvrière de Lontano.

Erwan avait cherché la trace de Krauss sur Internet. L'homme enseignait désormais l'ethnologie et les sciences religieuses à l'université catholique de Louvain. Avant de prendre le train, le flic lui avait annoncé sa visite : le père blanc parlait le français avec un accent aussi cranté que les façades de Gand ou de Bruges ; il serait heureux, assurait-il, de l'aider. C'était sa seule piste : Erwan avait aussi fouillé du côté des familles des victimes mais les de Vos, de Momper, Verhoeven étaient légion en Belgique et il n'avait ni le temps ni la possibilité de les contacter toutes en quête de racines africaines.

Erwan acheva son voyage en observant une photo de Thierry Pharabot qu'il avait finalement dénichée au fond d'un classeur – un cliché anthropométrique réalisé quelques jours après son arrestation. Son père disait vrai. C'était un beau jeune homme au visage étroit, aux traits réguliers et à l'aspect chétif. Cheveux et sourcils blonds, expression rêveuse : difficile de se convaincre qu'on contemplait là le souverain d'un enfer qui n'était peut-être pas encore refermé…

Bruxelles, 18 heures. Taxi. Il fallait compter une demi-heure pour atteindre Louvain. Erwan avait toujours fantasmé sur les Flandres, sans jamais prendre le temps de s'y rendre. Pour lui, cette région était un coffre aux trésors recelant tous les peintres qu'il vénérait, des primitifs flamands aux maîtres du XVIIe siècle comme Rembrandt ou Rubens.

Pour l'instant, il n'était pas déçu par le paysage. Ligne d'horizon absolument plate, crépuscule cuivré, longues ombres langoureuses. Sans compter les maisons et les églises qui semblaient toutes taillées dans la même matière sanguine. Des noces d'or et de sang…

– Vous ne prenez pas la direction de Louvain ?

Le chauffeur avait laissé la sortie « Leuwen » vers l'est et filait sur la N3, plein sud.

– Vous allez pas à Louvain.

– Je vous ai dit que…

– Vous m'avez dit Louvain-la-Neuve.

– C'est pas la même chose ?

– Non. C'est en zone francophone.

Erwan avait du mal à cacher son irritation :

– Expliquez-moi : on gagnera du temps.

– La Belgique est coupée en deux, la partie wallonne où on parle français, la partie flamande où on parle néerlandais. Enfin, pas tout à fait mais…

– Je suis au courant, tout de même.

– Jusqu'à la fin des années 60, l'université catholique de Louvain était à Louvain, en zone néerlandophone, mais la moitié des étudiants y parlaient français. Pour les fanatiques du « Chaque langue dans son pays », c'était devenu intolérable. Y a eu des manifestations, des bagarres. Chez nous, on appelle ça une « crise linguistique » mais c'était surtout : *Walen buiten !*, « Les Wallons dehors ! ».

Erwan songea à une guerre de religions dont l'enjeu aurait été la langue.

– Et alors ?

– La séparation des deux universités a été votée et on a construit en catastrophe une ville nouvelle dans le Brabant francophone.

– Louvain-la-Neuve ?

– Exactement. C'est assez spécial. Tout a été édifié en quelques années.

Erwan s'attendait à des édifices gothiques, des pignons à redents, des fenêtres à meneaux. Il découvrit une zone piétonnière émaillée de bâtiments bruts, de blocs patibulaires. Ce genre de quartiers bâclés qu'on trouve en banlieue et qui accueillent, entre deux cités, des cafétérias, des pressings, des supermarchés.

– J'ai rendez-vous à la faculté de philosophie.

– C'est au collège Érasme. Je peux pas entrer avec la voiture.

Il se fit déposer à l'entrée d'une esplanade grise, au pied d'un clocher moderniste. Ses pas claquaient sur le parvis. La bâtisse qu'il visait reproduisait, plus ou moins, des lignes anciennes : fenêtres aux châssis pointus, piliers aux chapiteaux en V. Le résultat était étrange, comme si on avait coulé du béton neuf dans un vieux moule.

– Le père Krauss, s'il vous plaît.

Derrière le comptoir d'accueil, un étudiant avachi dressa son index vers le plafond. Erwan leva les yeux : la bibliothèque s'ouvrait sur plusieurs étages. Les rayonnages formaient des coursives autour du patio central. L'architecture – piliers blancs, parapets de bois clair – déployait une répétition de motifs, alternant deux couleurs.

Erwan chercha l'escalier. Le père Krauss devait rôder au rayon psychiatrie ou ethnologie.

137

IL AVAIT SOIXANTE-DIX ANS PASSÉS mais ses cheveux blancs en brosse lui conféraient une allure de vigueur éton-nante. Petit, il portait un costume noir mal coupé. Il fallait s'approcher pour remarquer le col blanc, aussi immaculé qu'une hostie. Entre deux rangées de livres, penché sur un traité d'eth-nomédecine, le père Krauss offrait l'image rassurante d'un animal protégé qu'on s'efforce de conserver dans son biotope naturel.

Erwan était épuisé par le voyage, la nuit blanche et le reste. Pas de temps ni d'énergie pour les salamalecs. Il se présenta et demanda à s'installer dans un coin tranquille pour poser ses questions.

— Bien sûr, fit le missionnaire en rangeant l'ouvrage dans le rayon. Depuis votre coup de fil, j'ai relu mes notes de l'époque.

Son accent avait des consonances germaniques qui donnaient à ses mots une assise particulière.

— Je pourrais les voir ?

— Non : secret médical. Suivez-moi s'il vous plaît.

Ça commençait bien. Erwan lui emboîta le pas. À cette heure, la bibliothèque était déserte. Ses lignes de bois étaient cinétiques. À force de les regarder, elles semblaient prendre vie et danser.

— Je voudrais d'abord vous montrer quelque chose.

Ils longèrent le garde-fou puis Krauss ouvrit une porte à l'aide de son badge magnétique. Ils se retrouvèrent dans une enfilade de petites salles aveugles aux murs de briques peintes en blanc. Chacune abritait des statuettes africaines, en bois ou en terre, couvertes de clous, de fibres végétales, de cordes.

– Cette exposition est consacrée à Leo Bittremieux, un missionnaire scheutiste du début du XXe siècle qui étudiait la culture yombé et qui expédiait à tour de bras ces objets sacrés en Belgique. Un pur Flamand qui refusait de parler français « même devant le roi » et détestait les colons. Il prétendait que le Blanc n'était pas venu en Afrique « pour la civiliser mais la syphiliser ».

Erwan aurait voulu expédier ce détour mais il se dit que, d'une certaine façon, il était venu pour s'imprégner de cette culture. Il s'arrêta face à un fétiche vengeur arborant une cape en toile de jute, des clous dressés sur la poitrine, des petites dents pointues et un crâne en losange.

– Une de nos pièces les plus terribles, fit Krauss en posant la main sur sa tête comme un dompteur aurait caressé un fauve apprivoisé. Ce *nkondi* libérait les enfants possédés qui mangent de la terre.

– Pour mon enquête, j'ai déjà pas mal étudié ces croyances et...

– Ça va bien au-delà des croyances ! C'est une métaphysique. La trame même de l'existence. Chez les Noirs, il n'y a pas de hasard ni de fait inexplicable. Entre Dieu et les hommes, il existe un entresol : l'étage des esprits, des forces occultes. Un Congolais meurt du sida : version occidentale. Vérité africaine : un de ses fils est sorcier et l'a tué en lui envoyant la maladie.

Les *minkondi*, au fil des salles, changeaient d'aspect, se réduisant à des morceaux de bois à peine sculptés, des sacs de toile ornés de grelots, des pierres ligotées de cordes. Un détail suffisait pour les transformer en objets sacrés, pleins de pouvoir et de signification.

– D'ailleurs, reprit Krauss, votre père a dû vous initier à cet univers.

– Vous savez qui est mon père ?

– J'ai vérifié sur Internet : votre nom ne pouvait être un hasard.

– Vous l'avez rencontré à l'époque ?

– Bizarrement, non. Je l'ai connu beaucoup plus tard, dans les années 2000, quand il nous a prêté sa collection pour une exposition.

Erwan ignorait que ses *minkondi* avaient voyagé.

– La dernière fois que je l'ai vu, avoua Krauss avec une mine réjouie, il m'a laissé entendre qu'il en ferait don à notre université.

Bonne nouvelle : ni lui ni ses frère et sœur n'hériterait de ces trucs effrayants, chargés de mauvaises ondes. Erwan stoppa de nouveau devant une tige de palmier à la base de laquelle un coquillage était attaché, figurant une sorte de poignard mi-végétal, mi-minéral.

– Quelle est la différence entre folie et croyance ? poursuivit Krauss. Le fait de croire que Jésus-Christ marchait sur l'eau pourrait être mal jugé d'un point de vue psychiatrique...

– Pharabot a tué neuf fois au nom de sa foi.

– Combien de massacres chez les chrétiens, les musulmans, les bouddhistes au nom de la religion ? Nous sommes arrivés.

Krauss déverrouilla la porte de la salle et s'effaça pour le laisser entrer.

138

LES PLAFONNIERS s'allumèrent par à-coups, révélant une enfilade de tables de lecture.

– Asseyez-vous.

Erwan s'installa derrière l'une d'elles. Le père prit place en face de lui. Pour l'occasion, le flic sortit un dictaphone.

– Ça vous dérange si je vous enregistre ?

– Pas du tout, mais j'ai d'abord une question à vous poser.

– Je vous en prie.

Il n'était pas en position de jouer au flic mutique.

– Vous m'avez dit que vous enquêtiez sur la série de meurtres à Paris.

– Absolument.

– J'ai lu ce matin dans la presse que leurs auteurs présumés avaient été tués lors d'une fusillade en Bretagne…

Erwan opta pour un demi-mensonge :

– C'est exact mais je dois, pour achever mes rapports, dresser un portrait aussi complet que possible de celui qui les a inspirés : Thierry Pharabot.

– Vous voulez dire que vous fouillez encore le passé de l'Homme-Clou en quête d'indices sur le présent ? Peut-être n'avez-vous pas tout compris ?

Erwan sourit. Il prêtait toujours aux ecclésiastiques une sorte d'innocence béate qui se traduisait dans la réalité par une naïveté frôlant la stupidité. Krauss n'entrait pas dans cette catégorie.

– Les choses sont plus compliquées que prévu, c'est vrai. Les trois hommes éliminés dans le Finistère vouaient un culte à l'Homme-Clou et nous sommes persuadés qu'ils sont les auteurs des meurtres survenus ces deux dernières semaines. Mais on manque de preuves concrètes. En creusant encore du côté de leur modèle, on trouvera peut-être de nouveaux indices.

Le Belge n'avait pas lâché son sourire :

– Mettez votre machine en route.

Première question :

– Vous vous souvenez de votre rencontre avec Pharabot ?

– Bien sûr. Quand il a été arrêté, je dirigeais un dispensaire à Lubumbashi. On m'a appelé et j'ai fait le voyage jusqu'à Lontano pour établir son premier bilan psychiatrique. J'étais l'homme de la situation : médecin et prêtre, je connaissais les croyances yombé.

– Comment était-il ?

– En état de choc.

– À cause de ses meurtres ?

– À cause de la chasse que lui avait menée votre père.

Erwan sentit son estomac se crisper :

– Que... que pouvez-vous m'en dire ?

– Je n'en sais pas grand-chose. Ça a duré plusieurs semaines, sur un terrain qu'on pourrait qualifier... d'intense.

Erwan songea à la photo de Pharabot indemne :

– Vous pensez que mon père a torturé Pharabot après sa capture ?

– Je pense que la traque en elle-même a été une torture... mentale. Pour les deux. Pharabot connaissait la brousse. Grégoire Morvan, au contraire, n'en possédait aucune expérience. Pourtant, il n'a jamais renoncé. Il a poursuivi Pharabot. Il l'a affamé, acculé jusqu'à le capturer et le ramener à Lontano.

Dans la voix du vieux missionnaire perçait une nuance d'admiration. Cet homme qui devait pourtant être contre les méthodes brutales (il était psychiatre) et pour la compassion (il était prêtre) avait du respect pour la bravoure et la ténacité du chasseur.

– Ce n'était pas seulement une question de courage physique, renchérit-il. Au fond de la forêt, Pharabot jouait sur son terrain – celui des forces occultes. Votre père était seul face à un univers puissant et inconnu.

– Vous y croyez ?

– Je crois au fait qu'il était en très mauvaise posture et je pense, passez-moi l'expression, qu'il a eu des couilles comme ça.

Il n'était pas là pour écouter un panégyrique du Vieux.

– Vous avez soigné Pharabot ?

– Avec les moyens du bord. Il était dans un état de prostration totale. Une sorte de catalepsie de l'esprit. J'ai dû lui administrer des calmants qui l'ont à la fois détendu et ramené à la réalité. Parallèlement, j'ai pu interroger des témoins.

– Je croyais qu'il n'y en avait pas.

– Pas des meurtres mais de l'atmosphère générale de la ville. Les habitants de Lontano sortaient de deux années de pure terreur.

Erwan se posa encore une fois la question : comment le tueur avait-il pu gagner la confiance de ses victimes ? C'était peut-être l'indice qu'il cherchait. *Plus tard.*

– J'ai lu dans les minutes du procès que Pharabot était connu en tant que *nganga*. Dès le début, la population a dû le soupçonner, non ?

– Chez les Noirs, sans aucun doute, mais personne ne voulait parler. D'abord par crainte, ensuite par respect. Des légendes circulaient à son sujet. On disait qu'il rôdait nu, couvert d'argile, la nuit dans la forêt, qu'il parlait aux démons. On racontait qu'il se transformait en un tas d'animaux, des histoires d'Africains.

– Ils auraient dû le dénoncer.

– Non. Un *nganga* qui sculpte des *minkondi* dans de la chair blanche sait ce qu'il fait et est doté de très grands pouvoirs.

– On dirait que vous cautionnez cette version. Pharabot n'était-il pas tout simplement dément ?

– Il se sentait menacé de toutes parts, par des sorciers, par des forces terribles. En tant que psychiatre, j'ai diagnostiqué une schizophrénie à tendance paranoïde. Mais d'autres collègues n'étaient pas de cet avis. Simple ferveur religieuse selon eux.

Son accent devenait plus agréable : un rubato faisant tanguer ses phrases.

– Avez-vous réussi à l'interroger ?

– J'ai gagné sa confiance. Il m'a raconté son histoire. Je veux dire : celle de son enfance. Vous la connaissez ?

– Les grandes lignes. Livré à lui-même, il a vécu parmi les ouvriers agricoles du Bas-Congo et a été initié à la magie yombé.

– Exactement. À douze ou treize ans, il était déjà un guérisseur réputé capable de faire régurgiter aux sorciers les âmes qu'ils avaient mangées, de broyer leurs mâchoires invisibles.

– À votre avis, quand a-t-il basculé ? Je veux dire : dans la folie ?

– Impossible à dire. À force d'affronter les esprits, il s'est peu à peu senti assailli, assiégé. Il entendait des voix, souffrait d'hallucinations. Il devait tuer : il n'avait pas le choix.

Erwan se décida à entrer dans le vif du sujet :

– Dans cette affaire, j'ai quatre tueurs et pas mal de victimes.

– Les journaux parlent de trois…

– Les journaux, c'est pas la police. Mon problème est que ces meurtriers ont frappé d'une manière invisible. Aucune trace, aucun témoignage. Par-dessus le marché, les victimes semblent ne leur avoir opposé aucune résistance.

– Et alors ?

– Les choses se sont passées de la même façon à Lontano. Personne n'a rien vu et surtout, les femmes ont suivi Pharabot sans se méfier, ce qui, dans le contexte d'une ville gagnée par la panique, paraît impensable.

Félix Krauss ne répondit pas. Un sourire flottait sur ses lèvres. Le silence était tel qu'Erwan percevait – ou croyait percevoir – le bruit du moteur de la ventilation.

– Connaissez-vous le secret de Pharabot ? insista-t-il. Comment s'y prenait-il pour aborder ses proies et les convaincre de le suivre ? Pourquoi personne ne l'a jamais remarqué ?

– La réponse est simple : il avait un complice.

– Quoi ?

– Pas vraiment un complice, plutôt un assistant.

– De quoi vous parlez, nom de dieu ?

Krauss ne se formalisa pas du juron. Au contraire, il s'amusait de la surprise d'Erwan, comme quelqu'un qui vous raconte la fin d'un film.

– Un gamin des rues. Un orphelin âgé d'une dizaine d'années.

– Un Noir ?

– Un Blanc.

– Il vit encore ?

– Je n'en sais rien.

Erwan se laissa aller contre le dossier de sa chaise. Son humeur s'était totalement inversée. Il avait l'impression d'avoir gagné le gros lot.

– Racontez-moi.

– Le savoir d'un *nganga* se transmet d'initié en initié. Il fallait à Pharabot un disciple, un héritier, avant de finir en prison ou lynché par la population blanche. Il a trouvé Nono. Un gamin qui devait lui rappeler sa propre enfance.

Il n'avait jamais lu une ligne là-dessus dans les transcriptions.

– Je n'ai pas réellement suivi cet aspect de l'affaire, continua le père. Nono a aussitôt été transféré dans un dispensaire à Lubumbashi. J'ai demandé à lui parler : requête refusée. J'ai demandé à voir son dossier : même réponse. Au procès, son existence n'a jamais été mentionnée.

Erwan avait déjà compris que l'artisan de cette disparition était son père. L'apôtre de la deuxième chance, du « Qui châtie bien, aime bien ». Il l'avait toujours vu pardonner, effacer des ardoises, relancer des carrières dans la maison poulaga. Et faire exactement la même chose avec les criminels.

– Il y a eu consensus autour de lui : policiers, avocats, juges l'ont écarté, poursuivit Krauss. Il en avait bavé : inutile de remuer ses traumatismes.

– Bavé dans quel sens ?

– D'abord, il avait subi une initiation *khimba*. Vous savez ce que c'est ?

Erwan se souvenait des explications de Redlich : circoncision à vif, viande crue, parfois humaine, vie sauvage dans la forêt, châtiments corporels...

– On m'en a déjà parlé, oui.

– À cela s'ajoutaient les cérémonies... magiques.

– C'est-à-dire ?

– Tout porte à croire qu'il participait aux assassinats.

Il avait la tête qui tournait : ce môme qui, s'il était encore vivant, aurait une cinquantaine d'années, constituait aujourd'hui un parfait Homme-Clou numéro deux. Pourquoi son père ne lui en avait-il jamais parlé ?

– Selon vous, ce gamin lui servait à piéger ses victimes ?

– Bien sûr. Quoi de plus inoffensif qu'un enfant ? Peut-être avait-il pour mission d'attirer la proie dans un coin isolé, peut-être Pharabot était-il déjà à ses côtés – le grand et le petit frère –, peut-être autre chose encore...

– Vous en savez plus sur lui ?

Krauss fouilla dans sa poche et fit glisser sur la table un papier plié en quatre.

– J'étais certain que cette piste vous intéresserait. Le dispensaire où il a été soigné était dirigé par une certaine sœur Marcelle. Une Wallonne. Je me suis renseigné : elle vit aujourd'hui à Courtrai, à quelques kilomètres d'ici.

Erwan sentait son cœur s'accélérer. Trop beau – c'est-à-dire trop fou – pour être vrai : un enfant complice de l'Homme-Clou, à présent un homme, sans doute traumatisé à vie, à portée d'interrogatoire.

Erwan ouvrit la feuille et lut : « Sœur Marcelle. Béguinage de Courtrai, porte 17. »

– Un béguinage, c'est quoi ?

– Une vieille tradition belge. Depuis le Moyen Âge, dans notre pays, des femmes pieuses, qui sont veuves ou célibataires, se réunissent dans des logements construits autour de l'église. Une sorte de village dans la ville.

– Ce sont des religieuses ?

– Pas au sens strict. Elles sont laïques et indépendantes. Aujourd'hui, elles n'existent plus. Je crois que la dernière béguine est morte récemment. Mais les villages accueillent encore des sœurs à la retraite comme Marcelle.

Erwan se leva. Il avait du mal à contenir son excitation. Krauss regarda sa montre :

– Personne ne vous ouvrira à cette heure-ci. Où allez-vous dormir ?

– Aucune idée.

– Restez ici. Nous avons des chambres.

Pas la force de lutter. D'ailleurs, passer la nuit dans cette uni-versité catholique lui paraissait de bon augure. La clé de l'affaire se situait peut-être dans l'ombre de Dieu – ce qui était plutôt paradoxal.

Ils traversèrent le parvis. Des cloches résonnaient au loin.

– Soyez aimable avec Marcelle, elle est sensible.

– Je n'ai pas l'habitude de brusquer les vieilles dames.

– Je veux dire : soyez *vraiment* aimable. Elle est en convales-cence à Courtrai. Elle souffre d'amibiase.

Erwan imagina des vers grouillant au fond d'intestins épuisés par des décennies passées en Afrique. Décidément, il n'en sorti-rait jamais.

139

MAINTENANT, ils étaient deux à la protéger : Karl, le grand Black, et un deuxième, Ortiz, blanc, crâne rasé, mâchoires carrées. À eux deux, ils avaient l'air de sortir d'une bande dessinée et semblaient n'avoir aucune chance face à un criminel vicieux et solitaire.

Le genre de tueur qui hantait son cerveau. Un homme moulé dans une combinaison zentaï. Glissé dans sa gaine comme un couteau dans son fourreau. Une pure machine intrusive, vrillant la chair jusqu'à la mort.

Elle ouvrait les yeux et le voyait partout : dans la rue, les escaliers, le moindre angle mort de son appartement.

Elle fermait les yeux et c'était pire. Il était là, entre le pli de sa paupière et le frémissement de sa rétine. Il rôdait autour d'elle et même sous sa peau. Présence diffuse qui l'électrisait et violentait sa perception du monde extérieur.

Elle avait passé une journée abominable, gorge sèche, souffle court. Elle prenait toujours ses médocs mais c'était pour soigner des maladies, des troubles du cerveau… Or le danger était cette fois réel. Il était là, prêt à frapper. Il allait surgir et tout serait fini.

Elle se répétait cette litanie comme une gamine qui jouerait à la marelle avec, en guise de palet, son propre cœur.

Un, deux, trois : une heure passait.

Quatre, cinq, six : elle atteignait le ciel.

En réalité, l'enfer.

L'heure suivante était consacrée à s'arracher de ces ténèbres, et à repartir pour un tour.

– Ça va, mademoiselle ?

Les deux colosses jouaient aux cartes, toujours coincés dans le petit salon. Elle se tenait à l'autre bout du studio.

– Erwan, souffla-t-elle à voix basse, pourquoi tu rappelles pas ?

140

DU BRUN, DU NOIR, DU ROUGE.
Erwan avait dormi comme un corps-mort. Sans doute avait-il rêvé mais aucun souvenir n'était resté amarré à sa conscience. Douche frisquette à l'aube – l'heure de la prière – puis petit déjeuner à la dure : café noir, pain caoutchouteux, broc en inox. Un parfum de séminaire planait sur chaque détail, jusqu'au réfectoire et au mobilier qui évoquaient les tablées de moines dans une lointaine abbaye.

Il roulait maintenant vers Courtrai. Les terres en friche succédaient aux villages en briques. Du brun, du noir, du rouge.

« C'est facile à trouver, avait dit Krauss, prenez la direction du vieux Courtrai. Le béguinage est au pied de l'église Saint-Martin. » Une fois dans la ville, alors qu'il traversait la Lys, Erwan repéra le clocher au-dessus de la cité. Il ne savait pas à quel moment il avait franchi la ligne linguistique mais Saint-Martin était devenu Sint-Maartenskerk. Il était maintenant cerné par des *straat* et des *steenweg*. Le temps d'allumer son GPS, il tomba par hasard sur le portail des béguines. « Begijnhof Sint-Elisabeth » annonçait le frontispice.

Le village était piétonnier : il se parqua près du porche et s'enfonça dans les ruelles, le long de maisons blanchies à la chaux.

Une impression de solitude et de silence lui tomba dessus, comme une congère bien glacée d'un toit.

En marchant, il nota des détails inconciliables : les murs blancs rappelaient un pueblo espagnol, les pavés évoquaient des ruelles de Montmartre, les portes de bois sombre, surmontées d'un numéro noir sur blanc, semblaient importées de Londres. Pourtant, l'ensemble était flamand. Il y avait une solidité, une rudesse et quelque chose d'artisanal dans ce quartier qui avaient à voir avec le plat pays et son passé de manufactures. Il atteignit une place où des maisons à pignons à redents confirmaient le copyright : on était bien dans les Flandres.

Les numéros l'entraînèrent dans une nouvelle ruelle. Il faisait froid et il marchait tête dans les épaules, col relevé. Tout était désert mais il avait l'impression d'être frôlé par les fantômes des femmes qui avaient vécu ici – les épouses des croisés, au Moyen Âge, les veuves des siècles suivants, vouées à la foi et au recueillement.

Au 17, interphone. La porte s'ouvrit sans discussion – Krauss avait dû prévenir sœur Marcelle. Erwan entra dans un vestibule encombré de manteaux, de bottes en caoutchouc, de parapluies.

– Vous pouvez vous déchausser ?

Voix chevrotante, timbre de crécelle : il pénétrait dans un conte de Perrault. Il retira ses Timberland montantes qu'il avait choisies pour l'occasion – comme s'il partait en randonnée – et remarqua des patins et des chaussons qu'il n'osa pas enfiler. Il s'avança en chaussettes dans une salle d'un autre siècle : carrelage en damier, haute cheminée au fond tapissé de céramique, étagères chargées de vaisselle en cuivre. Une odeur de café planait. Il sentait sous ses pieds le froid des carreaux alors que la chaleur du feu lui faisait monter le sang au visage.

Assise près de l'âtre, sœur Marcelle lui tournait le dos. On n'était pas dans un conte de Perrault mais des frères Grimm. En visite chez la sorcière de *Hänsel et Gretel*.

– Vous voulez du café ?

– Merci, avec plaisir.

Quand elle lui fit face, Erwan n'éprouva aucune surprise. Elle sortait d'un portrait de groupe de missionnaires du siècle dernier. Chasuble grise sur polo blanc. Coiffe d'ardoise, lunettes rudimentaires. Visage viril, foncé comme du vieux cuir, sourcils encore noirs et racines blanches sous le voile. Elle aurait pu défiler sur le thème « Exister, c'est renoncer ».

– Je viens vous parler d'une histoire très ancienne, ma sœur.

– Vous venez me parler de Nono, fit-elle en lui tendant une tasse. Le père Krauss m'a téléphoné.

– Vous vous souvenez de quelques détails à propos de cette affaire ?

– Je me souviens de tout.

141

ELLE LUI DÉSIGNA UNE CHAISE près d'une table recouverte d'une toile cirée. Erwan se revoyait enfant, visitant la ferme qui jouxtait la maison de vacances louée par ses parents. Chaque détail avait un grain brutal et triste mais aussi une authenticité, une présence inhabituelles pour un petit Parisien.

– Quand exactement avez-vous connu... Nono ? demanda-t-il pour ouvrir le bal.

– Lorsque Thierry Pharabot a été arrêté par votre père.

– Vous savez ça aussi.

Elle sourit. Une multitude de rides apparurent, le masque brun se transforma en toile d'araignée. Elle tenait sa tasse à deux mains, comme une offrande.

– Je lis la presse française. Je savais qu'un jour, vous sonneriez à ma porte.

Il but une goulée de café brûlant. Sa gorge était anesthésiée. Il sortit son dictaphone et le posa sur la table :

– Je peux ?

– Je vous en prie.

Pression. Deuxième interrogatoire.

– Pharabot possédait une cabane isolée à deux kilomètres de Lontano, commença la religieuse. À l'intérieur, les militaires zaïrois ont découvert son matériel, ses ingrédients magiques, ses notes. Et aussi un enfant âgé de onze ans, dans un état déplorable. Ils ont réagi à l'africaine. Ils ont brûlé la cabane, condamné la zone et placé le gamin dans une geôle pourrie. Il s'en est fallu de peu qu'ils ne le brûlent aussi.

Son accent était différent de celui de Krauss : du pur wallon qui, pour un locuteur parisien, sonnait d'une manière plutôt comique.

— Je croyais que tout le monde craignait et respectait Pharabot.

— Tant qu'il n'était pas arrêté. Le pouvoir blanc avait brisé sa puissance. Dans ce contexte, un enfant complice était pire que tout. Un petit sorcier à lyncher. On a commencé à l'exhiber lors des messes. On organisait des exorcismes. Quand je l'ai rencontré, il allait finir avec un pneu enflammé autour du cou.

— Où était mon père ?

— Il s'occupait de Pharabot et de son transfert à Kinshasa. Il n'était pas au courant de cette histoire.

— Vous en êtes sûre ?

— Certaine. C'est moi qui l'ai contacté.

— Comment il a réagi ?

— Comme moi. Il était convaincu de l'innocence du gamin. Un simple maillon dans l'histoire. On s'est mis d'accord : il arrangerait la paperasse, je garderais le petit auprès de moi.

— Comment a-t-il pu faire ça ? Je veux dire : techniquement ?

— Le Zaïre n'est ni la France ni la Belgique. Par ailleurs, aucune charge n'était retenue contre lui. S'il avait contribué à attirer les jeunes filles dans un piège, elles n'étaient plus là pour le raconter. Pharabot n'a jamais dit un mot sur lui.

Erwan baissa les yeux — le voyant du dictaphone ressemblait à un fer rouge.

— Parlez-moi du gamin. Décrivez-le-moi.

— Il s'appelait Arno, avec un « o », à la flamande. Arno Loyens. Il était blond et fluet. Il était orphelin lui aussi et venait de Mons. Comment s'est-il retrouvé à Lontano ? On a jamais su. Pharabot l'a recueilli. Tout le monde pensait qu'il s'agissait d'un membre de sa famille : ils se ressemblaient un peu.

Erwan songea aux viols :

– Vous pensez que Pharabot a abusé de lui ?

– Absolument pas. Nono n'a jamais subi le moindre sévice sexuel. J'ai recueilli son témoignage. L'enjeu était ailleurs. Pharabot voulait transmettre ses pouvoirs avant d'être arrêté. Il a donc initié Nono...

– Le père Krauss m'a déjà parlé de ça.

Elle hocha la tête, l'air de dire : « Cela vaut le coup de s'y arrêter encore. »

– Nono a vécu plusieurs mois isolé en forêt. Chaque jour, chaque nuit plutôt, Pharabot le visitait et le nourrissait. Il venait dans sa tenue de *nganga*.

Elle attrapa une boîte à biscuits en fer sur la table, l'ouvrit et en sortit de vieilles photos noir et blanc. Des portraits de sorciers, ou plutôt de guérisseurs – pour un œil novice, aucune différence. Des hommes à coiffes de plumes, à masques de bois sculptés, tenant des sceptres ciselés ou des cloches décorées. Elles rivalisaient d'horreur.

– D'après ce que racontait Nono, fit sœur Marcelle en sélectionnant un tirage, Pharabot portait ce genre de masque.

Elle désignait un ovale de bois pâle, reproduisant les traits d'un bébé joufflu à la peau dure. Grands yeux noirs, petite bouche, aussi brève qu'une blessure, une expression de cruauté exacerbée, frémissante.

– Nono était traumatisé, bien sûr, mais il possédait une force de caractère peu commune. Les enfants disposent toujours d'une réserve d'innocence qui leur permet de triompher de beaucoup d'abjections.

Sœur Marcelle rangea ses clichés. Derrière ses lunettes qui avaient l'air d'être fabriquées avec des trombones, elle louchait légèrement. *Ce que personne ne veut, Dieu le récupère*, se dit-il malgré lui.

– Je suis restée près de lui à Kinshasa, continua-t-elle. Au bout de six mois, il s'alimentait normalement, en utilisant des couverts, et réussissait, une fois par semaine, à mettre des mots sur ces années terribles. Presque une psychanalyse. Alors seulement, il s'est mis à évoquer le pire.

– Le pire ?

– Les meurtres. Durant les sacrifices, c'est lui qui passait les outils à son maître, qui nettoyait le sang, l'aidait à installer la victime le long des pistes de la forêt.

– Sur les meurtres, que vous a-t-il dit ?

– Je préfère ne plus m'en souvenir.

Il imaginait les deux officiants, l'homme et l'enfant, maquillés d'argile blanche et de poudre de bois rouge, autour des corps suppliciés.

– Vous n'avez pas de portrait de lui ?

– Non. Il a toujours refusé d'être photographié. Il… (Elle s'arrêta et reprit sur un ton sans appel.) Ce n'est pas lui qui tue aujourd'hui.

– Comment vous pouvez l'affirmer ?

– Quand j'ai quitté Arno, il était complètement guéri. Deux ans de thérapie, de douceur, d'études. Il était doué, intelligent, d'une grande gentillesse. Une simple victime des circonstances.

– Dans mon métier, on est payé pour savoir que de telles circonstances ne s'effacent jamais vraiment.

– Je suis d'accord mais nous l'avons éloigné de l'Afrique, de la sorcellerie, de la violence. Il n'a pas témoigné au procès.

– « Nous », c'est qui ?

– Votre père et moi. Grégoire avait un ami influent à Bruxelles qui s'est occupé de placer Arno dans une structure d'accueil en Belgique francophone. Il a changé son nom et lui a fait de faux papiers.

– Pourquoi ?

– Il ne voulait plus qu'on puisse remonter jusqu'à lui ni, d'une manière ou d'une autre, le relier à cette affaire. Il disait qu'une nouvelle chance commençait par la destruction totale du passé.

– Vous ignorez donc son nouveau nom ?

– Oui. Et votre père aussi. À ses yeux, l'important était le nouveau rivage qu'il allait atteindre. Arno ne devait plus jamais revenir en arrière, ni nous contacter. Nous-mêmes ne devions pas être en mesure de le retrouver.

Erwan ne pouvait croire à une telle histoire : un apprenti assassin lâché dans la nature, dont plus personne n'avait ni le nom ni l'adresse ? Ce n'était pas une bouteille à la mer mais une torpille prête à exploser. D'ailleurs, il connaissait trop bien son père pour se convaincre qu'il ait pu laisser une telle menace derrière lui. Le Nettoyeur était célèbre pour ses dons de ménagère...

– Merci, ma sœur.

Quand il se leva, la vieille femme lui agrippa le bras :

– Ne le cherchez pas. Laissez-le tranquille. Il n'est pour rien dans tout ça. Les derniers temps, il disait : « Je suis un *nganga*. Je peux m'envoler sur une écorce d'arachide. Je peux disparaître avec le vent après la pluie. » Je suis sûre qu'il est devenu médecin ou même prêtre. Un homme qui a fait le bien toute sa vie.

142

– C'EST UNE TRISTE HISTOIRE.

– Tu te fous de ma gueule ? répliqua Erwan.

Morvan s'arrêta sous un porche : il se trouvait au coin de la rue Danielle-Casanova et de la place Vendôme qui, à ce point exact, prend la forme d'une brève artère pour devenir, quelques numéros plus loin, la rue de la Paix. Il sortait de chez Charvet où il venait de s'acheter des chemises. Il avait mis des années, et même des décennies, à accepter l'idée qu'il pouvait, en pleine journée, faire du shopping. Maintenant, c'était une forme de thérapie : quand il ne lui restait plus rien, il lui restait ça.

Son fils hurlait dans le combiné :

– Comment tu as pu passer cette histoire sous silence ?

– Je t'en ai pas parlé parce que ça n'en valait pas la peine.

– Un complice de l'Homme-Clou qui aurait cinquante ans aujourd'hui ? Alors qu'on cherche depuis des jours un suspect familier de son mode opératoire ? T'as Alzheimer ou quoi ?

Morvan soupira – il savait qu'en partant en Belgique, Erwan retrouverait la trace du gamin.

– Ton tueur ne peut pas être Arno Loyens.

– Pourquoi ?

– Parce qu'il est mort en 1973.

Un blanc à l'autre bout de la connexion. Peut-être en effet aurait-il dû en parler à son fils. Mais à quoi bon l'embrouiller ? Trop de pistes tuent le chemin...

— Raconte, ordonna Erwan.

— Sœur Marcelle ne sait pas tout. En réalité, je n'ai pas changé son nom. On fait pas des faux papiers comme ça. J'ai simplement placé Arno dans un orphelinat en Belgique francophone, dans la province du Hainaut. Un institut religieux assez connu à l'époque...

— Il est mort là-bas ?

— En novembre 73, pendant les fêtes de la Toussaint. Y a eu un incendie. Un groupe de mômes a brûlé avec plusieurs surveillants.

— Qu'est-ce que c'est que cette histoire ?

— La vérité. Tu peux lire les journaux de l'époque. L'affaire a fait beaucoup de bruit parce que la partie qui a pris feu était un dortoir en préfabriqué. Du boulot bâclé qui n'avait pas respecté les normes de sécurité.

Le silence d'Erwan était comme une pédale de frein appuyée à toute force. Son scepticisme semblait vibrer dans le combiné.

— Arno Loyens était parmi les victimes ?

— Je suis allé à son enterrement. Tu ne fais que réveiller des souvenirs pénibles.

À l'époque, il avait pensé que le destin du môme, après le supplice de l'Homme-Clou, était de mourir prématurément. Rien de *viable* ne pouvait sortir de cette histoire.

— Ce gamin avait participé à neuf meurtres, reprit Erwan, imperturbable. Il était traumatisé par la magie yombé. Il tendait le marteau et préparait les clous à Pharabot... Il ferait un client parfait pour les meurtres d'aujourd'hui...

Morvan traversait l'immense place Vendôme, dont les meurtrières, façon bunker allemand, étaient remplies de joyaux précieux. Erwan commençait à le fatiguer avec ses soupçons à la con.

— Hier encore, trancha-t-il, ton dossier était bouclé. Tu devrais déjà l'avoir refilé au juge.

– Je dois m'assurer qu'Arno Loyens est bien mort.

– Putain, Erwan, j'ai lu les rapports d'autopsie, j'ai vu les corps à la morgue, j'ai parlé avec les flics qui ont mené l'enquête !

– Retrouve le certificat de décès, des PV, des témoignages. Donne-moi des preuves que tout est froid de ce côté-là. Sinon, je te fous au trou pour obstruction à la bonne marche de l'enquête !

Son père ne se formalisa pas de ce petit numéro de flicard. Il parvenait rue de Rivoli. Le vacarme des voitures atteignait ici une intensité sidérante.

– Tu m'as l'air en forme, ironisa-t-il. Où tu es, là ?

– Gare du Nord. Je descends du Thalys.

– Il faut que tu passes voir ta sœur.

– Qu'est-ce qu'il y a encore ? Elle m'a laissé trois messages mais je ne l'ai pas rappelée.

– Fais-le. Cette histoire l'a secouée. J'ai deux gars à moi auprès d'elle mais elle s'angoisse encore.

– De quoi, au juste ?

Il hésita à répondre et à nourrir la paranoïa galopante de son fils.

– Elle croit qu'elle est suivie. Une vraie fixette.

– Je passerai ce soir.

Erwan raccrocha sans le saluer.

Morvan était parvenu à la hauteur des Tuileries. En quelques pas, il s'éloigna du raffut de la rue de Rivoli pour rejoindre le silence feutré du parc. Il prit soudain conscience que l'automne arrivait : l'air frais, les feuilles rouillées, les branches nues qui évoquaient des veines pétrifiées. Décor crispé, comme un corps en apnée qui comprime son sang et consomme lentement son oxygène.

Il n'avait pas tout raconté à son fils – ni, à l'époque, à sœur Marcelle. C'était lui qui avait mené les soldats zaïrois à la cabane de Pharabot. Qui avait découvert le gamin tremblant d'effroi, enseveli sous les fétiches et les outils du tortionnaire... Il avait cru voir un ange. Cheveux presque blancs, front haut, yeux magnifiques. Ce physique offrait une transparence particulière : on y lisait les eaux pures de l'origine puis, aussitôt après, la souillure de l'homme. Le plus troublant était sa ressemblance avec Pharabot.

Nono.

Alors même qu'il recevait les honneurs pour son enquête, que Mobutu lui faisait le cadeau empoisonné d'une convention minière, Morvan cherchait un lieu où mettre le petit à l'abri. Il l'avait trouvé en Belgique, près de la ville d'Honnelles : l'institut religieux de Malapanse. Personne ne le savait mais à l'époque, cela avait été son seul triomphe : sauver un enfant des griffes du diable – et de toute procédure judiciaire.

L'année suivante, il n'avait pas été voir Arno – il craignait que sa seule visite lui rappelle le cauchemar de Lontano. Quand il avait appris la nouvelle de l'incendie, il avait été bouleversé mais encore une fois, pas surpris : rien de bon ne pouvait émaner de l'Homme-Clou et de ses complices. Le feu était un point final digne de cette histoire. *Pas viable.*

Il foulait maintenant un tapis de feuilles mortes et avait l'impression d'écraser des mains d'enfant. Il revoyait les corps noircis à la morgue, les rapports d'autopsie, les certificats de décès. Il avait tout vérifié : c'était bien un accident. Ou plutôt un homicide involontaire. Les circuits électriques avaient été conçus comme le reste – n'importe comment. Il avait suffi d'une surchauffe pour que le dortoir s'embrase…

À cet instant, il haïssait son fils. Ce fouille-merde avait réussi à le replonger dans cet épilogue tragique. Il distinguait maintenant, de l'autre côté du parc, les bâtiments du musée d'Orsay, surmontés par sa colossale horloge. La rive gauche n'avait rien à lui offrir. La rive des artistes, des bobos, des glandeurs. Il devait retourner sur ses pas et regagner ses quartiers du 8ᵉ arrondissement.

Il se dirigeait vers la grande roue de la Concorde quand un flash l'éblouit. Il revit l'enfant blotti au fond de l'antre du tueur, corps malingre, crâne farci d'épisodes abominables et d'actes indicibles. Puis, sans transition, les cadavres des gamins carbonisés dans leurs tiroirs glacés. Y avait-il eu alors une embrouille ? Une combine ? Un malentendu ?

Il accéléra le pas. Le coup d'instinct de son fils était peut-être le bon. En tout cas, il devait vérifier une nouvelle fois la liste des morts de cette nuit-là – et celle des survivants : ce qu'il n'avait pas dit à son fils, c'était que plusieurs gamins du groupe avaient échappé au feu.

Se pouvait-il qu'Arno Loyens ait été parmi eux ?

On apprenait toujours. Quand il parvint place de la Concorde, ce fut pour attraper un taxi en brandissant sa carte de flic.

143

LA PREMIÈRE CHOSE qu'il vit sur les marches qui menaient à son étage, ce fut un grand Noir assis. Derrière, un autre géant adossé au mur du palier – costard, crâne blanc et gueule de para. Du Morvan tout craché. Le plus surprenant était la pièce rapportée entre les deux colosses : Gaëlle semblait avoir réduit de moitié et rajeuni de dix ans. Une petite fille assise, genoux serrés, tenant un sac Louis Vuitton qui, pour l'occasion, jouait le rôle de valise en carton.

– Qu'est-ce que vous foutez là ? demanda-t-il sans animosité.

– Je m'installe chez toi.

– En quel honneur ?

– T'as pas écouté mes messages ?

– Tu m'as l'air bien protégée.

Il parvint à leur niveau. Le Black se leva d'un bond, lui servant le même respect qu'il aurait témoigné à son père. Erwan le salua d'un geste alors que le second se tenait aussi au garde-à-vous. Sympathie immédiate pour les deux gars : ils se fadaient le Vieux au quotidien et maintenant, ils devaient supporter la fille.

Gaëlle ne bougeait pas. Air de provoc au fond des yeux, menton enfoncé entre ses clavicules. Il retrouvait la petite insolente qu'il avait toujours connue, portant sur la vie et les autres un regard dégoûté.

– Comment êtes-vous entrés dans l'immeuble ? demanda-t-il aux cerbères.

– Les moyens du bord, fit le Noir, ignorant s'il devait être fier de sa prouesse ou s'il allait se faire taper sur les doigts.

Erwan sortit ses clés :

– Tant qu'à faire, vous auriez dû vous installer chez moi.

– C'est ce que je leur ai dit, ajouta la petite capricieuse.

– Vous pouvez rentrer chez vous, leur dit-il en déverrouillant la porte.

Les gardes du corps se regardèrent, indécis.

– J'appelle mon père, vous en faites pas. Elle est désormais sous ma protection.

Ils hésitèrent encore quelques secondes puis saluèrent Gaëlle comme si elle avait été l'infante d'Espagne. Ils disparurent dans l'escalier d'un pas allègre, ne cherchant plus à cacher leur soulagement.

Gaëlle pénétra dans l'appartement et balança son sac dans la chambre d'Erwan. Sans la moindre hésitation, elle se dirigea vers la cuisine et ouvrit le réfrigérateur. Elle attrapa une bière et là tendit à Erwan :

– T'en veux une ?

Il acquiesça d'un signe. Elle lui lança la canette, façon cowboy. Il sentait qu'elle en rajoutait dans son rôle d'effrontée. Elle crevait de trouille : ça sautait aux yeux.

– Qu'est-ce qui se passe au juste ?

Elle fit claquer la languette d'aluminium :

– J'en sais rien. J'ai les jetons, c'est tout.

– Les jetons de quoi ?

Elle s'assit sur le canapé et but une goulée sans répondre. Son regard sur le mobilier trahissait un solide mépris à l'égard d'Erwan le vieux garçon et ses goûts de chiottes.

– T'as vu quelque chose ? insista-t-il en prenant une chaise et en s'asseyant en face d'elle.

Elle haussa les épaules, gardant les yeux fixés droit devant elle :

– Non. Je sais pas. J'ai eu un super bad feeling en quittant ta chambre de la Salpêtrière, dans l'ascenseur, avec un infirmier qui portait un masque chirurgical.

– Il ressemblait à quoi ?

– Costaud. Dans les un mètre quatre-vingts. Une blouse blanche.

– Il t'a parlé ?

– Non.

– Il a fait un geste, quelque chose ?

– Non.

– C'est tout ?

– Après ça, j'ai cru voir un type rôder en bas de chez moi. Mais mes anges gardiens n'ont rien remarqué.

– Selon toi, ce serait qui ?

– Je sais pas. L'homme qui m'a poursuivie à Sainte-Anne. Ou un des Tueurs aux clous qui ont été soi-disant éliminés.

– Je t'ai dit qu'ils étaient morts.

– Il suffit de vous regarder, toi et papa, pour comprendre que rien n'est résolu.

Il but à son tour et l'observa jusqu'à ce qu'elle se décide à tourner son visage vers lui. Ses sourcils blonds ne soulignaient pas ses arcades. Sa beauté reposait avant tout sur la délicatesse de son ossature. La victoire de la sculpture sur la peinture.

– T'as rien de plus précis à me dire ?

– Non. Et toi ?

– Quoi moi ?

– Tu peux me jurer qu'il n'y a plus de danger ?

– La procédure est bouclée.

– Réponse de fonctionnaire. Je te parle de ton intime conviction.

Il biaisa encore :

– Les cinglés de Locquirec ont réagi en coupables.

– Coupables de quoi au juste ? T'es sûr qu'ils étaient les meurtriers ?

– Tu dois nous faire confiance. L'avenir nous donnera raison.

– C'est-à-dire ?

– Il n'y aura pas d'autre meurtre.

– Vachement rassurant.

Soudain, il pensa à Sofia : pas de nouvelles depuis la veille. Fâchée ? Indifférente ? Accaparée par sa colère ?

– Tu veux manger quelque chose ?

– Non. Je veux juste dormir ici. Je me sens en sécurité auprès de toi.

– Merci.

– Pas de quoi.

Il sourit et attrapa des draps dans une armoire :

– Installe-toi dans ma chambre, dit-il en les lui tendant. Je prendrai le canapé.

– Je peux utiliser la salle de bains ?

– Tu es chez toi.

Elle disparut. Erwan appela Kripo – l'homme qui devait fermer les robinets et éteindre les commutateurs de l'enquête :

– T'as envoyé le dossier au juge ?

– En l'état, je crois qu'il reste pas mal d'interrogations et...

– Kripo, je te confie un scoop : une instruction, c'est pas la fin de l'investigation mais son début.

– Le juge va tirer la gueule quand...

– Le dossier est bouclé ou non ?

– Il manque ta signature.

Il se donnait l'impression d'être un chef d'entreprise à qui on soumet chaque jour le facturier – ses chèques et ses règlements se comptaient en preuves, indices et aveux.

– Je signe tout demain matin et on balance.

– La Belgique ?

– Je t'expliquerai.

– On a des raisons de s'inquiéter ?

Il revit le masque blême du *nganga*. Il imaginait les corps des enfants carbonisés à la morgue. Impossible de répondre.

– Préviens les autres. Le point demain matin à 9 heures.

– C'est quoi, ça ?

Erwan raccrocha et se retourna : Gaëlle se tenait devant lui, cheveux enturbannés dans une serviette, vêtue d'un jogging. Elle venait de saisir sur une étagère un couteau de combat dont la lame et le manche étaient profilés dans la même pièce de métal.

– Un couteau auquel je tiens beaucoup, répondit-il.

– Un trophée ?

– Presque. Un officier du GIGN me l'a donné après une opération... mouvementée.

– Tu lui as sauvé la vie ? ricana-t-elle.

– Exactement, fit-il en le lui ôtant des mains.

– Qu'est-ce qu'il a de si spécial ?

– Il a été forgé dans l'acier du World Trade Center.

– C'est glauque.

Il observa le couteau qui luisait faiblement entre ses doigts :

– C'est l'acier de la mémoire.

– L'arme de la vengeance, murmura-t-elle sur un ton ironique.

– Seulement du souvenir. Personne ne doit oublier le 11 Septembre.

Elle s'écarta de lui comme une petite fille soudain fatiguée de jouer :

– On se mate un film ?

Il doutait fortement qu'ils aient les mêmes goûts en matière de fictions. Il passait sa vie à regarder des séries policières qui, contrairement à ce qu'on aurait pu croire, le distrayaient beaucoup. Irréelles jusqu'à l'absurde, elles donnaient à son métier une fantaisie qu'il n'avait pas du tout au naturel. Il possédait aussi une collection de films policiers des années 70-80 qu'il sortait de temps en temps comme on exhume un grand cru : *Bullitt*, *Dirty Harry*, *French Connection*, *Marathon Man*, *The Year of the Dragon*...

Gaëlle lui sauva la mise – elle avait déjà cliqué sur son clavier d'ordinateur pour consulter ses derniers téléchargements illégaux :

– T'as vu *Skyfall* ? C'est le meilleur James Bond.

144

LE VISAGE ÉTAIT PENCHÉ SUR LUI.
Celui d'un bébé cadavérique, taillé dans un bois poncé dont la dureté rappelait la porcelaine. Le faciès était africain mais la pâleur du front, les yeux étirés, la petite bouche crantée de dents évoquaient un masque japonais. Il exprimait une vie avortée : le résidu d'un embryon qui ne serait jamais né mais se serait développé dans les limbes de la mort. Luisant dans l'obscurité comme une lune glacée.

Erwan savait qu'il était en train de rêver mais cela n'atténuait pas sa peur. Il se sentait impuissant face au meurtrier qui l'observait. Il ne pouvait pas hurler, encore moins fuir – il dormait si profondément que son sommeil était devenu un cercueil de plomb, pesant sur ses membres et ses paupières.

Il était maintenant Nono, l'enfant *nganga*. Il voyageait dans le deuxième monde, Pharabot le guidait, prêt pour l'ultime initiation. Il tenait ses outils rouillés – marteau, scie, tenaille...

Il était maintenant nu et maculé d'argile, en transe, percevant (et refusant en même temps) les bruits qui l'entouraient : clous perforant la boîte crânienne d'une femme, fragments de miroir s'encastrant dans ses orbites, scie égoïne ouvrant sa poitrine, hurlements... D'une main tremblante, il tendait des ongles, des cheveux – peut-être les siens – à Pharabot, qui les prenait avec précaution avant de les enfouir dans la plaie du torse.

Soudain, le masque blanc se mit à siffler. Ou bien c'était un cri de la victime.

Erwan se réveilla : son portable sonnait à quelques centimètres de son oreille. Il tâtonna dans l'obscurité au pied du canapé. Avant de décrocher, il scruta l'écran lumineux.

Son père. À trois heures dix du matin.

– Allô ?

– T'es avec Gaëlle ?

Il lui fallut une seconde pour reconnecter les fils :

– Oui.

– Chez toi ?

– Oui.

– Tout est verrouillé ?

– Bien sûr. Qu'est-ce qui se passe ?

– J'ai remonté le fil d'Arno Loyens. J'ai retrouvé les flics qui s'étaient occupés de l'incendie, les témoins de l'époque. Surtout, j'ai obtenu la liste des gamins qui avaient survécu.

– Il y en a qui s'en sont tirés ?

– Quelques-uns, oui...

Erwan ajustait sa conscience : il quittait l'image du *nganga* pour rejoindre les ruines fumantes de l'orphelinat.

– Et alors ?

– Dans cette liste, il y a un nom qui a retenu mon attention : Philippe Kriesler.

– Quoi ?

– T'as bien entendu. T'as un équipier qui s'appelle comme ça, non ? Celui que vous appelez Kripo ?

Il se dit qu'il dormait encore. Des sensations confuses passaient dans son corps, des secousses, comme s'il dévalait un escalier sur le dos. Philippe Kriesler. Impossible qu'il s'agisse d'un hasard.

Le lieutenant alsacien. Le Scribe. Le Joueur de luth.

Son père lui parlait toujours mais Erwan était maintenant oppressé par une autre sensation. L'atmosphère était plus dense, plus lourde dans la pièce obscure.

Soudain, il comprit.

– J'te rappelle, murmura-t-il, et il raccrocha.

Devant lui se dressait une silhouette. Il aurait pu reconnaître entre mille le catogan, la carrure d'athlète fatigué, la veste de velours élimé.

Kripo se tenait face au canapé, immobile, calibre au poing. Ce calibre qu'il avait soi-disant perdu un jour au 36 et dont, *soi-disant* encore, il savait à peine se servir.

Erwan se dit que ce profil de flic rêveur et musicien était bon pour les romans policiers. En revanche, un flic complètement taré, menant une double vie de sorcier et attendant son heure pour détruire une famille dont il avait juré la perte, cela sonnait sacrément juste.

Flic est un métier de fou. La folie pouvait être un job de flic.

– Quand t'es parti en Belgique, prononça le Scribe à voix basse, j'ai su que c'était cuit.

Erwan pensa à Gaëlle qui dormait à côté. Avait-il fouillé l'appartement ? L'avait-il déjà tuée ? Avait-il remarqué la couverture, le coussin, l'aménagement d'un lit de fortune dans le salon ?

– Plus cuit encore que tu ne penses, répliqua-t-il en réfléchissant à toute vitesse. Mon père t'a identifié. Tu peux me tuer. Demain, quoi qu'il arrive, ça sera fini pour toi.

– Peut-être, mais tu seras mort.

Erwan joua la provocation :

– Mon père vivra toujours.

– Le sang des nouvelles victimes a réveillé de grandes forces, Erwan. J'ai plus grand-chose à t'expliquer là-dessus. L'énergie qui a été déployée est fantastique : elle suffira à pourrir l'existence de ton père jusque dans la mort. Il ne connaîtra plus jamais la paix.

Ses yeux s'étaient habitués à l'obscurité : Erwan distinguait la main serrée sur le 9 mm. Il n'avait plus aucun doute sur la capacité de Kripo à l'utiliser.

Gagner du temps.

— Comment tu as pu te faire passer pour mort ?

Kripo rit doucement :

— Des orphelins, qu'est-ce qu'on en a à foutre ? Les surveillants qui auraient pu nous identifier étaient morts dans l'incendie. Quand on m'a demandé mon nom, à l'hôpital, j'ai simplement donné celui d'un pote qui avait cramé sous mes yeux. On m'a transféré dans un autre foyer, sur la frontière française. J'ai jamais plus eu à prouver mon identité...

— Mais... pourquoi ?

— J'avais déjà des plans. Disparaître pour renaître. Voyager dans le deuxième monde tout en restant invisible. (Il se mit à chantonner doucement.) Je peux m'envoler sur une écorce d'arachide. Je peux disparaître avec le vent après la pluie...

Erwan essayait de se souvenir : où avait-il mis son calibre ? Hors de portée de main. Au moindre geste, Kripo ferait feu.

— Pourquoi t'es devenu flic ?

— Je devais rester près de vous : le clan Morvan. D'une certaine façon, vous êtes ma seule famille...

Sa voix lui paraissait lointaine — en provenance d'une autre rive.

— Comment tu as pu cacher la vérité toutes ces années ? Tes plans ? Pourquoi...

Kripo changea brutalement de ton :

— Les aveux, c'est pour les flics. Les confessions, pour les curés. Je crois pas qu'on ait ce genre de rapports tous les deux. On se reverra dans le deuxième monde et alors tu comprendras.

Il vit l'index presser la queue de détente. Toute sa vie, Erwan s'était juré de garder les yeux ouverts quand cet instant surviendrait. Malgré lui, il les ferma.

Un choc sourd, suivi de cliquetis, de bruits graves, de frottements de tissu. Il rouvrit les yeux et ne découvrit que le noir complet. Il mit quelques secondes pour accommoder de nouveau sa vision. Kripo n'était plus là. À sa place, une présence fantomatique, frêle et livide.

Il se leva d'un bond et trouva le commutateur. Gaëlle se tenait de l'autre côté de la table basse, yeux exorbités, maculée de sang. Ses cheveux blond-blanc surtout en étaient trempés.

À ses pieds, Kripo était cambré dans un ultime sursaut. La plaie, dans sa gorge, à l'exact emplacement de la carotide, avait vidé son corps en quelques puissantes giclées. Il reposait dans une immense flaque couleur de terre cuite.

Gaëlle avait été plus rapide que le Joueur de luth. Le couteau forgé dans l'acier du World Trade Center. Elle avait frappé, comme elle avait vu l'Homme-Clou le faire à Sainte-Anne. La petite apprenait vite.

Malgré la chaleur du sang qui s'élargissait entre sa sœur et lui, cette idée lui fit froid dans les dents.

145

ARNO LOYENS naît le 18 avril 1960, à Mons, en Belgique. Sa mère, Léonie Stutzmann, vingt-six ans à l'époque, prostituée occasionnelle à la frontière française, dans les environs de Maubeuge, abandonne l'enfant pour retourner à ses affaires. Son père, Gérard Loyens, vingt-huit ans, coiffeur, proxénète et gérant d'un bar près de Tournai, décide de tenter sa chance au Zaïre. Son idée : monter une boîte de strip-tease dans une ville de colons, là où les distractions sont rares. Son originalité : les filles seront blanches. Loyens atterrit à Lontano en 1965. Six mois après son arrivée, il contracte la malaria et meurt. Arno se retrouve sans famille, entouré de danseuses malades, rongées par les fièvres, usées par la chaleur. Il les voit mourir ou partir l'une après l'autre, tout en allant à l'école avec les Noirs. À sept ans, il est recueilli par des missionnaires flamands qui abusent de lui – pas de preuves pour de si vieilles histoires mais durant les semaines où Erwan avait gratté sur l'histoire de son triste adjoint, il avait recoupé de nombreux témoignages. À ce moment-là, Arno est rachitique, anémié, malade. Il parle mal le français, ânonne le flamand, se débrouille en lingala.

En 1968, on perd sa trace. Il vit sans doute avec les mineurs, les ouvriers des sociétés d'exploitation de minerais, les agriculteurs – le monde noir. C'est alors que Pharabot le repère : il le nourrit, le soigne, lui offre un toit, l'éduque. Erwan ne s'était pas appesanti sur cet épisode, il avait déjà parlé aux meilleurs témoins : Félix Krauss et sœur Marcelle. Ce qui l'intéressait, c'était ce qui s'était passé *après* les meurtres et l'arrestation de l'Homme-Clou.

1971. Des mois de rééducation, de paroles, de bienveillance. Marcelle recueille son histoire et s'empresse de l'étouffer. Grégoire Morvan, de son côté, magouille pour renvoyer le gamin en Belgique en toute discrétion.

Retour à la case départ. Arno intègre l'institut de Malapanse, près d'Honnelles, dans la province du Hainaut. Un an plus tard, un incendie se déclare à l'orphelinat. Huit enfants meurent, trois en réchappent, dont Philippe Kriesler. En réalité Arno Loyens. Bien sûr, Erwan s'était dit que l'incendie était l'œuvre de Nono. Il s'était déplacé à Honnelles. Il avait lu les articles, retrouvé les religieux encore vivants. Pas l'ombre d'une trace d'un acte malfaisant. Il en avait conclu que la chance pouvait aussi sourire au diable.

Après quelques semaines d'hôpital, Philippe est admis au pensionnat Notre-Dame-de-Sion, près de la ville d'Overijse, institut francophone en région flamande. Il semble qu'il y subisse de nouveaux sévices sexuels. Il est sauvé par la guerre linguistique de l'époque. Après la séparation des deux universités de Louvain, des fanatiques néerlandophones ordonnent la fermeture de l'institut – *Walen buiten !* Les élèves sont répartis dans d'autres établissements : Philippe traverse la frontière et est accueilli dans un institut à Saint-Omer. Plus personne ne lui cherche querelle : à treize ans, l'adolescent est devenu un costaud de près d'un mètre quatre-vingt-dix.

1980. Kriesler obtient le bac avec mention bien. Après le cauchemar africain et les années catho-perverses, il trouve son rythme : faculté, bourse, nationalité française. Il prépare une maîtrise de lettres et de philosophie à l'université d'Amiens. Il se met à la musique, en autodidacte. D'abord la guitare, puis le luth. Plusieurs fois, il effectue des voyages humanitaires en Afrique, retournant sur les lieux de son passé. C'est là-bas, apparemment, qu'il acquiert les bases de sa formation médicale.

Erwan avait fait le voyage dans le Nord puis à Amiens. Il avait fouillé les archives, retrouvé les professeurs, les élèves, les responsables du campus. Le portrait était unanime : rêveur, sympathique, passionné par la musique baroque et les instruments traditionnels. Mais des faits étranges étaient survenus. À Saint-Omer, des chevaux avaient été mutilés, un chien tué, des fragments de miroir enfoncés dans ses orbites. Dans les parages de l'université d'Amiens, des moutons avaient été égorgés, les flancs percés de clous. Le coupable n'avait pas été retrouvé. Aucun lien n'avait été établi avec l'élève Kriesler, brillant, solitaire et tranquille. Une fois seulement, il s'était trahi. À sa majorité, il avait fréquenté une communauté de jeunes artistes – peintres, sculpteurs, vidéastes... Au cours d'une performance à base de sang et d'abats, il avait perdu les pédales et essayé de tuer une femme qui participait, nue, à la mise en scène. Maîtrisé, il avait prétendu avoir pris une drogue aux effets incertains. Il n'avait plus été invité aux soirées artistiques.

Durant toutes ces années, on ne lui connaît aucune relation sexuelle ni sentimentale. On le soupçonne d'être un homosexuel qui s'ignore. Aimable, souriant, il ne s'attache à personne et ne recherche aucun contact. Seul un ensemble amateur de musique baroque peut se vanter de le voir venir à heures fixes aux répétitions.

Il obtient deux maîtrises, en 1987, puis s'inscrit à l'école des officiers de police. Durant les années 90, il mène une carrière de flic discrète et honorable, jusqu'à rejoindre le Quai des Orfèvres en 2001. Ironie de la situation : Kriesler intègre la BC avant Erwan, encore à la BRI. Il surveille sans doute déjà son futur chef : seules quelques portes séparent les deux brigades.

Erwan avait aussi eu l'idée de soumettre des photos de Kripo aux infirmiers et autres matons des sites où avait été écroué Thierry Pharabot, notamment en Belgique puis en France. Plusieurs d'entre eux avaient reconnu Kriesler. Le disciple avait toujours rôdé auprès de son mentor. Hormis cette présence et ses écarts de jeunesse, Erwan n'avait trouvé aucun indice qui trahisse la vraie nature de Kriesler. Bon flic, luthiste passionné, collègue sans histoire, l'enfant *nganga* avait réussi le pari fondamental des tueurs en série : se fondre dans la masse.

En revanche, son appartement avait joué le rôle d'aveu – un studio acheté dix ans auparavant, dont il payait encore le crédit, rue de Bagnolet. Espace peint en noir, à la Redlich. Des sculptures percées de clous, de verre, de fer – du fait main, par le flic lui-même –, des objets hétéroclites, « chargés » de pouvoirs magiques, encombraient la pièce, s'entassant dans les coins. Une revue de presse, exhaustive, relatait les exploits du nouvel Homme-Clou : ses titres de gloire… Autre aveu indirect : son propre corps. L'autopsie de Kripo avait révélé la présence d'une cinquantaine d'aiguilles – de couture, de médecine, d'acupuncture… – enfoncées sous la peau, dont certaines si profondément et depuis si longtemps que le médecin légiste avait renoncé à les ôter.

Erwan et son équipe n'avaient pas trouvé le lieu où Kripo avait charcuté Anne Simoni. Pas plus qu'ils n'avaient mis la main sur ses outils de torture ni trouvé le moindre lien avec les morts. Quand avait-il prélevé les ongles et les cheveux des victimes ? Aucune trace non plus des organes prélevés. Une chambre des horreurs devait exister quelque part, mais où ? Les flics n'avaient pas non plus déniché l'ETRACO que le tueur avait utilisé – renseignements pris, Kripo avait tous ses permis bateau.

Le seul ADN accusateur se trouvait dans les sculptures de Pharabot sous scellés entreposées dans la salle de réunion du 36. À l'évidence, Kripo avait placé ses propres ongles et cheveux dans ces poupées de papier mâché – alors même qu'elles étaient stockées dans la salle de réunion du groupe. Cherchait-il à se protéger ? À se dénoncer ?

Kriesler n'avait aucun alibi au moment des meurtres. Il avait pu tuer Wissa Sawiris : il était encore en vacances. Il était à Paris pour éliminer Anne Simoni : son entrevue avec l'IGS avait bien eu lieu, Erwan avait vérifié. Pas de problème non plus pour Pernaud : Kripo menait ses enquêtes en électron libre ; il téléphonait, répondait, informait mais personne ne savait jamais exactement où il était. Erwan avait reconstitué quelques détails de son emploi du temps. L'adjoint l'avait suivi à Marseille et, comble de l'ironie, avait sans doute acheté les deux billets, le sien et celui d'Erwan, en même temps. Il s'était fait un plaisir d'obtenir pour Levantin l'accès aux fichiers des désincriminés afin de prévenir Erwan que la prochaine victime serait sa sœur. Il s'était déguisé en marquis de Sade grotesque pour être renvoyé chez lui et, beaucoup plus fort, avait répondu à Erwan la même nuit, à Sainte-Anne, en combinaison, alors même qu'il était sur les traces de Gaëlle cachée dans les fourrés.

Une question majeure demeurait : Kriesler connaissait-il l'existence des membres du quatuor ? Sans doute. Savait-il qu'ils avaient prélevé des fragments du cadavre de Pharabot avant son incinération ? Sans doute aussi. C'était la seule explication à la présence de l'ADN du premier Homme-Clou sur le corps d'Anne Simoni : d'une manière ou d'une autre, Kripo s'était procuré du sang d'un des fanatiques et en avait déposé des échantillons sur les victimes. Pour brouiller les pistes ? Se rapprocher du rituel initial ? Impliquer les greffés ? Il avait emporté son secret dans la tombe…

À ce sujet, Erwan avait opté pour une sépulture au cimetière de Saint-Mandé, le premier où il avait trouvé une concession disponible. Bizarrement, Kriesler lui avait légué, par testament, son studio – la démarche était légale : Kripo n'avait aucune famille connue. Ce geste avait achevé de troubler Erwan qui avait accepté l'héritage mais chargé un notaire de vendre ce bien et de léguer l'argent (après remboursement des frais d'obsèques) à l'orphelinat de Saint-Omer, là où l'enfant *nganga* avait peut-être été le moins malheureux…

Erwan, qui n'éprouvait en général aucune empathie pour les assassins, avait des sentiments ambigus à l'égard de Kripo – il l'avait bien connu, il avait passé des milliers d'heures avec lui, il l'avait considéré comme son ami. Cette trahison le rendait malade, mais en même temps, il lui accordait le bénéfice de la folie – et surtout, la circonstance atténuante d'une enfance ravagée. Ce passé atroce était le seul vrai mobile de Kripo. Il avait tenu bon toute sa vie d'adulte mais avait basculé à la mort de Pharabot. Il s'était alors senti seul, perdu face aux esprits, aux démons. Il lui avait fallu passer à l'acte, sculpter des fétiches puissants pour se protéger de ses ennemis. Il lui avait fallu venger son Maître.

Pourquoi avoir ouvert le bal en tuant Wissa Sawiris, dans le Finistère ? Erwan n'aimait pas s'en remettre au hasard mais il n'avait pas d'autre explication. Kripo était venu rôder en quête d'une victime près de Kaerverec – ou plutôt de Charcot –, il était tombé sur Wissa, nu, à bout de forces. Une proie idéale. Il l'avait emporté sur l'île de Sirling et l'avait sacrifié, en prenant soin de laisser derrière lui la bague de Morvan et sans doute d'autres indices accusateurs. On aurait dû découvrir une chambre de torture signée Morvan. Le missile avait à la fois brouillé les pistes et précipité les choses. Le Luthiste ne pouvait savoir que le tobrouk serait bombardé mais il connaissait les liens entre di Greco et Morvan (l'histoire de Lontano n'avait pas de secret pour lui) – il se doutait que l'amiral appellerait le Vieux au secours après la disparition de Sawiris. Avec un peu de chance, le Padre enverrait son meilleur flic, au nom du passé – son propre fils. Et Erwan demanderait à Kripo de l'accompagner…

Bien sûr, il avait été pris de court par l'explosion mais il avait su réagir. Il avait suivi son plan à la lettre, déposant dans le corps de chaque victime les ongles et les cheveux de la suivante, cherchant toujours à impliquer ou meurtrir l'ennemi en chef : Grégoire Morvan. L'habileté des meurtres, la précision de la chronologie, l'invisibilité du meurtrier : tout révélait la préméditation. Son statut de flic expliquait aussi pas mal de choses : sa faculté à endormir la méfiance de ses victimes, à échapper aux caméras de surveillance, à localiser Gaëlle…

Erwan avait choisi de conclure son dossier d'enquête sur l'incroyable duplicité du coupable, n'hésitant pas à rappeler que lui-même, commandant à la BC, avait passé près de dix années auprès de ce tueur sans jamais rien soupçonner.

Son dossier débordait de zones d'ombre : pourquoi ces viols à la cruauté stupéfiante ? Kriesler était-il un homosexuel refoulé, si torturé par ses pulsions exécrées qu'il utilisait des lames pour les satisfaire ? Un impuissant ? Quel était son but ultime ? Tuer chaque membre du clan Morvan ? Erwan ne cherchait plus de réponses. Il avait simplement voulu clore son dossier le plus proprement possible et noyer ces interrogations dans la masse des faits. Ironie du boulot : privé de son procédurier, il avait dû se farcir seul la rédaction des PV – il avait refusé qu'un des membres de son groupe s'en mêle (sauf Audrey qui les avait auditionnés, Gaëlle et lui, sur la mort de Kriesler). Il lui avait fallu trois semaines pour ordonner les tenants et les aboutissants de l'histoire, combler plus ou moins ses béances et faire cadrer les faits avec les dates. À la mi-octobre, il avait remis l'ensemble de la procédure au juge saisi.

En réalité, « le décès du prévenu éteint l'action publique » et « la poursuite n'a plus d'objet quand la peine n'a plus d'application ». En d'autres termes, il n'y aurait jamais de procès Kriesler et ce gros dossier allait simplement rejoindre les archives de l'oubli. Au passage, la BC et le magistrat s'étaient mis d'accord sur un point : pas question de divulguer l'identité du véritable Homme-Clou aux médias. Les chiens avaient déjà eu leur os : le trio de Locquirec. Personne à la PJ ne souhaitait maintenant qu'on apprenne que le vrai tueur était un flic de la Brigade criminelle, bien noté par ses supérieurs et proche de la retraite.

Affaire classée. Mais impossible de se libérer l'esprit d'une telle histoire. Erwan ne pouvait digérer l'idée d'avoir côtoyé toutes ces années un tueur en puissance. Ami, ennemi : il ne savait plus. Et l'enterrement, seul avec les fossoyeurs, l'avait accablé.

Une dernière question le taraudait : Kripo n'avait-il vraiment jamais frappé avant la cinquantaine ? Erwan avait passé ses dernières nuits d'octobre à vérifier les morts suspectes en Île-de-France qui, ces dernières décennies, auraient pu correspondre, même de loin, au style du client. Il avait fait la même chose en

Bretagne. Il avait l'artiste, il cherchait les œuvres, mais sans indice ni circonstances, c'était chercher l'aiguille sans la botte de foin.

Fin octobre, il avait enfin lâché l'affaire. À la veille de la Toussaint, Erwan prépara sa valise pour rejoindre sa famille sur l'île de Bréhat.

Le jour des Morts. Ça ne pouvait pas mieux tomber.

146

MER SOURDE ET BLEUE, mimosas éclatants, chaleur des pierres au soleil : Erwan avait toujours détesté Bré-hat. En tant que concrétion des pseudo-origines bretonnes du clan, il regardait l'île de travers, avec ses sentiers de sable, ses dents de granit, ses petites maisons trop belles pour être honnêtes. Tout ça lui paraissait bidon.

Il était injuste, il le savait, et en jouissait d'autant plus : cette mauvaise foi faisait partie de son éternel combat contre son père et tout ce qui le concernait. L'enquête n'avait pas arrangé les choses. À creuser l'histoire de l'Homme-Clou, il en avait tiré une image plus sombre encore de Morvan – son seul fait héroïque, brillant et sans ambiguïté, s'avérait lui aussi grevé de trous noirs.

Depuis la mort de Kripo, Erwan avait relu plusieurs fois les synthèses du procès de Pharabot. Il les avait même emportées sur l'île. Pas de meilleur endroit pour revivre une dernière fois ces faits, auprès du principal héros de l'épopée. C'était comme lire l'*Odyssée* assis aux côtés d'Ulysse.

Il cherchait toujours la faille. Ni Audrey ni lui n'avait réussi à trouver quoi que ce soit reliant Morvan à la mort de Marot – ni même démontrant qu'il ne s'agissait pas d'un suicide. Il ne restait que le passé et la possibilité d'une faute très ancienne...

Tout le monde était à Bréhat, fidèle au poste. Il ne les regardait pas : il les respirait. Il les associait chacun à un parfum.

L'odeur de la roche cuite de midi, c'était Loïc. Sanglé dans sa parka de marin, il en sortait la tête comme un oiseau du nid. Il semblait calciné par la drogue, consumé par l'argent. Il avait soi-disant réglé les problèmes de patrimoine du clan – le Vieux prétendait qu'il les avait ruinés – et ne paraissait pas plus contrarié que ça. Il n'avait pas l'air non plus de se soucier de son divorce. Il regardait la mer. Regardait les jours passer. Et devait s'enfiler des lignes d'autoroute dans sa chambre.

L'odeur de Gaëlle, c'était l'herbe mouillée qui a poussé dans la nuit. Col roulé noir, cheveux blonds hirsutes, légèrement hâlée, elle était magnifique. Ses batailles avaient creusé ses traits et aiguisé sa beauté. Purifiée par le sel de l'air, elle n'avait plus rien à voir avec la boue qu'elle s'obstinait à remuer à Paris. Les antidépresseurs y étaient aussi pour quelque chose : Gaëlle semblait apaisée, comme rééquilibrée. Un matin, Erwan se fendit d'une balade avec elle, sur fond de marée basse.

– Tu te souviens quand je t'ai dit : « Une femme qui jouit, c'est une femme qui se tire dans le pied » ?

– Comment oublier ça ? sourit-il.

– J'ai jamais joui mais je me suis tiré plusieurs rafales dans le pied.

– Tu m'as sauvé la vie.

– Je parle pas de ça.

Elle fumait de plus en plus et ça lui allait bien. Ce souffle brûlant lui donnait un petit air sec qui transcendait sa beauté encore juvénile. Erwan ne savait pas à quoi elle avait voulu faire allusion : ses rêves perdus de cinéma, ses provocations sexuelles, toutes ses années passées à vouloir détruire sa famille. Ce qu'il savait, c'est que ce meurtre de sang-froid l'avait sauvé, lui, et l'avait libérée, elle. Le coup de couteau dans la carotide de Kripo avait stoppé net la fuite en avant de Gaëlle. La saignée du meurtrier avait été comme une purge – même si personne ne connaissait la vérité sur la mort de Kripo : officiellement, c'était Erwan qui s'était défendu en état de légitime défense.

L'odeur de Maggie, c'était celle de la pierre humide des perrons bretons : on sort de chez soi et on glisse sur une marche, se rétamant au pied d'une maison qui semble se foutre de vous. Erwan avait compris, au fil de l'enquête, que la position de sa mère n'était pas celle d'une victime innocente, que sa relation à son mari était beaucoup plus complexe qu'il ne l'avait toujours cru. Il alla la trouver un soir. Debout sur le tapis frais et dur de l'herbe, elle balançait dans les airs son égouttoir à salade à l'ancienne – une espèce de cage qui éclaboussait le ciel de gouttes de rosée.

– Tu ne regrettes rien ?

– De quoi tu parles ?

– Je sais pas, répondit-il. Par exemple de ne pas m'avoir aidé durant mon enquête, de ne pas en avoir profité pour me révéler certaines vérités sur la famille ou le Congo, d'avoir accrédité les mensonges de papa par ton silence...

– Arrête de dire n'importe quoi.

La maison était cernée d'ombre et l'obscurité naissante ajoutait aux formes lugubres des roches des taches plus noires qui semblaient remonter de la terre elle-même. Il regarda un moment l'égouttoir tourner dans l'air puis abandonna Maggie à ses ténèbres. *Rien à tirer de ce côté-là.*

Le même soir, après dîner, il rejoignit son père, posté dehors comme s'il attendait l'arrivée de sa flotte personnelle. Morvan avait acheté une maison de corsaire sur l'île nord, « la plus sauvage, la plus couillue » – c'étaient ses mots. La baraque était loin du rivage mais on distinguait tout de même le phare qui roulait dans la nuit comme un œil arraché. Le vent portait des odeurs de sel et de varech qui crispaient les narines et purgeaient les bronches. Erwan n'avait jamais cru aux origines bretonnes du Vieux mais ces parfums iodés lui allaient bien.

– Comment tu te sens après tout ce merdier ?

– Heureux.

Erwan voyait ce qu'il voulait dire : les membres du clan avaient tous survécu, il passait pour un héros et avait échappé à toute implication dans la mort du journaliste Jean-Philippe Marot. *Mission accomplie.*

Le 1ᵉʳ novembre tombait un jeudi. Les Français faisaient le pont jusqu'au 5.

Sofia arriva dans la matinée du samedi, avec Milla et Lorenzo. On aurait pu penser qu'elle venait à Bréhat pour passer ce moment avec Loïc et sa famille. Ou encore pour voir l'autre, le frère avec qui elle venait d'entamer une liaison souterraine et presque incestueuse. Erwan devinait qu'elle n'était là ni pour lui ni pour Loïc, mais pour le Commandeur. Elle était venue observer sa proie, choisir son angle d'attaque, mûrir sa stratégie.

Après le déjeuner, il s'approcha d'elle, espérant au moins un geste complice – il n'avait pas oublié leur entrevue brûlante à l'hôpital. Il ne récolta qu'un geste agacé.

– Tu ne le sais pas encore, finit-elle par souffler, mais tu es comme eux.

D'une certaine façon, il était soulagé : Sofia resterait sa madone. Elle était un objet d'amour et, comme tel, elle devait demeurer inaccessible, immatérielle. D'ailleurs, son odeur était celle du marbre au fond des cryptes. Une odeur d'encens qui rappelait la mort et l'absolu.

Erwan retourna aux gros classeurs du procès Pharabot. Il y revenait chaque après-midi comme à un texte sacré, une bible noire.

Un détail lui avait échappé. Une anomalie était passée et il n'avait pas su la retenir. Il ne cherchait pas une réponse mais une question.

Il la trouva le dimanche, quelques heures avant de quitter l'île.

147

SON PÈRE CHARGEAIT la carriole à main qui est l'unique moyen de transport à Bréhat (les voitures y sont interdites). Artichauts, betteraves, panais, rutabagas récoltés au potager.

– Vous partez avec moi ? demanda Erwan, étonné.

– Non, mais j'envoie déjà ça sur le continent. T'es prêt ? T'as fait ton sac ?

– Tout va bien.

– Dépêche-toi. Tu vas rater la vedette de la marée haute.

– Je voudrais te parler d'un truc.

Morvan ouvrit ses mains gantées :

– Je t'écoute.

– Catherine Fontana, ça te dit quelque chose ?

Le Vieux se plia pour attraper une bourriche d'huîtres qu'il cala dans le chariot. Les effluves d'eau de mer et de goémon s'élevaient autour d'eux en colonnes humides.

– Tu vas pas remettre ça, grommela-t-il.

– Catherine Fontana, tu sais qui c'est ?

– Bien sûr. La septième victime de l'Homme-Clou.

– Selon les minutes du procès, elle a été tuée entre le 29 et le 30 avril 1971. On a retrouvé son corps à deux kilomètres au sud de Lontano, près d'un chantier de la scierie SICA pour laquelle Pharabot travaillait à l'époque.

Morvan se planta face à Erwan, les poings sur les hanches :

— C'est mon enquête, j'te rappelle.

— J'ai passé quelques coups de fil. Tu savais que cette boîte existe toujours ?

— C'est une des plus grosses scieries du Katanga. Où tu veux en venir ?

— En avril 1971, Pharabot a été envoyé dans la région de Mwanziga, un bled à plus de cent kilomètres au sud de Lontano.

— Sa mission s'est terminée le 28 avril. Il pouvait être rentré à Lontano le lendemain.

Erwan sourit :

— On marche un peu sur la plage ?

— Aide-moi plutôt.

À eux deux, ils casèrent encore des cartons de courges, quelques potimarrons et une citrouille. Morvan disposa sur le dessus les bouquets de chrysanthèmes et d'agapanthes cueillis par Maggie. Puis il retira ses gants d'écailler et regarda sa montre :

— Tu vas rater la vedette.

— Je prendrai celle de la marée basse.

Ils rejoignirent une plage de galets noirs. Au loin, une trouée dans les nuages dardait des rayons éclatants.

— J'ai contacté la SICA.

— Me dis pas qu'ils ont conservé les registres de l'époque.

— Bien sûr que non mais c'est pas une activité qui a beaucoup évolué en quarante ans.

— Donc ?

— Pharabot était en repérage au-dessus de Mwanziga. Dans ces cas-là, on commence par creuser des pistes pour acheminer le matériel.

Morvan manifesta son irritation :

— Putain, tu vas pas m'expliquer la brousse. Viens-en au fait.

— Pharabot a dû progresser, en un mois, d'une vingtaine de kilomètres, remontant vers Lontano. Il se trouvait donc encore, en fin de mission, à quatre-vingts bornes de la ville.

— Bon. Et alors ?

– Il est impossible qu'il soit rentré en moins d'une semaine.

– Il a pu prendre un avion.

– Y a jamais eu de piste d'atterrissage dans cette région.

– En voiture, il n'aurait pas mis plus de deux jours.

– Si. C'était la saison des pluies. Aujourd'hui, il existe une route goudronnée mais à l'époque, il n'y avait que des pistes de latérite.

– Où tu veux en venir ?

Erwan joua la provocation :

– Je ne vais pas t'« expliquer la brousse ». Sur de tels sentiers, par temps de pluie, on ne peut pas faire plus de vingt kilomètres par jour, sans compter les pannes, les arbres effondrés, les enlisements. Pharabot ne pouvait être à Lontano le 31 avril.

Morvan hocha la tête et s'arrêta, observant les rayons du soleil qui rentraient sous les nuages comme les doigts d'une main qui se referme.

– C'est pas lui qui a tué Catherine Fontana, conclut Erwan.

– Je comprends rien à ce que tu racontes.

– Je crois au contraire que tu comprends très bien. Tu as été le premier à réaliser que Pharabot n'avait pas tué cette femme. Je pense même que tu connais le vrai meurtrier et que tu l'as couvert.

Son père baissa les yeux sur la mer, la ligne d'horizon, ce paysage à la dure, rocs et ressac ligués contre le vent.

– Tu parles de faits qui remontent à quarante ans : y a prescription.

– La prescription, c'est pour les juges. Pas pour les hommes.

Il eut un éclair de la salle frigorifique de la clinique de la Vallée. *Les lignées immortelles.* Lui n'avait pas besoin d'azote liquide pour préserver sa propre lignée : le sang de son père coulait dans ses veines, son azote était la haine.

– J'ai pris des vacances, continua-t-il. Je pars en Afrique exhumer l'affaire Fontana.

– Si tu fais ça, tu nous perdras à jamais.

– Qui ?

– Moi, ta mère, ton frère et ta sœur.

– Si je le fais pas, c'est moi qui me perdrai pour toujours.

DU MÊME AUTEUR

Aux Éditions Albin Michel

LE VOL DES CIGOGNES, 1994
LES RIVIÈRES POURPRES, 1998
LE CONCILE DE PIERRE, 2000
L'EMPIRE DES LOUPS, 2003
LA LIGNE NOIRE, 2004
LE SERMENT DES LIMBES, 2007
MISERERE, 2008
LA FORÊT DES MÂNES, 2009
LE PASSAGER, 2011
KAÏKEN, 2012

Lontano est aussi un livre audio.
Écoutez un extrait du roman, lu par Hugues Martel.

La lecture intégrale est disponible aux Éditions Audiolib.

Composition : Nord Compo
Éditions Albin Michel
22, rue Huyghens, 75014 Paris
www.albin-michel.fr
ISBN : 978-2-226-31816-9
N° d'édition : 20209/01.
Dépôt légal : septembre 2015
Imprimé au Canada